U0061734

JPC
HK

找尋真實的蔣介石：

蔣介石及其日記解讀（五卷本）

V

台灣年代及其婚姻、家庭

楊天石 著

①
②　③

① 蔣介石與宋美齡婚後
② 蔣介石與毛福梅、宋美齡
③ 蔣介石與蔣經國

① ③
② ④

①② 蔣介石復行視事行使“總統”職權，1950 年 3 月 1 日

③④ 蔣介石在國民黨中央改造委員會上宣讀孫中山第一次全國代表大會開會時的演講詞，1950 年 8 月 5 日

總理遺囑
余致力國民革命凡

① 蔣介石與胡適
② 蔣介石與嚴家淦合影
③ 蔣介石與李國鼎等合影

①	③
②	④

① 蔣介石接見中國文化復興運動發起人

② 蔣介石在孔孟學會第一次會員大會致詞

③ 蔣介石夫婦與吳大猷、劉大中二位博士合影

④ 蔣介石於台灣大學實驗林場手植台灣杉前與蔣經國、吳大猷博士等留影

① ③

② ④

⑤

① 蔣介石乘艇巡視高雄港
② 蔣介石巡視高雄煉油廠後題字
③④⑤ 蔣介石巡視高雄煉油廠

①　③
②　④

①②　蔣介石與吳大猷博士及劉大中博士等人合影
③　蔣介石接見美洲國家組織土地改革遠東地區考察團馬魯先生
④　蔣介石接見美洲國家組織土地改革講習班考察團團長

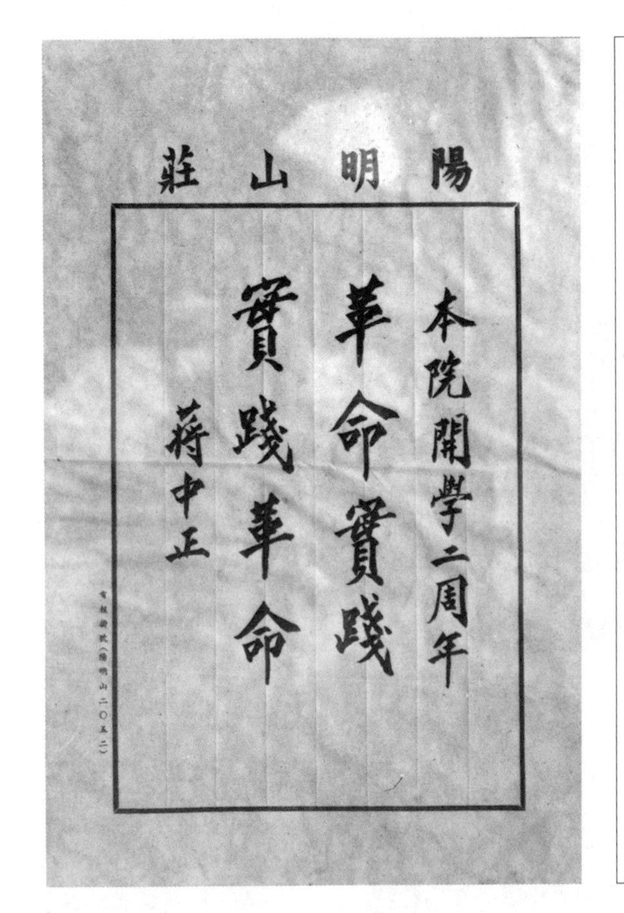

④

① 蔣介石為革命實踐研究院題字，1951 年

② 蔣介石親書輓胡適聯，1962 年 2 月 26 日

③ 蔣介石接見美國民主黨領袖史蒂文生，1953 年

④ 蔣介石與美國國務卿杜勒斯離台飛行日前握手，1958 年 10 月

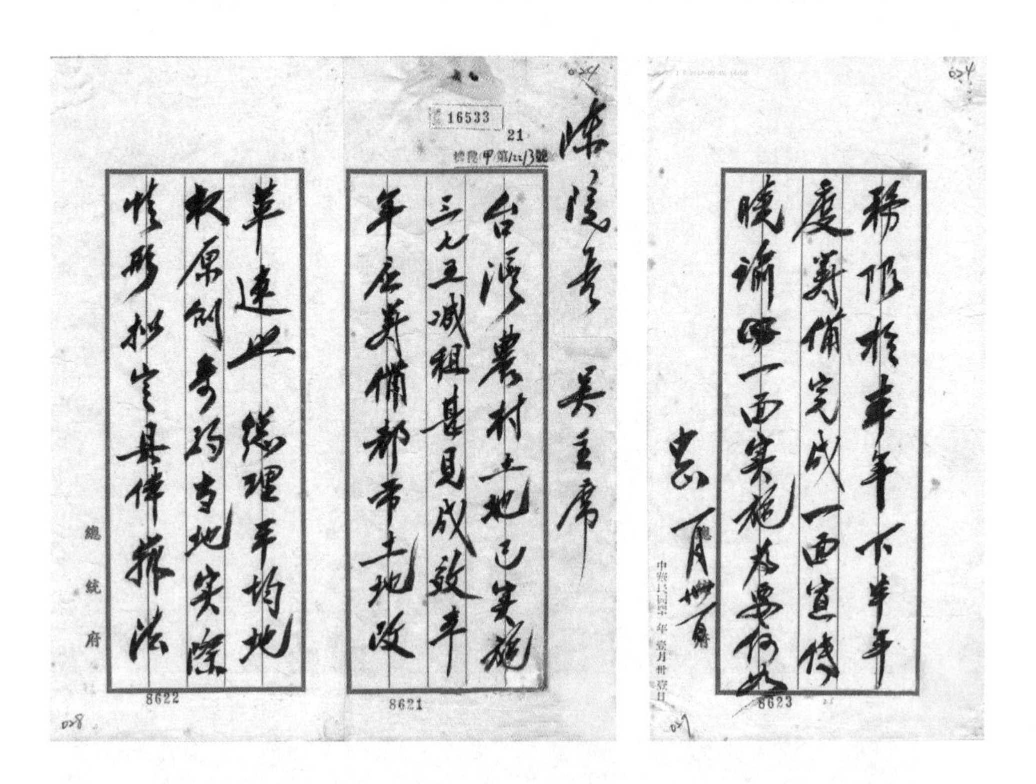

陳院長　吳主席

台灣農村土地已實施三七五減租甚見成效本年應籌備都市土地改革速照總理平均地權原則參酌當地實際情形擬定具體辦法務限於本年下半年度籌備完成一面宜使曉諭一面實施為要

中正　一月卅一日

①②　蔣介石為土改批示陳誠與吳國楨

③　蔣介石日記（1950 年）

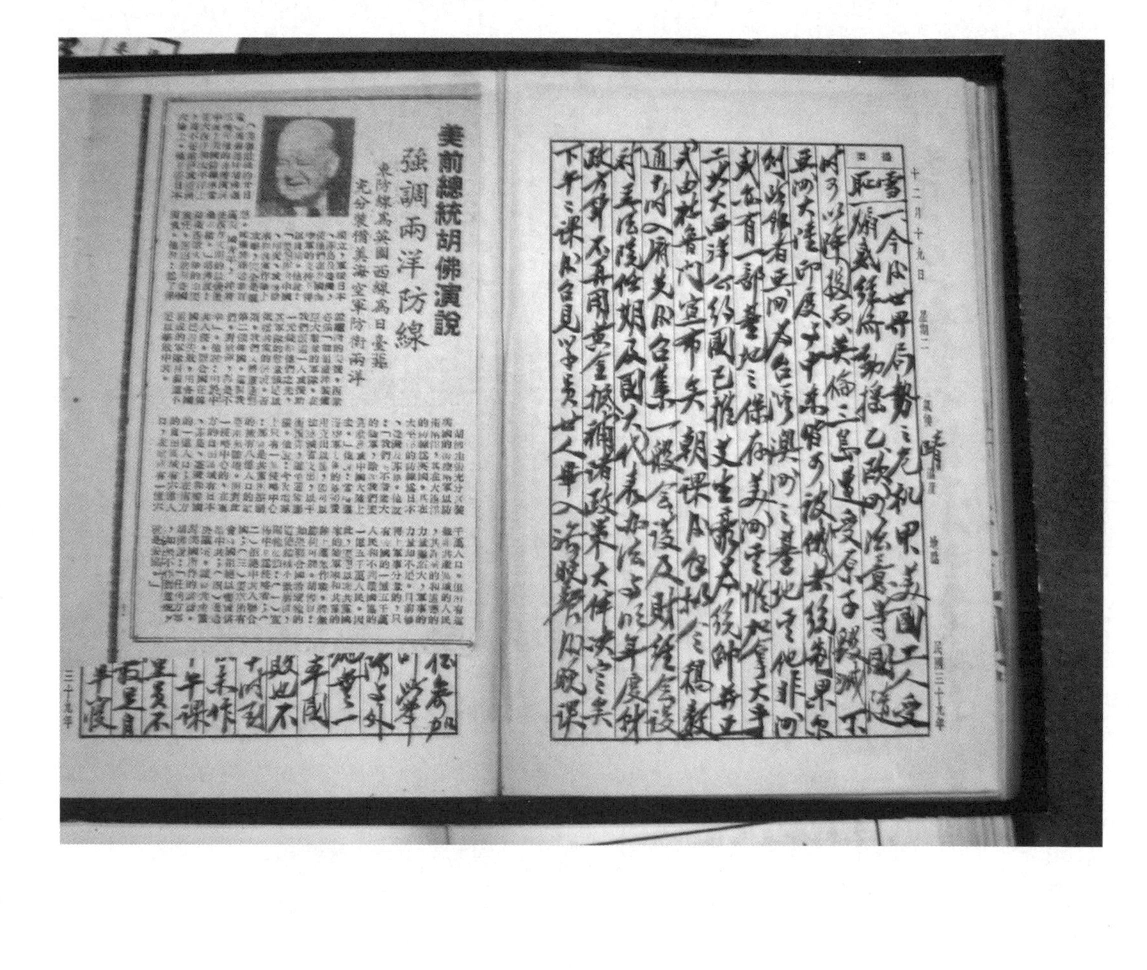

十二月十九日　星期二　氣候　晴　溫度　地點　民國三十九年

提要

美前總統胡佛演說

強調兩洋防線

東防線爲英國西線爲日臺菲

充分裝備美海空軍防衛兩洋

三十九年

目錄

Contents

第五卷

台灣年代及其婚姻、家庭

「二二八」事件與蔣介石的對策*

* 本文錄自《找尋真實的蔣介石：蔣介石日記解讀》（2），重慶出版社 2018 年版。

世界是複雜的，歷史也是複雜的。許多歷史事件常常具有雙重性或多重性。如果人們只看到其中一個方面，就很難掌握全貌；而當人們為了某一目的，有意突出、誇張、強調其中的一個方面時，事件的面貌往往就更難於認識。在政治鬥爭中，人們為了所屬政派、集團或階級、階層的利益需要，常常掩蓋事件的部分特性，誇張、扭曲另一部分特性，這種情況，在歷史上常見，有時還會很嚴重。

"二二八"事件發生於上世紀的台灣。多年來，人們對它的態度與感情大異，因之敘述與評價亦大異。今天，當我們重新審視這一曾經給台灣人民帶來巨大傷痛的事件時，必須採取冷靜、超脫的客觀立場和嚴謹的科學態度，遠離一切狹隘的功利需要，而只留下一個需要和目的，即還原歷史本相，最大限度地追求歷史的真實，建立對這一事件的真實可靠的論述。

一、事件的兩重性：抗暴與騷亂

"二二八"事件是一個具有兩重性或多重性的事件。

眾所周知，"二二八"事件起源於緝私員暴力執法與軍警單位處理失當。台灣光復後，行政長官公署成立煙酒專賣局，統制煙酒產銷，禁止私製及進口。1947 年 2 月 27 日下午，專賣局緝私人員葉德根等六人到台北南京西路太平町巡搜，查獲小販、寡婦林江邁販賣私煙，林婦跪地苦苦哀乞，圍觀民眾幫同求情，緝私人員不予理會，葉德根並用槍管打破林婦頭顱，以致鮮血直流，激起群眾不滿。[1] 緝私人員傅學通見勢逃走，被人追拉，掙脫後即將子彈上膛，後又被人抱住，葉開槍，擊中看閒路人陳文溪（當晚身亡）。[2] 群眾憤而燒車，包圍警察局、憲兵隊，要求立即處決兇犯。28 日上午，《中外日報》記者周青、吳克泰所撰現場報導見報，發向全省。同日，台灣省政治協會等發起抗議。陳文溪係大流氓陳木榮之弟，因此，抗議活動一開始即有部分流氓參加。群眾鳴鑼罷市，包圍並搗毀位於本町的專賣局台北分局，毆斃外省籍緝私員兩人，毆傷四人，將物資搬出焚燒。下午，群眾四五百人遊行，以"嚴懲殺人兇手"的橫幅標語及"獅鼓"為前導，向行政長官公署請願，衝擊公署大門。其間，出現搶奪警衛槍支及開槍射擊衛兵情況，衛兵還擊，當場打死三人，打傷三人，逮捕六人。[3] 群眾情緒更為激昂，在各處毆打外省人，同時進佔位於台北公園內的廣播電台，向全省廣播，批判政府的貪污腐敗，號召各地民眾驅逐貪官污吏以求自存。3 月 1 日，全台各地紛紛回應，從要求懲兇發展為政治抗爭。警備總部於是下令戒嚴。武裝軍警巡邏台北市區。當日，群眾包圍鐵路委員會，企圖奪取駐警武器，駐警開槍，"致有死傷"。[4]

自 1945 年光復以來，群眾對台灣國民黨當局的施政本多不滿，例如，在政治上，台灣與內地各省不同，實行行政長官公署制，行政長官集行政、軍事、財政以至立法、司法諸權於一身，類似於日據時代的總督。在行政長官公署的

1　參見《高等法院記錄》，《台灣光復和光復後五年省情》（下），南京出版社 1989 年版，第 580—585 頁。

2　台灣省文獻研究會編：《"二二八"事件文獻輯錄》，1992 年版，第 226 頁。《緝煙血案被告傅學通等判決書》，陳芳明編：《台灣戰後史資料選》，二二八和平日促進會 1991 年版，第 229—232 頁。

3　台灣省文獻研究會編：《"二二八"事件文獻輯錄》，第 228 頁。《續錄》，第 376 頁。關於衛兵開槍的原因、所用槍支及死傷人數，諸說不一。參見戚嘉林：《台灣真歷史》，中國友誼出版公司 2001 年版，第 184 頁；藍博洲：《沉屍、流亡、"二二八"》一書稱，受傷三人後來也都死了，見時報文化出版公司 2002 年版，第 213 頁。另據目擊者、《中外日報》記者周青回憶："隱伏在公署頂樓的輕機槍向人群開火掃射"，"死傷者有七八人"，"後來，政府當局竟謊稱群眾欲搶衛兵槍支。"又，"二二八"慘案台胞慰問團於 3 月 14 日呈送于右任的《處理台灣事變意見書》稱："當場殺死數千人。"顯然過於誇大。見《台灣光復和光復後五年省情》（下），第 592 頁。

4　《陳儀報告電文》，《"二二八"事件文獻續錄》，第 376 頁。吳克泰稱："翌日，在北門鐵路局附近，憲兵又開槍打死百姓，有二三卡車之多。我親眼目睹運屍車。"見《周青、吳克泰先生口述記錄》，《"二二八"事件文獻補錄》，第 75 頁。據鄭劍《台灣秘史》稱：當場打死 18 人，傷 40 多人，1998 年版，第 212 頁。

官員中，外省人過多，台灣人過少，副處長以上官員僅有台民 1 人。[1] 全省簡任官 214 人，本省人僅 12 人。[2] 在經濟上，實行嚴格的統制，煙、酒、火柴等日用品均實行專賣，官辦的專賣局、貿易局幾乎壟斷台灣的進出口貿易與工業的方方面面，企業家以至小本商人均遭束縛。[3] 這一時期，通貨膨脹，物價騰飛；糧價過高，失業嚴重，大批復員返鄉的原台籍日本士兵就業無門；此外，官員貪污腐化，軍隊紀律不良。行政長官陳儀繼承的是一個爛攤子，雖有心求治，也採取了開放輿論等開明措施，但剛愎自用，不明省情、民情。凡此種種，都使台灣民眾長期憤鬱、壓抑。當時，台灣民間有"五天五地"之說："驚天動地（盟軍轟炸）、歡天喜地（台灣光復）、花天酒地（接收官員）、黑天暗地（暴政統治）、呼天喚地（物價飛漲）。"其中後三個短語正反映出台灣人民的強烈不滿。現在，由於緝私中的處理不當，這種憤懣終於找到突破口，群眾的情緒就像長期運行於地下的岩漿，一朝噴發了。

可以看出，專賣局緝私人員的行為屬於恃強凌弱的暴力執法，而台灣民眾的行為則屬於抗暴自衛和反對惡劣政治，有其正義性與合理性。但是，一旦群體性事件爆發，由於參加者人數多，成員複雜，自發性強，衝動性強，就很難要求每一個人、每一個步驟都中規中矩，合理合法。無可否認，"二二八"事件中，有情緒性的打、砸、搶、燒等非理智行為，也有方向性的謬誤。例如，將台灣民眾和國民黨台灣當局的矛盾當作本省人和外省人的矛盾，從而激起對外省人的普遍仇視。27 日下午，就有人張貼"打死中國人"的標語，高喊："阿山（外省人）不講理"[4]，"豬仔太可惡"，"台灣人趕快出來報仇"，等等。28 日，更出現"打阿山"的號召，於是，在這種狹隘的地域主義、鄉里主義情緒的支配下，對"外省人"的暴力行為不斷發生。太平町的正華旅行社、虎標永安堂，榮町的新台百貨公司相繼被搗毀，十餘輛汽車、卡車被燒毀，本町、台

---

1 《二二八慘案台胞慰問團呈于右任關於處理台灣事變意見書》，《台灣光復和光復後五年省情》（下），第 590 頁。

2 《楊亮功、何漢文關於台灣二二八事件調查報告及善後辦法》，《台灣光復和光復後五年省情》（下），第 647 頁。

3 《台灣二二八慘案聯合後援會為挽救台灣危局致于右任電》，《台灣光復和光復後五年省情》（下），第 594 頁。

4 阿山，意為山豬，台灣本省人對外省人的輕蔑稱呼。

北車站、台北公園、榮町、永樂町、太平町、萬華等地，都有不少外省人無故被棒打或棍擊，或被打成癱瘓，或被打死。這種仇視、攻擊外省人，搶劫外省人財物的現象迅速向板橋、桃園、新竹、台中、嘉義、台南、台東、高雄等地蔓延。至 3 月 6 日，澎湖以外的十六個縣市都遭波及。台中的火柴工廠、煙葉工廠、洋絲工廠、被服廠均遭破壞。新竹縣的工廠、商店損失達 236 萬餘元。[1] 高雄市未及逃避的外省人被拘禁於第一中學。[2] 新竹縣的外省人則集中於桃源農業學校，不給食糧。[3] 宜蘭提出："外省人應集中受本省青年監視"。[4] 有的地方甚至成立"外省人管護所"。

關於事件中外省人被害的情況向無精確統計。3 月 5 日，台北憲兵第四團團長張慕陶報告稱：外省人之被襲擊而傷亡者，總數在 800 人以上。[5] 3 月 6 日，陳儀向蔣介石報告稱："遇外省人，不問何人，即肆毆打，不只對公教人員而已。商人亦遭波及，外省人開設之商店亦被搗毀。外省人（台北市）受傷人數約在 200 人左右，且有致死者。"[6] 據事後各單位向台灣警備司令部的彙報，在南京國民政府的軍隊抵台之前，外省人死亡或失蹤 470 人（公務員 72 人，軍警 130 人，民眾 268 人），受傷 2131 人（公務員 1351 人，軍警 397 人，民眾 383 人），合計為 2601 人。公家財產損失 1.4 億台幣，私人財產損失 4.7 億台幣。[7] 除毆擊外省人，搶奪公私財產之外，外省婦女也成為侮辱對象。李益中記載：暴徒"見婦女則恣情淩辱，或令裸行以取笑樂"。[8] 賴澤涵等人的《研究報告》則稱，強姦事件也"偶有所聞"。

關於當時外省人被慘殺、侮辱的狀況，唐賢龍的《台灣事變內幕記》等書有幾則觸目驚心的記載，摘錄如下：

1. 在台中市，煙酒專賣局科員劉青山從辦公室走出，即被推倒、圍

1 《"二二八"事件台中各機關損失調查表》，武之璋：《"二二八"真相解密》，台北風雲時代出版公司 2007 年版，第 245 頁。
2 台北"中央研究院"近代史研究所編：《"二二八"事件資料選輯》（一），1992 年版，第 62 頁。
3 《安全局之報告》，武之璋：《"二二八"真相解密》，第 237、246 頁。
4 《"二二八"事件資料選輯》（一），第 103 頁。
5 《"二二八"事件資料選輯》（二），第 67 頁。
6 《"二二八"事件資料選輯》（二），第 72—73 頁。
7 朱浤源：《"二二八"事件真相還原》。http：//www. wrech. cc/blog/rainbow2/5435457。
8 《"二二八"事件資料選輯》（二），第 375 頁。

毆。後入台中醫院治療，第二天晚上，十餘人衝入醫院，割去劉的耳朵、鼻子，挖出兩眼，再加毆擊，直至斃命。

2. 在台北新公園附近，除打死十幾個外省人，毆傷二十幾個公務員外，更有一個外省女教師被輪姦。另外，一個少婦攙小孩回家，被人攔住，先調戲，剝光衣服，橫加毆打，後用刀割開嘴巴，再綁起雙腳，拋到水溝中。少婦慘叫身死，小孩哭喊媽媽，流氓抓住小孩頭，用力向背後扭轉，使小孩氣絕斃命。在太平町，有一孕婦被剝光衣服，遊街示眾，該孕婦堅不答允，被一刀從頭部劈為兩段，當場身死。

3. 在台北橋附近，外省小孩在路上被流氓抓住，一個人抓左腿，一個人抓右腿，將小孩撕開，屍體被丟到水溝裏。另有兩個小學生，路遇暴民，暴民一手執一學生，將兩人的頭猛力互撞，直至腦血橫流，旁觀者拍手叫好。在萬華附近，一小孩被捆綁雙腳，暴徒將小孩頭倒置地上，用力猛擊，使腦漿流出，拋於路旁。

4. 在台灣銀行門前，有一職員從辦公室走出，即被暴民當頭一棍，打出腦漿殞命。適逢一對青年夫婦路過，又被暴民圍住，吆喝喊打，拳腳交加，棍棒齊飛，二人均被打得血肉模糊而死。

5. 在桃園，外省人被羈囚於大廟、警察官舍與忠烈祠後山三地，內有五個女眷，被流氓姦污後憤極自縊。該縣大溪國小女教員林兆煦被流氓呂春松等輪姦後裸體徹夜，被高山族女參議員李月嬌救出脫險。[1]

上述暴行，令人髮指，應視之為騷亂。它們不具有任何正義性與合理性。

既是抗暴，反對腐敗政治，又是騷亂；既有正義性與合理性的成分，又有非正義與非理性的成分。這就是“二二八”事件的雙重性。只有同時看到這兩個方面，才能正確地掌握事件的性質，也才有可能正確地分析並評價它的善後處理。

二、三駕馬車，三種政治訴求

28 日以後，事件分別向不同方向發展。一是要求政治、經濟改革；一是奪

1 轉引自《一個外省人親歷“二二八”的回憶》，轉據武之璋：《“二二八”真相解密》，第 113—114 頁，第 121—125 頁。

械暴動，推翻國民黨政權；一是要求台灣“獨立”或聯合國託管。

3月1日，台北市參議會邀請國民參政員、制憲國大代表及省參議員在台北市中山堂緊急集會，成立“緝私血案調查委員會”。推派省參議會議長黃朝琴等七人為代表謁見陳儀，要求撤銷戒嚴令，釋放被拘民眾。下午5時，陳儀向全省廣播，應允黃朝琴等人提出的要求，派民政處長周一鶚、交通處長任顯群等五人代表政府與台北市參議員、省參議員、國民參政員、國大代表等組成“二二八”事件處理委員會。2日，台灣大學、延平學院、法商學院、師範學院及中等學校學生千餘人集會，譴責陳儀政府。當日，處理委員會增加警備司令部參謀長柯遠芬及民間代表林獻堂、《自由報》社長王添燈等人，舉行首次會議。陳儀第二次向全省廣播，宣佈寬大措施四條：參加事件的人民一律不加追究，被拘捕者准予釋放，傷者給付治療，死者優予撫恤。3日，處理委員會推派代表與柯遠芬商定，命戰鬥部隊集中營房，成立憲警民維持治安聯合辦事處，同時成立“忠義服務隊”，維持治安。隨後，全省各縣市紛紛成立處理委員會分會。6日下午，王添燈向處理委員會提出《處理綱要》32條，其第一條要求政府下令各地武裝部隊“暫時解除武裝”，政治方面提出“制定省自治法”，縣市長、參議會於6月以前“實施民選”，省各處長2/3以上須由在本省居住十年以上者擔任，言論、出版、罷工“絕對自由”，一切公營事業主管人由本省人擔任，撤銷專賣局、貿易局，宣傳委員會、地方法院院長、首席檢察官，全部以本省人充任等。該《綱要》事前曾送請中共地下黨負責人審閱，負責人表示，時間緊迫，來不及開會討論了，就這樣提出去。[1] 同日，處理委員會發表告全國同胞書，宣稱：“我們的目標在肅清貪官污吏，爭取本省的政治改革，不是要排擠外省同胞。”“我們同是黃帝的子孫，大漢民族國家政治的好壞，每個國民都有責任。”書告特別表示，今後絕對不得發生毆打外省同胞一類事件。[2] 當晚，陳儀接受部分建議，在第三次廣播中宣告改革政治意見，表示擬將省級行政機關改為省政府，委員及各廳、處長儘量任用本省人士，7月1日舉行縣市長民選。7日，處理委員會討論《處理綱要》，追加“本省陸海空軍，應儘量採用本

---

1 《〈自由報〉總編輯蔡子民的腳蹤》，藍博洲：《沉屍、流亡、“二二八”》，第158頁。

2 《“二二八”事件資料選輯》（二），第381—382頁。

省人”以及撤銷警備司令部等10條，加上前面所提共為42條。其主體部分反映當時台灣人民的政治和經濟改革要求，但其中有些條件明顯過高，如軍隊暫時“解除武裝”；有些條件明顯錯誤，如“本省人之戰犯及漢奸嫌疑被拘禁者，要求無條件及時釋放”等。[1] 陳儀讀到《綱要》時勃然大怒，斷然拒絕。

事件的另一發展趨向是襲擊警察局，奪械暴動，組成武裝，進攻軍隊、軍營，接管政府：

基隆：2月28日夜，基隆部分群眾襲擊該市第一警察分局，奪取槍支。

桃園：3月1日晨，自台北來到桃園縣的學生結合本縣群眾佔領縣政府。

嘉義：在中共台灣省工作委員會委員、武工部部長張志忠領導下，民眾於3月2日包圍警察局，接收槍支。次日召開市民大會，接管電台，募集志願軍，成立台灣民主聯軍，攻擊憲兵營、軍械庫及水上飛機場、軍營。3日晚，接管市政府。[2]

台中：在“二二八”事件前，建國工藝職校校長、老台共成員、中共台灣省工作委員會秘密黨員謝雪紅即收集廢鋼鐵，準備製造槍械，實行起義。3月2日，謝雪紅等召開市民大會，舉行遊行示威。4日，接管警察局、憲兵隊、團管區司令部、軍械庫、廣播電台、電信局、專賣局等機構。6日，根據張志忠意見，成立“二七部隊”，開展武裝鬥爭。[3]

高雄地區：民眾於3月3日下午8時開始搶奪警察局武器。3月5日，接收或佔領市內大部分軍政機關。

群體性事件的參加者大都是複雜的。除對台灣當局不良政治與經濟狀況不滿的普通群眾與青年學生以及少數共產黨人外，也確有大量遊民、流氓、殘留日本浪人、日據時代的御用紳士、台籍退伍日本軍人、原皇民奉公會會員等在內。據統計，日據時代被監禁於火燒島、送往中國大陸或派往南洋的流氓、盜

1 藍博洲：《沉屍、流亡、“二二八”》一書稱，此條由國民黨台灣鐵道特別黨部書記長黃國信提出，其他的特務份子叫喊贊成威脅通過的。見該書第225頁。

2 參閱《周青、吳克泰先生口述記錄》，《“二二八”事件文獻補錄》，第78頁；《台大學生領袖吳克泰的腳蹤》，藍博洲：《沉屍、流亡、“二二八”》，第57頁。按，張志忠原為中共中央華東局幹部。1946年4月首批奉派入台。

3 參閱《古瑞雲先生口述記錄》，《“二二八”事件文獻補錄》，第50頁。

賊，戰後返回台灣者約在 5 萬人左右。[1] 台籍日本軍人戰後遣返回鄉者約在 10 萬人以上。[2] 此外，留台日人及其家屬有 3843 人，至於匿居民間，改冒台籍者則更無法統計。[3] 事件發生後，台北處委會負責人在新公園台灣廣播電台廣播，召集台籍日本退伍軍人、軍屬、技工，到指定地點集合，自 3 月 5 日起集中訓練。登記者計有原在日本陸海軍服役的人員 1900 餘人，其組織名稱則有“海南島歸台者同盟”、“若櫻敢死隊”、“暗殺團”等。這些人中的許多人或具有強烈的反社會情結，或親日仇中，具有嚴重的“皇民”情結。他們在事變中毆打外省人，搗毀或搶劫外省人財物最為積極。花蓮的暴徒除持日本軍刀外，甚至穿戴日本軍服。[4] 高雄大港埔、前鎮、鹽埕埔一帶都出現用日本軍刀屠殺外省行人，甚至逐屋搜尋外省人加以辱殺的現象。許多地方，不會講台語、日語者往往慘死刀下，有的地區並由台籍日本海軍少佐擔任指揮。

事件中的政治訴求則比較複雜。

處理委員會的改革要求是一種，已如上述。其他如台灣民主同盟、台灣省自治青年同盟、台灣省建設會提出的要求也可歸入此類。台灣民主同盟提出，“政治上的徹底的改革，實現民主政治”。該組織在《告台灣同胞書》中提出“開放官民糧食”，“廢除長官制度，在台先實行憲政”，“取消專賣公營制度”，“健全司法獨立性，取消軍警暴政，尊重民權”等 5 項要求；在《告台灣同胞書之二》中提出，“打倒獨裁的長官公署”，“撤銷貿易局及專賣局”，“實施縣市長選舉，登用本省人才”等 7 項要求。該組織隨後又發佈《台灣省政改革綱要》，提出“改稱省政府”，“重行普選”，“准予人民有思想、言論、宗教、集會、結社、居住、出版之自由”等 9 條意見。台灣省自治青年同盟則提出“建設高度自治，完成新中國的模範省”，“實施縣市長民選，確立建國的基礎”等六項綱領。台灣省建設會提出的改革綱要共九條，其核心要求是成立台灣省改革委

---

1 《“二二八”事件資料選輯》（一），第 12 頁。彭孟緝稱，僅從火燒島釋放回台者即達 1 萬多人。見《“二二八”事件資料選輯》（一），第 55 頁。

2 《楊亮功、何漢文關於台灣“二二八”事件調查報告及善後辦法》，《台灣光復和光復後五年省情》（下），第 643 頁。

3 《楊亮功、何漢文關於台灣“二二八”事件調查報告及善後辦法建議案》，《台灣光復和光復後五年省情》（下），第 645 頁。

4 《“二二八”事件資料選輯》（一），第 26 頁。

員會。[1]

激進派和共產黨的台灣地下組織的革命要求是一種。"二二八"事件的發生與共產黨人無關，但是，事件發生後，共產黨人迅速介入。原台共產黨員謝雪紅等提出，"結束國民黨一黨專政，立即實行台灣人民的民主自治"。嘉義"報導部"提出："打倒國民黨的一黨專制政府，組織民主聯合政府。"台南市3月4日貼出標語："趕走國民黨政治，實行真正的新民主主義政府"，"設立各界人民代表會議為台灣最高權力機關"等，這些主張，顯然都反映出激進派和台灣共產黨地下組織的觀點。[2]台共在日據時代雖然已經被鎮壓，但台灣光復後，謝雪紅等被釋，恢復活動；中共又迅速自大陸派出幹部，建立中共台灣省工作委員會等機構。這些組織雖然新建不久，人數很少，僅約70人左右，但是作用相當大，並且和延安有電台聯繫。[3]台灣政治建設協會通常被認為是"二二八"事件的催生者和組織者，在其27席"民事"（理事？）中，台共佔5人，13席監事中，台共佔2人。[4]事件發生後，中共台灣省工作委員會立即組成全島性的武裝鬥爭委員會。[5]據"二二八"事件時的台灣延平大學學生古瑞雲回憶，當時中共地下黨廖瑞發（台北市工委書記）曾經找他，說準備武裝起義，要他聯絡烏來高山族參加。[6]另一學生葉紀東回憶，地下黨李中志找他和另一個學生領袖陳炳基說："光是靠處理委員會的文鬥還不夠，學生必須另外組織起來，搞武裝起義。"葉、陳二人問他："要武鬥可以，但是，武器在哪裏？"李回答說："武器沒問題，軍火部已經搞定了。"此後，在李中志的策劃下，台北組成"學生軍"，由李任總指揮。同時，中共台灣省工作委員會也成立總指揮部，書記蔡孝乾和廖瑞發、林梁材（老台共）等也都到現場附近觀察、指導。其計劃是首先攻打景尾軍火庫，然後三路會攻，佔領長官公署，成立"人民政權"。由於其

---

1 以上政治改革要求均見鄧孔昭編：《"二二八"事件資料集》，台北稻鄉出版社1991年版，第281—291頁。

2 鄧孔昭編：《"二二八"事件資料集》，第296—298頁。

3 《古瑞雲先生口述記錄》，台灣省文獻研究會：《"二二八"事件文獻補錄》，第50頁；參見《老台共憶"二二八"真相》，原載《亞洲週刊》，轉引自《參考消息》，2003年3月11日。

4 劉勝驥：《共黨份子在"二二八"事件前後的活動》，《"二二八"事件文獻輯錄》，第224頁。

5 《老台共憶"二二八"真相》，原載《亞洲週刊》，轉引自《參考消息》，2003年3月11日。

6 《古瑞雲先生口述記錄》，《"二二八"事件文獻補錄》，第49頁。

中一路遭到軍隊掃射，未能成功，其他兩路也因此均未發動。[1]

激進派和台共當時提出的口號並不都正確。光復後，日人留下的房產為部分台民捷足先得，長官公署決定"標售日產房屋"，台共成員、台灣政治建設協會常務理事兼社會組組長王萬得等人即表示反對。他在會上公開提出："驅逐阿山，實行自治，為台灣人的出路。"[2] 事件中，"憂鄉青年團台北支部"提出："昔日的軍官們，現在是拔出指揮刀的時候了。"[3] 高雄學生組織提出：打倒比"日狗"還殘忍、野蠻的"山豬"。[4] 這些，都是不正確或者完全錯誤的口號。

無可否認，事件中也確有"台灣獨立"的訴求。他們的口號有"打倒外省人"、"台人治台"、"聯合國託管"等。據司徒雷登 3 月 5 日致美國國務卿的報告，駐台領事當日接受了一封台灣人給馬歇爾的請願書，請願代表 807 人，簽名者 141 人。該請願書的結論是："改革台灣省政府最快的方法是由聯合國參加台灣的行政，在台灣還沒有獨立之前，先切斷台灣和中國本部間的政治和經濟關係。"[5] 3 月 6 日，司徒雷登再致國務卿電云："台灣人強調，由於開羅宣言，美國對台灣負有責任。他們通過印刷品，要求美國幫助他們，在主權還沒有轉移的期間，獲得聯合國的干涉。"這一部分人曾七次向美、英領事館要求"託治"。[6] 當時在台灣活躍的外國人，除日諜田市川等人外，[7] 美國海外戰略局成員、駐台灣副領事葛超智（George H. Kerr）和駐台灣新聞處處長卡度（Coto）等都在積極鼓吹"台灣獨立"。葛超智並四處活動，表示可以在六小時之內用快艇從菲律賓的馬尼拉運送武器到淡水。[8] 關於此人，當時在台灣工作的陳儀外甥、後來成為歷史學家的丁名楠評論說："美國駐台副領事喬治．柯爾（即葛超智——筆者注）在此期間，非常露骨地散播各種不實謠言，製造各種糾紛，混淆國際視聽，致使事件不斷的蔓延、惡化。"[9] 據陳儀事後彙報，當時曾有人準

---

1 《延平大學學生領袖葉紀東的腳蹤》，藍博洲著：《沉屍、流亡、"二二八"》，第 28—30 頁；《葉紀東先生口述記錄》，《"二二八"事件文獻補錄》，第 60 頁。
2 《"二二八"事件文獻輯錄》，第 225 頁。
3 鄧孔昭編：《"二二八"事件資料集》，第 297 頁。
4 《高雄"二二八"事件》，http：//blog. yam/com/oaish/article/16174738。
5 FRUS，1947，Vol. 7，第 429—430 頁。中文譯本見《美國檔案中的"二二八"事件》，《台獨》第 38 期。
6 《陳儀報告"二二八"事件情形致吳鼎昌等電》，《台灣光復和光復後五年省情》（下），第 597 頁。
7 《"二二八"事件資料選輯》（二），第 345 頁。
8 《台大學生領袖吳克泰的腳蹤》，藍博洲著：《沉屍、流亡、"二二八"》，第 61 頁。
9 《丁名楠先生口述記錄》，《"二二八"事件文獻補錄》，2005 年修訂版，第 87 頁。

備成立“新華國”，其“國旗”係在日本的“太陽旗”上加一黃星，年號用“台灣自治邦紀元元年”，施政方針“一如日本政府”等。[1]

三、蔣介石的“懷柔”決策與措施

蔣介石很快就得到了台灣發生事變的消息，但其2月28日的日記並無記載。稍後，蔣在《上月反省錄》中寫道：“台灣暴民乘國軍離台，政府武力空虛之機，發動全省暴動，此實不測之禍亂，是亦人事不臧，公俠疏忽無智所致也。”[2]蔣寫《上月反省錄》的時間，不一定在月底，而常在下月的某一天，故此條寫作時間不可確考。蔣日記中對“二二八”事件比較確切的記載始於3月1日的《上星期反省錄》：“台灣群眾為反對紙煙專賣等起而仇殺內地各省同胞，其暴動地區已漸擴大，以軍隊調離台灣，是亦一重要原因也。”[3]

台灣光復後，南京國民政府駐台本有第六十二、第七十兩個師的兵力，但均因內戰需要調離。日記中所稱“國軍離台”指此。當時，蔣介石需要處理和中共以及和美國、蘇聯的許多複雜問題，但是，他還是將“二二八”事件作為最重要的問題處理。其3月6日“注意”欄中首列“台灣暴動事件之研究”，同日日記云：“對戰局，對台事，憂戚無已。”他在和陳儀通話中指示：“政治上可以退讓，儘可能的採納民意，但軍事上則權屬中央，一切要求均不得接受。”[4]這是蔣介石就“二二八”事件對陳儀作出的最早指示。當晚，美國駐華大使司徒雷登會見蔣介石，聲稱接到美國駐台領事急電，表示台灣局勢嚴重，要求派飛機接其眷屬離台。蔣介石對此甚為反感，在日記中寫道：“美國人員浮躁輕薄，好為反動派利用，使中國增加困難與恥辱，悲痛之極。”3月7日，蔣介

1 《台灣光復和光復後五年省情》（下），第597頁。
2 《蔣介石日記》（手稿本）。
3 《蔣介石日記》（手稿本）。
4 柯遠芬：《事變十日記》。1992年的《柯遠芬先生訪問記錄》稱：“2月28日，蔣介石曾派專機赴台投送手諭，指示處理辦法。其要點為：1. 查緝案應交由司法機關公平訊辦，不得寬縱。2. 台北市可即日起實施局部戒嚴，希迅速平定暴亂。3. 政治上可儘量退讓，以商談解決糾紛。4. 軍事不能介入此次事件，但暴徒亦不得干涉軍事。如軍事遭受攻擊，得以軍力平息暴亂。”當時電報、電話都很發達，蔣完全沒有必要採取這種派飛機投送手諭的笨辦法，故不取。黃彰健院士以此為蔣3月5日的電話指示，而在次日才通知柯，係猜測，故亦不取。參見黃彰健：《“二二八”事件真相考證稿》，台北聯經出版事業有限公司2007年版，第219—230頁。

石確定處理“二二八”事件的方針，日記云：

> 自上月28日起，由台北延至全台各縣市，對中央及外省人員與商民一律毆擊，死傷已知者達數百人之多，陳公俠不事先預防，又不實報，及事至燎原，乃始求援，可歎！特派海陸軍赴台，增強兵力。此時“共匪”組織尚未深入，或易為力，惟無精兵可派，甚為顧慮。善後方策，尚未決定。現時惟有懷柔。此種台民初附，久受日寇奴化，遺忘祖國，故皆畏威而不懷德也。[1]

蔣介石以軍事起家，他當然懂得軍隊在處理事變中的作用；台灣剛剛脫離日本統治，日本影響深厚，這也使蔣介石感到，弭平事變，要靠“威懾”。但是，蔣介石當時的最大困難是，主要兵力都已投入和中共的作戰。這樣，蔣介石雖想派出“精兵”，但無兵可派。想來想去，蔣介石覺得，“現時惟有懷柔”。這是蔣介石處理“二二八”事件的基本對策。當日，蔣介石除決定“派海陸軍增援台灣”外，緊急召見自台灣飛來的國民黨台灣省黨部主任委員李翼中，聽取詳細彙報，研究善後辦法。

李翼中在事件發生後受陳儀委託，參加“二二八”事件處理委員會。他主張向中央呼籲“臨之以威，綏之以德”，自請赴南京彙報。3月6日，他在向台灣人民廣播中承認：“二二八不幸事件之發生，實由於官民情感隔閡之所致”，呼籲“政府以寬大為懷，人民以地方為重”，使事件早日平息。李翼中在會見蔣介石時，歷述台灣人民在政治和經濟方面的種種要求，主張儘量滿足台灣人民的要求，“多與之”。蔣介石表示：李的意見大體可行，陳儀在廣播中對台灣人民的允諾也可以答應，要李與陳立夫擬具“處理辦法”。3月8日，李翼中提出要點八條，其主要者為：1. 改台灣省長官公署制度為省政府制度；2. 台灣省政府委員及各廳處長儘量任用本省人士；3. 各縣市長提前民選；4. 在政府或事業機關任職者，不論本省或外省籍，其職務、官階相同者待遇一律平等；5. 民生工業中的公營範圍應儘量縮小。同日，蔣介石接見李翼中及行政院長張群、文官長吳鼎昌，表示李所擬要點“略加修改即可”。

---

1 《蔣介石日記》（手稿本）。

同日，國防最高委員會開會，與會委員張繼、賀耀祖、朱家驊、于右任等普遍認為，台灣的政治經濟制度都需要改革。會議作成決議三項：1. 政府應派大員前往該省宣慰；2. 台灣省行政長官公署應依照省政府組織法改組為台灣省政府；3. 改組時應儘量容納當地優秀人士。[1]

對李翼中等所擬辦法和國防最高委員會的決議，蔣介石都表示贊同，對李的辦法，蔣批示說："交行政院照此原則研究具體實施辦法可也，並報告國防會議。"[2] 對國防最高委員會的決議，蔣批示說："已照決議三項原則進行，待派定宣慰人員出發時再發表此消息可也。"[3] 3 月 9 日，蔣介石決定派國防部長白崇禧宣慰台灣，並連續兩個晚上和白崇禧討論"台灣方針"。[4]

3 月 10 日，蔣介石於國民政府國父紀念週發表演講，說明已派軍隊赴台維持當地治安，不久當可恢復常態，同時將派大員赴台協助陳儀處理事件。他宣稱："已嚴令留台軍政人員靜候中央派員處理，不得採取報復行動，以期全台同胞親愛團結，互助合作。"他要求台灣人民"深明大義，嚴守紀律"，"明順逆，辨利害，徹底覺悟，自動地取消非法組織，恢復地方秩序，俾全台省同胞皆得早日安居樂業，以完成新台灣之建設"。[5]

3 月 17 日，白崇禧奉蔣介石之命飛台宣撫，蔣經國、李翼中等偕行。當日，首由蔣介石向台灣民眾廣播，"期於確保國家立場及採納台胞真正民意的原則下，謀合理之解決"。廣播中，蔣介石宣佈了將台灣行政長官公署改為省政府、縣市長民選等決定，[6] 次由白崇禧向全省廣播並發佈國防部佈告，宣稱將"採取寬大為懷的精神來處理"，"參與此次事變或與此次事變有關之人員除煽動暴動之共產黨外，一律從寬免究"。白並稱，中央對台胞關心的"自身權利及利益"，"在可能的範圍內一定加以最大的注意與扶助"。[7] 當時，柯遠芬曾主張，地方上的暴民和土匪成群結黨，一定要懲處。寧可枉殺九十九個，只要殺

---

1 《"二二八"事件資料選輯》(二)，第 100—104 頁。
2 《"二二八"事件資料選輯》(二)，第 129 頁。
3 《"二二八"事件資料選輯》(二)，第 100 頁。
4 《蔣介石日記》(手稿本)，1947 年 3 月 9 日、10 日。
5 《"二二八"事件資料選輯》(二)，第 388—389 頁。
6 《"二二八"事件資料選輯》(二)，第 181—184 頁。
7 《"二二八"事件資料選輯》(二)，第 185—189 頁。

死一個真的就可以。柯並引列寧的話，對敵人寬大，就是對同志殘酷。白崇禧糾正他：有罪者殺一儆百為適當，但古人說，行一不義，殺一不辜而得天下不為。[1] 27日，白崇禧向台北中等以上學生訓示，宣稱對"盲從脅迫"參加事件的青年學生不咎既往，"迅速復課讀書"，保證各憲兵不再逮捕學生，等等。[2] 28日，白崇禧與台灣地方父老及省參議員座談，宣示今後治台措施，除儘量登用台省人才外，重點闡述經濟政策：輕工業儘量由台胞接辦，不許少數資本家操縱；將佔全省土地總面積的約1/5的可耕土地分配給有耕種能力的台胞耕種，增加自耕農利益，減少地主剝削，等等。[3] 4月1日，白崇禧舉行記者招待會，聲稱逮捕人犯須依合法手續，審理務求公允迅速，重申對青年學生一律從寬免究，即使對"逃竄潛伏"的共產黨，只要繳械投誠，也從寬處理。[4]

白崇禧在台灣停留半個月，於4月2日返京。他在台灣宣示的政策大體符合蔣介石的"懷柔"主張。17日，他在國父紀念週報告，進一步提議縮小專賣範圍，撤銷專賣局等建議。這些主張，對於弭平事變、撫慰傷痕有一定作用；對於台灣後來的政治、經濟改革也有一定影響。

"二二八"事件發生後，蔣介石在日記中對陳儀多有批評。還在3月12日，他就在日記中說："公俠不自知其短缺，使余處理為難。"[5] 16日晚，蔣介石決定命陳儀辭職。17日，陳儀致電蔣介石請辭。18日，蔣介石復電同意，但要陳在省政府成立之前主持善後，勉為其難。22日，蔣介石召見陳儀。4月22日，蔣介石主持行政院會議，決議撤銷台灣行政長官公署，成立台灣省政府，任命法學家、外交家出身的文官魏道明為台灣省主席。當日，蔣介石並立即與魏商議台灣省政府的組織與人選。[6] 魏道明到任後，即要求台灣本省人與外省人"互相敬讓，彼此扶持"，"和協共處"，宣佈解除戒嚴，結束清鄉，停止對新

---

1 《白崇禧先生訪問記錄》（下冊），第568頁。
2 《白崇禧對台北中等以上學校學生訓詞》，中國第二歷史檔案館編：《台灣"二二八"事件檔案資料》（下），檔案出版社1991年版，第682頁。
3 《白崇禧對台灣省參議員等訓詞》，《"二二八"官方機密史料》，台北自立晚報社出版公司出版部1991年版，第185—199頁。
4 《"二二八"事件資料選輯》（二），第392頁。
5 《蔣介石日記》（手稿本）。
6 《蔣介石日記》（手稿本），1947年4月22日。

聞、圖書、郵電的檢查。[1] 同時，採取一系列措施化解矛盾，如啟用台籍精英，提倡"經濟自由"政策，重申中央"寬大意旨"，禁止亂殺濫捕等。蔣渭川、林日高等一批與事件有關的台籍精英被准予"自新"，大量在押人員被釋放。根據台灣省警備總司令部的統計，至當年 10 月 15 日為止，"二二八"事件中被捕人犯約 1800 人，其中，以內亂罪論處或起訴者 46 人，被處死刑者 5 人，而核准自新者為 3905 人。所有這些，都是蔣介石"懷柔"政策的繼續。

"懷柔"一詞始見於《詩經・周頌・時邁》，它是一種政治策略，也是一種政治手段。它意味著不用暴力，而用柔軟的方法籠絡和感化，解決兩種對抗力量之間的激烈衝突，從而避免大規模的流血或惡性的破壞。面對複雜的"二二八"事件，面對長期受日本的殖民統治光復不久的台灣，蔣介石決定以"懷柔"作為主要的處理方針是正確的。

四、派兵始末及其評議

3 月 5 日，南京方面收到憲兵四團團長張慕陶的報告，內稱："暴民要求不准軍隊調動，不准軍隊帶槍"，"在各處劫奪倉庫槍械及繳收軍警武器，總數在四千支以上"；"台中憲兵被繳械，官兵被囚禁"，"其性質已演變為叛國奪取政權之階段"。[2] 當日，陳誠報請蔣介石同意，派劉雨卿率 21 師師部及 146 團開赴基隆，歸陳儀指揮；命憲兵第四團之第三營自福州開赴台灣歸制。同日，蔣介石電告陳儀，"已派步兵一團、憲兵一營，限於本月 7 日由滬啟運"。[3] 3 月 6 日，陳儀致函蔣介石，聲稱事變"決非普通民眾運動可比，顯係有計劃有組織的叛亂行為"，要求迅速派遣紀律嚴明、武器精良的得力軍隊兩師來台，派大員主持。函稱："關於政治，可讓台胞參加；關於軍事，既有實力，可以對付奸黨及希望獨立等叛國運動。"函件強調事件原因複雜：一是 1946 年從海南島回台的僑民中有少數"奸黨份子"，他們的目的在於"找尋機會，奪取武器，破壞

---

1 魏道明：《在台灣各界慶祝省政府成立大會致詞》，薛月順編：《台灣省政府檔案史料彙編：台灣省行政長官公署時期（三）》，台北"國史館"1999 年版，第 492—495 頁。

2 《"二二八"事件資料選輯》（二），第 67 頁。

3 《"二二八"事件資料選輯》（二），第 70 頁。

秩序，造成恐怖局面”。二是留用日人中，有人企圖“乘機擾亂”。三是日據時代的御用紳士及流氓懷抱“台灣獨立，國際共管”的謬想，傳單中竟有“台灣獨立，打死中國人”的詞句。四是一般民眾缺乏國家意識。函件最後稱：“為保持台灣，使其為中華民國的台灣計，必須派得力軍隊來台。如派大員，亦須俟軍隊到台以後，否則亦恐難生效力。”[1] 3 月 7 日，陳儀得悉蔣僅派一團兵力，認為“不敷戡亂之用”。他在致蔣電中聲稱：“奸匪到處搜繳武裝及交通工具，少數日本御用紳士，利用機會煽動，並集合退伍軍人反對政府，公然發表叛亂言辭。”他要求除 21 師全部開台外，再加開一師，至少一旅，並派湯恩伯指揮。[2] 同日，蔣介石決定增派軍艦一艘赴基隆，歸陳儀指揮。[3] 8 日，蔣介石致電陳儀，告以“已派海軍兩艘來基隆”，“廿一師第二團約定明九日由滬出發”。[4] 在事件中，南京國民政府合計共出動 21 師全部 5 個團、憲兵營 5 個、特務營 1 個。[5]

蔣介石是派出軍隊的決定者。“二二八”事件發生後，曾有人反對派兵，例如台灣省參議會議長黃朝琴曾於 3 月 5 日上書蔣介石，認為，事件發生在於“省署施政有失民心，積怨所致”，“各地秩序已漸恢復”，“外傳託治及獨立，並非事實”。因此，他只要求蔣介石督促陳儀迅速、果斷地頒佈“治本”辦法，同時要求速決治台方針，簡派大員來台處理，避免事態擴大。[6] 台灣政治建設促進會也曾通過駐台外國領事館致電蔣介石，要求勿派兵來台，否則情勢必更加嚴重。蔣介石認為，這是“反動份子在外國領館製造恐怖所演成”，可置之不理。[7] 儘管如此，蔣介石對於軍隊到台之後，如何行動，並無明確意見。他要陳儀拿主意。3 月 7 日，蔣電告陳儀，由上海開出的軍隊在 3 月 10 日晨可以到達基隆，聽說鐵路與電力廠皆已為台民佔據，部隊到基隆後如何行動，“應有切實之準備”。他詢問陳儀：“近情究竟如何？應有最妥、最後之方案，希立即詳

1 《“二二八”事件資料選輯》（二），第 71—80 頁。
2 《“二二八”事件資料選輯》（二），第 32 頁。
3 《“二二八”事件資料選輯》（二），第 98—99 頁。
4 《“二二八”事件資料選輯》（二），第 105—106 頁。
5 《“二二八”事件資料選輯》（二），第 140 頁。
6 《“二二八”事件資料選輯》（二），第 89 頁。
7 《“二二八”事件資料選輯》（二），第 93—95 頁。

報。”[1] 同日，再次致電陳儀，詢問：“台灣近情究竟如何？鐵路與電力廠是否已為反動暴民把持？善後辦法如何？” 他指示陳儀等人“詳商後速報”，並且要求在台的俞飛鵬（樵峰）乘飛機回京報告。8 日，他致電陳儀稱：“今日情勢如何？無時不念，望每日詳報。” [2] 同日，蔣介石再電陳儀，詢問各處倉庫所存械彈數量及情況，指示陳，與其為暴民奪取，不如從速燒毀。他要求陳儀“先作控制台北、基隆二地之交通、通信與固守待援之準備”，同時固守台灣南部的高雄與左營兩個要塞。他指示陳儀，“日內即有運輸登陸艦二艘駛台，可派其作沿海各口岸聯絡及運輸之用”，要陳對基隆與台北狀況每日朝午夕三次報告。[3] 10 日，蔣介石聽說 21 師的第一個團已經到達台北，立即致電陳儀，詢問形勢及部隊到達之後的“處理辦法”。[4] 據 21 師師長劉雨卿回憶，蔣介石對該師的指示是：“寬大處理，整飭軍紀，收攬人心。”[5] 另據該師參謀長江崇林口述，蔣對該師的指示是：“寬大為懷，迅速處理。” [6] 二者一致。

從以上函電和資料考察，蔣介石並未下達過嚴厲鎮壓、誅戮的命令，陳儀也完全知道，“中樞”以“寬大”為旨，[7] 但他對處理事變早已成竹在胸。3 月 7 日，陳儀回電蔣介石說：“鐵路與電力公司，均係台民，一有事決不為我用。部隊到基隆之行動，已在準備中。目前我因限於武力，十分容忍，廿一師全部到達後，當收斧亂之效。” [8] 陳儀此電很含蓄，但“斧亂之效”四字，說明他嚴厲鎮壓之心已下。同日，蔣介石得悉美國駐台領事館致電大使館，要求派飛機撤出在台美僑，蔣介石再次電詢陳儀，要他立即報告“近情”。陳儀在回電中聲稱，目前反動份子的最大詭計是使台灣兵力愈單薄愈好，而“反動份子正在利用政府武力單薄之時機，加緊準備實力，一有機會隨時爆發，造成恐怖局面。如無強大武力鎮壓制裁，事變之演成，未可逆料”[9]。他重申“除廿一師外，至少

1 《“二二八”事件資料選輯》（二），第 92 頁。
2 《“二二八”事件資料選輯》（二），第 105 頁。
3 《“二二八”事件資料選輯》（二），第 107—108 頁。
4 《“二二八”事件資料選輯》（二），第 134 頁。
5 張炎憲、李筱峰編：《“二二八”事件回憶錄》，台北稻鄉出版社 1989 年版，第 171 頁。
6 《“二二八”事件文獻輯錄》，第 234 頁。
7 3 月 24 日，陳儀致吳鼎昌電云：“不究脅從，力戒株連，期符中樞寬大之旨。”見《台灣光復和光復後五年省情》（下），第 597 頁。
8 《“二二八”事件資料選輯》（二），第 92 頁。
9 《“二二八”事件資料選輯》（二），第 96 頁。

加派一旅來台”。此電再次暴露出陳儀“鎮壓制裁”之心。3月8日，陳儀復電蔣介石，聲稱“一俟劉師長廿一師之一團開到台北，即擬著手清除奸匪叛徒，決不容其遷延坐大”。[1]

3月9日，第21師師長劉雨卿到達台北，向陳儀報到。同日下午，其所屬438團到達基隆。3月10日，發佈戒嚴令，開始搜捕、清鄉。陳儀電令基隆要塞司令史宏熹：“凡屬主謀及暴徒首領，一律逮捕訊辦。限三日內完成具報。”[2] 11日，陳儀電告蔣介石，“肅奸工作即應逐步推進”。12日，陳儀電令高雄要塞司令彭孟緝：“肅清奸偽份子，以絕後患。”13日凌晨，陳儀決定“開始行動”，“與‘二二八’事件有關的嫌疑人士，不問姓名，當場槍決”。[3] 刀鋒所向，首先指向對政府當局多有批評的新聞界。《人民導報》社長宋斐如，《民報》社長林茂生，《自由報》社長王添燈，《新生報》總經理阮朝日、日文版總編輯吳金鍊、嘉義分社主任蘇憲章，《大明報》社長艾璐生（外省人）以及律師林瑞端、醫學博士施江南等陸續被捕殺。有記載說：“斯時，每夜均有滿疊屍體的卡車數輛，來往於台北—淡水或基隆間。3月底，基隆幾乎每天都能看到從海中漂上岸來的屍體。有的屍親圍坐而哭，有的則無人認殮，任其腐爛。”[4] 與此同時，台灣各地開始清鄉。至5月16日，清鄉結束，解除戒嚴。其間，又發生過許多不幸事件。李翼中說：

> 國軍廿一師陸續抵基隆，分向各縣市進發，陳儀明令解散“二二八”事件處理委員會，又廣播宣佈戒嚴要旨，於是警察大隊別動隊於各地嚴密搜集參與事變之徒，即名流碩望、青年學生亦不能倖免，繫獄或逃匿者不勝算。中等以上學生，以曾參與維持治安，皆畏罪逃竄遍山谷，家人問生死，覓屍首，奔走駭汗，啜泣閭巷。陳儀又大舉清鄉，更不免株連誣告或涉嫌而遭鞫訊，被其禍者前後無慮數萬人，台人均懾氣吞聲，唯恐禍之將至。[5]

---

1 《“二二八”事件資料選輯》(二)，第110頁。

2 戚嘉林編：《台灣史》第5冊，轉引自黃彰健：《“二二八”事件真相考證稿》，第552頁。

3 戚嘉林編：《台灣史》第5冊，轉引自黃彰健：《“二二八”事件真相考證稿》。

4 戚嘉林編：《台灣真歷史》，第191頁。

5 《“二二八”事件資料選輯》(二)，第389頁。

關於"二二八"事件中台灣本省人的死傷人數也向無精確統計。李翼中所說"被其禍者前後無慮數萬人"，應該包括死傷、被捕、被殺、逃匿、流亡、恐慌等各種情況在內，是一種籠統的說法。至於死亡人數，有誇張至 10 萬人，甚至 20 萬人者，但根據"行政院"成立的財團法人二二八基金會的補償記錄（2004 年 1 月 2 日）：計本省人死亡 673 人，失蹤 174 人，其他羈押、徒刑、傷殘、健康名譽、財務損失，共 1237 人，合計為 2084 人，這應是比較可靠的數字。[1] 其中，除任意毆殺外省人、搶劫外省人財物的暴徒應予依法懲治外，自然會有不少冤捕、冤殺、濫捕、濫殺的情況。

"二二八"事件後出現的冤捕、冤殺、濫捕、濫殺的情況顯然並不符合蔣介石的"懷柔"方針。3 月 12 日，蔣介石得悉軍隊到台後，"警察及警備部軍士即施行報復手段，毆打及拘捕暴徒，台民恐慌異常"等情況後，立即批示同意侍從室所擬意見："飭陳總司令切實制止報復行為。"13 日，又得悉劉雨卿所部到台後，使用僅在內地流通的法幣，引起商民惡感，蔣介石也立即批示同意侍從室意見，"飭劉師長糾正，通令所屬嚴守紀律，以爭取民眾"。[2] 同日，蔣介石並親筆手書，以極為嚴厲的口吻指示陳儀："請兄負責嚴禁軍政人員施行報復，否則以抗令論罪。"[3] 陳儀曾將蔣的命令轉達各有關方面。這以後，事變迅速平定。據統計，清鄉過程中，擊斃 43 人，俘虜 585 人，自新 3022 人。[4] 可見，並未出現大肆殺戮的狀況。

14 日，蔣介石得知台中、嘉義、台東等地的縣市長均已復職辦公，這使他感到，"新復之地與邊省，全靠兵力維持"。[5] 但是，他仍然擔心軍隊擾民。3 月 19 日，蔣介石又致電白崇禧，要他轉命劉雨卿，在追擊"殘匪"的過程中，"應特別注重軍紀，萬不可拾取民間一草一木。故軍隊補給必須充分周到，勿使官兵藉口敗壞紀律"。[6] 自然，願望是善良的，然而，國民黨的軍隊並非是一支令行

1 朱浤源：《"二二八"事件真相還原》。據朱教授稱，死亡的 673 人這一統計，仍然是灌了水的。在此之前，基金會統計的死亡人數為 680 人，統計截止時間為 2003 年 12 月 15 日。見習賢德：《統獨啟示錄》附表 3，台北亞太圖書出版社 2004 年版，第 460 頁。

2 《"二二八"事件資料選輯》（二），第 146 頁。

3 《"二二八"事件資料選輯》（二），第 163 頁。

4 《"二二八"事件斃俘自新暴徒統計表》，《台灣省文獻會二二八文獻實錄》，第 437 頁。

5 《上星期反省錄》，《蔣介石日記》（手稿本），1947 年 3 月 15 日。

6 《"二二八"事件資料選輯》（二），第 210—211 頁。

禁止、奉命唯謹的有良好素質的軍隊，蔣介石的這些指示和命令不可能得到認真的貫徹。

前文已述，“二二八”事件既是台灣人民的抗暴運動，同時又是無理智的騷亂，其中還有在外國勢力影響和操縱下少數人的“獨立”和“託管”活動，三者交錯混雜。在台灣各地普遍發生毆殺外省人，並且奪械暴動的情況下，為了恢復社會正常秩序，南京國民政府出動少量武裝力量有其必要。但是，由於蔣介石既堅決反共，又堅決反對台灣獨立——早在事件發生前，蔣介石就指示陳儀：“據報，共黨份子已潛入台灣，漸起作用。此事應嚴加防制，勿令有一個細胞遺禍將來。台省不比內地，軍政長官自可權宜處置也。”[1] 自然，陳儀等人以“反共”和“反台獨”名義而採取的各項舉措都易於得到蔣介石的支持。所以在事件發生後，蔣介石雖然迅速確定“現時惟有懷柔”，並且先後派白崇禧、魏道明到台灣貫徹這一政策，以“寬大”為要旨，但是，他對陳儀函電中所一再流露出來的強力鎮壓、制裁的意見並未駁正，事實上採取默認態度，而且對赴台軍隊的行動方針、任務、紀律缺乏嚴格而明確的規定，及至軍隊抵台，出現陳儀濫施捕殺、“台民恐慌”等問題後，蔣介石才下令制止，但猛虎出籠，錯誤已經鑄成，糾正無及了。

1 《“二二八”事件資料選輯》（二），第 57—58 頁。

國民黨遷台與蔣介石的反省*

* 本文錄自《找尋真實的蔣介石：蔣介石日記解讀》（2），重慶出版社 2018 年版。

1949年，蔣介石決定將國民黨及政府機構遷移台灣，自此，台灣歷史開啟了一個新的階段。蔣介石做出這一決定，有一個逐漸醞釀並成熟的過程。

一、蔣介石與台灣的因緣

1894年，清政府在與日本的戰爭中失敗。次年，訂立《馬關條約》，將台灣割讓給日本。當年，蔣介石9歲。1918年8月18日，蔣介石自香港赴上海，船經基隆，想起昔日清政府割台的歷史，感慨不已。他雖想上岸遊覽，但台灣已是日本屬地，自然不能如願。所見所聞，無非日人日語，更加感歎不止。[1]

蔣介石踏上台灣土地，時在抗戰勝利、中國收回台灣之後。1946年10月25日，台灣光復一週年。此時，國共兩黨正處於艱難的戰後談判中。21日上午，蔣介石匆匆忙忙地接見周恩來、張君勱、胡政之等人，下午即與宋美齡相偕飛抵台北，乘車直駛草山溫泉。22日，在圓山忠烈祠祭祀革命先烈及抗戰死難軍民。23日，飛台中，經霧峰、草屯子、埔里等地，抵達日月潭，沿途受到台灣民眾熱烈歡迎，蔣介石也覺得能在抗戰勝利後見到"台胞"，感到高興和安

1 《蔣介石日記》（手稿本），1918年8月18日、19日，參見1946年10月26日日記。

慰。他和宋美齡住宿涵碧樓。湖水之綠、山色之秀，都使蔣介石歎為“佳絕”，認為是平生理想的休養勝地。24日，蔣介石離開台中，市民與學生列隊歡送，長達十餘里。25日，適逢台灣光復一週年紀念，台灣各界在台北舉行紀念光復及歡迎蔣氏夫婦大會。自中山橋至中山堂廣場，十餘里長的馬路兩側，也排滿了“狂呼歡躍”的人群，使蔣介石的內心受到巨大的衝擊，自覺40年的革命奮鬥，8年與日本的惡戰，終於得到報償。會上，蔣介石致辭稱：“國父宣導國民革命，即以光復台灣為革命主要目標之一。”“到了民國三十二年，我親赴開羅與英美領袖舉行三國會議，決定日本‘由中國所奪取之土地，如台灣、澎湖群島及東北四省等歸還中國’，至此我們失去了五十年的台灣，已經確定為我們中華民國的一部分。去年八月十五日，日本宣告無條件投降，我國即按照預定計劃，進行接受失土的工作。去年今日，就是台灣省正式歸隸我國版圖的一日。”他宣稱：“中央愛護台灣，遠勝於全國其他任何一省”，號召台灣人民，“今後更應刻苦努力，團結合作，擴展先烈愛國革命的精神與毅力，同心一德地來建設新台灣，建設三民主義的新中國。”[1] 詞畢，台灣省參議會議長黃朝琴代表全省同胞宣讀致敬詞，向蔣及宋美齡分別贈送“功昭寰宇”和“德溥蓬萊”的錦旗。10月27日，蔣介石、宋美齡飛返上海。

蔣介石此次台灣之行，除了對台灣民眾給予他的熱烈歡迎印象深刻之外，突出地感到：一、台灣的日本風習很深，可見日本人“經營久遠之心計”，但這均已成過去；二、台灣尚無中共細胞，可算一片“乾淨土”，應該珍重建設，使之成為“全國模範省”。[2]

1947年2月底，台灣發生“二二八”事件。3月5日，蔣介石派陸軍第21師赴台震懾，指示其師長：“寬大處理，整飭軍紀，收攬人心。”6日，指示陳儀“政治上可以退讓，儘可能採納民意”。7日，確定以“懷柔”為總的處理原則。[3] 3月17日，蔣介石派國防部長白崇禧赴台宣撫，同時在對台灣民眾的廣播演講詞中宣稱：將在“確保國家立場及採納台胞真正民意之下謀合理解決”。

1 《“總統”蔣公大事長編初稿》，第3040頁。
2 《上星期反省錄》，《蔣介石日記》（手稿本），1946年10月26日。
3 參見本書《“二二八”事件與蔣介石的對策》。

他宣佈恢復地方政治常態辦法六條：1. 台灣行政長官公署改為省政府，省府委員及廳、處、局長人選儘量容納地方人士參加。2. 台灣省各縣市長提前民選。3. 縣市長選舉前由省政府委員會依法任用，並儘量登用本省人士。4. 政府或事業機關中同一職務或官階者，無論本省或外省人員，待遇一律平等。5. 民營工業之公營範圍儘量縮小。6. 採納地方意見，修正或廢止台灣行政長官公署現行的政治經濟政策。蔣介石並同時宣佈，參與此次事變的有關人員"除共黨煽惑暴動者外"，一律從寬免究。[1] 5 月，蔣介石任命外交家、文官魏道明為首任台灣省主席，繼續貫徹其"懷柔"政策。經過一年多的努力，台灣社會逐漸安定。蔣介石遷台後，為了化解"二二八"事件在台灣人民記憶中留下的傷痕，專門於 1950 年 1 月 28 日約見黃朝琴等人，要他們對台灣本地人民"寬容謙愛，消弭芥蒂"。[2] 此是後話。

二、蔣介石在內戰中頻頻失敗，目光轉向台灣

進入 1948 年，蔣介石的目光更多地轉向台灣。

1 月 3 日，新年伊始，蔣介石就召見台灣省主席魏道明，商討台灣的經濟與財政問題。3 月 8 日，蔣介石下令將台灣的保安旅改為警備旅。

6 月 14 日，蔣介石思考與中共作戰的形勢，認為抗戰時期，以中國的西北與西南作為根據地，而現在是"剿匪"與"國際戰爭"時代，其核心堡壘應該是"江、浙、閩、台"。他在日記中表示，應該為此制訂一項整個的通盤計劃，"有以急圖之"。蔣介石這一天的日記表明，他在東北、華北、華中連遭軍事失敗之後，不得不將反共根據地建立於東南沿海了。11 月 24 日，他與蔣經國談時局，深感黨、政、軍幹部自私、無能、散漫、腐敗，已經不可救藥，如欲復興民族，重振旗鼓，必須捨棄現有基礎，"縮小範圍"，另外選擇一個"單純環境"，進行根本改造，另起爐灶。蔣介石與蔣經國的這次談話表明，他對當時國

1 《蔣主席對台灣民眾廣播詞》，台北"中央研究院"近代史研究所編：《"二二八"事件資料選輯》(二)，1992 年版，第 181—183 頁。

2 《蔣介石日記》，(手稿本)，1950 年 1 月 28 日。

民黨的組織、政權、軍隊都已經完全失望，所謂“縮小範圍”，“單純環境”，云云，顯然指的就是台灣。

在此期間，蔣介石開始悄悄地向台灣轉移實力。11月24日，蔣介石將原駐湖南衡陽的葛先才部調駐台灣。30日，決定將海、空、聯勤各部遷粵，將陸軍大學和機械化部隊遷台。12月4日，決定將原駐廣東的第154師調台。12月9日，決定修建金門、馬祖要塞。這一切，都是為了加強台灣的軍事實力。

同時，蔣介石也在考慮更動台灣的黨政人選。12月25日，蔣介石考慮調翁文灝為台灣省主席，以蔣經國為國民黨台灣省黨部主委。但是，二人都是文職官員，似乎不很理想。所以沒過幾天，蔣介石又決定以正在台灣養病的陳誠作為台灣省主席。12月29日，蔣介石託魏道明向陳誠轉達這一決定，要陳盡速準備。30日，蔣介石邀請黃埔軍校畢業生聚餐，徵求意見，使蔣想不到的是，第一期的關麟徵、胡宗南等都反對此議。蔣很感傷，覺得到了這種時候，自己的這些嫡系子弟還只考慮個人恩怨，絕無悔悟團結之心。黃埔不幸至此，“誠死無葬身之地”了。

兵馬未動，糧草先行。以台灣作為反共堡壘，不可沒有經濟準備。1948年11月底，蔣介石制訂下月《大事預定表》，其第15條即為“中央存款”之處理。同年12月1日午夜，第一批黃金260萬兩、銀元400萬塊自上海運往台灣。此後，又密令聯勤總部預算財務署長吳嵩慶與財政部及中央銀行訂立“草約”，以“預支軍費”的名義，將原來作為金圓券準備金的國庫資金全部轉運到財務署，分兩批運台。1949年5月18日，又由湯恩伯經手，將第四批黃金19.5萬兩運離大陸。前後四批，總值共約黃金700萬兩。[1]

多年來，吳稚暉一直是蔣介石的堅定支持者，也是蔣的智囊。12月10日，蔣介石給吳寫了一封信，建議他到台灣休養。次年5月7日，又派蔣經國訪問在上海的北洋外交元老顏惠慶，動員他遷台，表示將為他準備機票與在台住房。不料顏不僅毫不動心，卻反過來為中共宣傳，勸蔣經國不必懼共、反共。蔣介石得知後，覺得中共“迷惑人心”，技術真是高明之至！[2]

---

1 參見吳興鏞：《黃金檔案》，台北時英出版社2007年版；江蘇人民出版社2009年版。

2 《蔣介石日記》（手稿本），1949年5月7日。

三、蔣介石進駐台灣，成立總裁辦公室

自 1948 年 9 月 12 日起，林彪指揮下的東北野戰軍連續向遼寧西部和瀋陽、長春地區的國民黨軍發動進攻，歷時 52 天，殲滅國民黨軍 47 萬餘人。遼瀋戰役於 11 月 2 日結束，東北野戰軍一反常態，立即揮師入關，將守衛華北的傅作義各部分別包圍於張家口、新保安、北平、天津、塘沽等地。一切徵象都表明，大局已定，大陸的迅速轉手已經確定無疑。12 月 24 日，桂系大將白崇禧自漢口致電在南京的張群和張治中，要他們轉告蔣介石，人心、士氣、物力，均已不能再戰，要求與中共停戰言和。30 日，白崇禧再發一電，聲稱“時間迫促，稍縱即逝”，要求蔣“趁早英斷”，同日，河南省主席張軫通電，懇請蔣“下野”。

內外交迫，1949 年 1 月 1 日，蔣介石發表元旦文告，表示願意和中共“商討停止戰事，恢復和平的具體辦法”。團拜後，他約李宗仁談話，表示自己“當然不能再幹下去了”。6 日，中共領導的華東野戰軍向早被包圍的杜聿明集團發起進攻，僅 4 天，就全殲邱清泉、李彌兩個兵團，俘獲杜聿明。至此，歷時 65 天的淮海戰役結束，國民黨軍共被殲滅 55.5 萬餘人，南京完全暴露在中共部隊的攻擊矛頭之下。同月 15 日，華北野戰軍全殲天津守敵 13 萬餘人，堵住了傅作義部由海路南撤的通道。19 日，傅作義與中共達成《關於和平解決北平問題的協議》。21 日，蔣介石發表“引退”文告，宣佈由李宗仁“代行總統職權”。

這時候，蔣介石不能不更多地考慮遷台與建設台灣問題。年初，他規劃全年大事，預定了於 5 月下旬到台灣、福州、廈門等地所做的工作，有督導台灣幣制改革、確定預算、台灣施政方針與社會經濟政策之實施、樹立復興基地之基礎、台灣軍政人員之調處與台海空軍額之決定等多項，預定 6 月在台灣或定海督導軍事與基本工作進行，7 月完成台灣的防務與準備。這一份計劃表明，蔣介石的工作重點已經轉向台灣了。[1]

陳誠是蔣介石多年親手培養的愛將。1 月 3 日，蔣介石致電陳誠，詢問他為何仍不就台灣省主席之職。電稱：“若再延滯，則夜長夢多，全盤計劃，完全

1 《民國三十八年大事預定表》，《蔣介石日記》（手稿本），1949 年卷首。

失敗。”[1] 5日，陳誠僅攜帶一名隨員就職。就職後，陳誠決定繼承白崇禧1947年奉命宣慰台灣時的政策，同時以“人民至上，民生第一”相號召，首先推行“三七五”減租，使佃農生活得到改善，農業生產得到增加。同年12月21日，蔣介石考慮到對美的聯絡需要，再以吳國楨換下陳誠。

在蔣介石的計劃中，不僅國民黨中央黨部遷台，而且政府機構也要遷台。3月18日，他開始研究政府機構的遷台手續，並且在日記中寫下了“三年生聚，三年教訓之方法”等字，說明他已在考慮如何效法同鄉的老祖宗勾踐臥薪嚐膽的故事了。4月8日，他預定本星期工作課目，其第九條為台灣與廣東幣制改革之準備。第十條為台灣設立政府之方式。5月7日，他在日記中表示，極想將台灣建設為“三民主義實現之省區”。但是，六天之後，他又將範圍略為擴大，決定以台灣和浙江定海（舟山島）作為“著手開始之點”，並且召見有關人員，研究定海防務和將其建設為“民生主義實驗區”的要旨。[2] 18日，蔣介石著手研究台灣未來的財政與軍費預算，希望能夠制訂出一份包括具體方案在內的三年計劃。

5月25日，蔣介石由位於澎湖列島的馬公飛抵台灣高雄。6月2日決定：“今後應以台灣防務為第一”，應立即召集台灣軍事會議，解決兵額編組與部署巡防通信及交通等問題。[3] 此時，李宗仁是代總統，蔣介石在行政上已無職務，但是他仍以國民黨總裁的名義控制和指揮一切。

6月4日，他考慮建立東南軍政督理委員會或監理團，自任主任，同時考慮以陳誠為閩台綏靖主任，由自己代理，並且致電胡適，勸他就任外交部長。此際，原空軍總司令周至柔致函蔣經國，對“總裁”越權指揮空軍幹部有所不滿。蔣介石見函後表示：自己是“革命領袖”，其地位與“總統”名義的存在無關，沒有“總統”名義，可以擺脫法律限制，對“革命軍隊”擁有“絕對無上之權力”，就更應起而積極負責，監理台灣軍政，決不從此消極，任其所為，使革命“斷種”。12日，他更進一步強烈表示，決不放棄革命領袖的責任與權力，

---

1 《陳誠先生回憶錄．建設台灣》（上），台北“國史館”2005年版，第7頁。
2 《蔣介石日記》（手稿本），1949年5月13日。
3 《“總統”蔣公大事長編初稿》，第3655頁。

無論對軍隊，對政府，一定盡監督與指導之責，任何人不得違抗。[1]

《開羅宣言》早已明確承認，台灣將在對日戰爭勝利後歸還中國，但是，由於中共在大陸的巨大而迅速的軍事勝利，美國部分政客擔心台灣不保，將墮入俄國勢力範圍，使南太平洋的海島防線發生缺口，因此，力謀直接出面管理台灣。英國則在背後慫恿，以加強其在香港的統治聲勢。6月15日，蔣介石在高雄接到宋美齡發自美國的兩封信，擔心美國有可能強佔台灣，承認中共，這使蔣介石突然緊張起來。17日，他與王世杰商談台灣地位及對美態度，當日未有決定。18日，他決定對美應有堅決表示："余必死守台灣，確保領土，盡我國民天職，決不能交還盟國。"[2] 20日，蔣介石得到駐日本東京代表團電陳，盟軍總部擬將台灣交盟軍總部或聯合國暫管。蔣介石立即電示代表團團長朱世明，命他與麥克阿瑟元帥詳談，說明此議"絕對無法接受"，既"違反中國國民心理"，也與"中正本人自開羅會議爭回台、澎之一貫努力與立場，根本相反"。[3]

台灣光復後，在陳儀主持下，台灣一直獨自發行台幣。1948年11月，大陸通貨膨脹，台灣受到影響，金融波動，物價騰貴。次年6月15日，陳誠主持的台灣省政府在原中央銀行總裁俞鴻鈞協助下，宣佈發行新台幣，總額兩億元。新台幣5元折合美元1元，舊幣4萬元折合新台幣1元。由於當年6月2日，蔣介石即決定撥付5000萬美元作為幣制改革基金，有充足的發行準備，因此效果良好，軍民生活安定，並為日後的經濟繁榮奠定了基礎。

7月1日，蔣介石在台北設置總裁辦公室。下設設計委員會，由蔣任主席，或指定委員一人代表主席，委員為王世杰、俞大維、張道藩、俞鴻鈞、吳國楨、雷震等。其下再設黨務、政治、經濟財政、軍事、外交、文化宣傳等六組。蔣經國擔任黨務組副組長，並且另外參加政治、軍事兩組。蔣介石對該辦公室的成立極為重視，後來曾將它與成立革命實踐研究院、台灣幣制改革並列為"從頭做起之初基"。[4]

---

1 《蔣介石日記》（手稿本），1949年6月6日、11日、12日。

2 《蔣介石日記》（手稿本），1949年6月18日。

3 《"總統"蔣公大事長編初稿》，第3662頁。

4 《民國三十八年反省錄》，《蔣介石日記》（手稿本），1949年年末。

四、西南夢碎，國民黨完全撤出大陸

儘管蔣介石將台灣作為第一防務據點，但是，他仍然想盡力保有大陸的西南地區。5 月 14 日，他確定大陸基地以重慶為主。6 月 3 日，李宗仁在廣州召開會議，決定以廣州為政府所在地，但為加強戰時體制，發揮戰時功能，在重慶設立辦事處，分地辦公。6 月 11 日，國民黨中央常務委員會推薦 12 人組成非常委員會，蔣介石、李宗仁分任正副主席。

22 日，蔣介石決定於 7 月初赴廣州成立非常委員會，並巡視重慶等地。10 月 12 日，李宗仁的廣州政府宣佈自廣州遷往重慶辦公。14 日，李宗仁飛抵重慶。他感到沒有蔣介石，什麼事也做不成，於 23 日致電蔣介石，要求蔣立即飛渝，解決今後軍事部署、財政措施以及外交運用等各項問題。26 日，李宗仁向剛剛到達重慶的中央非常委員會秘書長洪蘭友表示，當前諸多問題均難以決定，四川、西康間人事糾紛、地方問題棘手，希望蔣早日來渝，商量解決辦法。27 日，李宗仁再次約洪晤談，表示大局艱危至此，難以肆應，希望總裁早日蒞渝。但是，李不願與蔣共事，又擔心蔣到重慶後，自己會被迫勸蔣"復位"，便於 11 月 3 日飛往昆明、南寧"巡視"。到昆明後，李宗仁會見雲南實力派首領盧漢。盧漢建議，聯名向蔣介石發電，建議將政府遷到昆明，待蔣到後，將他扣起來，"一塊一塊割掉他，以泄心頭之憤"。[1] 李宗仁發覺盧漢不穩，擔心盧可能也會將自己扣起來，向中共獻禮，便匆匆離開昆明。14 日，李宗仁飛到廣西南寧。其後，胃病復發，便血不止。他便致電閻錫山，聲稱須在南寧休息數日。

這時，白崇禧認為只有蔣、李合作，才能挽救西南危局，決定促進二人妥協。[2] 10 月 29 日，白崇禧自重慶致電蔣介石，要蔣來渝主持大計。11 月 2 日，蔣復電白崇禧表示，目前須部署保衛台灣各種事務，當可於月中到渝。12 月 4 日，白崇禧約蔣的親信吳忠信面談，聲言情勢已達最嚴重階段，希望蔣早日來渝領導。他並親筆寫了一封信，請吳專程赴台敦請。白甚至表示，他個人主張

1　《李宗仁回憶錄》（下），政協廣西文史資料委員會 1980 年版，第 1021 頁。
2　程思遠：《李宗仁先生晚年》，第 134 頁。

李宗仁仍為"代總統"，請蔣復出為"總統"，聲明實出自誠意。白還請邱昌渭赴昆明，將談話經過報告李宗仁。

這一段時期，陳立夫、閻錫山等函電交馳，紛紛表示，"中樞幾成無政府狀態，上下惶惑，不可終日"。11日，蔣介石徵詢吳稚暉的意見，吳贊成蔣赴渝，但提出萬不可讓李宗仁脫卸政治責任。對吳的策劃，蔣介石非常贊同。11日，蔣介石決定"順從眾意"，飛渝以盡人事，以"無名義"負責主導，日記云："明知其不可為，而在我不能不為也。"[1] 11月14日，蔣介石飛抵重慶，致電李宗仁，要李即日返渝，共商一切。18日，蔣介石召集黨政幹部會商時局，他心知與桂系已無法合作，但仍致電白崇禧，囑其陪同李宗仁返渝。

11月20日，李宗仁自南寧飛赴香港，聲稱因病將赴美檢查，從速施行手術，"決以最經濟之時間，致力於體力的恢復，俾今後得以全部精力與我軍民共同戰鬥"。[2] 他宣稱，治療期間，"中樞軍政"，由閻錫山負責；"總統府"日常公務，由秘書長邱昌渭等負責。同日，白崇禧自南寧返回重慶，向蔣介石報告有關情況。蔣介石反對李宗仁飛港赴美，認為此行有三不妥：第一，這是"臨危棄職"；第二，香港當時是英國屬地，此行"將置國格於何地！"第三，李對於飛美後的職權並無交代，仍將以"國家元首"的名義赴美，名為養病，實為求援。蔣介石在日記中嚴厲批評說："廉恥、國格為其掃地殆盡。"[3] 22日，蔣介石約國民黨中央常委討論，決定派居正、朱家驊、洪蘭友、鄭彥棻為代表，持蔣親筆函赴港，探訪李病，勸其回國。蔣在函中保證，將以"充分權力"交給李宗仁。[4] 同日，蔣介石與白崇禧談話，表示本人此時絕不復職，李宗仁赴海外"有辱國家"，必須克日回渝，在商定對內、對外大計後，未嘗不可贊同其出國。[5]

蔣介石原以為中共部隊會從陝南進攻川北，因此，在當地佈置重兵，但是，他沒有想到，毛澤東卻命令劉伯承和鄧小平率第二野戰軍採取"大迂迴之

1 《"總統" 蔣公大事長編初稿》，第3767頁。

2 程思遠：《李宗仁先生晚年》，第137頁。

3 《蔣介石日記》（手稿本），1949年11月20日。

4 程思遠：《李宗仁先生晚年》，第138頁。

5 《"總統" 蔣公大事長編初稿》，第3772頁。

動作”，首先進攻貴州和四川東南部。11 月 15 日，佔領貴陽。次日，佔領川東門戶彭水，宋希濂所部十萬人迅速潰敗，二野從南面、東面兩個方向進逼重慶。蔣介石不得不急調第十五兵團羅廣文兵團到長江南岸的綦江佈防，同時命胡宗南部撤守川北，千里轉移，將兵力集結於成都地區，又命胡部第一、第三兩軍火速來渝，並希望胡親來指揮，與中共進行重慶會戰。27 日，二野佔領綦江，羅廣文棄軍逃跑。

重慶岌岌可危，蔣介石曾多次想到自殺。11 月 28 日，他在林園的蓮亭寫下一段感想：

> 黨與國由總理一手創造，由中正一手完成，余愛此黨此國，甚於愛子，豈僅視如至寶而已。時至今日，由余養育完成之黨國，而由余毀滅之，此境此情，將何以堪！如果黨國果真絕望，則尚有此殘軀立足之餘地，其將有何面目見世乎！

因此，他想到自殺，蔣介石稱之為“殉國”，但是，他轉念一想，覺得尚非“絕望”之時，大陸尚有殘破之西南，台灣和澎湖仍然完整，只要此身尚在，“黨國”可以由此身再造。這樣一想，他就決定不“殉國”了。11 月 29 日，閻錫山率“行政院”匆匆忙忙遷至成都辦公。同日，二野部隊逼近重慶，蔣介石決定在機場住宿。午夜，蔣介石趕赴機場，途中堵塞不堪，蔣介石急不可耐，下車步行，等汽車趕來後再乘車繼續前進。當夜，蔣介石就住在“中美”號飛機上。30 日晨 6 時，飛往成都。

在成都，蔣介石臨時住在中央陸軍軍官學校，12 月 1 日，閻錫山見蔣，商談政府駐地及疏散方案。胡宗南也於同日見蔣，述說汽油供應困難，運兵遲緩。蔣介石則鼓勵他進駐遂寧，防守內江。蔣介石計劃，必要時撤退到西昌。

當時，西南地區國民黨尚存兵力五十餘師，胡宗南部有三十二師，40 萬人。這一點兵力當然抵擋不住解放軍的龐大兵力。但是，對於“遷台”問題，蔣介石周圍也有許多人主張“慎重”，有人擔心，美國可能武力佔領台灣。蔣介石認為，英、美絕不敢有異議。日記稱：“如其果用武力干涉，或來侵台，則余必以武力抵抗，寧為玉碎，不為瓦全。”[1]

7日，蔣介石任命顧祝同為西南軍政長官，胡宗南為副長官兼參謀長，賀國光為西昌警備總司令，企圖固守西南。但是，他也斷定西昌不能久守，於7日決定將政府機構遷台，在西昌設大本營，在成都設防衛司令部。同日，蔣介石接見閻錫山，要求他於一日之內完成遷台準備，當晚即由成都飛台。

四川地方實力派頭領劉文輝、鄧錫侯長期和蔣介石有矛盾，和國民黨內的反蔣派李濟深、馮玉祥有聯繫。這時，劉、鄧二人正在籌劃起事，準備脫離國民黨陣營。7日，蔣介石派張群到昆明，安撫雲南省主席盧漢，要求將政府遷到昆明。同日，蔣介石召劉文輝、鄧錫侯談話，二人託詞不來，隨即從成都出走。9日，劉、鄧與雲南的盧漢相繼通電起義。盧漢在扣留張群等人後，又致電劉文輝，要劉會同四川將領，扣留蔣介石。在此情況下，胡宗南等紛紛勸蔣迅速回台。下午2時，蔣介石偕蔣經國等步出陸軍軍官學校，在鳳凰山機場登機，返回台北。

胡宗南是蔣介石最信賴的學生，也是他多年精心培植的將領。蔣相信他可以撐持殘局，在西南地區“建立起堅強不拔的基礎，作為我們大陸反攻的根據地”。[2] 不料胡宗南卻於12月22日隻身飛往海南島。28日，胡宗南在蔣介石的催迫下飛返西昌，部署作戰。1950年1月25日，蔣介石派蔣經國飛赴西昌，勉勵胡宗南死守當地。他並告訴胡宗南：“如台灣失陷，我必死於台灣，以盡我職責。”[3] 3月27日，第二野戰軍攻佔西昌，胡宗南再次飛往海南島逃身。4月13日，西昌地區的國民黨軍隊全部被殲。

至此，蔣介石西南夢碎，在大陸再無可守之地了。

五、蔣介石的反省

蔣介石是一個愛反省的人。他的日記在某種程度上也可以說就是他的反省

1 《上月反省錄》，《蔣介石日記》（手稿本），1949年12月30日。
2 《“總統”蔣公思想言論總集》卷23，第79頁。
3 《“總統”蔣公大事長編初稿》，第4136頁。

記錄。一週過了，有《本週反省錄》；一月過了，有《本月反省錄》；一年過了，也常有《本年反省錄》一類的記載。自然，丟掉大陸，對於蔣介石來說，可謂創痛巨深。他有很多反省，也有許多自責，日記中常見"愧悔無地自容"、"幾無面目見世人"等字樣。他甚至有過"遁跡絕世，了此一生"的念頭。但是，蔣性格頑強，《反省錄》自稱，所造罪孽，不能怨天尤人，只能待（戴）罪補過，以求自贖。[1] 與此同時，他在台北開辦革命實踐研究院，調集幹部學習，總結經驗，蔣介石多次發表演講，其中也有大量反省、檢討的內容。

1949 年 3 月底，蔣介石在《上月反省錄》中表示，要徹底檢討失敗原因，擬成條目，以便反省與改革。其條目，自甲至寅，共 13 條之多（以下簡稱《反省十三條》），但是，寫得很簡略，大多數條文只有一句話。1951、1952、1953 年幾年中，蔣介石逐月審讀 1944 年至 1948 年的日記，不時寫下心得。1951 年 10 月，他審閱 1947 年 6、7 兩月的日記後，決定將此期間的日記秘密印刷，分贈部屬，共同研討過去的得失。同年 12 月 25 日，他要蔣經國研讀自己 1945 年的日記，認為其經歷教訓，比之讀任何歷史為有益。1952 年 12 月 6 日，蔣介石再次決定將 1944 年的日記先行付印，供幹部研究。

研究蔣介石的《反省十三條》，綜合考察蔣遷台前後的其他日記與文章，這一時期，蔣介石的反省大致可分八個方面：

反省之一，是外交失敗。蔣介石認為這是"最大之近因"。在蔣看來，世界上只有強權，毫無信義。蘇聯外交反復無常，毒辣殘忍；美國有頭無尾，輕諾寡信；英國陰險狡詐，唯利是圖。自己不加區別，均以"信義"對之，焉能不敗。[2] 1946 年 3 月，蘇聯乘馬歇爾返美述職之際，向國民政府提出，願出面調解國共糾紛，在東北與中國經濟合作。當時，蔣介石堅拒不理。遷台後，蔣介石檢閱當年外交記錄，認為此舉殊為失策。當時應不顧美國，以自主精神與蘇聯談判，解決問題。這樣做，可使美國有所顧忌，而不敢輕易怠慢中國。他將此視為不能不反省的"最大之教訓"。1951 年，蔣介石檢閱 1945 年 11 月日記，認為蘇聯、美國均是一丘之貉，如果僅據文字、語言及表面現象，即將某國視

---

1 《民國三十八年反省錄》，《蔣介石日記》（手稿本）。

2 《蔣介石日記》（手稿本），1949 年 8 月 17 日。

為誠意可信的友邦，將是“傻中之傻”。[1] 1952 年 11 月，他閱讀 1944 年 7 月以後的日記，認為外交只有強權，弱肉只有等待被吃。[2]

馬歇爾是第二次世界大戰後美國對華政策的主要制訂者和執行人，因此，蔣介石多次在日記中指責馬歇爾“誤美害華之罪”，稱馬歇爾為滅亡中國的“禍首”。1949 年 1 月底，他在《本月反省錄》中就認為，他的“革命剿匪”任務之所以失敗，其原因不在中共，不在“俄史〔斯大林〕”，而在於“美馬”的“冥頑不靈”。他批評自己外交運用無方，過分相信美國，因此應該引咎自責。遷台後，他總結既往教訓，覺得只剩下這“彈丸一片乾淨土”了，自誓從此再也不能因幻想美援而接受美國人的“愚妄”要求了。

反省之二，是軍事崩潰。1949 年 10 月，蔣介石在革命實踐研究院演講中稱：“我們今天失敗的原因很多，而主要的原因是由於我們軍事的崩潰。”其原因，據他說，在於軍事制度，如教育制度、人事制度、經理制度等未能“健全的建立起來”。[3] 他列舉的國民黨高級將領的缺點共 8 條，軍隊的弱點與缺點達 16 種之多。12 月 12 日，蔣介石演講繼稱：“軍隊裏面不僅精神喪失，而且紀律蕩然”，“每一次撤退，高級將領總是先部下而退，置部下的生死存亡於不顧”，“在還沒有和敵人接觸的時候，他心中早就有了一個腹案，就是怎樣脫離戰場，從那（哪）一條路逃到那（哪）一個偏僻安全的地點，苟全性命。”[4] 1950 年 1 月，蔣介石演講又稱，認為軍隊失敗的原因在於“沒有建立軍隊監察制度”，“政工人事不健全”，“政訓工作亦完全失敗”。[5]

關於軍事戰略與指揮，《反省十三條》沒有涉及。1951 年 8 月 7 日，蔣在日記中談到：1945 年 11 月，蔣介石鑒於蘇軍阻撓，中國軍隊接收困難，曾主張東北問題暫時擱置，將開到東北的五個軍調到華北，首先解決關內的中共軍隊，先安關內，再圖東北，由近及遠。但是，由於馬歇爾出面調處，蔣介石相信外援，將大量精銳部隊開入東北，以致內地空虛，各戰場都感到兵力單薄，

1 《蔣介石日記》（手稿本），1951 年 10 月 24 日。
2 《蔣介石日記》（手稿本），1952 年 11 月 27 日。
3 《“總統”蔣公思想言論總集》卷 23，《演講》，第 26 頁。
4 《“總統”蔣公大事長編初稿》，第 3853 頁。
5 《國軍失敗的原因及雪恥復國的急務》，《“總統”蔣公思想言論總集》卷 23，《演講》，第 90 頁。

陷入捨本逐末之誤。[1]

反省之三，是黨內分裂，紀律掃地，組織鬆懈。蔣認為這是革命失敗的"總因"。1938 年 4 月，國民黨臨時全國代表大會決定成立三民主義青年團，以陳誠為書記長，此後，三青團與陳立夫掌握的國民黨系統的矛盾逐漸尖銳。1947 年 9 月，國民黨六屆四中全會宣佈黨團合併，但雙方的矛盾並未消除。蔣介石認為，陳立夫想藉合併之機消滅三青團勢力，並在國大代表等選舉中把持包攬，擴大了矛盾。1948 年 5 月，蔣介石曾慨歎黨內糾紛日甚一日，裂痕無法彌縫，自感此為生平"最大過失"。他設想今後或者停止各級黨部活動，徹底改組；或者聽任各派自動組黨，分道揚鑣。[2] 遷台後，他曾力主將國民黨的性質定位為"革命政黨"，而不是"純粹民主政黨"，甚至主張將縣、市以下基層黨部改為秘密組織。[3] 當時，國民黨中央委員名義上有四百餘人，人多，糾紛也多，蔣介石因此傾向於將國民黨徹底解散、重新組黨。[4] 1950 年，蔣介石在《反省錄》中聲稱，革命失敗，其起因在於黨務內部的分裂，以致影響到軍事、政治、經濟、社會及教育等各方面的紛亂與崩潰。1 月 9 日，他列舉改造國民黨的理由，認為"民國敗亡，人民沉淪，主義不行，共匪叛亂，均應由本黨負責"，次日，他更直指"派系傾軋，人事糾紛"是革命失敗的首因。2 月 2 日，他在日記中表示，革命事業以黨為基礎，多年來，自己專力於軍事與政治，將"黨事"委之他人，結果在人事、組訓等方面都毫無基礎，以致敗亡既速且慘，今後不能不"以黨事為先"。[5]

桂系是國民黨的重要軍事派系，後來逐漸發展成為重要的政治派系，蔣介石的第三次下野，和桂系的"逼宮"緊密相關。蔣介石遷台後，對桂系仍恨之入骨，稱之為"廣西子"。他批評李宗仁與白崇禧"害國害民"、"偽言偽行"、"無廉無恥"。1950 年 4 月 2 日，蔣介石約白崇禧等聚餐，談笑言歡之際，內心想的卻是，彼雖表示歸誠，但完全無法相信。1952 年，他批閱 1948 年 4 月至 5

---

1 《蔣介石日記》(手稿本)，1951 年 8 月 7 日；參見《"總統"蔣公思想言論總集》卷 23，《演講》，第 27 頁。
2 《蔣介石日記》(手稿本)，1948 年 5 月 26 日。
3 《蔣介石日記》(手稿本)，1949 年 7 月 8 日。
4 《蔣介石日記》(手稿本)，1949 年 12 月 27 日、30 日。
5 《蔣介石日記》(手稿本)，1950 年 2 月 2 日。

月之間的日記，認為桂系當時聲勢浩大，壓倒一切，所造成的"黨內鬥爭"形勢，較之中共的"圍攻"還要險惡。[1]

1950年3月，蔣介石在革命實踐研究院演講時還曾談到，由於組織不嚴，因此被中共滲透到內部，盜竊機密，製造謠言，"以致我們幾百萬部隊，並未經過一個劇烈的戰鬥，就為敵人所瓦解"。[2]

反省之四，是經濟、金融政策的失敗，蔣認為這是軍事崩潰的"總因"。1950年3月，蔣介石檢討失敗因素，認為"財政為第一"。宋子文擔任行政院長期間，為了抑制通貨膨脹，曾經按照國際慣例，大量拋售國庫中的黃金。對此，蔣介石始終認為此舉屬於宋子文"誤國"中的最大過錯。[3] 1952年10月，他撰寫講稿，對於是否要如實記錄此事，頗費躊躇，但最後仍然決定"實錄"，其理由是：宋子文害國敗黨，私心自用的"罪過"太多，"以此為最"。[4]到了1955年，他回憶過去，仍然認為"誤用宋子文一人"，其結果是招致政治、經濟、外交的全盤失敗。[5]

反省之五，是抗戰勝利之後，選擇實行民主憲政的時期、制度，以及國民代表大會選舉等，都動搖"剿匪之基本"，與"剿匪對共政策"背道而馳。因此，他強烈感到，錯學了美國民主。

抗戰勝利後，美國介入中國內政，派馬歇爾出使中國，調解國共糾紛。當時，馬歇爾按照美國模式，要求國民黨改變一黨專政制度，開放政權，成立聯合政府。為了滿足美國人的這些要求，蔣介石於1946年召開有中共和各民主黨派參加的政治協商會議。1947年、1948年相繼召開"制憲國大"與"行憲國大"，通過《中華民國憲法》，選舉總統與副總統。早在1948年5月，翁文灝因組閣與立法委員意見分歧，彼此攻擊，蔣介石就判定"民主制度"危害國家。[6]同年9月17日，立法院要求增加公教人員工資，他為此煩悶苦惱，感到中

1 《蔣介石日記》（手稿本），1952年8月6日。
2 《"總統"蔣公思想言論總集》卷23，《演講》，第133頁。
3 《蔣介石日記》（手稿本），1950年3月24日。
4 《蔣介石日記》（手稿本），1952年10月17日。
5 《蔣介石日記》（手稿本），1955年10月3日。
6 《蔣介石日記》（手稿本），1948年5月27日。

國"未及民主程度而硬行民主"，以致黨員如脫韁之馬，不可收拾。[1] 1949 年 9 月 8 日，蔣介石與人談往事，覺得民主、憲政、國民大會等一套做法"到處束縛軍政"，以致無法"剿匪"。他心有餘憤地表示："所謂民主與憲政，其害國之大，竟如此也，誠悔莫及矣。"[2] 在蔣介石看來，聽美國人的話，實行"民主"與"聯共"，是促使國民黨政權崩潰的重要原因。

反省之六，是本身的驕矜、憤懣、自恃、忙迫，不能澹靜虛心，全憑主觀行事。蔣介石認為這也是失敗的"總因"。1949 年 5 月 27 日，蔣介石自我反省，認為一生大病是"輕浮躁急"。1951 年 12 月 8 日，他反省自己，一生重視科學，卻總不能實踐"科學之精神"。1955 年 10 月 3 日，他批評自己個性太強，凡大小政策，無不自信自決，以致無人進言，不能集思廣益，折中至當。[3] 其例證之一就是，西安事變中，自己誤信中共"亦是國人與同胞"，"召其抗戰"，擅自獨斷，而未能謀之於眾，以致鑄成大錯。在他的《反省十三條》中，其第九條為：不研究、不學術（習）、不注重客觀，也可視為對自身的批評。1950 年 3 月，他在演講中讚美中共"辦事、治軍、作戰，的確是本著科學的原則，採用科學的方法"。他並提出，所謂"科學的精神"，就是"實事求是，精益求精"。[4] 1952 年 8 月 13 日，他檢討自己，在軍事指揮上，對客觀的研究，不能求深求實，因此也就不能做出"科學決策"。[5]

在用人問題上，蔣介石覺得自己過於"寬大"、"寬容"。1951 年，他重校 1933 年的《事略稿本》，批評自己"對人不校"、"用人無方"。李濟深、陳銘樞、白崇禧、李宗仁等"背黨叛國"不止一次，但自己不問恩怨，不念舊惡，重用如故，不僅是獎惡，而且是自殺，是"誤國"，表示對"叛徒"，應"殺無赦"。[6]

反省之七，是幹部制度不立，幹部腐化自私。抗戰勝利後，大批黨政幹部從內地到淪陷區，競相以接收敵偽物資為名，瘋狂地掠奪財富，特別是"票

---

1 《蔣介石日記》（手稿本），1948 年 9 月 17 日。
2 《蔣介石日記》（手稿本），1949 年 11 月 16 日。
3 《蔣介石日記》（手稿本），1955 年 10 月 3 日。
4 《"總統"蔣公思想言論總集》卷 23，《演講》，第 147 頁。
5 《蔣介石日記》（手稿本），1952 年 8 月 13 日。
6 《蔣介石日記》（手稿本），1951 年 4 月 27 日、9 月 7 日。

子、房子、車子、條子（金條）、女子”，當時有“五子登科”之稱，惹得民怨沸騰，廣泛流傳“盼中央，想中央，中央來了更遭殃”一類歌謠。1949 年 5 月 19 日，蔣介石反思當時的“接收”工作，批評黨政幹部皆為物質所誘，造成自私自利之惡習頽風，而其原因，則在於本人事前未有充分之準備，未對幹部作嚴格之監督與準備。因此，“實由余應負其責”。次日，更進一步自認，幹部誤國，其原因在於本人管教不嚴，制度不立，以致抗戰甫勝即敗。1952 年 7 月底，他反省為中共所敗的原因，認為其一是軍政與社會組織空虛，幹部腐化，喪失志節，最後一年，幾乎沒有一個幹部能夠效命奮鬥。[1]

蔣介石《反省十三條》的最後一條是，未能“宣傳”社會經濟政策與民生主義。蔣認為這是“唯一之致命傷”。1949 年 2 月 3 日，蔣介石回奉化，遊覽城鄉，發覺當地鄉村四十年來毫無改革，痛感當政二十年，黨政機構守舊、腐化，只重做官，不注意實行三民主義，“對於社會與民眾福利毫未著手”，因此，他在日記中表示，此後要以民生為基礎，亡羊補牢，尚不算晚。[2] 3 月 9 日，他開始設計土地制度的實施方案，在預定 4 月份的大事時，特別將擬定“實行民生主義之方案”列為內容之一。5 月 8 日，他在日記中表示，非常希望對三民主義的實施方案再加一番研討，並以台灣和浙江定海作為實驗區。次日，他表示要對黨政制度、軍隊生活、社會政策提出具體方案，希望既能“制裁共產”，又能“比肩英美”。很快，13 日的日記中就出現了計口授糧，積極開墾，分配每人工作，不許有一無業遊民，二五減租，保障佃戶，施行利得稅、遺產稅，推廣合作事業，籌辦社會保險，推進勞工福利以及實行平均地權，節制資本等“具體方案”。後來，又加上工人與士兵保險制之實行、土地債券與限地制度等內容。從這一天起，蔣介石連續三天研讀孫中山的《民生主義》。6 月底，他在寫完《上月反省錄》之後，特別寫了一段補充意見，題為《政治經濟革新案》，提醒自己注意如何確立以三民主義（尤其是民生）為基礎的“政治體制與經濟政策”。10 月 19 日，蔣介石研究軍隊戰勝的基本條件，列出的條目有：提高人民生活，實行減租減息，反對剝削，反對壓迫專制，反對侵略，反

1 《上月反省錄》，《蔣介石日記》（手稿本），1952 年 7 月 31 日。
2 《蔣介石日記》（手稿本），1949 年 2 月 3 日。

對漢奸，為平均地權、耕者有其田、實行民生主義而戰。12月下旬，他將成立“民生主義實踐研究會”列為預定工作課目。1950年1月3日，他決定開展“社會經濟運動”，其內容為兵農合一、三七五減租，限期耕者有田。2月19日，他制訂當年《大事表》，其第十七條為“社會性的民生主義政策”，其內容中有醒目的兩句話：勞動有食、耕者有田。

蔣介石反省涉及的其他方面還有：無組織、無宣傳、無監察、無賞罰；無秘密、無偵察；不科學、不前進；無策略、無輕重（無重點，無中心）等，不贅述。

六、正確或不正確的反省都深刻影響了台灣歷史的發展進程

蔣介石遷台前後的反省有正確部分，也有錯誤或膚淺的部分。其《反省十三條》最後一條，檢討在大陸期間未能“宣傳”社會經濟政策和民生主義，這一條觸及了問題的實質，但是說得太輕飄了。其實，不是未能“宣傳”，而是未能實行的問題，國民黨在其執政期間，沒有解決中國人民的“民生”，特別是廣大貧苦農民的生存、溫飽和獲得土地的要求，才是其失敗的最根本，也是最重要的原因。還在1947年8月，蔣介石在研究英國、美國和蘇聯社會之後，曾經寫過一段《雜錄》，中云：“我國為歷史上最長於吸收之民族，具自新自強之美德。今日必須發揚此一美德。捨英、美之保守與強權政治，而採取其民主，矯正蘇俄之專制，實現民生主義，以第三種力量樹立於遠東，盡我對世界之使命。”[1]在當時的歷史條件下，這應該是比較正確的選擇。可惜，他當時空有其認識，而未能付之實行。1949年9月13日，他在成都演講稱：“我們今天真正要造福於農民，就惟有徹底實現二五減租。這是我們實行民生主義的第一步，也是我們反共的最後、最有效的武器。”[2]這時候，大半個中國已經轉手，蔣介石提出“造福農民”，幻想以二五減租作為其反共的“最後、最有效的武器”，

1 《雜錄》，《蔣介石日記》（手稿本），1947年年末。
2 《“總統”蔣公思想言論總集》卷23，《演講》，第20頁。

這真有點像俗話所說“平時不燒香，急來抱佛腳”了。不過，他的這一認識對他治台方略的形成還是有益的。

國民黨在大陸失敗的另一原因是長期堅持個人獨裁，這既違背世界潮流，又喪失民心，尤其是知識份子之心，其結果是使國民黨的軀體日漸腐朽，百病叢生而無藥可治。但是，蔣介石卻因戰後國民大會選舉及召開中出現的種種“亂象”，而錯誤地視“民主”、“憲政”為禍國之道，覺得民主反而不如專制、獨裁好，這就是對歷史經驗做出的錯誤總結了。

1949 年 6 月 16 日，蔣介石在日記中表示，他要用新精神、新制度、新行動來迎接新歷史、新時代、新生命、新使命，奠定新基礎，完成新任務。1950 年元旦，他又以前人格言“從前種種，譬如昨日死；自後種種，譬如今日生”自勉。但是，歷史是不能割斷的。人們在創造新一頁歷史的時候，不可能離開既往歷史的影響，更離不開對既往歷史的認識與科學總結。人們可以看到，蔣介石的上述正確或不正確的反省都深刻地影響著此後一段時期台灣歷史的發展進程。有些反省起了好作用，有些則仍如噩夢一樣，在糾纏著、牽累著歷史新一頁的展開。

蔣介石「復職」與李宗仁抗爭*

——讀居正藏札及李宗仁檔案

* 本文錄自《找尋真實的蔣介石：蔣介石日記解讀》(2)，重慶出版社 2018 年版。

蔣介石退守台灣後，急於恢復“總統”職位，從幕後走到幕前。但是，“代總統”還在美國就醫，並無交出權力之意。於是，蔣、李之間再次展開了一場鬥爭。

1950年1月20日，台灣“監察院”致電李宗仁，催其回台，語多指責，實際上是對李宗仁意向的一次“火力偵察”。同月29日，李宗仁以“代總統”名義，復電台灣“監察院”，聲稱病體尚須休養，不能立即返台。2月2日，再復一電，聲稱“赴美就醫未廢政務，接洽美援，仍可遙領國是。”2月4日，台灣《中央日報》、《掃蕩報》、《中華日報》等同時發表社論，向李開火，要求“蔣總裁”復出，“綰領國事，統率三軍”。其間，居正曾託女兒帶給李宗仁一函。2月6日，李宗仁復函居正，函稱：

覺生先生勳右：

病中承令愛惠臨，並攜來手教，欣慰無似。自弟出國療治胃疾，不意轉瞬間，西南半壁竟遭赤匪席捲，舉世震駭，群情悲憤。今國軍孤懸台瓊，既無餉械，復乏外援。聞美國政府對我總裁成見極深，曾一再聲明，不以軍事援助台灣，今更公開嘲罵。在此情形下，吾黨負責同志應警惕國家之危亡，不再感情用事，權衡利害，改弦更張，以挽回既失之民心，俾友邦對我增加信心，樂於相助。倘仍固步自封，一意孤行，逆料美國民主黨主政期間，有效援助決無希望，則反攻大陸，掃蕩赤氛，更為空談，即希冀固守台瓊，勢亦難持久。言念及此，不寒而慄。凡有血氣、愛黨憂國之士，諒有同感。

日前接監察院電，對弟似有誤會，頗為惋惜。察其言外之音，別有作用，醉翁之意，路人可知。本黨廿餘年來政治暗潮中，此種現象屢見不鮮，固不足怪。際茲國脈如縷，民不聊生，且政情複雜，積弊已深，雖思革新，與民更始，無奈障礙橫生，阻力重重，名為元首，實等傀儡，尸位素餐，如坐針氈，有何留戀權位之足云！每感螻蟻無能，難勝重任，早擬引退以謝國人。無如再四思維，弟若下野，依法由行政院長代行職權，為時僅限三月，今既無法召開國大，選舉總統，則代理如逾三月法定期間，即為違憲。或曰可敦請蔣公復職。殊不知弟所代者為總統職權，而非蔣公本人，國家名器，何能私相授受！譬如宣統遜位後貿然復辟，國人群起聲討之。專制帝皇，尚不能視國家為私產；蔣公首倡制憲，安可自負毀憲之責！弟何忍為個人安逸計，而陷本黨於創法始而毀法終。少數同志倡斯說者，不僅毫無憲法常識，抑且故意歪曲理論，以亂視聽，實屬荒謬，貽害至深。國事敗壞至此，誠非偶然也。先生明達，未卜以為然否？

弟創口雖已平復，惟元氣大傷，尚須修養一個時期。現正與美國朝野接洽反共復國計劃。蓋美國雖對我政府現狀、措施表示不滿，然在其反蘇政策下，並未放棄中國。事在人為，宜群策群力以圖之。國家前途，尚大有可為也。

紙短情長，筆難盡意。敬祈不遺在遠，時賜教言，以匡不逮。專此順叩勳安！

李宗仁拜啟　二月六日[1]

12日，台灣“監察院”指責李宗仁滯留美國，遙控台灣政局，決議提請“國民大會”彈劾。13日，國民黨中央非常委員會委員聯名致電李宗仁，促其返台。次日，李宗仁復電，以醫囑不能遠行為理由拒絕。15日，李宗仁的私人代表甘介侯到華盛頓會見駐美“大使”顧維鈞，聲稱：李宗仁對來自台灣的攻擊十分惱火。如果蔣停止誹謗，李就回台，商討如何把權力交給他；如果蔣繼續和李搗亂，李自有回擊的武器。

18日，李宗仁託孔祥熙轉告蔣介石，最好以和解方式安排交回總統職位，

1 美國國會圖書館居蜜博士贈。

否則他就不客氣，公開反對蔣復職。21 日，國民黨中央非常委員會致電李宗仁，限其三日內返台，否則放棄“代總統”職務，如不照辦，則由蔣介石復行“總統”職務。同日，李宗仁再電台北“總統府”秘書長邱昌渭，聲稱“個人地位無所留戀，惟必須採取合理合法途徑，以免違憲之咎。國事至此，安可再生枝節，自暴弱點，以快敵人”。電稱：

希兄與各方接洽，從速尋求於憲法上說得過去之方法，仁自可採納。若圖利用宣傳，肆意攻擊，則仁當依據憲法，公告中外，於國家，於私誼，將兩蒙其害。[1]

23 日，國民黨中央非常委員會決議，請蔣介石復職。於是，李宗仁就決定攤牌了。28 日，李宗仁寫了一封公開信給蔣介石。哥倫比亞大學珍本和手稿圖書館保存著該信的英文本，現據英文本回譯於下：

親愛的將軍：

我很遺憾，不得不告訴您一項消息：自我來美就醫以來，您周圍的那些不負責任的人就陰謀篡奪憲法賦予總統的權力。無論根據憲法原則，或是根據人情，我都不能相信這些不斷來自不同渠道的報告。

我的健康恢復期已滿，正在準備回國，出乎意料地從文件中得知，您宣佈將於 3 月 1 日恢復總統職位。

您應該記得，您於 1949 年 1 月 21 日引退後，我即根據憲法規定，接管總統職務。所“代”者為總統職權，並非閣下個人。更進一步說，您自引退後，已經成為一個普通公民，和總統職權沒有任何關係。不經過國民大會選舉，您沒有合法的理由再次成為中國的總統。同樣，除非國民大會決定，授予我的權力也不能由任何個人或任何政府機構以合法理由廢除。

您的高壓的、獨裁的行為不能被憲法證明為正確，也不會為人民所贊同。在歷史的關鍵時刻，您的巨大的錯誤將極大地影響我國的命運。袁世凱的下場將是您的殷鑒。

為了保護歷經許多困難而制訂的憲法，我代表全體中國人民嚴重警告您，不要甘冒海外民主世界之大不韙。

---

1 美國國會圖書館居蜜博士贈。

又，依據中國憲法，如果現職人員必須辭去——在這樣的情況下，我沒有任何意見——法律沒有規定，引退的蔣介石總統可以復職，但是卻規定由行政院長執行總統職權三個月，在此期間，召集國民大會，選舉新總統。

我極不願意敘述下列情況：自我來美就醫以來，蔣介石將軍及其親密的追隨者，如著名的C. C.系利用我缺席的機會，陰謀篡奪我的政治權力。我一時不在國內成了C. C.系無理攻擊的藉口。然而，沒有一部憲法規定可以反對一時缺席的國家元首。威爾遜總統有幾個月不在美國，逗留在戰後的歐洲。最近，菲律賓總統也像我一樣來美就醫。

不僅如此，我們是內閣制政府，總統只有有限的權力和責任。在總統缺席期間，政府和立法院、行政院可以很好地發揮作用。

通向民主的道路沒有播撒玫瑰花。在中國，為民主而鬥爭的40年來，我們為引進憲法進行了兩次艱難的努力：一次，被想當皇帝的袁世凱破壞了；另一次，就是現在，將要被想成為獨裁者的蔣介石所破壞。

上週五，休養期已滿，我準備回國。於是，（你）選擇了這個時候來進行這一狡詐的冒險行動。

只有真正的民主思想才能有效地和正在擴展的共產主義潮流鬥爭。在我們和共產主義鬥爭的時候，這一對民主制度的完全背叛將引起深深的痛惜。作為中國的合法的國家元首，我有責任領導我國人民保衛我們的憲法。

3月1日，蔣介石在台灣發表文告，宣佈復職。同日下午，李宗仁在紐約舉行記者招待會，發表了一項聲明（原文為英文）：

在中國為成為民主國家而鬥爭的時刻，傳來了一項不幸的、令人震驚的消息——台灣方面公告，蔣介石將軍已經宣佈"恢復"中國總統職位。

人們記得，1949年1月，蔣介石將軍辭去總統職位，成為普通公民。他在引退後的兩個公開聲明中宣佈，五年中，他將不使自己捲入政治，也許將避開下屆總統選舉。（中國憲法規定總統任期6年）為什麼在這樣一個時刻，他認為適宜於使自己不經過選舉就成為總統，這是令人驚奇的。

這是荒謬的，超出想像的，一個普通公民能宣佈自己成為國家總統。這樣，蔣介石將軍就向世界暴露了一個可悲的事實，作為獨裁者，他能將國家視為自己的私產，可以根據興致拋棄或者撿起。

蔣介石將軍引退時，我依照為人民所接受的中國新憲法的規定，被迫繼承這一空缺。在美國，有過非常類似的情況，副總統杜魯門繼承了羅斯福的空缺，直到下屆選舉。

在中文裏，“代”的意思是指，我的任職時間為從上屆選舉到下屆選舉，它永遠不能被解釋為，代替即將離職的已不再做任何事情的前任總統。

在民主的歷史上，蔣介石的復職是最嚴重的違法行為。他為了自己的目的，在他的聲明裏有意曲解了中國憲法第 49 款。[1]

當晚，李宗仁收到蔣介石的電報，蔣要李以副總統的身份作他的專使，在友邦爭取外援。1949 年 5 月，李宗仁曾要求蔣介石出國爭取外援，企圖將他逐出中國的政治生活；曾幾何時，現在輪到蔣介石報一箭之仇了。

還在當年 1 月下旬，台灣方面就得悉杜魯門和國務卿艾奇遜準備邀請李宗仁到華盛頓商談中國事務，非常緊張。當月 31 日，“外交部”部長葉公超致電駐美“大使”顧維鈞，要他“密探實情及美方意向”[2]。2 月下旬，李宗仁派甘介侯赴華府拜會艾奇遜，接洽會見時間。同月末，杜魯門決定在 3 月 2 日邀請李宗仁到白宮便餐，艾奇遜、顧維鈞、甘介侯作陪，台灣方面更為緊張。3 月 1 日，台灣“外交部”打給顧維鈞一通“最速”電，電稱：“蔣總統已於今晨十時視事，2 日白宮宴會，李代總統僅能接受副總統待遇，希遵辦並電復。”[3] 3 月 2 日，再電顧維鈞，指示說：“李副總統如係以副總統身份赴白宮宴會，自應陪往；如竟以代總統身份前往，應不陪往。”[4] 當日上午，在記者招待會上，有人問杜魯門，將按什麼身份接待李宗仁，杜魯門答：“作為中國的代總統。”記者又問，他是否知道蔣介石已經復職時，杜魯門答，他一直沒有同蔣直接聯繫。在下午的宴會上，杜魯門稱李為“總統”，連“代”字也沒有用。宴會結束後，出現了一個饒有意味的細節。杜魯門帶著李宗仁到小客廳談話，顧維鈞本欲跟進，卻被艾奇遜拉住。艾一面表示要和顧在大客廳談話，一面將甘介侯推進小

1 李宗仁檔案，哥倫比亞大學珍本和手稿圖書館藏。
2 顧維鈞檔案，哥倫比亞大學珍本和手稿圖書館藏。
3 同上注。
4 同上注。

客廳，讓他充當杜、李之間的翻譯[1]。這一切，使李宗仁、甘介侯風光之至。

蔣介石非常關心白宮招待李宗仁的情況，特別是杜魯門如何稱呼李宗仁，是否稱他為“代總統”等等，當晚就指令葉公超向顧維鈞了解。顧維鈞據實作了報告並作了分析。他致電王世杰說：“今日白宮午餐招待，國務院曾先告我，純係交際，並非正式，故並無招待代理元首之特別表示，一切談話未及我內部政治問題，故尚稱融洽。惟今後美方態度仍宜注意[2]。”顧維鈞畢竟是個老外交，他不認為美方的表現有什麼特別異常的地方。李宗仁心裏明白，但故弄玄虛。次日，李宗仁致電邱昌渭、居正、于右任、閻錫山、何應欽、張群、王寵惠、陳誠等人稱：

> 仁昨到華府。事前顧大使已奉台方令通知國務院，仁僅以副總統名義代表蔣先生往聘，但杜總統向記者宣稱，仍以代總統地位對仁。招待午宴席間，與杜總統及國務卿、國防部長暢談甚歡，舉杯互祝，三人均稱仁為大總統。餐後，杜單獨與仁談話，不令顧參加。內容未便於函電中奉告[3]。

當時，蔣介石已在台灣掌握實權，而李宗仁孤身在美，杜魯門是不會真正支持一個光杆司令的。在和李宗仁單獨談話時，杜魯門說：一切都了解，來日方長，務必暫時忍耐。杜並勸李，和他保持接觸[4]。顯然，這是杜魯門在承認蔣介石之前對李宗仁作精神上的安撫。這些，李宗仁自然未便“奉告”。果然，3月2日下午晚些時候，白宮新聞發佈官聲明說：國務院收到了蔣介石復職的正式通知，美國承認蔣是中國政府的首腦。又稱：杜魯門無意決定“誰是中國總統這一重要的外交問題”云云。[5]

附記：本文所引李宗仁致居正函及致邱昌渭、居正等電報，均係美國國會圖書館居蜜博士賜贈，謹此致謝。

---

1 《顧維鈞回憶錄》（7），北京中華書局 1988 年版，第 606 頁。

2 顧維鈞檔案，哥倫比亞大學珍本和手稿圖書館藏。

3 居蜜博士贈。

4 《李宗仁回憶錄》（下），廣西政協 1980 年版，第 1036 頁。

5 《顧維鈞回憶錄》（7），第 612 頁。

蔣介石反對用原子彈襲擊中國大陸*

* 本文錄自《找尋真實的蔣介石：蔣介石日記解讀》(2)，重慶出版社 2018 年版。

蔣介石敗退台灣以後，一直念念不忘反攻大陸。其間，美國人曾考慮用原子彈襲擊中國大陸，但蔣介石反對。1955 年，美國試驗威力較小的"戰術核武器"成功，蔣介石一度考慮過是否使用此種武器，但最終仍持反對態度。

一、中國人民志願軍入朝作戰，杜魯門考慮使用原子彈

蔣介石 1950 年 12 月 1 日日記云："杜魯門與美國朝野主張對中共使用原子彈，應設法打破之。"

1950 年 6 月 25 日，朝鮮戰爭爆發。由於朝鮮人民軍的軍事實力大大超過韓國部隊，因此三天後即攻入韓國首都漢城，並且節節勝利，進抵朝鮮半島南部的釜山附近。但是，9 月 15 日，美軍出奇制勝，在半島中部的仁川登陸，戰局頓時改觀。10 月 19 日，美軍佔領朝鮮首都平壤。

同日夜，中國人民志願軍 25 萬人受命入朝。25 日，志願軍一面在東線阻擊敵軍，一面集中兵力於西線，與敵作戰，至 11 月 6 日，將美軍和韓國軍隊趕到清川江以南。美軍司令麥克阿瑟原想在感恩節前佔領全朝鮮，至此落空。11 月 25 日、27 日，志願軍先後在西線和東線發起攻擊，美軍受到沉重打擊。麥克阿瑟驚呼："投入北朝鮮的中國軍隊是大量的，其數量還在不斷增加"，"我

們所面臨的是一場全新的戰爭”。[1] 30日，美國總統杜魯門在記者招待會上宣稱，“聯合國的部隊不打算放棄他們在朝鮮的使命”，“將採取任何必要的步驟以應付軍事局勢”。記者問他，“任何必要的步驟”是否包括使用原子彈，杜魯門回答說：“我們一直在積極地考慮使用它。”[2]

顯然，蔣介石12月1日的日記針對前一天杜魯門在記者招待會上的講話而發。“應設法打破之”，表明蔣介石不僅反對美國對中共使用原子彈，而且要採取某種行動。

蔣介石完全支持當時位於朝鮮半島南部的韓國政府。6月26日，即朝鮮戰爭爆發的第二天，蔣介石就立即召集會議，討論出兵援韓問題。

29日，他決定出兵三師，並派顧維鈞向美國政府交涉。後來，又曾多次向美國表示，堅決支持“韓戰”。12月1日，他曾託人轉告美軍統帥麥克阿瑟：“韓戰挫折甚念，如需中國盡力之處，無不竭誠效勞，願共成敗。”[3] 但是，他一聽到杜魯門有用原子彈對付中共的“考慮”，還是堅決反對。其原因，據蔣日記自述，是因為覺得此法“不能生效，因其總禍根乃在俄國也”。

二、蔣介石計劃反攻大陸，美國空軍方面向蔣介石表示，可以出借原子彈

1954年10月20日，蔣介石日記云：

> 召見叔明，詳詢其美空軍部計劃處長提議，可向美國借給原子武器之申請事，此或為其空軍部之授意，而其政府尚無此意乎？對反攻在國內戰場，如非萬不得已，亦不能使用此物。對於民心將有不利之影響，應特別注意研究。

叔明，指王叔銘（1905—1998），山東諸城人，中國空軍創始人之一。

1 FRUS，1950，Vol. 7，pp. 1237-1238.
2 《杜魯門回憶錄》卷2，第464、472—473頁。
3 《“總統”蔣公大事長編初稿》卷9，總第4416頁。

1924年畢業於黃埔軍校，轉入廣東軍事航空學校學習飛行。1936年任中央航空學校洛陽分校主任。1941年任“中美混合航空聯隊（即飛虎隊）”參謀長，多次參加空戰。1944年獲美國嘉禾勳章。1946年任空軍副總司令兼空軍參謀長。1950年4月任台灣防空司令部司令。1952年升任“空軍總司令部”總司令。由於他和美國空軍之間長期而深厚的關係，因此美國有關方面選擇他作為與蔣介石之間的傳言人。

蔣介石敗退台灣後，一直念念不忘反攻大陸。他原是京劇（原稱平劇）的熱烈愛好者，但卻在1950年1月10日發誓云：如不收復北平，此生不再觀賞平劇。蔣深知，自己初退台灣，立足未穩，完全不具備反攻大陸的條件。因此，他在1951年《大事預定表》中強調，“準備未完，切勿反攻；無充分把握，決不反攻；時機未成熟，亦不反攻。”同年7月2日，他與胡宗南談話，要胡到浙江進行遊擊戰爭，企圖從海上對大陸進行騷擾。直到1952年5月28日，他才和時任“參謀總長”的周至柔討論“登陸反攻”事項，認為要反攻大陸，必須首先選擇“灘頭據點”，蔣介石當時選擇的據點是福州。同年6月，美國第七艦隊司令克拉克告訴周至柔，依照美國現行政策，美台雙方只能各自制訂作戰計劃，而不能共同制訂“聯合計劃”。7月9日，蔣介石決定“第一期反攻戰略”，其內容為：甲、蔣軍單獨反攻，則先佔福州、廈門，再向浙贛路與粵北、浙南分途前進。乙、與美軍共同反攻，則以主力佔領廣州、韶關，以一部佔領廈門，再向閩北、贛南前進。丙、主力由韓國進入中國東北，佔領平津。他計劃於1953年反攻大陸，開闢“韓戰第二戰場”。[1]

1953年初，蔣介石預定當年大事，其第17條即為“反攻兵力與軍費之準備”，蔣計劃在當時台灣現有的30個師之外，新編20師至30個師，2個至3個傘兵師。5月31日，蔣指定周至柔制訂反攻大陸方案，這一計劃後來被稱為“光字計劃”。蔣原來計劃以五年時間“完成復國”，至此，他將計劃延長至10年至15年。

同年，蔣介石提出“雷州半島”方案。蔣的如意算盤是，由韓國經台灣

---

1 《蔣介石日記》（手稿本），1952年11月13日。

以至越南，形成半月形的戰線，12 月 13 日，蔣介石得悉美國參謀長聯席會議主席雷德福即將訪問台灣，準備的談話要點之一即是——“越南反攻與中國反攻大陸同時進行之重要”。[1] 當時，蔣介石想像美蘇必戰，其時間不會超過 1955 年。因此，他將反攻準備定到 1955 年為止。

蔣介石要反攻大陸，首先必須解除美國的所謂“台灣中立化”的束縛。朝鮮戰爭爆發後，杜魯門曾宣佈，命令第七艦隊開進台灣海峽，以阻止從中國大陸對台灣和從台灣對中國大陸的一切海空活動，將台灣海峽“中立化”。美國的這一決定既反對大陸解放軍跨海進軍台灣，也反對台灣蔣軍跨海進攻大陸，對海峽兩岸都有限制。1953 年 2 月 2 日，新任美國總統艾森豪威爾下令第七艦隊不再干涉蔣軍襲擊中國大陸，“放蔣出籠”，蔣介石很高興，認為“正合吾意”。[2]

蔣介石要反攻大陸，還必須爭取美國的軍事、經濟援助。1954 年初，他制訂“開計劃”（K 計劃），爭取美國援助的武器有：海軍驅逐艦 6 艘；噴射式 F86 式戰機 2 大隊，F84 式戰機 2 大隊；新式雷達。

該計劃同時要求：1. 以蘇聯接濟中國的武器數量為準；2. 幣制基金現款 5 億美元；3. 每年作戰經費 3 億美元；4. 經濟援助 1. 2 億美元。

美國人在很長時期內對蔣介石的反攻大陸計劃不感興趣，認為這只是蔣的夢想，“除非有一個瓶子的神仙發現，否則絕無可能”[3]。因此，對蔣軍事援助也不很積極。蔣介石曾在 1951 年 10 月 20 日的日記中抱怨，美國應允的 1951 年軍援計劃 7000 萬美元，至今“一物未到”。12 月 31 日日記稱，美國運到台灣的軍援武器只佔其應允總數的不到 32%。

對於蔣介石所要求的新式噴氣戰機，美國人擔心會給自己帶來麻煩，要求蔣介石保證，不得採取對大陸的攻擊性行動，以免將美國拖入戰爭，在此之前，停止或暫緩向台灣交付飛機。1953 年 7 月 12 日，蔣介石甚至咬牙切齒地在日記中表示：“再不要幻想美國援助我反攻復國。該國之政策與諾言絕不能信

1 《蔣介石日記》（手稿本），1953 年 12 月 19 日。
2 《上星期反省錄》，《蔣介石日記》（手稿本），1953 年 2 月 6 日。
3 《蔣介石日記》（手稿本），1954 年 1 月 4 日。

賴，其幼稚、衝動、反復無常之教訓，如果自無主張與實力，若與之合作，只有被其陷害與犧牲而已。”[1]

到了 1954 年，美國人對蔣介石反攻大陸計劃的冷漠逐漸出現轉變跡象。當年 2 月，台灣與美方召開“共同防衛台灣作戰會議”，4 月，蔣軍與美軍在台灣南部共同舉行“聯合大演習”，14 日，蔣介石邀請美國軍方高級將領普爾少將等人聚餐，參加者一致表示，願隨蔣介石“並肩反攻大陸”。同年 5 月 7 日，越南人民軍佔領奠邊府，全殲法軍 1.6 萬多人，俘虜法國守軍司令德卡特萊少將，法國和美國政府都大為震動。

9 月 3 日，海峽兩岸發生炮戰，解放軍自廈門向金門發炮 6000 餘發，擊斃美軍在金門的顧問 2 人。7 日，台灣蔣軍出動海空軍攻擊解放軍炮兵陣地。10 月 11 日，蔣介石致函艾森豪威爾，認為如果蘇聯首先使用氫彈，先發制人，則“氫彈一落，全世界人心震驚，其必同時萎縮、昏迷，不知所至，更不知如何能圖報復”。因此，他建議美國，“不如助我反攻大陸，使敵人專致力於此，而無暇顧及其他，是為長期消耗敵力，陷入泥淖，不能自拔之一法”。[2] 美國空軍部計劃處向蔣介石提議，只要蔣申請，即可出借原子彈供反攻大陸之用，顯然與這一背景有關。

蔣介石當然知道原子彈的厲害，也知道此物對他反攻大陸會很有用，但他更清楚，此物“使用”不得，一旦“使用”，“對於民心將有不利之影響”。

古語云：得民心者得天下，失民心者失天下。蔣介石雖然是個反共的政治家，但是，他懂得爭取“民心”的重要。一旦他向美國人借用原子彈，那麼，不僅反攻大陸不會成功，而且，他將永遠成為民族的罪人了。

三、使用“戰術核武器”？

1955 年 5 月，美國在內華達州試驗戰術核武器成功。這種核武器當量小，可以用 280 毫米口徑的大炮發射，因此，威力較低，用於小規模戰爭或局部戰

1 《蔣介石日記》（手稿本），1953 年 7 月 12 日。
2 《“總統”蔣公大事長編初稿》卷 13，總第 187 頁。

爭，目的在於摧毀敵方指揮所、集結的部隊、作戰工事和機場、港口等。1958年8月，解放軍福建部隊猛烈炮擊金門。同年10月20日，美國國務卿杜勒斯應邀訪問台灣，企圖說服蔣介石承諾不以武力打回大陸。22日，杜勒斯聲稱，要摧毀金門對岸的中共數百門大炮，只有使用核武器。他問蔣：是否要求美國動用核武器？蔣介石答稱：或許可以考慮使用"戰術核武器"。杜勒斯立即嚇唬蔣介石說，其落塵會殺死20萬中國人和金門島上所有的人，蘇聯並有可能參戰。蔣當即表示：如果這將引起世界大戰，他不會要求使用核武器。[1] 23日，蔣杜再次會談，蔣介石要求美國二者擇一："予我以原子重炮，毀滅其炮兵陣地，否則由我空軍轟炸其運輸線也。"[2] 蔣的用意在以進為退，逼使美國同意他的後一方案。1964年4月，美國國務卿魯斯克（Rusk）訪問台灣，對蔣介石稱："今後再不會有韓戰作戰方式，將以原子彈解決戰爭。"蔣介石日記云："不知其用意何指，其誰欺乎？可笑！"[3] 據有關資料報導，當時，魯斯克詢問蔣介石，在反攻大陸時，使用原子彈如何？蔣稱：美國有多種先進武器，沒有必要使用原子彈。如果使用原子彈，受損失的將不只是中共及其軍隊，對環境污染太大，"光復大陸"成功後不易處理。[4] 1968年12月，魯斯克再次到台灣訪問，蔣介石和他商談反攻大陸問題，希望得到美國支持。魯斯克表示：美國人不想在一場反對中國的常規戰爭中流血。蔣介石立即憤怒地表示："你們永遠不應設想以核武器對付中國。"[5]

---

1 Jay, Taylor, *The Generalissimo*, Harvard University Press, 2009, p. 500.

2 《蔣介石日記》（手稿本），1958年10月23日。

3 《蔣介石日記》（手稿本），1964年4月17日。

4 汪幸福：《蔣介石曾勸說美軍將領擴大越戰，進攻大陸》，《環球時報》，2006年1月16日。

5 Dean Rusk, *As I Saw It*, New York, W. W. Norton, 1990, p. 288.

蔣介石與釣魚島的主權爭議*

* 本文錄自《找尋真實的蔣介石：蔣介石日記解讀》(4)，東方出版社 2018 年版；原載《炎黃春秋》2014 年第 9 期。

1970 年，台灣的中國石油公司與美國 4 家石油公司協議，合作勘探釣魚島等海域海底石油，日本政府提出主權爭議，蔣介石迅速明確肯定，釣魚台主權屬於中國，多次指示台灣當局發表聲明，表明立場。

將釣魚島和歸還琉球問題混雜是美國政府安下的釘子。蔣介石原先希望美國政府分開處理，將釣魚島歸還中國，但美國不聽。退到台灣後，蔣介石仰賴美國的援助，以維護自己的政權，但是，在美國決定將釣魚島的“行政權”轉交日本後，蔣介石終於對美國說了“不”字。

1949 年之前，中共在反蔣鬥爭中，將國統區的學生運動視為“第二條戰線”，因此，蔣介石敵視學生運動，心存戒備、恐懼。1971 年，在美國、香港和台北等地風起雲湧的“保釣”運動中，蔣介石吸收魏道明的思想，通過張群提出：“寸土片石，亦必據理全力維護”。其目的，固有安撫人心，與中共爭取海外華人的一面，但畢竟表達了維護中國固有領土的決心。

美國石油公司的勘探船隻早已派到釣魚島附近海域，但是美國政府擔心這些船上的高科技設備為中共奪取，下令停止勘探。這就說明，在釣魚島等一類問題上，美國政府優先考慮的是政治，不是經濟。

一、1970 年，台灣與美國合作勘探釣魚島海底石油，日本政府提出主權爭議，蔣介石堅持主權屬於中國

釣魚島包含黃尾嶼、赤尾嶼等小島和周圍的若干岩礁，亦稱釣魚台列嶼，日本則稱其為尖閣列島。蔣介石原先不曾注意這群處於台灣東北海中的荒僻小島。1968 年 6 月，聯合國亞洲和遠東經濟委員會在日本東京開會，計劃聯合探勘中國、日本、韓國的海底礦產資源。同年 10 月 10 日，亞經會在美國海軍部支持下，派遣“亨特”號探勘船，探測日本、韓國的南方海域以及中國的渤海、黃海及東海。“亨特”號由台灣基隆北駛，繞行琉球西側，發現接近台灣東北公海底的大陸礁層（大陸架），有廣達數十萬平方公里面積的沉積盆地，厚度約兩千公尺，認為可能有極大量油氣儲藏。其後，美國的亞美和、海灣、大洋、克林敦等 4 家石油公司蜂擁而至，和台灣地區的中國石油公司磋商，計劃對釣魚島附近海域進行勘探。日本政府得訊，於 1970 年 7 月中旬出面反對，聲稱尖閣群島為琉球所屬，是日本領土，台灣方面“對該海域之大陸礁層所作任何片面權利之主張應屬無效”。蔣介石得悉後，其同年 8 月 11 日日記云：“日本聲明其尖閣島為琉球所統屬，反對我與美合作探測該區海底油礦之事。應加注意。”[1] 最初，蔣介石認為勘探合同由台灣與美國簽訂，日本託庇於美國，其主權爭議不會成為氣候，自 1970 年 7 月底至 8 月 13 日，台灣的中國石油公司陸續和美國有關公司簽約。8 月 14 日，蔣介石在日記中寫道：“中美對尖閣群島海底探測油礦已經簽字，日本不敢再提異議。”針對日本所稱“尖閣島為琉球所統屬”之說，蔣介石在 8 月 16 日的日記中反駁說：

尖閣島主權問題，我國不僅沒有放棄，即琉球主權問題，在歷史上任何政府亦未有承認其為日本的，而且在第二次世界大戰，日本投降時，已明確承認其所有外島皆已放棄之事實，以我國政府為和鄰敦睦之宗旨，故從未提及主權問題（為此一小島之爭執）而已，但中國政府與四百年之歷史，並未認此為日本主權，亦從未見有條約之規定也。

琉球原為獨立王國，與中國存在朝貢關係。17 世紀末期，琉球國被位於日

1 《蔣介石日記》，1970 年 8 月 11 日，美國斯坦福大學胡佛檔案館藏，下同，不一一加注。

本九州島南部的薩摩藩侵略。明治維新之後，日本將琉球國改設為琉球藩，納入日本版圖。1879 年，將其大部分島嶼納入沖繩縣管轄。第二次反法西斯戰爭期間，琉球為美軍佔領。1945 年，中、美、英三國政府發表《波茨坦公告》，其中規定："開羅宣言之條件必將實施，而日本之主權必將限於本州、北海道、九州、四國及吾人所決定其他小島之內。"蔣介石的這段日記表明，中國政府從未承認所謂"尖閣島"屬於日本，即使是琉球，也從未承認其屬於日本。自然日本政府以"尖閣島為琉球所統屬"來論證"尖閣島"屬於日本的說法不能成立。

8 月 22 日，台灣國民黨當局"外交部長"魏道明向"立法院"外交委員會報告："我政府已將我對釣魚島列嶼（即日本所稱尖閣群島）所持之立場，明告日本政府。我政府所表示之立場，即根據國際法原則以及 1958 年簽訂之《大陸礁層公約》，中華民國政府對於台灣以北大陸礁層之資源，有探勘與開發之權。"[1]

8 月 25 日，蔣介石通過秘書長張群，命魏道明準備一份關於釣魚島的資料。26 日，魏道明將資料整理成《說帖》，送呈蔣介石。《說帖》從地理與歷史兩方面論證釣魚台屬於中國：

地理關係：與台灣島北端及琉球群島西端（石垣島）之距離相若，均約為 110 海里，但該群島係位於我國東海大陸礁層之上，與琉球群島之間，隔有一深達兩千公尺之海溝。且我國漁民前曾在該島居住。

歷史關係：我國歷史上對該群島向稱為釣魚台列島（為沈葆楨所訂名）。又據台灣省商會聯合會駐琉球商務代表徐經滿報稱，日人古賀辰次郎於明治十八年（1885 年）間，曾向日本政府申請租用該群島，當時日本政府以該群島所屬不明，未予批准。

《說帖》同時說明日方的主要論據：1896 年，明治天皇曾以第十三號敕令，將尖閣群島劃歸沖繩縣八重山郡石垣村所屬，在 1931 年，再以天皇敕令予以確認。但是，魏道明也指出，日方所主張之各項論據，"表面上似頗充實，但我

---

1 《魏外長在立院委會報告》，《中央日報》，1970 年 8 月 23 日。

在事實仍有充分之理由予以駁復”。因為在1879年日本併吞琉球時，“並未包括尖閣群島，直至1895年與清廷簽訂《馬關條約》取得台、澎之主權後，始發表該項敕令”。可見，這是“日本取得琉球、台、澎後之一項內政處分”，此前釣魚島並非屬於琉球，否則自無“另行發表敕令”的必要。

《說帖》中，魏道明也告訴蔣介石：美國雖準備在1972年將琉球歸還日本時將釣魚島包括在內，但美國主張，其主權爭執，“應由有關主張國家協商解決”。“二次大戰中，美軍雖佔領琉球，將尖閣群島劃入其管轄區域內，當時中國政府忽略未聲明異議，其主要原因為基於區域共同安全之顧慮，“美軍之臨時佔領，固不能確定尖閣群島之歸屬也”。他建議，應通知美國政府：我尚未同意美國政府將琉球歸還日本，“尖閣群島”顯非屬於琉球，美方應將琉球及“尖閣群島”分別處理。“在對尖閣群島之軍事需要消除時，應以之交還我方。”[1]

魏道明的這份《說帖》是以一天時間匆匆寫成的內部報告，說理和論證都有不夠周詳的地方，個別說法也並不準確，但它為以後台灣當局對日、美交涉奠定了基調。8月30日，蔣介石讀到魏道明的這份《說帖》，批了一個“悉”字。

9月2日，台灣《中國時報》記者搭乘海洋探測船“海憲”號登上釣魚島，豎立民國國旗，在岩石上刻字。[2]也就在同一天，日本報紙《讀賣新聞》報導，日本政府認為：1. 尖閣列島係屬石垣市，其為沖繩之一部乃歷史上無可置疑之事實。2. 大陸礁層之海底資源開發權，應由鄰國雙方磋商解決，決定儘早協調外務、通產、水產、沖繩等有關單位的見解，提出外交交涉。倘交涉不成功，則向國際法院提訴。[3] 9月10日，日本外相愛知對美聯社宣稱：“尖閣群島顯而易見是日本的，實為無需磋商的一個問題。”

這一時期，蔣介石日記連續出現有關釣魚島的記載，錄如下：

9月9日：“商討釣魚島主權問題。”

9月11日：“尖閣群島與大陸礁層問題，先解決礁層為我所有，而島的主權問題暫不提及，但對美國，應聲明琉球問題，中國不同意，其未經中美協議

---

1 《外交部長魏道明呈總統蔣中正檢奉關於尖閣群島之資料》，台北“國史館”檔案，005-010205-00013-005。

2 《錢復回憶錄》卷1，台北天下遠見出版公司2009年版，第137頁。

3 《駐外單位之外交部收電》（11），台北“國史館”檔案，005-010205-00156-001。

而歸還日本，我保留發言權。”

9 月 12 日：“大陸礁層探油問題，我決批准與美公司協約，以我測度判斷，美恐歸還琉球後日將獨佔大陸油礦，為美後患更大也。”“釣魚台群島對我國防有關，故不能承認其為屬於琉球範圍之內也。”“上午，商討對大陸礁層問題與釣魚台主權問題，予以裁定。”

9 月 14 日：“釣魚列島之主權擬訂政策：甲、大陸礁層全由我所有權。乙、釣魚島陸地不予爭執，亦不承認為日本所有權，作為懸案。”

以上日記表明，連續幾天，蔣介石都在思考並與人討論釣魚島問題，直到 9 月 14 日，才做出裁決：首先確定，釣魚島的大陸礁層為中國所有，堅決不承認日本對釣魚島陸地的所有權。

1969 年，美國總統尼克松與日本首相佐藤榮作之間曾達協議，將琉球“復歸”日本。蔣介石裁定釣魚島主權問題的當日，台灣當局發表聲明，首先表示不能接受 1969 年美、日兩國之間的協議。《聲明》說：

> 琉球群島於 1879 年遭日本吞併之前，為一獨立王國，久與中國維持封貢關係。中國對於日本之吞併琉球，從未予以接受或承認。第二次世界大戰後，琉球群島被置於美國軍事佔領之下，根據 1951 年 9 月 8 日《舊金山市對日和約》第三條之規定，美國對於北緯 29 度線以南，東經 34 度 40 分以東之島嶼及其居民行使一切權力。釣魚台列嶼適在此一區域之邊緣，中國政府對此處置未表異議，蓋其認為美軍駐於琉球群島對於維持西太平洋地區安全係一重要因素。
>
> 1969 年 11 月 21 日尼克松總統與佐藤榮作首相所發表之聯合公報指出，美日兩國將就如何於 1972 年實現琉球“復歸”日本之特殊安排立即進行商討。此項對於琉球群島處置之擬議，為中國政府所不能接受。中國政府始終主張琉球群島法律地位應由有關主要盟國根據《開羅宣言》及《波茨坦宣言》協商決定，同時琉球人民對其政治前途應有自由表達意見之機會。中國政府基於與美、日兩國之友好關係，在當時固未公開表示其反對立場，惟對美國在決定本案前未能依照適當程序處理一節，曾表示遺憾。

《聲明》接著駁斥日本政府對釣魚島擁有主權的兩項主張，認為所謂“天皇敕令”僅係日本政府佔領台灣及琉球後的一項“內部行政措施”，所謂古賀家族向日本政府租借及購買釣魚台列嶼僅係“內政處置”，“並不能在任何方面變更釣魚台列嶼之法律地位”。

最近日本政府提出釣魚台列嶼問題，此係一群無人居住之小島嶼，位於台灣北方僅一百哩左右，台灣漁民每年赴該等小島者為數頗多，釣魚台列嶼在歷史上及地理上均與中國，尤以台灣省具有極密切之關係。日本政府主張此等島嶼為琉球群島之一部分，並主張日本對此等島嶼具有主權。日本並表示，盼於1972年琉球歸還之時，歸還釣魚台列嶼。日本作上述主張基於以下二項理由：（一）1896年一項天皇敕令，將釣魚台列嶼劃入沖繩縣內。（二）日本國民古賀辰次郎於1896年向日本政府租得釣魚台列嶼，為期三十年。該古賀復於1930年自日本政府購得該等島嶼，目前該等島嶼由其子古賀善次所擁有。中國政府認為日本政府所提出之理由不夠充分。首先必須指出，日本於1879年吞併琉球，將釣魚台列嶼並不包括在內。日本天皇敕令及釣魚台列嶼之出租均係於1896年所為，亦即日本根據《馬關條約》取得台灣及其“所有附屬島嶼”之次年，具見釣魚台列嶼於1896年前並非琉球群島之一部分。1896年之天皇敕令是以僅係日本政府於佔領台灣及琉球後之一項內部行政措施。其次，中日兩國於1952年4月28日簽訂和平條約，當時日本放棄對於台灣、澎湖及其他於1895年前係附屬於台灣各島嶼之一切權利、權利名義與要求。中華民國政府認為，釣魚台列嶼屬於此等附屬島嶼之一。

關於古賀家族1896年向日本政府租借及1930年購買釣魚台列嶼僅係內政處置，並不能在任何方面變更釣魚台列嶼之法律地位。

《聲明》最後表示：

基於以上原因，中國政府無法接受日本對釣魚台列嶼之主權主張，甚盼美國政府對中華民國政府有關此項問題之立場能有充分注意。中國政府當將有關本問題今後任何進一步發展隨時通知美國政府。”[1]

9月17日，台灣當局駐美“大使”周書楷會見美國主管東亞暨太平洋事務助理國務卿葛林，就釣魚台列嶼的法律地位發表口頭聲明，說明“該列嶼與中

1 台北“國史館”檔案，005-010205-00013-011，1970年9月14日。

華民國台灣省之關係”。[1]

台灣當局發表了聲明，也對美國做了工作。至當年 12 月 7 日，蔣介石覺得此事可以告一段落了，日記云：“釣魚台群島案主權問題，此時不談為宜。”為何呢？當時，在聯合國大會中支持台灣國民黨政權的國家已成少數，美國正處於接受中華人民共和國加入聯合國的前夜，蔣介石為了防止中共“利用離間”，維持和美國的關係，在日記中又寫了一句：“中美間油約合同不能放棄。”[2]

二、1971 年初，爭議再起，台灣當局提出“寸土片石，亦必據理全力維護”，儘管蔣介石對釣魚島主權爭議準備暫時踩剎車，但是，在美華人，特別是學生卻行動起來，掀起了轟轟烈烈的“保釣”運動

釣魚島附近海域可能蘊藏大量石油的消息傳出後，朝鮮半島海域也傳出類似消息，台灣、日本、韓國陸續成立“中日合作策進委員會”及“日韓合作策進委員會”，研究合作開發方案。1970 年 11 月 12 日，上述兩個“策進委員會”在漢城舉行“聯絡會議”，決定成立“海洋開發”和“經濟合作”兩個“特別委員會”，擬於同年 12 月 21 日在東京舉行會議，成立“海洋開發股份公司”，商討投資比例和人選。

1970 年 12 月 3 日，北京新華社發表題為《美日反動派陰謀掠奪中朝海底資源》的文章，指責“日本軍國主義勾結蔣朴集團，準備‘合作開發’中國台灣省及其附屬島嶼周圍海域和其他鄰近中國和朝鮮的淺海海域的海底石油資源，並妄圖把釣魚島等屬於中國的一些島嶼劃入日本版圖”。[3] 緊接著，在紐約、新澤西、康涅狄克、威斯康辛等地的中國留學生組成“保護中國領土釣魚台行動委員會”，發起簽名，要求台灣當局採取行動，保護中國對釣魚台列嶼的主

1 台北“國史館”檔案，005-010205-00013-012。
2 《蔣介石日記》，1970 年 12 月 7 日。
3 《人民日報》，1970 年 12 月 4 日。

權，同時並在普林斯頓銀行開設專戶，接受捐款。[1]該委員會計劃在1971年1月30日到紐約日本駐聯合國常務代表團或日本駐紐約領事館示威。12月16日，印發《釣魚台事件須知》，批評台灣當局“所表現之態度欠強硬”，聲言“每一個中國人均應維護中國之領土主權，在遇到自己國家被侵略時，不能沉默”。[2]

1月4日，美國斯坦福大學中國學生30餘人舉辦第三次中日釣魚島列嶼主權爭執座談會，參加者批評台灣當局“態度過分軟弱”，扯下“國旗”，驅逐我漁民，何以連抗議都沒有？與會者認為不應因現實政治與經濟問題而在主權爭執上向日本讓步，更不應與日本商談合作開發海底石油問題。會議決定成立中國同學維護釣魚台列嶼主權聯合會，通過《關於釣魚島列嶼問題宣言草案》。

如何對待海外的“保釣”運動，台灣的“外交”官員向國民黨中央請示。1月6日，國民黨中央指示：1. 對彼等之愛國熱情表示欽佩。2. 告彼等我政府與彼等完全一致，對確保領土主權，我必堅持到底。3. 對彼等之示威行動不宜太過壓制，應婉予勸阻說服。萬一勸阻不住，亦應引導彼等之行動為一支持政府之行動，不容有反對政府之表示。且只能有一次行動，而不能成立任何組織，更應促彼等提高警惕，不可為任何野心份子所滲透。[3]這就說明，台灣國民黨中央不能不對海外的“保釣”運動表示支持，但是，又力圖加以控制和限制。

海外“保釣”運動初起時，魏道明即勸告學生“僅向政府陳述意見，勿作其他活動”。他當時的想法是：“鑒於我國目前外交處境之艱難微妙，此類事件自以設法消弭為宜，免使政府陷於窘境。”[4]在台灣國民黨中央確定方針後，魏道明的語氣就較前有所不同了。1971年2月23日，魏道明在“立法院”第47次會議答復立委質詢時表示：“關於釣魚台列嶼的主權，日本政府主張係屬日本南西群島之一部分，我們不能同意。”“釣魚台列嶼事關國家主權，即使寸土片石，我們亦必據理力爭，此項決心絕不改變。”“我國大陸礁層的自然界線應為琉球海溝。凡在其間突出海面之礁嶼，不能作為開發權之基點，故而我們對於

1 《魏道明致蔣彥士函》，《釣魚台列嶼與國內外各界反應》，台北“中央研究院”近代史研究所藏，019.12/01511。

2 《〈釣魚台事件須知〉手冊摘要》，《釣魚台列嶼與國內外各界反應》，台北“中央研究院”近代史研究所藏，019.12/01511。

3 《本部代發電》，1971年1月6日，同上。

4 《魏道明致蔣彥士函》，1970年12月31日。

該海域大陸礁層的開發，具有一切權利，不受任何影響。”[1] 這些話，比起台灣當局此前的表態要強硬、鮮明得多了。

同月，台灣駐美“大使”周書楷奉台灣當局訓令，向美國國務卿致送《節略》，在上年向葛林的口頭聲明基礎上，繼續闡述釣魚島列嶼與台灣省的關係：

（一）就歷史而言，釣魚台列嶼中釣魚台、黃尾嶼、與赤尾嶼三島嶼之名，屢見於早自十五世紀以降明代冊封琉球王各使臣之航行誌記。中國冊封史臣多由福州經台灣東北，包括彭佳嶼、釣魚台、黃尾嶼及赤尾嶼之各嶼前往琉球。釣魚台列嶼是時被公認為台灣與琉球間之分界。

（二）就地理而言，釣魚台列嶼之地質結構與台灣之其他附屬島嶼相似。釣魚台列嶼與台灣海岸鄰接，但與琉球群島距離達二百哩以上，且隔有水深達二千公尺之琉球海溝。

（三）就使用而言，釣魚台周圍素為台灣漁民之作業區。事實上台灣之漁民以往為避風及修補漁船、漁具，曾長期使用該列嶼。

（四）有關本案之法律觀點業於上述口頭聲明中予以詳細敘述，本大使在此僅欲說明日本政府在 1894 年之前從未將釣魚台列嶼劃入沖繩縣屬，該列嶼之併入日本領土係中日甲午戰爭台、澎割讓日本後之結果。

《節略》表示：“中華民國政府以往對美國在該區行使軍事佔領並未表示異議，但此不得被解釋為係默認釣魚台列嶼為琉球群島之一部分，且依照國際法之一般原則，對一地區之臨時性軍事佔領，並不影響該地區主權之最後決定。”《節略》最後要求：“鑒於美國政府將於 1972 年終止對琉球群島行使佔領之事實，茲要求美利堅合眾國政府於此項佔領終止時，將釣魚台列嶼交還中華民國政府。”[2]

3 月 17 日，周書楷再次訪晤葛林，面遞台灣當局“外交部”的《最後核定節略》。周首先強調，當年美國軍事管制琉球，將釣魚台包括在內。我方因美方行動係代表盟國維持整個地區安全，此項控制必為時甚久，不發生轉移問題，故未提出異議。“現我根本對琉球歸日均表反對，自更反對將釣魚台一併歸

1 《釣魚島主權，中央決力爭》，《中央日報》，1971 年 2 月 24 日。

2 《駐美周大使致美國務卿節略》，台北“國史館”，005-010205-00013-013。

還。”他表示：此事目前已成為中國海外同胞，尤其在美知識份子，包括年長有地位的學人以及從事科學、工程研究人士的“高度敏感問題”，中共又擬利用此事，造成反日反美運動，因此，“故亟盼美方能諒解我國立場，助我平息此事”。葛林答稱，當將此事報告國務卿，並交付法律顧問研究。他表示：“美當時係根據《舊金山市和約》第三條規定佔領琉球，今美既決定將琉球交日，釣魚台自當一併歸還。”但他表示其“個人初步看法”稱：“此所謂歸還，未必即謂其主權屬日，主權問題自仍可由中日雙方談判解決。如談判不成，再研究由第三國調節或尋求國際仲裁等其他途徑解決，此為美之立場。”[1]

自 1971 年 1 月起，在美國華人，特別在中國留學生中間，逐漸興起“保釣”運動。1949 年之前，中共將國統區的學生運動視為“第二條戰線”，蔣介石吃過學生運動的虧。美國華人中的“保釣”運動發展起來後，蔣介石對之持警戒、敵視態度，日記云：中共“在美組織義和拳、紅衛兵，最近又發動其為釣魚島問題遊行示威，借題發揮，其挑撥中、日、美關係，而美袖手旁觀，毫不感其後患無窮也。”[2]一直到 4 月上旬，他仍然對華人在美國舊金山市、華盛頓、波士登等地的遊行示威持反對態度。4 月 10 日，他在《上星期反省錄》中指責中共，“在美國與香港，挑弄青年學生掀起反美、日與我政府之風潮”，說是“少年無知，竟在舊金山市、華盛頓各地遊行示威，幸人數不多也”。

同年 3 月，旅美中國教育界、科學界人士丁澤霖、田長霖、陳省身、趙元任、勞榦、張捷遷、何炳棣、李遠哲、何廉、李書華、唐德剛、夏志清、余英時、吳文津、楊聯陞、鄧嗣禹、顧毓琇、杜維明、馬大任等 523 人上書蔣介石稱：

> 釣魚台群島為中國領土，法理、史實均確定無疑。同人等謹請政府保持堅定立場，抵抗日本新侵略。並在釣魚台主權問題未解決之前，請堅決拒絕參加所謂《中日韓聯合開發海底資源協議》之簽訂會議。同人等身居海外，心懷邦國，事關國家大計，不忍緘默，至希垂鑒。[3]

---

1 《外交部收電抄件》，1971 年 3 月 17 日，台北“國史館”，005-010205-00157-028。
2 《上星期反省錄》，《蔣介石日記》，1971 年 1 月 30 日。
3 《中央日報》，1971 年 3 月 16 日。

蔣介石反對海外青年學生示威遊行，但是，對海外教育界、科學界的上書，他不能不認真對待，指示張群替他復函。3 月 18 日，張群復函，聲稱蔣介石閱後，對上書各先生的“愛國熱忱至深佩慰”，特囑咐將本案處理有關情形奉告。

關於“釣魚台列嶼主權之歸屬”，函稱：

> 政府對於此項問題之處理至為鄭重，因本案關係國家領土主權，寸土片石，亦必據理全力維護。此項立場始終如一，絕不改變，業經外交部魏部長道明在立法院迭次公開宣佈。政府對本案之因應，係以國際法原則為基礎，申明釣魚台列嶼依歷史、地理使用情形及法理各因素而言，乃我台灣省之附屬島嶼，其主權屬於我國，政府一貫係在此一基礎上對本案全力交涉。

關於“中、日、韓三國民間代表商討共同開發海底資源問題”，張群解釋說：“中日合作策進委員會”及“日韓合作策進委員會”都是“民間組織”，目的在於“研究彼此之間的友好合作方案”；1970 年 11 月漢城舉行的“聯絡會議”，僅僅研究“三國間經濟方面共同合作之可能性”；同年 12 月在東京舉行的會議也僅“就共同開發三國有關海洋資源問題，包括漁業科學研究及公害防制等項，廣泛交換意見”。函件表示，“並未議及具體方案”，會議討論的事項“與釣魚台列嶼之主權及該海域之大陸礁層開發，實無關連”。函件最後表示：

> 先生與我留美同學忠愛國家，政府與國內同胞同深感動，茲特向先生述明問題真相，知必信任政府，共赴時艱，並請轉達我留美同學為荷！[1]

張群申明，此函遵蔣介石之囑而寫，自然，全文必經蔣介石同意，代表蔣的態度。其中“寸土片石，亦必據理全力維護”一語係從魏道明答復“立委”質詢時所言“即使寸土片石，我們亦必據理力爭”發展而來。台灣國民黨當局認為中共“以釣魚台問題為名，利用海外華僑及學人之愛國熱情，轉變為反政

---

1 《旅美學人忠愛國家，“總統”表示至深佩慰》，《中央日報》，1971 年 3 月 19 日。

府運動，奪取我對華僑之領導權”，自然，不能不做出必要的表態。[1]

這一時期，蔣介石進一步思考釣魚島問題，在日記中寫道：

> 該列島主權在歷史與地理上而言，隸屬於台灣省的，乃無問題，亦無可爭辯。

但是，釣魚島事實上當時為美軍佔領，歸屬何國，只能由美國說了算。他決定，如美國“臨時交還日本，則我應提交國際法庭，以法律解決之”。他也考慮過“軍事解決”，但認為台灣當時無此能力駐防該列島。不僅兵力分散，而且擔心中共乘機進攻台灣。[2]

蔣介石深知，當時解決釣魚島主權爭議的關鍵是美國。1971 年 4 月 2 日，蔣介石致電周書楷，指示其就釣魚島問題與美國政府交涉。8 日，又命張群致電周書楷，指示其在會見美國總統尼克松時，說明“釣魚台案與我國關係至為切要，促請其注意我方前遞《節略》，尊重我方主權並及早惠予答復，促並請尊重我方主權”。[3]

保釣運動迅速發展到台北。4 月 13 日，台灣大學哲學系大樓掛出標語：“中國的土地可以征服，而不可以斷送；中國的人民可以殺戮，而不可以低頭。”15 日，台北政治大學和台灣大學等校學生約五百餘人遊行，到位於忠孝西路的美國駐台北大使館抗議，有三位學生被允許進入使館，遞交抗議書，其餘學生則安靜地在門前馬路上靜坐，等候消息。[4] 另有一支隊伍，則到日本駐台北使館抗議。17 日，蔣經國向蔣介石彙報。這次遊行突破了台灣當局的戒嚴禁令，蔣介石認為此乃“二十年來所未有之事”，要蔣經國準備文告，做“最後警告”。[5]

不過，蔣經國並沒有使用這一招。事後，蔣經國派“外交部”官員錢復到各校報告，和學生對話。據錢復回憶，他一共講了 72 次。[6] 在國民黨當局的“疏導”政策下，台北的“保釣”運動沒有進一步發展，學生運動逐漸向校園民主

---

1 《國家安全局擬具〈對共匪‘和平解放台灣’詭計之先制作戰〉研究報告》，轉引自《宣傳外交綜合研究組會議報告》，1971 年年 6 月 19 日，台北“國史館”，005-010205-000090-003。

2 《蔣介石日記》，1971 年 4 月 7 日。

3 《總統府秘書長張群致電駐美大使周書楷》，台北“國史館”，005-010205-00013-006，1971 年 4 月 8 日。

4 《大專學生至美使館抗議美對釣魚台主張》，《中央日報》，1971 年 4 月 16 日。

5 《蔣介石日記》，1971 年 4 月 17 日。

6 《錢復回憶錄》，第 139 頁。

運動和社會改革實踐轉化。

6月4日，鑒於在美國等處的保釣運動聲勢日漸浩大，台灣新任駐美“大使”沈劍虹不得不再次往晤葛林，要求美國政府體諒台灣當局的處境，勿將釣魚台與琉球一起交給日本：“我當前釣魚台問題處境極為困難，海內外學人、學生對此事情緒激昂，視為中華民國政府能否維護其權益之考驗，留美學人、學生中激烈份子甚至聲言如釣魚台交還日本，將不再信任中華民國政府，如此則將對我政府極端不利，特懇請貴國勿將釣魚台與琉球一併交予日本，改為分案辦理。”面對沈劍虹的懇求，葛林冷冷地表示：“法律上美必須將釣魚台行政權交還日本，但對釣魚台主權誰屬，則不置喙。”[1] 至於何以要將行政權和領有權分開，葛林則不做任何說明。簡簡單單的“不置喙”三字，為以後各方的無窮糾紛埋下了“釘子”。

向美國求情無用，又聽說美日雙方即將簽署移交琉球群島的正式文書，台灣當局只有最後一手了。6月10日，蔣介石日記云：“聞美國（將琉球）歸還日本，釣魚台亦在其內，甚為不平。”11日，台灣當局發表《聲明》，“再度將其立場昭告於全世界”。內稱：

（一）關於琉球群島。《聲明》認為“應由主要盟國予以決定”，“美國未經此項協商，遽爾將琉球交還日本，中華民國至為不滿”。

（二）關於釣魚台列嶼。《聲明》表示：“中華民國政府對於美國擬將釣魚台列嶼隨同琉球群島一併移交之聲明，尤感驚愕。”“中華民國政府根據其保衛國土之神聖義務，在任何情形之下，絕不能放棄尺寸領土之主權。”釣魚台列嶼“應予美國結束管理時交還中華民國”。“現美國徑將該列嶼之行政權與琉球群島一併交予日本，中華民國政府認為絕對不能接受，認為此項美、日間之移轉絕不能影響中華民國對該列島之主權主張，故堅決加以反對，中華民國政府仍切盼關係國家尊重我國對該列嶼之主權，應即採取合理合法之措置，以免導致亞太地區嚴重之後果。

這一《聲明》經蔣介石審定。最後二句中的“應即”二字，原為“迅速”；“合理”二字後的“合法”二字；“以免導致”後的“亞太地區”四字，均為蔣介石

---

1 《沈劍虹往晤格林》，《外交部收電抄件》，台北“國史館”，005-010205-00160-023。

所改。其中，“至為不滿”，“堅決加以反對”，均係針對美國政府而言。蔣介石和國民黨政權退到台灣後，一方面要依賴美國的援助維護統治，另一方面，又不願意完全受制於美國，對美國有許多不滿，這種不滿有時甚至達到咬牙切齒的程度，但是，大多記錄在其私人日記中，在公開的“外交”文件中對美國說“不”，並不多見。

當年 6 月 17 日，美國與日本簽訂《歸還沖繩協定》，將釣魚島的“行政權”轉交日本已成定局，台灣學生在台北舉行大遊行，向美、日大使館遞交抗議書。當日，蔣介石與蔣經國談話，日記云：“今日美日簽訂交換琉球書。”又云：“與經兒談釣魚台列島問題，美國已促日本與我商談矣。”在無可奈何之中流露出一絲略感安慰之感。[1] 11 月，美國參議院外交委員會舉行聽證會，審查該協定，諾貝爾獎獲得者楊振寧等出席，論證釣魚台為“不可爭辯”的中國領土。外交委員會在報告中宣稱：“美國將行政權移交給日本的行動，並不構成基本的主權（美國並無此種主權）之移交，亦不可能影響到任一爭論者的基本的領土主張。委員會確認協議中的條款，不影響到任何國家關於尖閣或釣魚台列嶼的任何主權主張。”[2] 美國參議院的這一報告和美國政府所持立場並無顯著不同，僅是對堅持釣魚台主權屬於日本的政客們有所提醒而已。

蔣介石曾經估計，與美國石油公司簽訂勘探合同，美國政府方面不會有困難。最初，美國的石油公司態度積極，勘探船在 1970 年 9 月即已開到台灣，但是，從 1971 年 4 月以後，美國各石油公司的積極性逐漸降溫。當月，美國國務院發言人通知各石油公司，不要在“有危險可能”的“敏感性地區”勘探，其理由是，美國政府最關切的是，中共可能藉機“攫取美油公司之探勘船及該項船隻所配備之精確電子設備”，這些電子設備“類似太空領航設備”，“受美國出口管制法之限制”。云云。[3] 這就說明，美國政府當時優先考慮的是政治，而不是經濟。

---

1 《蔣介石日記》，1971 年 6 月 17 日。

2 《美認琉球交予日本不影響釣魚台主權》，《中央日報》，1971 年 11 月 6 日。

3 《外交部收電抄件》，1971 年 4 月 14 日，台北“國史館”，005-010205-00157-014。

三、1972 年，美國政府將琉球歸還日本，台灣當局與日本釣魚島爭端再起

1972 年 2 月，台灣宜蘭縣政府準備派人到釣魚台進行調查活動，引起日方激烈反對。3 月 8 日，日本外務省發表《關於尖閣諸島所有權問題的基本見解》，強詞奪理，自說自話地論證釣魚島屬於日本。[1] 同年 3 月 24 日，周書楷約見美國駐台北“大使”馬康衛。周稱：5 月 15 日，美國將琉球交還日本期近，日本佐藤首相、福田外相、駐美大使牛場信彥均曾發表“激烈之言論”，日本並準備在東京及那霸舉行慶祝，但是，蔣介石的“總統就職大典”亦將於 5 月 2 日舉行，希望日本政府能“自我約束”，“勿使意外事件在此時發生”。當時，美國僅決定將釣魚島的行政權交給日本，而不支持日本對釣魚台的主權要求，日本外相福田甚感不滿，在日本國會發表演說，批評美國。周向馬表示，此前本人曾向美方提議，在將琉球交還日本時，將釣魚島留作靶場之用，不知美政府對此項建議有何反應？他希望美方勸導日本政府“將其注意力對於琉球，而勿對釣魚台列嶼問題斤斤計較”。他坦率地對馬康衛說：

> 星星之火，可以燎原。希望吾人能防患於未然，我政府對本案始終盡力自我約束，惜日方未能採相似之舉措。本案在我國青年心目中，乃一極度敏感之問題，目前彼等對於國民大會之若干措施，已感不甚滿意，倘再以釣魚台列嶼一案予以刺激，則無異火上加油，勢將導致嚴重之果。[2]

馬康衛向周書楷表示，美國在釣魚島問題上“不偏不倚”，將不發表“偏袒日方”的言論。

同日下午，周書楷與北美司司長錢復接見日本駐台北“大使”宇山厚，提出兩方“對該列嶼之主權雖各有主張，但應循友好和平之方式解決而不訴諸情感”，“我方已儘量自我約束”，希望宇山向日本外務省建議“勿再對此事多予渲染”。[3]

---

1 日本外務省官網，http://www.mofa.go.jp/region/asia-paci/china/pdfs/r-relations_cn.pdf.

2 《外交部周部長就釣魚台案與美國駐華大使馬康衛談話記錄》，005-010205-00013-001。

3 《外交部周部長接見日本宇山大使談話記錄》，台北“國史館”，005-010205-00013-002。

宇山雖然應允向他的主官反映台灣當局的意見，但是，日本政府卻並不重視。

由於美國將琉球交還日本的日期越來越近，台灣當局也越來越緊張。4月21日，台灣當局“宣傳外交綜合研究組”舉行第281次會議，主持人提出：“我政府維護釣魚台領土主權及資源權益之措施與立場自始即極為明確、堅定，針對當前情勢，希望在新聞報導上務求平實，在評論上尤應冷靜，斷不可渲染誇張刺激，而應促使國人信任政府，支持政府，海內海外精誠團結，使此一領土主權之爭議，得循外交途徑謀致合理解決。“周書楷提出：“在5月15日美國將琉球歸還日本之前，自應有所聲明。”但是，他又擔心，此項聲明發表時間，如過早，恐對內產生渲染作用，對外刺激日本；如過遲，則又恐中共搶先一步。會議經討論，認為發表此項聲明“其主要作用在安定海內外國人心理，而聲明之內容，亦不宜超過以往所表示之範圍，乃係重申立場，措辭簡要，似不致使日本有新的刺激。其時間，則以5月初為宜”。5月3日，美國駐台北“大使”館參事唐偉廉訪問台灣當局“外交部”北美司司長錢復，告以美方得到消息，日本“極端偏激份子”擬在5月15日採取行動，支持日本政府主張，並準備乘機登上釣魚島，美方已命琉球警方派巡邏艇戒備，嚴防其登島。云云。5月5日，“宣傳外交綜合研究組”舉行第282次會議，周書楷提出，擬本月10日至12日之間發表。他說，聽說“立法委員胡秋原、李文齋將為此事提緊急質詢，務請中央制止，以免引起波瀾”。

5月10日，台灣當局在《中央日報》發表《聲明》，宣稱：

> 中華民國政府對於琉球群島之地位問題，向極關切，並曾迭次宣告其對於此項問題之立場。
>
> 茲美國政府已定於本（六十一）年五月十五日徑將琉球群島交付日本，且竟將中華民國享有領土主權之釣魚台列嶼亦已包括在內，中華民國政府特再度將其立場鄭重昭告於世界。
>
> 對於琉球群島。中華民國政府一貫主張，應由包括中華民國在內之二次大戰期間主要盟國，根據開羅會議宣言及波茨坦會議宣言揭櫫之原則，共同協商處理。美國未經應循之協商程序，片面將琉球交付日本，中華民

國政府至表遺憾。

至於釣魚台列嶼，係屬中華民國領土之一部分。此項領土主權主張，無論自地理位置、地質構造、歷史淵源、長期繼續使用以及法理各方面理由而言，均不容置疑。現美國將該列嶼之行政權與琉球一併“交還”日本，中華民國政府堅決反對。中國民國政府本其維護領土之神聖職責，在任何情形下，絕不能放棄對釣魚台列嶼之領土主權。[1]

本宣言早已起草，據檔案，第一稿的完成時間為 1972 年 4 月 13 日，其間屢經修改。至此遂正式定稿發表。周書楷 5 月 5 日在“宣傳外交綜合研究組”第 282 次會議上說：“我政府對釣魚台問題之聲明稿已奉核定。”據此，則此稿亦經蔣介石審核修訂。[2]

大概是為了不要“過事渲染”，報紙雖然將這一《聲明》安排在頭版，但卻不是頭條。

《聲明》發表的當天，蔣介石再次加以審讀。其 6 月 15 日日記云：“召集高幹，商討發表文告時間與外交及釣魚台問題。”不過以後並未見《文告》發表。

這一時期，台灣當局的國際處境已經愈加不妙。1971 年 10 月 25 日，聯合國第 26 屆大會通過決議，恢復中華人民共和國的合法席位，但是，這以後，台灣和美國的“外交”關係還在維持著，蔣介石在不少方面還要仰賴美國的幫助。儘管如此，在事關中國領土、主權的釣魚島爭議問題上，蔣介石和台灣國民黨當局還是再次公開對美國人說了“不”字。

1　台北“國史館”，005-010205-00013-009，1972 年 4 月 13 日。

2　台北“國史館”，005-010205-000090-016，1972 年 5 月 7 日。

蔣介石與陳誠在台灣的土地改革*

* 本文錄自《找尋真實的蔣介石：蔣介石日記解讀》(4)，東方出版社 2018 年版；原載《文史哲》2018 年第 6 期。

孫中山早就提出“耕者有其田”的土改方案，主張“和平解決”，“讓農民可以得益，地主也不吃虧”。國民黨雖接受此方案，但長期空喊、議論。1949年，蔣介石下野反思，認為在大陸失敗的主因是未能按孫中山主張辦事。他重讀孫的《民生主義》演講，決心入台後首先實行土改，並將這一任務交給其親信陳誠。

台灣的土改兼顧地主和農民的利益，既使大量農民上升為自耕農，又以土地債券和公營公司的股票補償地主。結果，台灣農業超越戰前最高水準，土地資本向新興工商業轉化。台灣一度躋身亞洲“四小龍”，土改是其起步階段。

陳誠自稱，台灣土改是不流一滴血的革命，美國人視為典範，不少國家紛紛取經，但是，這種土改，不能改變社會的兩極懸殊，只改變了財富的佔有形式和佔有者的社會身份，不少地主搖身變為資本家。

近年來，台灣社會出現“外來者打壓本地精英，損害了‘我們’地主的利益”，這就不僅是在為台灣地主叫屈，而且是在為台獨理論張目。土地為地主或莊園主佔有，農民或農奴不得不向地主或莊園主承租土地，繳納高額地租或勞役。這是一種中世紀的落後制度，成為工業化的巨大障礙。綜觀世界史，各個國家、各個民族在向現代化的發展過程中，無不面臨土地問題，提出過各種各樣的解決方案。其中，蘇俄經驗對中國影響最大。

早在1902年，孫中山在日本東京與章太炎討論土地問題，即主張“不稼者不得有尺寸耕土”。[1] 1912年8月，孫中山到北京與袁世凱會晤，明確提出：“欲求解決農民自身問題，非耕者有其田不可。”[2] 1917年，蘇俄十月革命，立即廢除地主土地所有制，使土地成為全民財產，同時按人口和勞動力將土地轉交給農民佔有和使用。1924年8月，孫中山在廣東農民運動講習所講話，主張參照蘇聯經驗，實行“耕者有其田”，但是，孫中山認為，將蘇聯辦法“馬上就拿來實行，一定要生出大反動力”，因此主張聯絡農民，“同政府合作”，“慢慢商量”，“讓農民可以得益，地主不受損失”。[3] 這種辦法，孫中山稱之為“和平解決”。它對地主階級的打擊較小，社會震盪較小，阻力也較小，易於為各種社會力量接受，因此，許多國民黨人，包括蔣介石等人在內都準備採納，他們提出過建立“土地銀行”等多種設想和方案，但由於種種原因，始終停留於空喊和議論階段，不見實行。1927年，國共兩黨的第一次合作分裂，中共轉入農村，提出“打土豪，分田地”，獨立實行“土地革命”。中共的這一政策在抗日戰爭期間雖一度停止推行，但国共內戰期間繼續，進一步發展為清算、鬥爭而後無償沒收地主多餘土地，給予生活出路，加以政治管制的系統政策。這些政策，由於“打”字當頭，或必須以“鬥爭”為核心環節，因此可以名之為“鬥爭土改”。這種“鬥爭土改”，其優點是易於激起農民對地主階級的仇恨，發現和培養積極份子，組織階級隊伍，給予地主階級以毀滅性的沉重打擊，並易於調動農民保衛土改成果的積極性。其缺點則是社會震盪激烈，易於出現“左”的過火性錯誤。這種土改辦法，少數國民黨左派接受，大多數國民黨人反對。因此，採取溫和抑或採取激烈的不同的土改方案成為國共兩黨的重大分歧之一。在歷史發展過程中，國民黨的“和平土改”始終只是空談，而中共的“鬥爭土改”則得到廣大農民擁護，並在多種“合力”的影響下，取得內戰的勝利。

1 《訄書》（重訂本），《章太炎全集》（三），上海人民出版社 1984 年版，第 274 頁。

2 鳳岡及門弟子編：《三水梁燕孫（士詒）先生年譜》，上海書店 1990 年版，第 123 頁。

3 《在廣州農民運動講習所第一屆畢業典禮的演說》，《孫中山全集》卷 10，中華書局 1986 年版，第 558 頁。

一、下野之後反省，蔣介石重讀孫中山的《民生主義》演講

1949 年 1 月 19 日，蔣介石約見李宗仁、孫科、吳忠信、張群等人，表示退職之意。21 日，發佈引退書告，提出由李宗仁代行總統職權。22 日，蔣介石回到奉化溪口。自 1927 年 4 月 18 日，蔣介石在南京成立國民政府，成為實際領導人，至此，蔣介石統治中國已近 22 年。他的被迫下野標誌著在和中國共產黨的鬥爭中，國民黨敗局已定。蔣介石是個長期慣於反省的人，下野返鄉不能不引起他的深刻反思。

2 月 3 日，蔣介石遊覽奉化城鄉，發現當地面貌並無多大變化，非常感慨，在日記中反省道："甚感鄉村一切與四十餘年前毫無改革，甚感當政廿年黨政守舊與腐化自私，對於社會與民眾福利毫未著手，此乃黨政、軍事、教育只重做官，而未注意三民主義實行也。今後對於一切教育皆應以民生主義為基礎，亡羊補牢，未始為晚也。"[1] 這一段日記是蔣介石對自己二十多年從政生涯的總結，也是對國民黨多年政績的總評定。國民黨之所以失敗，其原因就在於忘記了"社會與民眾"，忘記了"民生主義"，沒有為"社會與民眾"造福。3 月底，他在《上月反省錄》中寫道："社會經濟政策與民生主義不能實行，此乃唯一之致命傷也。"[2] 國民黨在大陸失敗的原因可以找出很多條，但是，最最重要的就是這一條。蔣介石決定，改過贖愆，亡羊補牢，今後"應以民生主義為基礎"。3 月 29 日，他在日記中繼續寫下"土地政策實施之設計"等字樣，表明他在具體思考解決土地問題的方案了。

5 月 7 日，蔣介石乘輪船自上海至舟山。在船上時，蔣介石面對汪洋大海，估計中共部隊一時還難以跨海東征，進攻台灣，產生"專心建設台灣"，使之成為"為三民主義實現之省區"的念頭。第二天，蔣介石進一步思考"三民主義的實施方案"。5 月 9 日，蔣介石由定海啟碇，巡視舟山各島，企圖以舟山作為反共根據地。一直到 12 日，才回到舟山。舟山係群島，共有大小島嶼 340

---

1 《蔣介石日記》（手稿本），1949 年 2 月 3 日。

2 《上月反省錄》，《蔣介石日記》（手稿本），1949 年 3 月 31 日。

餘座，分佈面積 52072 平方公里。此行，蔣介石周遊七百里，看到各島土地肥美，滿山綠蔭，認為可以作為"革命復興根據地"。13 日，浙江省主席周嵒與第八十七軍軍長段澐從寧波到舟山來探望蔣介石。這時，蔣介石開始重讀孫中山 1924 年 8 月在廣州的《民生主義》演講，其日記記載：

> 5 月 13 日，讀《民生主義》第一講完。
> 5 月 15 日，閱《民生主義》第二講未完。
> 5 月 16 日，讀《民生主義》第二講完，讀《民生主義》第三講。
> 5 月 20 日，讀《民生主義》第四章起。

周嵒與段澐到舟山會見蔣介石的時候，正是蔣重讀《民生主義》演講開始之際，因此他興致勃勃地向二人講了一通將定海建設成為"民生主義實驗區"的"要旨"。蔣介石在日記中所寫"訓練幹部，編組民眾，計口授糧，積極開墾"以及"分配每人工作，不許有一無業遊民。三五減租，保障佃戶，施行利得稅、遺產稅，推廣合作事業，籌辦社會保險，推進勞工福利，實行平均地權，節制資本的民生主義為建設之要務"等，應該就是他閱讀孫中山演講的收穫，也是他向周、段二人指示的內容。孫中山在廣州的《民生主義》演講共 4 講，5 月 20 日在舟山的這些日子，蔣介石讀《民生主義》比較認真，比較細緻，不僅記閱讀進度，而且寫心得和要求，例如，5 月 14 日《本星期預定工作課目》云"個人與士兵保險制之實行"、"土地債券與限地制度及三五減租"。顯然，這是蔣介石給自己規定的研究題目。

還在 1947 年 8 月，蔣介石在比較英美與蘇俄兩類國家時，曾經寫過一段話：

> 英美與蘇俄，思想雖異而其頑固與統制人類之帝國主義則一。我國為歷史上最勇於吸收之民族，具自新自強之美德。今日必須發揚此一美德，捨英美之保守與強權政治，而採取其民主，矯正蘇俄之專制而實現民生主義，以第三力量樹立於遠東，盡我對世界之使命。[1]

---

1 《雜錄》，《蔣介石日記》（手稿本），1947 年 8 月 28 日。

應該承認，蔣介石對英美和蘇俄兩類國家的分析不盡妥洽，但有一定道理，他要採取其他民族、國家的“美德”，將中國建設為第三種新型國家的願望也是美好的、值得嘉許的，只是，他當時並未著手實行。經過以中國共產黨為代表的革命力量的打擊，遭受前此未有的大慘敗，蔣介石才認識到“民生主義”的重要，雖然“往者不可諫”，但“來者猶可追”。蔣介石這一時期的反思對他入台以後的作為有益。

二、退守台灣，蔣介石自責“誤國害民”，決心從“新”開始

5 月 25 日，蔣介石到達台灣高雄。27 日，到達台南。當時的“行政院”院長閻錫山自台北來會，蔣介石向閻錫山等人承認“自己領導無方”，二十年來“誤國害民，以致國危身辱”，自稱“誠無面目以見世人，決定不再聞問政治”。[1] 在這段談話中，蔣介石承認“誤國害民”，不乏誠意，但“不再聞問政治”，則是虛情假意。事實上，他將退守台灣視為一個新的開端，正準備振作再起。其 6 月 16 日日記云：“要當以新的精神、新的制度、新的行動，以迎接新的歷史、新的時代、新的生命、新的使命，奠定新的基礎。”短短一行，運用 8 個“新”字，表達的是告別舊我、從頭做起的心情。6 月 17 日，蔣介石決定，“以三事恢復人民的信心”。所謂“三事，其一為編訓一個有主義、有思想、有紀律、有精神的能戰之軍隊；其二為提出解決土地問題的方案；其三為有明確堅定社會性之理論（民生主義）領導軍事與政治。”農民是當時台灣人口的大多數，解決農民問題的核心是解決土地問題。蔣介石將提出土地方案作為“恢復人民的信心”的“三事”之一，可稱抓住了肯綮。6 月 30 日，他在寫完《上月反省錄》之後，特別寫了一條《補充意見》，提出“政治經濟革新案”，要求自己“應注意如何確立以三民主義（尤其是民生）為基礎之政治體制與經濟政策”。

蔣介石抵達台灣後，於 7 月 1 日在台北成立總裁辦公室。當時，國民黨

---

1 《蔣介石日記》（手稿本），1949 年 5 月 27 日。

還保有華南、西南、西北的廣大地區。蔣介石於 8 月 23 日飛廣州，24 日飛重慶，企圖憑藉上述地區抵禦中共部隊的進攻。9 月 13 日，蔣介石在成都招待四川省紳耆及各界人士茶會上致辭稱："我們今天真正要造福於農民，就唯有徹底實現二五減租，這是我們實行民生主義的第一步，也是我們反共的有效武器。"[1] 當時，中國農村復興聯合委員會的蔣夢麟正和美國的幾個土地專家聚集成都，計議以四川為樣板，實行減租。國民黨川康渝特派員黃季陸也正在四川大學推行"農民之友"運動，目的都在安定農村，抵禦"共禍"。[2] 不過，中共部隊正以摧枯拉朽之勢向西南等地區進軍，蔣介石的話和蔣夢麟等人的努力，對於挽救國民黨在大陸的敗局已經沒有什麼意義，但卻可以反映出他在台灣開創新局的設想。

10 月 3 日，蔣介石由廣州飛回台北。為培訓黨、政、軍幹部，正在陽明山籌辦革命實踐研究院，以便"檢討過去的錯誤，反省過去的罪過，了解我們過去失敗的原因，求得一個具體的結論"。[3] 他在該院《講習要旨》中提出："三民主義為最高指導原則，特別注重民生主義之實施，以此中心理論，作為一切言論與行動的綱領。"[4] 10 月 16 日，革命實踐研究院第一期開學。蔣介石出席典禮，發表演講，宣讀《講習要旨》中提出的"特別注重民生主義之實施"等各條。他批評前此國民黨長期"徒有宣傳口號而沒有實際行動的恥辱"，要求受訓人員"痛下決心"，"以前種種，譬如昨日死，以後種種，譬如今日生"，"篤實踐履"、"徹底做到"。[5]

10 月 19 日，蔣介石準備到革命實踐研究院講演，題目是《軍隊戰勝的基本條件》。其第二部分"政治目的"第四條云："提高人民生活，實行減租減息，反對剝削，反對壓迫專制，反對侵略，反對漢奸，為平均地權，耕者有其田，實現民生主義而戰。"[6] 在歷史上，有些政治家的宣言、許諾是要兌現的，

---

1 秦孝儀編：《"總統"蔣公思想言論總集》卷 23，台北中國國民黨中央黨史委員會 1984 年版，第 20 頁。
2 黃季陸：《敬悼一個土地改革者：蔣夢麟先生》，引自《黃季陸先生懷往文集》，台北傳記文學出版社 1986 年版，第 112 頁。
3 秦孝儀編：《"總統"蔣公思想言論總集》卷 23，第 24 頁。
4 秦孝儀編：《"總統"蔣公思想言論總集》卷 23，第 34 頁。
5 秦孝儀編：《"總統"蔣公思想言論總集》卷 23，第 31—32 頁。
6 《蔣介石日記》（手稿本），1949 年 10 月 19 日。

但是，有些卻並不準備兌現，當不得真。蔣介石的這篇演講的若干部分，例如“反對剝削，反對壓迫專制”，就國民黨來說，屬於不準備兌現的“宣傳語言”，但是，若干部分，證以台灣後來的歷史卻是兌現，或部分兌現了的。10 月 25 日，光復台灣四週年紀念，蔣介石發表《告全省同胞書》，肯定台灣同胞“為盡忠祖國而犧牲，為民族大義而奮鬥，有光輝燦爛的歷史”。文告中，蔣介石提出兩點“與台灣同胞共勉”。這兩點中的第一點就是“貫徹民生主義”。[1]

12 月 24 日，蔣介石在《本星期預定工作課目》中提出組織“民生主義實踐研究會”，他在日記中又寫“如何實踐”，在此句之下，蔣介石以括弧加了個說明，“實踐即科學精神，自強不息與有恆篤行”。看來，蔣介石反思有得，真正準備“實踐”了。1950 年 1 月，他在《本月預定大事表》中，將“民生主義實踐研究會”，改寫為“民生主義實踐研究院”。6 月，蔣介石決定成立“革命實踐運動促進會總會”，聘請陳誠為第一期監察，可能即發端於此。[2]

進入 1950 年，蔣介石繼續在台灣各個場合宣講他在 1949 年的反思所得。3 月 2 日，蔣介石召集跟隨來台的“國大代表”、“立法委員”、“監察委員”和台灣省參議員集會，致辭稱：“土地問題，當根據國父平均地權之遺教，以達到耕者有其田的目的。這實在是中正生平的最大志願，今後當以全副精神求其實踐。”5 月 22 日，蔣介石對革命實踐研究院軍官訓練團全體教員發表演講，聲稱“三民主義為最高指導原則”。

當時，蔣介石正準備改造國民黨。7 月 22 日，蔣介石向國民黨中央常務委員會提出，必須“徹底改造本黨，重整革命組織，恢復革命精神”。他在中常會臨時會議上講話時再一次明確指出：“今日我要特別指出一點，就是我們同志人人都認定四年來反共戰爭的失敗，是政府沒有實行民生主義。”他批評過去四年中，沒有一個鄉村黨部做過土地調查，沒有一個縣市黨部做過勞工統計，沒有一個省市黨部向中央提出過系統的社會調查和經濟研究報告，認為“民生主義的實施，不是單憑學理作試驗，而要用事實做根據；不是發動階級鬥爭而是採行合作的政策，平衡經濟社會的利益，改造經濟社會的關係”。他說：“我

1 秦孝儀編：《“總統”蔣公思想言論總集》卷 23，第 242 頁。
2 《陳辭修先生言行紀要》，引自《陳誠先生回憶錄——北平伐亂》，台北“國史館”2005 年版，第 568 頁。

們黨的工作，要一改過去主觀主義和形式主義的作風，要養成科學精神，採取客觀態度，實事求是，來解決實際的問題。唯有如此，才能擔當民生主義社會改造的使命。”[1]

這一段講話表明，蔣介石要在台灣進行以土地改革為核心的“民生主義社會改造”，其方法，不是他所一貫反對的中共的“階級鬥爭”，而是他長期主張的“合作的政策”。1952 年他在接受美國《紐約時報》記者採訪時重申此意：“國民黨激烈反對採取共產黨在大陸上毫無補償、沒收人民土地的辦法，而實行合理的土地改革計劃。”[2] 蔣介石這裏指責中共沒收“人民土地”的說法不對，中共在土改中沒收的僅僅是地主的土地，並且按照人口平均份額，給了地主相應的一份。

孫中山在《民生主義》第一講中指出：“民生問題才可以說是社會進化的原動力。”“要把歷史上的政治、社會、經濟種種中心都歸之於民生問題，以民生為社會歷史的中心。”[3] 古今中外的歷史都證明，凡政權穩固的統治大都比較好地解決了民生問題，或民生問題不大，而倒塌、垮台的政權則一定是民生問題解決得不好，造成民不聊生的惡果。蔣介石下野之後重讀孫中山的《民生主義》演講，找到了自己被趕下台的原因，決心從解決台灣的民生問題起步，這是符合實際，有助於台灣社會進步和發展的認識。

蔣介石將解決台灣的民生問題，在台灣進行土改的任務交給了親信、心腹愛將陳誠。

三、陳誠雷厲風行地在台灣進行土改

陳誠，字辭修，號石叟，浙江青田人。畢業於保定陸軍軍官學校。1925 年隨黃埔軍校教導團參加東征，屢立戰功。1926 年 7 月，隨蔣介石北伐，任國民革命軍總司令部參謀。1928 年二次北伐，陳誠任第十一師師長。他將該師重要

1 秦孝儀編：《“總統”蔣公思想言論總集》卷 23，第 336 頁。

2 〔德〕施羅曼、費德林斯坦合著：《蔣介石傳》，台北黎明文化事業公司 1985 年版，第 400 頁。

3 《孫中山全集》卷 9，人民出版社 2015 年版，第 371、377 頁。

人員全部換為清一色的“黃埔生”，改造成為蔣介石的嫡系部隊。1932年，陳誠與宋美齡的乾女兒譚祥結婚，與蔣介石的關係更為密切。南京國民政府第五次“圍剿”蘇區期間，陳誠任北路軍第三路軍總指揮，迭獲勝利，曾被周恩來稱為“比較高明的戰術家”和“最有才幹的指揮官之一”。[1]抗戰期間，陳誠先後參與淞滬戰役、武漢保衛戰，歷任軍事委員會政治部部長、第六戰區司令長官、中國遠征軍司令長官等職。國共戰爭期間，蔣介石命陳誠以參謀總長身份兼任國民政府主席東北行轅主任，指揮軍隊與中共軍隊作戰，曾因失利被要求“殺陳誠以謝國人”。

1948年10月，陳誠割治胃腸潰瘍，以需要進一步休養為理由，攜同夫人於同月6日飛赴台灣。12月29日，蔣介石任命陳誠代替魏道明，出任台灣省主席，並催促他迅速就任。1949年1月3日，蔣介石致電陳誠，詢問他“如何不速就職”，電稱：“若再延滯，則夜長夢多，全盤計劃，完全破敗也。”[2]這時候，蔣介石已經看出大陸不保，計劃退守台灣，希望陳誠在台灣先行經營。1月8日，陳誠復電蔣介石，表示自當“盡瘁圖效，勉副厚望”，到台後的施政方針為“除力求安定外，並注意增加生產，以裕民生，而收民心”。[3]

如何做到“裕民生”、“收民心”，陳誠認為必須實行土地改革。

1949年年初，陳誠就任台灣省政府主席，提出“人民至上，民生第一”作為台灣省施政的最高原則。“不獨要力求生產的增加，更要力求分配的合理。”[4]同年2月，陳誠在台北舉行行政會議，其中心議案之一即為推行土地改革政策。議案認為台灣公有土地佔全省可耕地總面積百分之七十以上，具備土改的良好基礎，應即嚴密計劃，努力進行，逐步達到耕者有其田的目的。

台灣的土地狀況和當時中國大陸的省份一樣，除公有土地外，地主佔有大部分私有土地，大多數農民無地或少地，不得不忍受高額的地租剝削。據統計，蔣介石敗退台灣之際，台灣共有耕地81.63萬公頃，地主僅佔農村人口的11.69%，佔有土地卻高達56.01%，農民雖佔農村人口的88.31%，其佔有土地

---

1 中國革命博物館黨史研究室編：《黨史研究資料》1980年第1期。

2 《陳誠先生回憶錄——建設台灣》（上），台北“國史館”2005年版，第7頁。

3 《陳誠先生回憶錄——抗日戰爭》（上），台北“國史館”2005年版，第8頁。

4 《陳誠先生回憶錄——建設台灣》（下），台北“國史館”2005年版，第485頁。

僅為 21.57%。農民向地主的交租率一般都在 50% 以上，有的則高達 70%。此外還有所謂"顧租"（不管天災）或"附產物租"等名目。[1] 這種不合理的情況，自然必須改變。不過，陳誠所接受的是孫中山的"和平解決"辦法。他將在台灣進行土地改革分為三個步驟，首先"三七五減租"，其次公地放領，最後才是實行"耕者有其田"。

所謂"三七五減租"，係從"二五減租"發展而來。1926 年 10 月，國民黨中央在廣州召開中央及各省區聯席會議。出席中央委員 34 人，各省區代表 52 人，國民黨左派佔四分之一強，兼有國共兩黨身份的跨黨黨員佔四分之一強，吳玉章、毛澤東等共產黨人均出席會議。另有一些半左派，中派和右派僅佔少數。會議通過《最近政綱》，決定"減輕佃農田租百分之二十五"。[2] 此後，"二五減租"成為國民政府的政策。其意為從正產物總收穫量內，先提二成五歸佃戶，剩下的七成五由田主與佃戶對分。例如某佃戶的正產物的總收穫量為一百擔稻穀，先提出二十五擔歸佃戶，剩下的七十五擔對分。地主得三十七擔五斗，佃戶得六十二擔五斗。因此"二五減租"也就是"三七五減租"。按照這一分配比例，佃戶得大頭，地主得小頭。陳誠認為實行這一政策，可以"避免共產主義的殘酷鬥爭"，"調和地主與農民的關係，逐漸達到民生主義的目的"。[3]

早在 20 世紀 30 年代，國民黨"圍剿"蘇區之際，陳誠就了解到中共推行土地革命對於發動農民的重要作用。第四次"圍剿"前夕，陳誠曾建議國民黨江西省主席熊式輝試行"限田制度"，逐步向地主贖買土地，實現"耕者有其田"，以便爭取農民擁護，被熊式輝拒絕。1941 年，陳誠擔任第六戰區司令長官兼湖北省主席期間，曾經在日佔區之外的 14 個縣的範圍內實行"二五減租"。他之所以這樣做，源自他對中國歷史上農民"揭竿而起"原因的考察，也源自他對地主階級依靠剝削，營求自身安樂的不滿。在回憶錄中，他表示："'耕者無其田'已然夠'不平'的了，若再橫受地主的壓榨，以致'不能自養'，天下痛心疾首的事，還有比這個更厲害的嗎？"因此，他主張，"要拯救

---

1 《我國經濟發展與所得分配》，台北中華書局，第 55 頁。
2 《中央各省區聯席會議錄》油印件；參見楊天石主編：《中華民國史》卷 6，中華書局 2011 年版，第 116 頁。
3 《陳誠先生回憶錄 —— 建設台灣》（上），台北"國史館" 2005 年版，第 30 頁。

貧苦的農民大眾，最簡捷的辦法就是減租”，“越是在抗戰緊要關頭，需要解決土地問題越迫切”。[1] 實行三年，農民生活有所改善，社會治安狀況良好。1943 年 2 月，陳誠調往滇西戰場，指揮遠征軍作戰。人去政息。大陸的其他地方，也有類似試驗，國民黨的相關會議，也有不少人做過呼籲，甚至做過決議，但是正如多年後陳誠回首往事時所說：“所可痛心者，就是在‘做’字上太差勁。有的根本不做，有的做的太少，有的雖做而不徹底，以致等於不做，於是大陸遂不復為我所有，可勝歎哉！”[2]

陳誠出任台灣省主席後，決意搬用在湖北時的經驗。1949 年 4 月下旬至 5 月上旬，陳誠召集各縣市地政、民政等幹部舉辦“三七五減租”工作人員講習會，受訓幹部約 4000 餘人。5 月初，組成由縣市長、地政、民政等部門主管，地主、佃農、自耕農等各方代表參加的推行“三七五減租”委員會。自 5 月下旬至 6 月下旬，將原口頭契約一律按照減租有關法令及省頒格式，換訂書面契約，一式三份，加蓋鄉鎮公所印信。一個月期內，全省共完成換約農戶 299070 戶，換訂租約 368322 件。6 月杪，將台灣全省分為台北、台中、台南、高雄、台東五區，動員約 5000 人進行檢查。同時召開業佃大會或村民大會，獎勵人民檢舉、告發違法事項。據統計，各鄉鎮舉行業佃大會 786 次，出席業佃 147292 人，村民大會 1504 次，出席 281248 人。此外，並有省級或縣市人員到農家實地訪問，計省級共訪問 25833 次，縣市人員共訪問 298133 次。這樣嚴格、細緻的作風在此前國民黨工作史上是從來不曾有過的。

實行的結果，農業生產顯著增加。水田每甲（約 14.50 市畝）產稻穀 3527 台斤，旱田每甲產白薯 15930 斤，達到歷史的最高額；家畜飼養量 1949 年較 1948 年增加 20.90%，家禽增加 14.10% 。佃農因租額降低，佔台灣全省人口百分之六十以上的農民，收入增加百分之三十以上，一般地主也沒有大損失。[3] 佃農的平均生活費 1948 年約為地主生活費的 37.7%，而 1949 年則躍升為 63.2%。佃農由於收入增加，購地欲望增強。1949 年，台灣全省購地佃農 1722

1 《陳誠先生回憶錄——抗日戰爭》(上)，台北“國史館”2005 年版，第 309—310 頁。
2 《陳誠先生回憶錄——抗日戰爭》(上)，台北“國史館”2005 年版，第 320 頁。
3 《陳誠先生回憶錄——建設台灣》(上)，台北“國史館”2005 年版，第 34 頁。

戶，購買耕地7734508甲。許多原先因貧困而無法結婚的農家娶妻立戶。一時之間，台灣農村稱剛過門的新娘為“三七五新娘”，寄信時則紛紛購買郵局發行的“三七五”郵票。

在實行“三七五減租”之初，“從中阻梗及惡意破壞者，比比皆是”，但陳誠決心堅定，毫不動搖，並在省政府會議中表示堅持到底。曾有三十餘位省議員到陳誠住所拜訪，都是地主，拜訪的目的自然是阻止“三七五減租”的實施。陳誠則向這批地主議員解釋，台灣將要實行的“減租政策不是只顧農民片面的利益，而實是雙方兼顧，以求互利的”。他說：“地主為自保計並為自己將來著想，實應擁護政府決策，以與共產主義相對抗。”陳誠並告訴他們，現代化國家莫不注意工業，將資金用之於土地投資，不如轉用於工商業投資，並且表示：凡政府所有公營事業均可聽任選擇，由人民投資改為民營。[1]據說，這批議員都對陳誠的談話表示滿意，欣然到各地領導減租。

同年12月5日，陳誠召開第二次全省行政會議，報告實行“三七五減租”政策的成績，要求在1950年年內確立“整個政策的基礎”。1950年3月9日，蔣介石任命陳誠為“行政院”院長。31日，陳誠向“立法院”報告施政方針，提出在“民生第一”的原則下，政府“尤須貫徹減租政策，並逐步解決土地問題，以達到‘耕者有其田’的目的”[2]。11月12日為孫中山誕辰，陳誠發表《告軍民書》，聲稱正在制訂《三七五租佃法》，使佃農得到切實的保障。他表示，減租只是平均社會財富的一種初步辦法，今後還要實現耕者有其田的理想。[3]12月4日，陳誠向國民黨中央改造委員會第57次會議提出《三七五減租條例》。會議決定轉知“立委”黨部，要求“立法委員”在“立法院”第六次會議討論時予以支持。[4]1951年年初，台灣省政府組織“三七五減租”考察團，以黃季陸、董文琪為正副團長，分赴近二十個縣市考察，確認減租有“顯著成效”[5]。2

1 《陳誠先生回憶錄——建設台灣》（上），台北“國史館”2005年版，第62頁。
2 《陳辭修先生言行紀要》，引自《陳誠先生回憶錄——建設台灣》（下），台北“國史館”2005年版，第555頁。
3 《陳辭修先生言行紀要》，引自《陳誠先生回憶錄——建設台灣》（下），台北“國史館”2005年版，第592頁。
4 《本會歷次決議尚未執行之重要案件檢查表》，台北中國國民黨黨史館藏，6.41/96/2。
5 《悼念黃季陸先生》，引自《黃季陸先生懷往文集》，台北傳記文學出版社1986年版，第44頁。

月4日為農民節，台灣省政府舉行慶祝大會，陳誠到會致辭，提出“吾人不能為少數人的利益，而忽視大多數人的利益，換言之，即吾人為人民服務，不能因小失大。”[1] 為了在台灣進行土改，陳誠徵得盟軍統帥麥克阿瑟同意，邀請美國農業專家雷正琪到台灣，擔任農復會顧問。

陳誠在台灣進行土地改革的第二步是公地放領。據資料，台灣公有耕地為18萬餘甲，約佔全省耕地總面積的十分之二強。這些土地，原來為日本殖民者及其製糖株式會社等獨佔企業所有，台灣光復後由國民黨當局沒收歸公。但是，國民黨當局並沒有視之為“黨產”，而是稱之為“公地”，納入土改範圍，允許農民用貸款方式折價買進。

開始此項工作之前，台灣省地政局與中[2] 美兩國共同組成的“中國農村復興聯合委員會”合作，動員2800人，使用五十餘萬個工作日，耗費經費四百餘萬元，進行地籍總清查。自1951年1月開始，先在高雄、屏東兩縣開辦，於同年8月完成。9月起，台灣省各縣市同時舉辦。至1952年4月完成。共製作卡片六百餘萬張，統計表160餘種，對全省土地種類、權力分配狀況、耕地使用情形以及地主與耕地的在鄉與不在鄉等問題，都做了詳細的調查與分析。

1951年6月4日，陳誠提出《台灣省放領公有耕地扶植自耕農實施辦法》，規定：

> 1. 放領對象首先是原承租的佃農，其次是無土地的僱農和承耕土地不足的佃農。
>
> 2. 耕地分上中下三等，農民按耕作能力大小承領。一般農民能領中等1甲，下等2甲；旱田上等1甲，中等2甲，下等4甲。
>
> 3. 地價為全年主要產物收穫量的2.5倍，由承購農民分10年20次，在收穫季節以實物平均攤還，不負擔利息。

為了促使“行政院”通過關於放領公地的實施辦法，陳誠事先發表談話，強調“農民是需要土地的，農民的生命寄託在土地上，農民自己有了土地，生

---

1 《陳辭修先生言行紀要》，引自《陳誠先生回憶錄——建設台灣》（下），第613頁。

2 蔣介石一直堅持“一個中國”原則，本書中蔣介石所稱的“中”不單指台灣時期所謂的“中華民國”，而應指“中國”，為避免歧義，蔣所稱的“中美關係”等均未加引號。

命才有寄託。我國農民佔人口最大多數，他們生命都有了寄託，然後天下才能真正太平”。[1]

1948 年至 1950 年，台灣當局共放領耕地 6 批，總面積 7 萬多公頃，其中，水田 3.3 萬公頃，旱地 3.6 萬公頃，其他用地 0.4 萬公頃，承領農戶 14 萬戶，約佔台灣農戶總數的 20%。一直到 1976 年，即蔣介石去世後一年，台灣當局才將公地全部放領完畢。二十多年內，台灣當局共放領耕地 13.9 萬公頃，佔全部“公地”的 76%，承領農戶 28.6 萬戶，平均每戶 0.49 公頃。[2]

陳誠在台灣實施土地改革的第三步是推行“耕者有其田”。

早在 1951 年 6 月間，陳誠即提出《台灣省私有耕地改革綱要》，供研究之用。1952 年 5 月，陳誠認為由於“三七五減租”及公地放領二事的順利進行，已經具備進一步土地改革的條件，便向台灣地政當局與專家會議提出幾條原則性意見，其核心為：

1. 業主與佃農利益並重，使佃農獲益，地主亦不吃虧，並顧到農村社會的安定。

2. 辦法要合理完善，非但要使台灣推行盡利，並且將來要為亞洲土地改革做先導。

3. 地主出租耕地的保留標準，平均以水田兩甲（29 畝）至三甲（約 43.5 畝）為原則，超出保留標準的出租耕地，全部徵收。

4. 凡徵收的出租土地，對地主給以地價補償，其標準為土地主要作物正產品的全年收穫量的二倍半。可以給予土地債券，或給予公營事業股票，兩者分別搭配。

5. 土地債券以實物為本位，給予合理利息。應選擇經營發達的公營事業發給股票，使地主樂於接受，並輔助其發展，促進台灣的工業建設。

6. 土改完成後，須增加農貸、肥料、水利及其他農業改良設施，以保護自耕農，提高生產力。

台灣省政府最初提出的是《台灣省扶植自耕農條例草案》，“內政部”部長黃季陸認為“扶植自耕農”意義不夠積極，經過“內政部”、“司法行政部”等

1 《陳辭修先生言行紀要》，引自《陳誠先生回憶錄——建設台灣》（下），第 640 頁。

2 周托等著：《台灣經濟》，中國財政經濟出版社 1980 年版，第 75 頁。

部門討論，修改為《實施耕者有其田條例草案》。11 月 5 日，提交“行政院”第 226 次院會討論，陳誠久病數月，親自到會發表意見，強調“耕者有其田目的的實現，是非常必要的”[1]。11 月 7 日，“內政部”再次邀集相關部會，根據陳誠裁定的原則，最後修訂條文。11 月 12 日，經“行政院”第 267 次會議通過。這一天是孫中山誕辰，選擇當日通過，具有紀念意義。

按照規定程序，《實施耕者有其田條例草案》在“行政院”通過後，還須送請“立法院”審議。即在此際，“行政院”對送審方案出現不同意見：地主保留耕地從三甲改為二甲；將實物債券比例提高到 60%，股票定為 40%。11 月 16 日，陳誠提出：“我們的政策是實施耕者有其田，不是打倒地主，故不能不兼顧地主利益。”[2] 經過討論，維持原案不變。

11 月 28 日，《實施耕者有其田條例草案》送“立法院”審議。12 月 2 日，陳誠發表書面談話，強調既保護農民，也保護地主；佃農在不增加負擔的條件下購買土地，地主保留合理的耕地面積，徵收的土地可以得到合理的地價補償，並將土地資金投入工業。9 日至 11 日，陳誠率領相關各部會首長到“立法院”進行專案報告。12 月中旬，“立法院”聯席會議開始審議。審議中，部分委員以“農民負擔加重，影響農民心理”為理由反對。這些人力圖迴避“耕者有其田”幾個字，將名稱改回為台灣省政府原來提出的《扶植自耕農條例》。陳誠不贊成，於 1953 年 1 月 2 日擬就題為“耕者有其田案”的公函，說明“如有更妥當名稱，本院不堅持”，但公函主旨則在於說明，實行耕者有其田方案，農民“絕對不會比原負擔更重”，十年之後，農民繳完地價，所獲將“非常之大”。[3] 1 月 7 日，陳誠在“行政院”第 275 次院會上激憤地表示：“我可以不做這個院長，這件事要堅持。如果這個案子不能做，將來什麼事都談不上。”又說：“什麼事都可遷就、忍耐，對於國父遺教，不能遷就忍耐。”[4] 經過（17 天）討論，增加了一條文字：“耕地經承領後，政府應獎助承領人，以合作方式為現代化之經營。”最後，文件定名為《實施耕者有其田條例》（或稱《實施耕者有

1 《陳辭修先生言行紀要》，引自《陳誠先生回憶錄 —— 建設台灣》（下），第 731 頁。

2 《行政院院會院長指示摘抄》，“陳副總統文物”，台北“國史館”藏，008-010106-00001-015。

3 《陳誠先生回憶錄 —— 建設台灣》（上），台北“國史館”2005 年版，第 169 — 172 頁。

4 《陳辭修先生言行紀要》，引自《陳誠先生回憶錄 —— 建設台灣》（下），第 746 — 747 頁。

其田法》），共 5 章 36 條。1953 年 1 月 20 日經“立法院”通過，呈報蔣介石，於 1 月 26 日公佈施行。同日公佈的還有《公營事業移轉民營條例》、《實物土地債券條例》等，用以配套。

同年 3 月 25 日，台灣省政府公告，如有破壞或阻礙耕者有其田政策者，處三年以下有期徒刑。4 月 23 日，台灣省政府根據《耕者有其田法》，進一步頒佈《實施耕者有其田法條例》（或稱《耕者有其田條例台灣省施行細則》），規定補償地主地價時，實物土地債券佔 7 成，公營企業股票佔 3 成。實物土地債券由當局委託台灣土地銀行發放，年利率為 4%，農民在 10 年內分 20 期償清本息。

台灣土地改革在 1953 年年內基本完成。截至 1954 年春，台灣當局共徵收地主私有耕地 14 萬 3 千餘甲，佔出租耕地總面積的 56%，承領佃農 19 萬 4 千餘戶，佔佃農總戶數的 80%。自承領之季起，農民分十年以實物或實物土地債券繳清地價。[1]

通過土地改革，台灣大量農民通過購買獲得土地，上升為自耕農。土改前，自耕農只佔農村農戶總數的 26.3%，1953 年年底，提高為 51.8%，1963 年，再提高為 65.7%，成為台灣農戶的主體。農民耕作、改良土壤、推廣農業技術的積極性大為提高，因而農業生產力也相應得到發展。自 1952 年至 1959 年，農業平均生產率提高 24%。每公頃平均稻穀產量由 4793 公斤增加至 7483 公斤，增長率為 56.1%。1952 年，台灣農業生產恢復到戰前最高水準。自 1952 年至 1968 年，台灣農業產量增加 1.2 倍，年均增長率達 5.2%。農民收入增加，負擔減輕，物質、文化生活明顯改善，從而提高了社會購買力，促進了市場繁榮和經濟發展。[2] 1953 年，全島商品零售總額中，農村部分佔 60%。[3]

由於台灣當局在土改中兼顧地主利益，地主不僅獲得農民繳納的地價，而且獲得經營良好的公營公司的股票，土地資本轉化為工商業資本，不少地主轉身變為工商業主，投資於新興產業。辜振甫、林伯壽、林猶龍、陳啟清原來

---

1 《陳誠先生回憶錄 —— 建設台灣》（上），第 178 頁。

2 劉德久等著：《解放台灣 —— 1949 年後台灣社會發展紀實》，九州出版社 2000 年版，第 86 頁。

3 劉德久等著：《解放台灣 —— 1949 年後台灣社會發展紀實》，第 92 頁。

是台灣的四大地主，由於從水泥、造紙、農林、工礦等四大公司接受了大量股票，迅速發展為台灣的大財團；林獻堂，原來擁有良田千頃，年收稻穀萬擔，本人避居日本，其子孫轉向銀行、保險、信託等業。

自然，對"耕者有其田"，台灣林獻堂等部分地主抵制，省議會議員中也有不少反對者。陳誠都耐心地進行工作。據在農業復興聯合委員會任秘書長的蔣彥士回憶，陳誠"晚上都與地主談話，試圖說服他們"。[1]

陳誠對自己在台灣的土改很滿意，自稱是一次"不流一滴血的革命"，"在土地革命史上，我們實已創立一個新紀元"，"此種成就，不僅給台灣帶來了安定與進步，同時給中華民族帶來了新的希望和信心"。[2]

台灣的土地改革引起第三世界國家和美國人的注意。20 世紀 50 年代，伊朗國王與約旦國王先後到台了解經驗。[3] 美國亞利桑那富豪殷克爾成立林肯基金會，專門幫助別的國家和地區實行土改。他認為台灣土改最為成功，1968 年 11 月，林肯基金會與台灣"行政院國際經濟合作發展委員會"簽訂合約，共同出資，在桃園舉辦土地改革訓練所，幫助聯合國糧農組織和第三世界國家、地區培養人才。菲律賓、越南、馬來西亞、印尼等國來訪、受訓者約 4000 餘人，僅菲律賓一國，來受訓者即達一千四五百人。[4] 1977 年，美國人甚至將台灣土改視為全球土改的典範。[5] 不過，這種土改並不能改變社會財富懸殊和與之相聯繫的種種不公不義現象，只不過社會財富的佔有者和佔有形式發生變化，部分原來的大地主搖身一變，成了大資本家和大財團的主人。

---

1 《蔣彥士先生訪問記錄》(一)，引自黃俊傑著：《台灣"土改"的前前後後》，九州出版社 2011 年版，第 121 頁，參見第 182、239 頁。

2 《陳誠先生回憶錄——建設台灣》(上)，第 467—468 頁。

3 《張憲秋先生訪問記錄》，引自黃俊傑著：《台灣"土改"的前前後後》，九州出版社 2011 年版，第 24 頁。

4 《蔣彥士先生訪問記錄》(一)(二)，引自黃俊傑著：《台灣"土改"的前前後後》，九州出版社 2011 年版，第 126、132 頁；廖正宏等：《光復後台灣農業政策的演變：歷史與社會的分析》，台北"中央研究院"民族學研究所 1986 年版，第 63—64 頁。

5 L.J. Walinsky, Ed. Agrarian reform in unfinished business: *The selected papers of Wolf Ladejinsky*, Published for the World Bank by the Oxford University Press, 1977.

四、蔣介石和陳誠的分歧及其對陳誠的支持和肯定

在考慮台灣土地改革方案的過程中，蔣介石一度對閻錫山的“兵農合一”制度感興趣。

1950年1月3日，蔣介石日記所記“社會經濟運動”，其內容有三項：兵農合一、三七五減租、限期耕者有其田。同月10日，蔣介石到革命實踐研究院聽講“兵農合一”，該講話長達3小時，蔣介石居然蠻有興趣地聽完，而且在日記中寫下感想：

> 此乃社會土地與國防經濟配合之制度，甚可採用，而對防共更為有益。惟其地主所有權未規定年限是一缺點耳。[1]

1月12日，蔣介石主持政工會議，提出“兵農合一”政策，叮囑陳誠發言，陳誠直言不反對閻錫山其人，但“根本不贊成此種落伍之思想”。[2] 同年3月，蔣介石思考在台灣將要建立的“經濟制度”。一是“金融”，一是“土地政策”。關於後者，蔣介石在日記中寫道“兵民與土地合一為基本原則”。這就說明，蔣介石對“兵農合一”仍戀戀不捨。

“兵農合一”是1943年閻錫山在山西推行過的制度。其內容為：寓兵於農，兵自農出，兵農互助。其方案為：從18至47歲的役齡壯丁中，每三人編為一個“兵農互助組”，一人為常備兵，當時入伍服役，二人為國民兵，在鄉種地做工。國民兵每年交出麥子或小米5擔、熟棉花10斤，提供同組的常備兵家屬。常備兵的服役期為3年，期滿後與同組的國民兵調換位置。同時，以年產量純收益小麥或小米為標準，將全村土地分為若干份，分配給國民兵領種。領到份地的國民兵作為主耕人，與村中有勞力者一至三人組成耕作小組，稱為助耕人。地主的土地所有權不變，領有份地的國民兵須向地主交租。以生產品的30%作為田賦徵購和村攤糧食，以15%作為生產成本，以5%作為地租，其餘50%由主耕人和助耕人依勞力大小協商分配。

1 《蔣介石日記》（手稿本），1950年1月10日。

2 《陳誠先生日記》（二），1950年1月12日。台北“國史館”，“中央研究院”近代史研究所2015年版，第717—718頁。

這一方案於 1943 年秋在山西鄉寧地區試行，次年春在山西西部各縣普遍推廣。一個春天，鄉寧等 7 縣編成"兵農互助組" 5 萬餘個，抽選常備兵 4.3 萬人。至抗戰結束時，閻錫山共徵集兵員約 7 萬名。

閻錫山的上述辦法規定農民必須向地主交租，卻沒有規定地主佔有土地的期限，這樣，地主就可以長年收租，不斷收租，蔣介石覺得是缺點，但是，閻錫山的辦法將土地和徵兵兩種制度強制性地綁在一起，既解決農民的土地需要，又保證兵源無虞，蔣介石覺得"尤合乎當前的需要"。自退台後，蔣介石一直夢想"反攻大陸"，所謂"當前的需要"，乃是他徵集兵員，以便反共的需要。至於將農民束縛在土地上所帶來的種種危害和弊病，蔣介石連想也沒想過。陳誠在抗戰期間，曾在山西和閻錫山討論過"兵農合一"制度，長談多次。陳誠認為，這一制度僅適合於古代農業社會，不合時代要求。因此，當蔣介石要搬到台灣時，陳誠即向蔣介石說明：山西地廣人稀，農業人口佔 90%，兵農合一也許可行，而台灣人多地少，工商各業發達，非農業人口佔 40% 之多。普遍實行兵農合一，土地將不敷分配。經過陳誠幾次三番，反復說明利弊，蔣介石終於採納陳誠的主張，還是"實行國父遺教"，實行耕者有其田政策。[1]

蔣介石的表現可以看作一時、一度動搖，被陳誠說服後，即積極支持和肯定陳誠在台灣的各種土改作為。

1950 年是推行三七五減租的首年，成效初見。8 月 14 日，蔣介石在孫中山"紀念週"發表演講，提出國民黨今後的努力方針。他說："今日台灣實在是社會安定，金融鞏固，尤其是最近各縣地方自治的實施，三七五減租工作的加強，更足為我們本黨自慰。"他要求國民黨人繼續不懈努力，"貫徹總理平均地權的政策，達到耕者有其地的目的"，"要依據大多數民眾的共同的利益，平衡各階級、各職業的個別利益，促進其互助合作，以增進其社會生產，發展國民經濟"。[2]

同年 9 月 1 日，蔣介石發表《本黨現階段的政治主張》，在《實行民生主義的經濟措施》部分，蔣介石提出："對城市用地，應抑制土地投機，取締不勞

---

1 《陳誠先生回憶錄 —— 建設台灣》（上），第 179—180 頁。
2 秦孝儀編：《"總統"蔣公思想言論總集》卷 23，第 353 頁。

而獲，厲行照價徵稅與漲價歸公的辦法，以實現市地的平均地權。對於農村耕地，應普遍實行減租及限田政策，並切實扶植自耕農，以達到耕者有其田的目的。為求增加農地生產起見，應利用科學方法，改進農業，並鼓勵自耕農從事合作經營。”[1]

同年10月24日，台灣省改造委員會全體委員宣誓就職，蔣介石發表講話，再次肯定1949年推行的三七五減租，“已經奠定了良好的基礎”。他勉勵台灣省各位改造委員，“鞏固這個基礎，確保農民收益，使得我們民生主義的社會政策能次第實行”。[2]

三七五減租只是反對地主的高額剝削，減輕農民的負擔，屬於改良性質，而限田則削減地主階級的土地佔有數額和面積，改變生產關係，具有一定程度的革命意義。1952年7月24日，國民黨中央改造委員會舉行第731次會議，討論扶植自耕農、貫徹耕者有其田的“限田”政策，蔣介石與會，明確提出：

> 扶植自耕農，為實現總理遺教耕者有其田之必要步驟，亦為本黨現階段重要政策主張……應即於明年1月起，推行限田政策，要求國民黨從政人員與民意代表全力配合推動，並希望臨時省議會在本次大會休會前，完成提意見的手續，不要拖延。[3]

當日，蔣介石日記云：“入中央黨部，召開保障自耕農與限田會議，決議限於明年元旦實施限田開始，並以此為明年施政之中心。”[4]為了動員國民黨黨員支持和擁護“限田”政策，7月31日，蔣介石又指示國民黨中央改造委員會：“限田政策之宣傳不能鬆懈，每週應訂有宣傳計劃，使每個黨員了解此一政策重要性。”[5]

“限田”是為土地改革做準備，台灣地主階級及其代表者自然激烈反對。8月15日，省議會研究小組綜合各縣市議會意見，提出《建議案》，要求放寬“徵

1 《本黨現階段的政治主張》，引自秦孝儀編：《“總統”蔣公思想言論總集》卷23，第374、375頁。
2 《對台灣省改造委員會的期望》，引自秦孝儀編：《“總統”蔣公思想言論總集》卷23，第434頁。
3 中央委員會秘書處編：《中國國民黨中央改造委員會會議決議案彙編》，台北中國國民黨中央委員會秘書處1952年，第465頁。
4 《蔣介石日記》（手稿本），1952年7月24日。
5 《中國國民黨中央改造委員會會議決議案彙編》，第472頁。

收標準”，提高對徵收土地的補償水準及年息利率，減輕對地主違法行為的懲罰，規定承領耕地的佃農逾期繳納地價的罰則，甚至要求依人口數字“限佃”。這實際上是一份反對改革的《建議案》。[1] 1952 年 11 月，“立法院”審議陳誠送交的《實施耕者有其田條例草案》。在“立法院”院會上，陳誠做施政報告，要求第二年 1 月 1 日實行。當時，社會上有人認為，《條例草案》“劫富濟貧”、“不公不義”，“立法院”內，有委員攻擊稱：“戴著的是總理遺教的帽子，穿著的是朱毛匪幫[2]的靴子。”陳紫楓則認為“於法無據，實在不妥”，“不管從哪方面說，從國父遺教說，從憲法說，從反共抗俄的利弊得失說，都有考慮的必要。”[3] 陳紫楓原是安徽壽縣土豪，1948 年當選第一屆立法委員時，即強烈反對土地改革法案，來台後自然繼續反對陳誠提出的《條例草案》。陳紫楓之外，連陳誠之弟陳正修都站在反對者的行列之中。《條例草案》的起草者是台灣省地政局局長沈時可，少數“立法委員”就大罵沈時可“慷他人之慨，毫無人心，只討上峰的好”，說他起草的條例“死卡地主，雜亂無章”，責問沈：“你對得起台灣地主嗎？”有人甚至指責沈“有三大死罪，實不可赦”！苗培時竟要求將沈時可送法院法辦。[4] 結果，《條例草案》在“立法院”討論 17 天，無法通過。1 月 8 日、15 日，蔣介石兩次出席國民黨中常會，對爭議問題做出裁定。如：對共有出租耕地的地主所保留的耕地應受嚴格之限制，1952 年 4 月 1 日之後家庭間轉移的耕地仍應徵收，農民承領耕地准予免交契稅及監證稅等。同時，他還以國民黨總裁名義邀集中央改造委員會秘書長張其昀、農村復興委員會主委蔣夢麟，以及有影響力的立法委員談話，聲稱“土地改革是總理孫中山先生遺教”“對台灣建設之重要性，台灣實施三七五減租已收宏效是有目共睹，實行耕者有其田將有更進一步的建設成就，希望大家同心協力，先完成法案”。會上，對於條例名稱中是否採用“耕者有其田”幾個字爭論激烈，蔣介石表示：

---

1 廖彥豪、瞿宛文：《兼顧地主的土地改革》，引自《台灣社會研究》季刊，第 98 期，第 107—108 頁。

2 注釋說明：歷史文件均產生於特定的歷史環境中，其用語都有其產生時代的特點和局限，如“共匪”、“剿匪”之類，有些則所指內容並不相同，或已有變化，如“中央”、“全國”等。對此類詞語，本書在敘述時按今人觀點加引號，但在引用相關歷史文件時，則保持其當時原貌，不加引號，以存其真。

3 台北“立法院”秘書處編：《第一屆立法院第十會期第十八次會議速記錄》，第 25—26、28 頁。

4 《土地改革五十年：蕭錚回憶錄》，台北中國地政研究所 1980 年版，第 377 頁。

"這問題還有什麼可爭論呢？""你們何須爭論得這樣厲害？"[1] 1953 年 1 月 20 日，《條例草案》在"立法院"三讀讀過，完成立法手續，不可動搖了。

1 月 24 日，蔣介石在《上星期反省錄》中說：

> 耕者有其田案立法院於月初照所指示之要旨順利通過，完成法定手續，至於殘廢老幼以及血系弟兄之公田，准予保留三甲之規定，實為最合情理之裁決。[2]

《條例草案》規定，對於"老弱、孤寡、殘廢"的共耕地主，依靠共有出租耕地維生者，可以比照個人有出租耕地的地主的保留標準辦理。對此，蔣介石表示滿意。從這頁日記可見，當《條例草案》遭到質疑和反對的時候，蔣介石的介入所起的重要作用。

長期從事土改的蕭錚回憶說："今日台灣實施耕者有其田等政策之成功，在台同胞多以為是陳故（副）總統所做的，其實陳辭公乃秉承蔣公的多方面的指示而予以推動者。"[3] 應該承認，台灣後來經濟起飛，躍居亞洲四小龍之一，土地改革是其起步點。在這一點上，陳誠有功，蔣介石也有功。無疑，他們推動台灣土地改革，反共，和大陸中共對抗是其目的之一，但是，其改善台灣農民生活，推動台灣經濟發展和社會進步的作用，為舉世公認。遺憾的是，近年來，由於政局的動盪變化，台灣學界出現了否定性的翻案文章，認為 20 世紀 50 年代的台灣土改是"外來者打壓本地精英，損害了'我們'地主的利益"，這就不僅是在為台獨理論張目，而且是在為台灣地主叫屈了。

---

1 沈時可等：《台灣土地改革文集》，台北"內政部"2000 年版，第 47—49 頁。

2 《蔣介石日記》（手稿本），1953 年 1 月 24 日。

3 台北《經濟日報》，1975 年 4 月 14 日。

國民黨的「改造運動」與陳立夫的被逐離台*

——兼述宋子文、孔祥熙等人的晚年命運

* 本文錄自《找尋真實的蔣介石：蔣介石日記解讀》(4)，東方出版社 2018 年版；原載《社會科學戰線》2018 年第 3 期。

一、蔣介石"改造"國民黨的打算

蔣介石早有改造國民黨的打算，抗戰期間，一度考慮將國民黨改名為"勞動國民黨"，凡"黨員家庭"，本人為"勞農"或軍人，"為社會服役者"，方能成為黨員。[1]這是現在已知蔣介石最早也是最大膽的改造國民黨的計劃。不過，想法而已，何時實踐，蔣介石並未說明。1949年1月，蔣介石被桂系逼迫下野，蒙受沉重一擊，改造之心再萌。下旬，蔣介石在奉化溪口，接見來訪的行政院秘書長黄少谷，計議將中央黨部先行遷往廣州，再圖根本改革。他當時認為："本黨非徹底改造，斷不能從事復興革命工作。"[2]同年7月18日，蔣介石向國民黨中常會提交《改造綱要》，中常會認為，部分內容須經全國代表大會討論，在此之外的各項均可付之實施，同時決定將全案頒發各地黨部研究討論。1949年9月20日，蔣介石在重慶發表《為本黨改造告全黨同志書》，宣稱這是民國以來本黨（國民黨）的第十次失敗，要求檢討錯誤，反省缺點，"把失敗主義的毒素徹底肅清"，"把派系傾軋的惡習痛切悔改"，"把官僚主義的作風

1 《蔣介石日記》（手稿本），1942年10月14日。

2 蔣經國：《危急存亡之秋》，引自曾景忠、楊天石選編：《蔣經國自述》，華文出版社2012年版，第251頁。

切實剷除”。[1] 此後，形勢急轉，國民黨迅速失去大陸，蔣介石提出的《改造綱要》自然成為空文。1949 年 12 月，蔣介石在台灣喘息初定，便想啟動改造國民黨的工作。12 月 27 日，蔣介石日記出現“將現黨徹底解散、改造”等字。12 月 30 日，出現“從新組黨方針之決定”等字，說明此時的蔣介石準備對國民黨大動刀斧。[2]

中國古人歷來崇尚“一元更始，萬象更新”。12 月 31 日，蔣介石在台灣日月潭與陳立夫單獨談話，提出應“湔除領袖與幹部過去之錯誤，徹底改正作風與領導方式，改造革命風氣。凡不能與共黨鬥爭之行動生活與思想精神者，自領袖起，皆應自動退黨，而讓有為之志士革命建國也”。據陳立夫回憶，當時陳稱：“從本黨歷史看來，每次挫敗後，急應把黨改造一下，以期重振革命精神。”對此，蔣介石表示同意。陳並稱：“黨未辦好及一切缺失，最好把責任推給我兩兄弟，將來改造後，我兄弟二人亦不必參加，庶幾總裁可以重整旗鼓。”[3] 對這一段話，蔣未表態。

1950 年 1 月 1 日，新年伊始，蔣介石在日記中寫道：“從前種種，譬如昨日死；自後種種，譬如今日生。”“徹底改革，從新來過，而以復蘇實踐自矢。”[4] 次日，蔣介石召集會議，討論黨的改造。與會者有吳忠信、陳立夫、洪蘭友、谷正綱、黃少谷、張其昀、陶希聖、蔣經國、張群等人，會議提出甲、乙兩種方案。蔣介石指示：特別注重新組織、新綱領、新號召以及新份子的吸收計劃，要求召集設計委員、中央黨部各處、部會主管，與黨務有關的委員，切實研討政綱、政策與理論等有關文告，做好國民黨六屆五次中央全會召開前的各項準備工作。會上，蔣介石特別提出，國民黨應改為民主革命黨，所謂民主，指“國際民主、政治民主及經濟民主”。[5] 至於何謂“國際民主”，蔣介石沒有解釋，或者解釋了，沒有留下記載。

大約即在此際，蔣介石書寫《民國三十九年大事表》，提出本年內“號召三

---

1 秦孝儀編：《“總統”蔣公思想言論總集》卷 32，第 225 頁。
2 《蔣介石日記》（手稿本），1949 年 12 月 27、30 日。
3 《陳立夫回憶錄：成敗之鑒》，台北正中書局 1994 年版，第 380 頁。
4 《蔣介石日記》（手稿本），1950 年 1 月 1 日。
5 《陶希聖日記》，1950 年 1 月 2 日，台北聯經出版社 2014 年版。

項運動”，其第一項即為“本黨徹底改造運動”；又提出“召開三項會議”，其第一項即為“召開本黨各級黨員大會，徹底檢討與反省，堅決實行黨的改造”。

國民黨第六次全國代表大會 1945 年 5 月召開於重慶。會議選出中央執行委員、候補執行委員、中央監察委員、候補監察委員共 460 人。自 1947 年 9 月在南京開過六屆四中全會，1948 年 4 月在南京開過臨時中央全會之外，再未召開過相關會議。1950 年 1 月 5 日，國民黨中常會在台北召開第 222 次會議，決議在適當時間召開六屆五中全會。會議決定成立籌備小組，除中央各部會主管為當然委員外，另推朱家驊、陳立夫、張默君、張厲生、谷正綱、黃少谷等 9 人成立小組，以朱家驊為召集人。1 月 26 日，蔣介石親自主持國民黨中常會，提出不必等待改造方案全部決定後才開始實施，“凡應改革者務須隨時積極進行”。計自 1 月 8 日起，至 3 月 2 日止，共召集小組會議 13 次，分組會議 15 次，綜合小組會 4 次，討論範圍涉及是否更改黨名，黨的屬性，中央改造委員會的產生，六屆中央執、監委的安排等方面，意見不一。陳立夫並曾與人擬訂過一份改造計劃。[1]

蔣介石敗退台灣前後，反思失敗原因，除未能貫徹孫中山的民生主義外，另一原因是認為本人沒有管黨，以致“黨內團結不固，派系分歧，權利在所必爭，義務各不肯盡”。[2] 1950 年 2 月 2 日日記云：

> 革命事業一切以黨為基礎……余之功敗垂成者，乃以黨事委之於他人，而已則專務軍政，對於人事組訓毫無基礎，此其所以敗亡如此之速而慘也。今後能不以黨事為先乎？[3]

在很長一段時期內，蔣介石將“黨務管理”一類事情交給陳果夫、陳立夫二人，時有“蔣家天下陳家黨”之說，這一頁日記雖未指明，但“委之於他人”，則顯指陳氏兄弟。其第二天的日記則表示：“只有另組核心，遴選積極有為之青年，受直接領導，秘密進行，樹立革命新生之基礎。”正在這時，蔣經

---

1 李雲漢編：《中國國民黨史述》第 4 編，台北中國國民黨黨史委員會 1994 年版，第 66 頁。

2 《改造地方黨務須知》，引自秦孝儀編：《“總統”蔣公思想言論總集》卷 24，第 46 頁。

3 《蔣介石日記》（手稿本），1950 年 2 月 2 日。

國向蔣介石送交"新組織之意見"，蔣介石頓有"先得我心"之感。[1] 不過，蔣介石日記並沒有記載蔣經國籌劃的這個"新組織"將是什麼樣子。

二、"立法院"院長改選與蔣介石、陳立夫關係的破裂

蔣介石敗退台灣後，大陸時期選出的國大代表、立法委員、監察委員相繼來台，"國民大會"、"立法院"、"監察院"等機構都須相繼恢復。這些"代表"和"委員"們向時任"行政院"院長的閻錫山要錢，蔣介石很反感，視之為"糾眾要脅"，要求"額外經費"，"名為民意代表，實則等於無賴拷詐"。[2]

1950年3月1日，蔣介石恢復"總統"職權，復行視事，閻錫山向"行政院"提出辭職。4日，蔣介石召集全體中央常務委員及非常委員會委員，舉行茶話會，出席委員七十餘人。蔣介石提議以陳誠接任"行政院"院長。當日，蔣介石聽到有"立法委員"提出，關於"行政院"院長人選，應先舉行"假投票"，勾起他對1948年舊事的回憶，不僅"怒從中來"，立即斥責"中央組織部"部長谷正鼎，嚴斥之後，仍不解氣。日記云：

> 事後半日，鬱結不能自解，甚以立法委員至今還未有覺悟，仍如往年在南京無法無天，以致有今日亡國之悲劇，是誠死不回頭矣。[3]

1948年5月，行憲國民大會閉幕，蔣介石本擬提名原行政院院長張群再任，而以陳立夫為立法院副院長，但CC系反對張群，陳立夫甚至當面向蔣介石表示，"幹部怪他太服從總裁過分"，"要求其所部贊成張群為行政院院長，勢已不能"。[4] 當時的立法院有立委773人，其中，陳氏兄弟領導的CC份子在500名以上[5]，他們提議舉行"預測投票"(假投票)，結果，張群的票數低於何應欽，致使蔣介石任用張群的計劃落空，氣得蔣介石"神經幾失常態"，也使蔣介

1 《蔣介石日記》(手稿本)，1950年2月3日。
2 《蔣介石日記》(手稿本)，1950年1月28日。
3 《蔣介石日記》(手稿本)，1950年3月4日。
4 《蔣介石日記》(手稿本)，1958年5月21日。
5 阮大仁：《陳立夫阻擋張群組閣之政爭》，引自《蔣中正日記中的當代人物》，台北學生書局2014年版，第10頁。

石認為陳立夫耍弄手段，印象轉劣。[1] 現在，蔣介石準備任用陳誠，有人又提出舉行"假投票"，蔣介石懷疑這是 1948 年張群事件的重演，因此發怒。

1950 年 3 月 6 日，蔣介石舉行茶會，招待"立法委員"中的國民黨黨員。黃建中認為"行政院"院長必須"有能、有為、有守、有容"，陳誠在這四個方面都已有所表現，但第四項尚未達到最高點，希望今後百尺竿頭，更進一步，將會成為最合適的院長。7 日，蔣介石向"立法院"送出諮文，提請審查。第二天投票，同意票 306 張，不同意票 70 張，同意票佔全部投票數的 80%。蔣介石自然高興。9 日，蔣介石正式任命陳誠為"行政院"院長。12 日，陳誠宣佈新閣員人選。14 日、15 日，陳誠兩次邀宴"立法委員"，聽取意見。

在國民黨內，陳立夫是 CC 派的頭領，陳誠曾任三民主義青年團的書記長，雙方長期不合。蔣介石很關心陳立夫對陳誠出任"行政院"院長的態度。3 月 6 日的日記中，蔣介石寫下"立夫對辭修組院有所要求"等一行字，大概陳立夫只提了點希望或建議，因此蔣介石略感放心。[2] 這一時期，蔣介石最關心的是協調台灣省主席吳國楨和陳誠之間的關係，宋美齡也熱心於此，以至蔣介石都覺得"過度"了。[3]

"行政院"恢復，蔣介石繼續思考國民黨的改造問題，審閱《改造方案》。當時，他正在考慮收縮兵力，將舟山和海南的軍隊撤回台灣，馬上覺得軍事未定，不宜急求黨的改造，但也覺得，這是塊硬骨頭，輕易啃不動。5 月 18 日、20 日，蔣介石突發奇想，與其改造不能徹底，不如將國民黨交給元老（蔣介石日記稱之為"老者"）們，自己重起爐灶，另立新黨，建立兩黨制，奠定憲政基礎，以免研究系、民社黨等一幫人老在耳邊聒噪、搗亂。不過，他立刻想到，這樣做變動太大，提醒自己不可輕言。[4] 5 月 25 日，蔣介石到國民黨中常會報告《革命實踐運動綱領實施方案》，常委們大多持懷疑態度，這使蔣對常委們很失望，日記云："可知其自信與信仰心完全消失，皆以一事不舉、束手待斃為

1 《蔣介石日記》(手稿本)，1948 年 5 月 21、22 日。
2 《蔣介石日記》(手稿本)，1950 年 3 月 6 日。
3 《蔣介石日記》(手稿本)，1950 年 3 月 13 日。
4 《蔣介石日記》(手稿本)，1950 年 5 月 18、20 日。

其唯一之出路。"[1] 這一認識，促使蔣介石在不久之後決定拋棄國民黨中常會。

蔣介石與陳立夫的矛盾爆發於"立法院"院長的改選問題上。5 月 29 日，蔣介石日記云：

> 立夫等組織部立法委員對立法院院長問題，主張懸擱不決，因其不願劉健群正式繼任，所以對童冠賢辭職問題亦不求解決。此種縱敵制友之心理，而不知其正為害己之種植禍根，政治上特為仇讎放一條生路之辦法，殊為可痛，乃令改正。對於准童辭職問題，必須會期內解決也。幹部自私心理不打破，則國亡無日矣。[2]

童冠賢，河北宣化人。畢業於南開大學專科部，留學日本，與周恩來友善。1925 年歸國，任北京大學教授。曾任國民黨政治委員會華北分會委員。1929 年辭去黨務。1948 年當選行憲後第一屆立法委員，並在桂系支持下當選立法院院長。1949 年 10 月 7 日，童冠賢辭去"立法院"院長職務，赴香港參加顧孟餘等人所組織的"自由民主大同盟"，既反共，也反蔣，成為當時所謂"第三勢力"的核心人物。

陳誠既然出掌"行政院"，蔣介石認為作為五院之一的"立法院"院長也不應長期虛懸，便於 5 月 15 日召集一般會談，決定准童辭職。以副院長劉健群代理其職務。劉健群原為黔軍軍官。1931 年任中央軍校政治部主任。次年參加戴笠組織的三民主義力行社，深得蔣介石的信任。[3] 他長期和黃埔系有密切關係。1942 年任三民主義青年團中央團部副書記長，成為"團派"骨幹，因此和陳誠也關係密切。5 月 29 日，在例行的政務會談中，陳立夫認為，准童辭職，改選院長，"立法院"將重趨混亂，主張拖延不提。蔣介石則主張儘早解決。30 日，王世杰、陳誠、陳立夫出面召集"立法院"全體委員開會，由王世杰說明，"立法院長"須待下次會期改選，中央的構想是先由劉健群代理。正在眾人鼓掌之際，CC 系"立委"、《中央日報》總編輯陳博生突然發言反對，同為 CC 系的

1 《蔣介石日記》（手稿本），1950 年 5 月 25 日。
2 《蔣介石日記》（手稿本），1950 年 5 月 29 日。
3 蔣介石曾誇獎劉的條陳"穩健而適於實用"，見《蔣中正總統檔案事略稿本》卷 13，1932 年 3 月 22 日，又稱讚其"甚有所見，為一難得之青年也"，見《蔣介石日記》（手稿本），1932 年 6 月 3 日。

"立委"邵華、蔣一平等繼起，要求維持現狀，暫不批准童冠賢辭職，於是，會場頓形混亂，沒有結果。[1]當日中午，王世杰、陳誠、陳立夫、鄭彥棻向蔣介石彙報，詢問應如何處置。蔣介石自覺"心碎"，極為失望地表示："國民黨已無藥可救，從此了結，自己不再過問黨事，大家等著做共產黨的俘虜，被砍腦袋吧！"[2]

這一天的"立法院"委員風波，蔣介石判斷是陳立夫"陽奉陰違"，在日記中大罵陳："不識大體，鬼祟如此，焉得不敗亡耶！"接著，就狠罵自己："用人不明，貽誤黨國，罪莫大也。"[3]

接連幾天，蔣介石日記寫的都是對"立法院"的批評，而這些對"立法院"的批評最終又都指向陳立夫和 CC 派，如 5 月 31 日："立夫 CC 派對時局危亡之嚴重性至今不僅毫無覺悟，且仍以過去大陸搗亂、助共、自殺之作風，專以個人之權利爭奪是務，此風若不徹底改革，則政治決難安定。"

當時，蔣介石和美國的關係也正處於艱難階段。國民黨在大陸失敗後，美國統治集團中的反蔣派、棄蔣派勢力大增，蔣介石估計美國有以"專制、獨裁、法西斯復活"為藉口"斷絕對華關係"的可能，但蔣認為，即使美國斷絕關係，台灣經濟尚可支撐半年，因此，他決心"以革命獨立奮鬥精神，不顧一切，先肅清內部，澄清政治，穩定基礎為唯一救亡之道，即使冒險，亦應斷行，此亦死中求生之機也"。[4]

"立法院"會期每年兩次，第一次 2 月至 5 月底，第二次 9 月至 12 月底，其他時間為休會期。按上屆會議前例，"立法院"休會期間，緊迫問題可以"授權行政院"決定。鑒於本屆"立法院"即將休會，陳誠授意原三青團系統的"立委"提出，要求按前例授權"行政院"，以便及時處理。討論時，莫萱元所組織的"中社"的一批"立委"反對，"授權"案被否決。對於這一事件，陳立夫回憶說，陳誠"一味兒想抓權"，"授意在立法院裏的青年團同志提了一案，把

---

1 周宏濤口述，汪士淳撰寫：《蔣公與我：見證中華民國關鍵變局》，台北天下遠見出版股份有限公司 2003 年版，第 359 頁。

2 《蔣介石日記》（手稿本），1950 年 5 月 30 日。

3 《蔣介石日記》（手稿本），1950 年 5 月 30 日。

4 《蔣介石日記》（手稿本），1950 年 5 月 31 日。

立法院立法權削減得很小，結果被立法院會議否決了”。[1] 陳誠覺得，“授權案”被否決，就是捆住了“行政院”的手腳，大發脾氣稱：“他們一定是 CC 派！現在這個行政院長，除了陳立夫之外，沒人能幹得了。我不幹了。”[2] 他手擬辭呈，向蔣介石辭職：

1. 不適合現環境，與作風未能得立法院全體之信任，無法負責，如負責即等違法，不負責勢所不能，時機所不許。

2. 病後精力不繼，如應付環境則不免貽誤公務，如不應付，動輒得咎，無法兩全。

3. 查各民主國家均以議會多數黨主政，現立法院比較以陳立夫先生所領導者為多數，為應付立法院一部分委員，行政院繼任人選自以陳立夫先生為最妥當。

4. 在新院長未決定之前，行政院職務請由張副院長暫代。

誠

5 月 30 日 [3]

陳誠的這份辭呈給了陳立夫以致命一擊。蔣介石支持陳誠，正在重用陳誠，對此十分痛憤，日記云：“黨員蠻橫無道。”“其心目中不再有黨國存在。”他決心向自己的黨員開刀，“整肅圖存”。[4] 月底，他反省當月各事，感歎雖曾向國人表示過“以身殉國”的決心，但居然沒有邀獲這批“立法委員”的諒解，仍然“自私忘國”，“一意孤行”，還有什麼話可說呢！他認為：“本黨如非徹底改造，實無救國之道矣。”[5]

此後，蔣介石一面加緊籌備國民黨的改造，一面下令不准陳立夫再參加“總統府”的一般會談。[6] 6 月上旬，“中央銀行”改組理、監事會，陳立夫原在監事之列，蔣介石親自將其名字勾去。蔣的秘書周宏濤勸蔣，曲直尚未判明，不宜過加責備，蔣即將已臥病多年的陳果夫列入監事名單。[7] 6 月 24 日，蔣介石

---

1 《陳立夫回憶錄：成敗之鑒》，台北正中書局 1994 年版，第 382 頁。
2 《陳立夫回憶錄：成敗之鑒》，第 382 頁。
3 《手擬呈報辭職理由與措辭體要》，引自《陳誠先生回憶錄 ——建設台灣》（下），第 1021 頁。
4 《蔣介石日記》（手稿本），1950 年 3 月 31 日。
5 《上月反省錄》，《蔣介石日記》（手稿本），1950 年 5 月 31 日。
6 周宏濤口述、汪士淳撰寫：《蔣公與我：見證中華民國關鍵變局》，第 361 頁。
7 周宏濤口述、汪士淳撰寫：《蔣公與我：見證中華民國關鍵變局》，第 362 頁。

在安排《本星期預定工作課目》時，提出"約見立夫，警告應自立自強與改革習性"。後來"約見"了沒有，日記缺乏記載，但可以想見，蔣介石對陳立夫的批評一定是很嚴厲的。此前，陳果夫致函蔣介石，詢問關於國民黨中央財務公開的有關問題，蔣介石即派張道藩向陳果夫詳述乃弟的情況。7 月 13 日，蔣介石復函陳果夫，批評陳立夫"度量狹窄，氣識不大"，自稱"此為中平生失望之一事"，表示"今後如繼續革命，決不能令其參加黨務"。[1] 陳氏兄弟長期管理國民黨黨務，這是蔣介石以函件形式正式通知，不讓陳立夫參與國民黨的改造了。

三、蔣介石啟動國民黨的改造

1950 年 6 月的第一天，蔣介石在《本月大事預定表》的第十九條寫道："整肅黨內反動之準備。"第二天，他向蔣經國表示了"改造本黨與整肅反動"的決心。這以後，他反復思考，其內心的苦悶、矛盾、交戰、決策的過程，充分反映在日記中。

6 月 5 日，他詢問自己，是信神，還是賴人？如果"賴人"，那麼，"人世一切希望與道理皆已斷絕，四顧茫茫，只見淒慘黑暗，已無我生存立足之餘地"。但是，蔣介石覺得自己是基督教徒："父神"是我保障，是我救星，即使人世間一切罪惡與黑暗包圍我，棄絕我，壓迫我，使我再無容身之地。這樣，他就從基督教，從"父神"那裏獲取了精神力量，決心"置之不顧，不憂不懼，一唯天父聖靈之命是從，站住今日憂患悲痛之崗位，以聖靈為盾牌，以洪恩為戰袍，與此萬惡勢力鬥爭到底"。[2]

6 月 9 日，他記述改造國民黨的理由，認為"民國敗亡，人民沉淪，主義不行，共匪叛亂"，皆應由國民黨"負其重責"，接著，承認國民黨的失敗，"本人應負全責"，表示當"辭去總裁以謝黨國"。接著又批評幹部（中央委員）應對總裁與全黨負責，應自認其不能再任本黨之幹部。但是大陸淪陷，各省黨

1　蔣介石《復陳果夫函》，引自秦孝儀編：《總統蔣公大事長篇初稿》卷 9 上冊，第 198—199 頁。
2　《蔣介石日記》（手稿本），1950 年 6 月 5 日。

部已不能照章選舉代表，全國代表大會無法召集。最後說明“救國必先救黨，急不容緩，總裁為全代大會之主席，惟有總裁代行全代大會職權，改造中央黨部，整肅幹部，重建中央，樹立黨紀”。[1]

6 月 10 日，他分析國民黨失敗的內部原因，指出：甲、派系傾軋，人事糾紛；乙、幹部自私自利，不識大體，犧牲主義原則，破壞紀律、違反紀律，只知內部爭權奪利。蔣介石認為，上述原因導致國民黨“分崩離析”，“以致大陸淪陷，國家危亡，民主政治之萌芽亦被摧折，國會無組織，不民主，形成一盤散沙”。[2]

經過上述分析之後，蔣介石的結論是：“挽救危亡，惟有改造本黨；實行民權，貫徹民主，亦惟有改造本黨。若欲確保台灣，反攻大陸，改革政治，整肅官方，完成反共驅俄，復興中國之使命，更非改造本黨，重振此國民革命之動力不可。”[3]

蔣介石的第一個整肅對象是《中央日報》總編輯陳博生。他在“立法委員”會議時，帶頭反對批准童冠賢辭職，在其所編報紙上發表相關消息，蔣介石認為這是“公開反動，為匪張目”，必須“徹底究辦”，加以“嚴懲”。[4] 13 日，他召見“中央社”社長蕭同茲，指令懲處陳博生。21 日，又以手令面交蕭同茲，聲色俱厲地嚴斥蕭“疲玩”。[5] 所謂“疲玩”，就是拖延再拖延，對上級指示敷衍了事。結果，陳博生於當月辭職，離開《中央日報》。

蔣介石的第二個整肅對象就是陳立夫。6 月 24 日，鄭彥棻向蔣介石彙報，部分中央委員擔心蔣介石“用革命方式”取消他們的委員職務，蔣介石便在《本星期預定工作課目》中寫下“約見老者”、“約見立夫”等內容。當時，國民黨的《改造方案》尚未經過中央全會討論，谷正綱對此提出意見。7 月 12 日，國民黨中央執行委員、監察委員、候補執行委員、候補監察委員等 214 人，由吳稚暉領銜上書，請蔣介石對國民黨“斷然決策，改造本黨”，表示“謹當一致服

---

1 《蔣介石日記》（手稿本），1950 年 6 月 9 日。
2 《蔣介石日記》（手稿本），1950 年 6 月 10 日。
3 《蔣介石日記》（手稿本），1950 年 6 月 10 日。
4 《蔣介石日記》（手稿本），1950 年 6 月 13 日。
5 《蔣介石日記》（手稿本），1950 年 6 月 21 日。

從，率循努力”。[1] 同日，蔣介石自記：“自今日起，進行改造實際工作。”

7 月 13 日，蔣介石召集張群、李文範、馬超俊、吳鐵城、陳誠、鄭彥棻、黃少谷、洪蘭友、朱家驊、王世杰等 60 餘人，商討國民黨黨務改造的方案等文件。

7 月 14 日晚，蔣介石召集于右任、居正、鄒魯、閻錫山、吳忠信、鈕永建、何應欽、張群等一批國民黨元老，以及陳誠、黃少谷、鄭彥棻等，共 16 人集議，研究國民黨改造方案。蔣介石提出《關於實施本黨改造之說明》、《本黨改造綱要》、《本黨改造之必要措施及其程序》三項文件。第一項文件提出：1. 六屆中執、監委任期屆滿，已過三年，停止職權。2. 指派中央改造委員 15 人至 25 人，協助蔣中正進行本黨改造。聘請黨中有功績、有德望的同志為中央評議委員，督導改造，監察腐惡。第二項文件規定改造的基本原則，共 11 項，32 條，其中第一項提出“本黨為革命民主政黨”。第三項文件共 8 條，除提出六屆中央執、監委停止職權外，規定中央改造委員會行使中央執行委員會及中央監察委員會職權，其委員由總裁遴選；改造委員會下設各種工作部門或委員會，其人員由總裁遴派。[2] 這三項文件空前而全面地擴大了“總裁”的個人權力，雖定名為“革命民主政黨”，但“民主”氣息全無，表明蔣介石企圖通過“改造”建立由個人專斷的獨裁體制。不過與會諸人卻都表示同意。會議一直開到晚上 9 時。居正日記云：“前途展望，成敗利鈍，有非可以意計者，亦視其決心、勇氣與弘量如何耳！”[3]

7 月 17 日，蔣介石親擬國民黨中央改造委員人選及各部會主管名單，這份名單中已經沒有陳立夫的名字。同日，蔣介石日記載：“與道藩商談立夫出國問題。”19 日，關於國民黨“改造文件”定稿付印。[4]

---

1 《中央常務委員會第 237 次會議記錄》，台北中國國民黨黨史館藏，1950 年 7 月 20 日。

2 《改造》第 1 期。

3 謝幼田整理：《居正日記書信未刊稿》第 5 冊，廣西師範大學出版社 2004 年版，第 196 頁。

4 《陶希聖日記》，1950 年 7 月 19 日，台北聯經出版事業有限公司 2014 年版。

四、蔣介石憤而點名批評陳立夫

1947年9月9日至13日，國民黨在南京召開六屆四中全會，決定國民黨與1938年成立的三民主義青年團合併，從而組成625人的中央執行委員會和監察委員會，其中僅常委即達74人之多。將這支臃腫、龐大、老邁的隊伍，代之以精幹、年輕的改造委員會有其必要，但是，停止原執、監委的職權，由蔣介石個人決定改造委員會及其各部門的人選，自然遭到不少國民黨人的反對。7月14日晚，于右任沒有表示不滿，20日，于右任遲疑數日之後終於提出，改造委員會委員由蔣介石遴選，恐怕遭人議論，建議改為推薦，由中常會通過。蔣介石認為，由中常會選舉，恐意見分歧，託吳忠信、黃少谷將此意轉告于右任。21日晚，蔣介石約宴未參加討論的中央常委及起草改造方案40餘人，討論改造方案。李宗黃、王秉鈞等人發言，反對停止六屆中央委員職權。[1]蔣介石認為，這些人的背後仍然是陳立夫在作祟，憤怒地指責陳立夫"行動之誤黨與自私"，進而批評國民黨中的"常委任立法委員者"，"不能執行黨紀，只顧個人而不顧黨國"的"背離言行"。[2]針對改造方案未經中央全會討論的批評，蔣表示："今日中委之地位，上無領袖，下無群眾，實無召開全會之權能。"蔣對與會者說，現在有三條路："1. 怕有後果，不動；2. 依我所定辦法改造；3. 我脫黨，你們跟（陳）立夫走吧！"[3]周宏濤回憶，蔣介石還嚴厲地說："黨的改造不容再緩，否則我不能以總裁的地位領導這個黨。如果同志不信賴，（我）只有退出本黨。"甚至說："贊成者站攏來，反對者請出去。"[4]此外，蔣介石還講了一些自誇權力、矛頭指向"中委"的話，如："中委之群眾，實只總裁一人，除總裁之外，問其復有何人是其群眾，而其所以當選為中委者究為何人，豈非總裁之力乎！"[5]一時氣氛緊張，與會者懾於蔣介石的威勢，相對無言。

李宗黃等人的反抗雖然被蔣介石當場壓了下去，但畢竟使他受到觸動。第

1 一說反對者為陳肇英、李宗黃等，見《陳立夫回憶錄：成敗之鑒》，第380頁。
2 秦孝儀編：《"總統"蔣公大事長編初稿》9卷，台北中正文教基金會1978年版，第202頁。
3 《陶希聖日記》，1950年7月21日。
4 周宏濤口述，汪士淳撰寫：《蔣公與我：見證中華民國關鍵變局》，台北天下遠見出版股份有限公司2003年版，第362頁。
5 《蔣介石日記》（手稿本），1950年7月22日；參見秦孝儀編：《"總統"蔣公大事長編初稿》9卷，第202頁。

二天早晨，蔣介石和黃少谷、鄭彥棻商量，停止所有六屆中央委員職權，牽涉人員太多，震動太大，是否只停中央常委職權，比較緩和，同時申明保存原中央委員資格，減少阻力。商量結果，決定維持原議，不做變更。當日，蔣介石主持中常會臨時會議，講述 1914 年和 1924 年孫中山兩次改組國民黨的前事，說明國民黨在大陸為中共所敗，完全是"領導革命的本黨，組織瓦解，紀綱廢弛，精神衰落，藩籬盡撤"的結果。他自我期許說："如我再不負起政治軍事的責任，在三個月之內，台灣一定完結。我出來之後，台灣可望確保。"他並說，今後"唯一可循的途徑，就是擺脫派系傾軋的旋渦、人事糾紛的積習，以從新做起的決心，改造本黨。"[1] 會上，劉健群等 27 人發言，會議從上午十時一直開到下午一時，對改造方案做了部分修改後一致通過。對於這種風平浪靜、波瀾不驚的狀況，蔣介石頗感意外，日記云："並無勉強之色，殊為難得，此為本黨歷史之新頁，大事，竟得和順完成。"[2] 居正是辛亥革命前的老同盟會會員，典型的國民黨元老，他是當日中常會的參加者，在日記中寫了一句："此為一大事因緣，值得一記。"當日，中央通訊社、《中央日報》、《新生報》記者紛紛訪問居正，居正答稱："沒話可談。"記者訪問之後，居正又記云："不曉在報上怎樣發表，姑聽之。"[3]

7 月 26 日，蔣介石先與黃少谷、鄭彥棻，繼與陳誠商量，核定中央改造委員 16 人的最後名單：陳誠、張其昀、張道藩、谷正綱、胡健中、曾虛白、沈昌煥、袁守謙、蔣經國、崔書琴、蕭自誠、連震東、谷鳳翔、郭澄、鄭彥棻、陳雪屏。其中陳誠等 8 人為原六屆中央執行委員，新提名者 8 人。計 50 歲以上者 4 人，年齡最高者 55 歲，其他則均處於 40 至 49 歲這一年齡段，最低者僅 38 歲。比之六屆中央執、監委，屬於少壯派。

同時核定的還有中央評議委員 25 人名單，有吳敬恆、居正、于右任、鈕永建、丁惟汾、鄒魯、王寵惠、閻錫山、吳忠信、張群、李文範、吳鐵城、何應欽、白崇禧、陳濟棠、馬超俊、陳果夫、朱家驊、張厲生、劉健群、王世杰、

---

1 秦孝儀編：《"總統"蔣公思想言論總集》卷 23，台北中國國民黨中央黨史委員會 1984 年版，第 332—333 頁。

2 《蔣介石日記》（手稿本），1950 年 7 月 22 日。

3 謝幼田整理：《居正日記書信未刊稿》第 5 冊，廣西師範大學出版社 2004 年版，第 204 頁。

董顯光、吳國楨、章嘉、張默君，後來蔣介石又增加了何成濬、錢公來、時子周、蕭同茲 4 人，共 29 人。這些大體上都屬於國民黨元老派，屬於榮譽、安慰性質。其中 27 人為六屆中央執、監委，吳國楨則為候補中委。

當日下午，蔣介石召集在台中央委員二百餘人集會，宣佈名單，全體起立通過。會後蔣介石接見合眾社記者，特別說明對孔祥熙、宋子文及陳氏兄弟信任如前，外界所傳壓抑云云，是謠諑，非事實。

8 月 5 日，改造委員會宣誓就職，在此後的兩年內，成為事實上的國民黨中央黨部。原來所說"陳家黨"成為"蔣家黨"。在當月的《反省錄》中，蔣介石寫道："此乃革命史中之大事，實亦本黨起死回生最後之一脈單方也。此關一過，則今後革命行動，當較易為乎？"[1]

改造委員宣誓之前一日，8 月 4 日晨，陳立夫登機，飛赴瑞士。[2]

7 月 17 日，蔣介石日記載："與道藩商談立夫出國問題。"這則日記沒有寫清楚，是蔣介石要趕陳立夫出國，還是陳立夫自請出國。2005 年 10 月，陳立夫的兒子陳澤寵接受鳳凰衛視訪談時曾說，蔣介石要陳立夫 24 小時內出國，連跟朋友道別都來不及。[3] 按照這一說法，自然是蔣介石要趕走陳立夫，而陳立夫自己的說法則是，7 月 21 日晚，蔣介石點名批評陳立夫，陳因病沒有參加。會後，有人將蔣介石的話傳給了陳立夫，陳感到"十分納悶"："總裁雖是在盛怒之下，但怎能講出此話呢，這不是認為我主張民主和他對立嗎？"為此，陳立夫"鬱結填胸"，"久久不能釋然"，思來想去，陳立夫覺得應該引咎辭職從速離開黨政工作，到美國去。[4] 這時，世界道德重整會準備在瑞士開會，函邀陳立夫參加。[5] 1948 年，陳立夫曾被邀參加該會在美國洛杉磯的會議，這是第二次被邀。陳立夫便報告蔣介石稱："我受總統熏陶二十五年，很慚愧沒有什麼表現，很感罪戾！我出國了，今後一切政治問題，請勿再找我。我一向對此不感

---

1 《上月反省錄》，《蔣介石日記》（手稿本），1950 年 7 月 31 日。
2 《蔣介石日記》（手稿本），1950 年 8 月 4 日。
3 郭岱君著：《台灣往事：台灣經濟改革故事》，中信出版社 2015 年版，第 36 頁。
4 《陳立夫回憶錄：成敗之鑒》，台北正中書局 1994 年版，第 38 頁。
5 《蔣介石日記》（手稿本），1959 年 7 月 17 日。據此，陳立夫申請出國，或在此時。

興趣。"[1] 8 月 3 日，陳立夫到蔣介石寓所辭行，蔣介石不見。[2] 據傳，宋美齡當時贈陳立夫一本精裝《聖經》，要他帶到美國去唸，以便在心靈上取得慰藉。陳立夫指著牆上掛著的蔣介石像，對宋美齡說："夫人，那活的上帝都不信任我，我還希望得到耶穌的信任嗎？" [3]

陳立夫長期想不明白，蔣介石為什麼要趕走自己。其實，這並不難明白。第一，國民黨長期派系林立，蔣介石對此早有不滿，撤退到台灣以後，各派大都萎縮，甚至消亡，但是陳立夫和 CC 系卻一支獨大，仍然可以操縱和控制"立法院"，這是蔣介石所不能允許的。其《三十九年工作自反錄》云：

> 黨之紛亂，起於黨團合併一舉。立夫藉此為消滅（三青）團之張本，不特不誠意聯合，以副合併之原意，迨選舉各種名額之分配，爭持不決，幾至半年之久，而立夫毫不報告其情勢，以求得公平處理解決之道，以致選舉副總統事一敗塗地，黨之維新掃地無遺。

蔣介石的這一頁日記涉及國民黨史上一段複雜的歷史糾葛。三民主義青年團自 1938 年 7 月成立後，從中央到地方建立了一套與國民黨平行的組織系統，與國民黨逐漸發生矛盾。1947 年 6 月，蔣介石召見時任組織部長的黨方代表陳立夫和團方代表陳誠，決定將三青團併入國民黨。但是，這一合併不僅沒有消弭矛盾，反而使之更加尖銳化和複雜化。次年 4 月的國民大會選舉總統、副總統。在副總統人選上，蔣介石屬意孫科，反對桂系李宗仁，不少原三青團系統的代表因對黨團合併和陳立夫不滿，違抗國民黨中央支持孫科的指令，投票選舉李宗仁，使李當選。這一結果大出蔣介石的意外，被認為"政治上遭受致命之打擊"，使自己"威信掃地"。[4] 從這一頁日記可以看出，蔣介石認為其原因在於陳立夫不能團結原三青團系統的國大代表。

蔣介石又寫道：

> 及至台灣，立夫仍挾以往組織部舊日力量與團部對立，無論其在立

1 《陳立夫回憶錄：成敗之鑒》，台北正中書局 1994 年版，第 383 頁。
2 《蔣介石日記》（手稿本），1950 年 8 月 3 日。
3 江南著：《蔣經國傳》，中國友誼出版公司 1984 年版，第 250 頁。
4 《卅七年總反省錄》，《蔣介石日記》（手稿本），1948 年。

法院與中央黨部，必欲把持包攬，不使有任何之改革。至本年5月間，余主張重選立法院長，與休會期間授權行政院重要各案，皆不能通過。情勢至此，無法因循，不能不下改組之決心，對於立夫所領導之腐化份子、投機份子之中央常委，除道藩、正綱、建中等可以希望其能團結者勉予容納外，其他一律擯除。[1]

從這一段日記可知，以劉健群代理"立法院"院長，"立法院"休會期間授權"行政院"，兩案均係蔣介石的主張，而兩案均遭陳立夫及其所掌控的"立法院"中的CC系力量反對，是往日黨與團之間矛盾的再現，因此，蔣介石決定，國民黨中央常委中除張道藩、谷正綱、胡健中等少數幾人外，必須加以清除。

第二，南京時期，蔣介石派蔣經國到政治大學擔任教育長，曾經受阻於CC系。蔣介石這時正在蓄意培養蔣經國接班，所以也有人認為："非趕走CC的勢力，才能剷除經國當權的阻力。"[2]

陳立夫出國以後，國民黨迅速加強了對"從政黨員"，包括"立法委員"和"監察委員"的管理和控制。9月9日，改造委員會通過《中國國民黨直屬立法院立法委員黨部組織綱要》。12月5日，"立法院"順利選出劉健群為"立法院"院長。不過，很快就發現劉健群有貪污嫌疑，為此，"立法院"成立院務調查委員會進行調查，蔣介石動怒訓斥，10月9日日記云："劉實貪舞，難辭其咎，不能為其庇護也。"[3] 同月16日日記再云："腐化至此，不能再留。"19日，"立法院"會議接受劉健群辭職。

五、國民黨的"七全大會"與蔣介石威權統治的建立

1951年1月30日，國民黨公佈在台黨員16917名。1952年7月，蔣介石認為國民黨的改造工作已經告一段落，籌備在台北召開第七次全國代表大會。

---

1 《三十九年工作自反錄》，《蔣介石日記》（手稿本），1950年。
2 江南著：《蔣經國傳》，第250頁。
3 《蔣介石日記》（手稿本），1951年10月9日。

他開始考慮國民黨的黨名、總裁、執行委員會名稱等，是否需要更改："改為革命國民黨乎？抑改為國民革命黨乎？或改造國民黨乎？"關於選舉辦法，他決定提"雙倍名數交選"。[1] 關於候選人，9 月 14 日，他與蔣經國、周宏濤商量時提出，屆時候選人"皆要由總裁核定，並可指名提出復選人員"，自稱"此權比任何權力更為重要也"。[2] 此前一天，蔣介石接到胡適長函，建議國民黨學習土耳其的辦法，分為兩黨。蔣介石斥為"書生之見"，日記云："彼此環境與現狀完全不同。""中國學者往往如此，所以建國無成也。"[3]

同年 10 月 11 日，國民黨第七次全國代表大會開幕，蔣介石宣佈："自應將建黨復國的責任，歸還於全黨黨員同志。"[4] 會議進行期間，蔣介石始終在考慮中央評議委員與中央執行委員的人選，決定排除桂系白崇禧等三類人物，其日記云：

> 掃除白崇禧等叛黨禍國之桂系敗類，不再包容，免貽後患，此為二十年來第一次之決心。若非如此，則黨國紀律無由整肅，即使改造，亦無效益……第二，凡過去所謂黨與團派系鬥爭之各主腦，如賀衷寒、劉建群以及陳立夫等應負責任者，一概不列入候選人名單之內，廓清黨內派系之爭。第三，凡在大陸各省區軍政負責人員，未奉撤退命令，擅自放棄職守者來台，皆不列入。

10 月 19 日，陳誠提議白崇禧、顧祝同、蔣鼎文、錢大鈞等加入新的中央評議委員名單，蔣介石認為這樣做，"復興革命之精神全失"，決心"遺棄"上述諸人，不再改變。日記稱：否則"換湯不換藥，又將何以建黨"？[5] 當日，"七全大會"舉行第 11 次會議，選舉中央委員與候補中委，其候選人，決議"恭請總裁提名"，評議委員則由蔣介石提名通過。據說，白崇禧、劉健群在聽到自己不在提名之列後，就退出會議。[6] 次日，在蔣介石提名的 96 人的大名單中，選出中央委員 32 人，年齡在 30 歲至 50 歲，候補中委 16 人，年齡更輕。蔣介石

---

1 《蔣介石日記》(手稿本)，1952 年 7 月 29 日。
2 《蔣介石日記》(手稿本)，1952 年 9 月 14 日。
3 《蔣介石日記》(手稿本)，1952 年 9 月 13 日。
4 《對本黨第七次全國代表大會開幕詞》，引自秦孝儀編：《"總統"蔣公思想言論總集》卷 25，第 109 頁。
5 《蔣介石日記》(手稿本)，1952 年 10 月 19 日。
6 《蔣介石日記》(手稿本)，1952 年 10 月 19 日。

認為，除台灣省參議會議長黃朝琴一人“稍差”外，其他“皆頗年青有為、負責盡職之同志”。[1] 23日，七屆中央委員會舉行第一次會議，再由蔣介石提名，以陳誠、張道藩、谷正綱、吳國楨、黃少谷、陶希聖、蔣經國等10人為常務委員。秘書長張其昀，副秘書長周宏濤、谷鳳翔也均由蔣介石提名。因此，儘管蔣介石宣佈要還權於“全體黨員”，會議也有選舉，但其候選名單則均由蔣介石個人掌控、決定。

對於“七全大會”和國民黨改造的成績，蔣介石高度自我肯定。他說：“黨務與政治、軍事部門相較，自多欠缺，但本年進步，實亦為本黨六十年組織以來所未有之成就，其一，自第七屆黨員大會圓滿完成，所有歷來靠黨為生之滓渣，凡腐化惡化份子，軍閥如桂系，黨閥如CC，財閥如宋、孔及孫科等，皆已徹底掃清。此一行動，自認為比任何軍事、政治之改革為艱巨，以五百餘之中委，而減為四十八人之限額，若非不計親疏恩怨，而有革命大無畏之精神，決不能臻此也。”[2]

不能否認國民黨的改造運動和“七全大會”在清除“腐化惡化份子”、派系份子、昏庸老邁份子等方面的成績，也不能否定其在年輕化、精幹化方面的進步，但是卻建立了前所未有的蔣介石的個人威權和獨裁統治。

可以順便指出的是，蔣介石所愛在實際權力，並不熱衷於形式上的個人崇拜。10月31日是蔣介石生日。當日，在松山機場岔路口舉行其銅像揭幕典禮。蔣介石得悉，在日記中寫道：“此實浪費招搖之事，以後應嚴禁在生前再建製銅像也。”[3] 11月10日，他要蔣經國向“民眾”傳達，不得為自己再造銅像，“徒增罪戾”。[4] 儘管如此，後來台灣還是蔣像成災，到處可見。

蔣介石和桂系的矛盾積累多年，1948年12月淮海戰役兵敗，白崇禧連發兩電，逼蔣下台，因此，在桂系諸人中，除李宗仁外，蔣介石恨白尤甚。他在日記中指責其“無恥污穢、貪劣腐敗、倒戈叛逆、軍閥奸詐、陰狠冷酷”，“集其一身而有餘”，認為在中央評議委員中不列其名是“七全大會”的成就。他很

1 《蔣介石日記》(手稿本)，1952年10月20日。
2 《四十一年總反省錄》，《蔣介石日記》(手稿本)，1952年。
3 《上星期反省錄》，《蔣介石日記》(手稿本)，1952年11月1日。
4 《蔣介石日記》(手稿本)，1952年11月10日。

奇怪，自己何以能對白忍受二十六年，有如此“耐力”，但他又表示：“今亦惟除去其黨內之名位而已，其軍職猶在也。”[1]

六、宋子文、孔祥熙、陳立夫等人的晚年命運

1947年秋，孔祥熙赴美。1949年5月16日，宋子文夫婦赴美。1950年5月10日，宋子文致函蔣介石，說明因在國外治療，辭去中常委職務。

國民黨敗退台灣後，大部分黨員留在大陸，少部分跟隨到了台灣，還有少部分則流散到了香港、美國等地。1950年12月24日，國民黨中央改造委員會呼籲海外國民黨員回到台灣，參加“反共抗俄”事業，但是孔祥熙、宋子文都沒有回台。國民黨“七全大會”召開，孔祥熙、宋子文照樣沒有回台參加，中央評議委員名單也將他們排除在外。

1951年4月19日，國民黨中央改造委員會召開第118次會議，蔣介石親自主持，得悉原國民黨中央委員未按期登記者26人，李宗仁、孫科、孔祥熙、熊式輝、張發奎等均在其列。蔣介石當即指示，照決議開除黨籍，不必顧慮。[2]

1952年11月20日，蔣介石指示，在1953年1月以前，將黨員總登記辦理完畢，核發新黨證。同年12月11日，新成立的第7屆中央常務委員會第7次會議，通過1953年度黨籍總檢查辦法原則，處理老國民黨黨員的黨籍問題。這樣，孔祥熙、宋子文的問題再次提上日程。

1953年2月26日，新成立的中央委員會召開第17次工作會議，討論曾任中央委員的同志的黨籍問題，決定：未登記歸隊者已自行喪失黨籍，不得參加黨籍總檢查，並不發黨證；凡通知登記而迄未答復者，以不歸隊論，認為已喪失黨籍，不參加黨籍總檢查。3月12日，蔣介石參加國民黨中常會，聽取黨務報告，決定對孔祥熙、宋子文等不發黨證，不令其再做黨員。其日記云：“否則無以整頓紀律，重振革命陣營也。”[3]

---

1 《上星期反省錄》，《蔣介石日記》（手稿本），1952年10月25日。
2 台北《中國國民黨中央改造委員會會議決議案彙編》（自印本），第159—160頁。
3 《蔣介石日記》（手稿本），1953年3月12日。

同年4月9日，中央委員會秘書長張其昀和第一組主任唐縱向蔣介石報告"黨籍總檢查"情況，張、唐提出，居留海外，在改造期間未歸隊的李宗仁等四十名，撤銷黨籍，不予換發黨證。關於孔祥熙、宋子文，張、唐二人也決定歸入"不予換發黨證"之列。對孔，決議稱："前在財政部長及行政院長任內，輿論頗致不滿，比戡亂軍事逆轉，該員身為中央委員，歷膺黨國重寄，乃竟逸居海外，未能勉盡黨員與幹部份子之責任。"對宋，決議稱："歷任財政、外交部長及行政院長，執行政策不當，黨內外均多詬責。三十八年卸任廣東省主席後，以身為中央常務委員，且當戡亂軍事逆轉之時，竟不返回中央執行職務，逸居海外，顯為放棄職責，比年來亦未踐履黨員對黨應盡之義務。"4月16日，蔣介石批稱："徐恩曾不應換發黨證，餘可照辦。"[1] 這就是說，蔣介石批准了孔、宋二人均不發黨證。

不發黨證，這一處理比較緩和，刺激力不大，但實際意義和"開除"相同。1953年7月29日，宋美齡以第一組的決議案為據，質問蔣介石何以"開除"孔、宋的黨籍。蔣只好以"此案不致實現"相慰。他對宋美齡說："此案為在半年以前事。余並未批准。""當時經國反對此案通過，並主張必須總裁批示也。"

宋美齡的質問使蔣介石很煩惱。孔、宋二人，長期被認為是國民黨貪污、腐化的代表性人物。不處理，人心不服，黨心不服，但是，處理起來，夫人首先不服。怎麼辦？蔣介石反復思慮，覺得很難決斷。第二天，蔣介石與蔣經國討論，下了一道手令，內稱："（歷屆中委）凡無不法言行與附匪嫌疑者，准予發給新黨證，但未歸隊登記者一律撤銷其黨籍也。"這樣一改，孔祥熙、宋子文二人能否"換發黨證"，其責任就不在國民黨，而在於他們自己，被蔣介石視為"近年來最足惱人之案"得以順利解決。

首先回到台灣的是孔祥熙。蔣介石生於1887年10月31日。1962這年是75週歲。10月22日，孔祥熙以為蔣祝壽為名，自紐約飛到台北。蔣介石親到機場迎接。這年，孔祥熙也已經82歲了，蔣介石發覺孔"老態雖甚，其精神尚佳"，感到很高興。尤其是多年寄居美國，"思國益切"，為自己的生日專門歸

---

1 《續報黨籍總檢查工作情形簽呈監核》，台北中國國民黨黨史館藏，特3/29.5。

來祝壽，更加感動，所以從機場一直同車將孔祥熙送到其住處——博愛賓館。孔祥熙善於理財，抗戰期間，孔祥熙當財政部長，不僅在極為艱難的條件下滿足了龐大的軍政所需，而且為國庫掙得了數額巨大的盈餘。這使蔣介石覺得極為難得。其日記寫道：

> 彼在抗日期間，財政充裕，而且改革幣制，統一財政，此為前清以來至民國 23 年歷史所從未有之成績也，至其財政交部時，尚存有美金 9 億餘與現金 1 億多元，此亦從來所未有之政績，乃不幸至抗戰末期，為共匪誹謗造謠，而使知識階級反對，不安於位而辭職，此即在抗戰後財政為子文弄糟，以致政府失敗，卒致最後大陸淪陷於匪手之一重大原因也。

善於理財，這確是孔祥熙的優長之處，但是貪財好貨也確是孔祥熙的特點。抗戰後期，在勝利美金公債的經營發行上，孔祥熙有貪污舞弊行為，被人檢舉，蔣介石親自調查，抓住把柄，氣得蔣介石在日記中大罵其為"無恥之尤"。[1] 多少年過去了，蔣介石對孔祥熙的怨懟早已淡化，相反，對孔祥熙勞績的感激之情卻與日俱增。日記又寫道：

> 至其個人對我之忠誠，則與子文完全相反也。故其此來，余特加優遇。以稍慰其老人之心也。

孔祥熙為國庫增加了巨大盈餘，這批巨大盈餘，宋子文接任財政部長以後，為平衡物價，大量拋售，結果迅速消耗，有枯竭之虞。蔣介石這樣想起來，感情的天平更加倒向孔祥熙。於是，蔣介石一次又一次去醫院探望孔祥熙。如：

> 1962 年 11 月 16 日，"訪庸之於榮民醫院"。
>
> 1962 年 12 月 18 日，"晚，訪庸之於病院"。
>
> 1963 年 1 月 25 日（初一），"往訪庸（之）、辭（修）、右（任）、嶽（軍）諸同志"。

---

1 《蔣介石親自查處孔祥熙等人的美金公債舞弊案》，引自拙著：《找尋真實的蔣介石：蔣介石日記解讀》第 2 輯，華文出版社 2010 年版。

孔祥熙在台北治療期間，始終得到蔣介石的惦念和關懷。1966年2月28日，孔祥熙為赴美治病，離開台灣，住到紐約長島。1967年7月22日，入院診治。8月16日去世。16日當天，蔣介石就得到孔去世的消息，非常悲傷，宋美齡馬上決定趕赴美國弔喪。1948年，宋美齡赴美求援，美國官方接待"冷漠"，因此，蔣介石不願宋美齡再次踏上美國國土，一時躊躇難決，心神不安，擔心宋再次受辱，但是，由於宋美齡要求堅決，蔣介石覺得美齡和藹齡之間"姊妹情篤"，"為其至誠所感"，故蔣介石終於同意。其日記云：

上午聽報時，得庸之兄去世消息，甚悲傷。妻欲往紐約弔喪，躊躇未決，余以美土，不願我家人常踏，以知恥不為人所辱也。近日心神最為不安，晚決准妻去美弔喪。

8月17日，宋美齡偕蔣緯國自台北出發，轉機飛美。於是在紐約第五街馬布爾聯合教堂的葬禮上，就出現了宋美齡和蔣緯國的身影，出現了來自台北的五人護旗隊。

為了紀念孔祥熙，蔣介石親自撰寫其生平事略，並且抄在8月29日的日記中，譽之為創造了"中國財政有史以來唯一輝煌之政績"。

對於宋子文，蔣介石的感情可就大不一樣了。敗退台灣以後，蔣介石始終不能原諒宋子文拋售國庫所存大量黃金、外匯的行為，視之為國民黨在大陸失敗的重要原因。如：

1950年3月24日日記："每念失敗之因素，以財政為第一，子文誤國之大，思之痛心。此乃余用人不當之過，於人何與？"

1952年7月4日日記："最後失敗之最大關鍵，全由馬歇爾與宋子文（經濟）二人致之也。"

1952年10月17日日記："續修講稿，對於子文卅六年行政院長任內，擅自動用中央銀行改革幣制之基金一段，甚費躊躇。然此為歷史重要部分，欲使後人對於經濟失敗之教訓有所警惕，不得不實錄其事也。子文害國敗黨，私心自用之罪過太多，而以此為最也。"

蔣介石認為國民黨在大陸的失敗，原因在於經濟失敗，經濟失敗的原因在於宋子文擅自動用孔祥熙辛辛苦苦攢起來的黃金和外匯，視為“誤國”大罪。上引日記，可見蔣介石對宋子文忌恨之深。其實，從經濟學的角度看，當通貨膨脹之際，用拋售黃金、外匯的辦法平抑物價，不失為有效方法之一。當初，馬歇爾來華調停國共矛盾之際，本答應向國民政府提供5億美元的經濟援助，有了馬歇爾的這個允諾，宋子文才有膽拋售國庫中的黃金和外匯，不幸，馬歇爾的允諾泡湯，國民政府庫存又捉襟見肘，終於導致通貨膨脹如斷線風箏，扶搖直上，國統區的經濟徹底崩潰。

由於蔣介石將宋子文看成國民黨在大陸失敗的根源，因此對宋的入台就了無興趣了。1963年年初，宋子文企圖回台，託其弟弟子安先行疏通。1月28日，蔣介石日記云：“子安對子文欲想來台之事，纏繞不休也。”同月30日日記云：“晚，為子文欲來台灣，令人紛擾不堪。”兩則日記，充分顯示蔣對宋的惡感之深。然而，2月7日，宋子文還是經由菲律賓到了台灣，蔣介石日記只乾巴巴地寫了“留餐”二字。2月8日為舊曆元宵節，蔣介石在高雄西子灣設家宴，孔祥熙、宋子文、宋子安、蔣孝武、蔣孝勇都在座，宴會之後是欣賞煙火，這是蔣、孔、宋三家的罕見聚會，蔣介石在日記中寫下“頗難得”三字。10日晚，宋子文在大貝湖回請蔣介石，蔣介石雖然參加了，但宴會之後，“對月談話，約20分時，即回”。

這次宋子文回台，只住了幾天，便返回美國。此後，蔣介石對宋子文的印象沒有絲毫改變。1963年11月，美國總統肯尼迪遇刺身亡，蔣介石不知從何處得到消息，宋子文圖謀“活動出路”，在日記中寫道：“殊為可恥，此其不能自知之甚也。”1971年4月25日，宋子文在一個朋友家吃晚餐，因食物進入氣管，導致心力衰竭，猝然去世。當日，蔣介石在日記中寫道：“子文、應欽、果夫，實為黨、政、軍之罪人。”4月28日，宋美齡與蔣介石商量飛美弔喪。第二天，蔣介石忽然聽到宋慶齡可能將自大陸飛美，乘機“商談和平問題”，蔣介石遂“決令”宋美齡“明日停飛紐約”。[1]

5月1日，在紐約的一座中心教堂舉行了宋子文的追思禮拜。台灣的《中

1 《蔣介石日記》（手稿本），1971年4月29日。

央日報》發表事略，肯定了宋在北伐、抗戰、“外交”等方面的功績，蔣介石只送了一塊題為“勳猷永念”的牌匾。1947年宋子文辭去行政院院長職務後，被蔣介石任命為廣東省主席。宋子文去世後，蔣介石憶及此事，日記云：“再派子文為廣東主席，更難自恕也。”[1]雖是自責，仍是對宋子文的嚴厲批評，表明宋雖死，蔣介石仍不能寬恕。

陳立夫離開台灣時，蔣介石雖然態度冷峻，但是很快就有改變。當陳立夫在瑞士開完會，準備轉往美國之際，接受了俞國華奉蔣介石之命轉來的“浙字第一號黨證”。這就意味著，蔣介石繼續承認陳立夫的國民黨員身份。1951年8月25日，陳果夫在台北病逝。蔣介石致電陳立夫報訊，聲稱一切已有妥當安排，筆墨之間，暗示陳不必回台。

陳立夫的離台使CC系受到打擊，不過在“立法院”中仍擁有相當力量。1952年年底，“行政院”財經小組提議將電力價格調漲三成，以與實際成本相符。在提交“立法院”討論時，遭到諸多“委員”反對，蔣介石認為其故仍是CC成員“作梗”。張道藩是CC骨幹，當時是“立法院”院長，蔣介石在日記中指責其“與若輩串通一氣，以要脅中央，必欲喪失領袖威信，以示其力量”，指責另一CC派“立委”胡建中“真為其中操縱之一員，殊出意外”，因此，下決心“清理CC”，開除“立法院”中那些不遵守決議與違反紀律、陽奉陰違的CC系黨員。[2]不過，“立法委員”既是“民意”代表，自然有發表各種意見的自由。蔣介石雖欲“嚴明黨紀”，但也難於處理。例如，張道藩等認為蔣介石一心一意培植蔣經國，放逐陳立夫，處理不當，構成“罪”過。但蔣介石將張的意見視為“神經病話，不足為意”，並未看作嚴重事態。[3]張的“立法院”院長一直當了4屆，達9年之久。

陳立夫到美國後所做的第一件事便是籌款接辦在僑界很有影響的《華美日報》。曾在國民政府擔任過糧食部長和財政部長的徐堪出資1萬美元，潘公展和陳立夫等人又湊足1萬美元。這樣，紐約華埠就有了一份鼓吹“反攻復國”

1 《蔣介石日記》（手稿本），1971年6月2日。
2 《蔣介石日記》（手稿本），1952年12月30日，1953年8月19日，1955年6月28日。
3 《蔣介石日記》（手稿本），1960年1月14日。

的報紙。又向孔祥熙等人告貸，以 4 萬 7 千美元買下新澤西州的一處養雞場。這樣，自 1953 年開始，至 1961 年，長期管理國民黨員的陳立夫就在美國管雞、養雞。陳立夫自己、夫人、三個兒子，包括當時年僅 8 歲的小兒子都參加勞動。一度賺錢，一度靠向朋友借債度日。據陳立夫回憶，這時候，"蔣先生仍念舊情"，"雖然我從來沒有開口，他每年總會寄來二三千元，這筆錢幾乎成了我還債的固定來源"。[1] 1961 年雞場因經營困難關閉，又遭森林火災延燒，雞舍大部被毀，生活陷入窘境。陳立夫就在美國做皮蛋，被稱為"陳立夫皮蛋"；又推出辣椒醬，被稱為"陳立夫辣椒醬"。其間，陳立夫繼續得到蔣介石的資助。根據台灣檔案資料，現在可以查到的有：

> 1963 年 6 月 19 日，請俞國華發陳立夫及胡適美金 5 千元。
> 1963 年 12 月 25 日，發陳立夫美金 5 千元。
> 1964 年 7 月 17 日，陳立夫、胡適各美金 5 千元。
> 1965 年 12 月 6 日，年終，胡適、陳立夫各 5 千元。
> 1966 年 5 月 16 日，胡適、陳立夫各 5 千元。[2]

這一時期，蔣介石還曾通過蔣經國致函，企圖任命陳為駐日本，或駐西班牙、駐美、駐希臘"大使"，駐聯合國代表，以至"考試院"院長等職，但陳立夫不願"再參加政治生活"，一一拒絕。這使蔣介石感到，國民黨中陳立夫能"潔身自愛如此"，在日記中讚揚其為"志節之士"。[3] 蔣介石一度還考慮過提名陳立夫為"副總統"候選人，或使之參加"國家安全會議"。[4]

自 1959 年起，蔣介石即通過蔣經國對陳立夫示意，要陳回台。1961 年，其父陳其業病危，陳立夫一度返台。當時，CC 系在台灣的餘黨仍利用"立法院"等機構，制衡陳誠所領導的"行政院"，蔣介石對此大為忌恨，覺得此輩"藉黨自傲，搗亂黨政，違抗命令"，稱之為"流氓卑劣行動"。[5] 4 月 3 日，蔣介石與陳立夫談話，"正告其在台之部屬落伍與反動之言行"，勸陳"應作絕緣之

---

1 陳立夫：《撥雲霧而見青天》，台北近代中國出版社 2005 年版，第 421 頁。
2 台北"國史館"，002-080200-00348-028；002-080200-00348-063。
3 《蔣介石日記》（手稿本），1959 年 2 月 10 日。
4 《蔣介石日記》（手稿本），1966 年 2 月 25 日，11 月 19 日。
5 《蔣介石日記》（手稿本），1960 年 1 月 14 日。

決心”。[1] 陳其業去世後，陳立夫旋即返美。

蔣介石既對 CC 餘黨懷有警戒心理，又對當年陳立夫被逐離台，辭行而拒不見面一事歉疚在心，覺得“恕道有虧”。[2] 1966 年 6 月 8 日，蔣介石再次想起此事，繼續在日記中批評自己：

> 近日時念對立夫當時不見，而令其出國自修，亦未事先寫信，詳明其理由與余之內心之苦悶情形，以致自覺有其不情無義之態度，至今引為莫大之遺憾。當大陸淪陷，革命失敗，吾黨遷台之處，其他各派幹部尚能有悔悟聽命之表現，而唯其老組織部與調查人員，對其過去欺上敗黨之罪惡，不僅不自知悔改，而更造成黨中之分裂，彼果、立兄弟，不但無能力控制，而反受若輩之脅制，而無法自拔，故痛惡無已，而乃作此斷然之處置，或使此輩作惡之徒，對其領導者為其被累如此之重，而有所醒悟之意，至今思之，此種遷怒所為，徒貽終身之憾，而並無於黨國有利，徒暴露我對人對事絕無修養，處理無方而已。[3]

蔣介石認為，遷台後，CC 系成員繼續作惡，陳立夫弟兄只是“受若輩脅制”，自己當年的“斷然的處置”，目的只在於使 CC 系成員醒悟，而非懲罰陳立夫本人。

同年 10 月 31 日是蔣介石的 80 壽辰，蔣經國再次邀陳回台，陳立夫以其所著《四書道貫》作為對蔣的賀禮。11 月 18 日，蔣介石約見陳立夫，對該書“予以獎勉”。[4] 隨即命陳到各軍事學校講解儒家學說。1967 年 2 月，蔣介石發給陳立夫回美川資。不過，陳立夫隨後因病滯留台北，蔣介石還為其聯繫美國醫生來台治療。9 月 11 日，陳立夫夫婦回美，蔣介石設宴餞行，囑咐早日回台。1970 年，陳立夫回到台灣。1 月 4 日，蔣介石與陳立夫談話。這次談話使蔣介石對陳很失望，認為陳的“思想語言仍與二十年前無異，受其所部惡徒包圍，害黨自害，尚不自悟為憾”[5]。

陳立夫回台，除列名“總統府資政”外，婉拒各種黨政職務，只答應出任

---

1 《蔣介石日記》（手稿本），1961 年 4 月 3 日。
2 《蔣介石日記》（手稿本），1959 年 2 月 10 日。
3 《蔣介石日記》（手稿本），1966 年 6 月 8 日。
4 《蔣介石日記》（手稿本），1966 年 11 月 18 日。
5 《蔣介石日記》（手稿本），1970 年 1 月 4 日。

孔孟學會會長、文化復興運動推行委員會副委員長一類社會團體職務。此後，陳立夫為弘揚儒學，先後著有《人理學》（1971）、《孟子之政治思想》（1973）、《四書中的常理及故事》（1983）、《陳立夫儒家研究言論集》（1983）、《孟子之道德倫理思想》（1986）、《中國文化概論》（1987）等多種。同時，又與孫科共同發起成立"獎助科技發明委員會"，並積極促進翻譯英國學者李約瑟的巨著《中國之科學與文明》。1971 年，就任私立"中國醫藥學院"第五屆董事長。1990 年 90 壽辰時，以歷年賣字所得，成立立夫醫藥研究文教基金會。

晚年的陳立夫關心海峽兩岸的統一。1992 年 9 月在接見大陸首批訪台記者時表示："為了國家統一，只要兩岸人民需要我，我就會去大陸。"[1] 1994 年贈送親筆書法給大陸海協會會長汪道涵："求統一不談小節，為和平先天志成。"2001 年 2 月 8 日去世，享年 101 歲。

1 《陳立夫訪問記》，《人民日報》（海外版），1992 年 9 月 12 日。

孫中山的「知難行易」學說與蔣介石在台灣的「革命實踐運動」*

* 本文錄自《找尋真實的蔣介石：蔣介石日記解讀》（4），東方出版社 2018 年版；原載《中國文化》2017 年第 2 期。

一、蔣介石創立“革命實踐研究院”，宣導“實踐”

蔣介石敗退台灣後對國民黨人提出的最重要的要求是“實踐”。

1949 年 1 月，蔣介石下野，回到溪口，認為必須籌辦高級訓練機構，用以調訓國民黨的黨、政、軍三個系統的幹部。1949 年 10 月，蔣介石在台北建立革命實踐研究院，親任院長，萬耀煌為主任，其宗旨為“恢復革命精神，喚醒民族靈魂，提高政治警覺，加強戰鬥意志”，設“總裁指示”、“黨務改革方案講解”、“軍事改革方案講解”、“本黨歷史與理論”、“國際形勢”等課程，研討軍事、政治、黨務三個方面的改革方案，教學方式分講述、討論與研習三種。入學者稱為研究員。1951 年 4 月，蔣介石指示，增加“理則學”（辯證法）、“工作競賽”、“群眾心理學”等三門課程。[1] 自成立至 2006 年，結業人員超過 4 萬人。

同年 10 月 16 日，該院開學，蔣介石做報告，題為《革命、實踐、研究三個名詞的意義和我們革命失敗的原因》。他首先說明成立該院的目的在於“檢討過去的錯誤，反省過去的罪過，了解我們過去失敗的原因”。並說：“嚴格的

---

1 《蔣中正致萬耀煌等電》，台北“國史館”，002-070200-00025-043。

懺悔和反省，就是知恥的功夫，每一個人，每一事業，要有進步，要求成功，必先要切切實實認識我們知恥的原因。”[1]

在報告中，蔣介石嚴厲批評國民黨大陸時期幹部間存在的虛偽不實、彼此欺矇的現象，他說：“我們今天失敗到如此地步，最主要的致命傷，就是因為一般幹部普遍犯了虛偽的毛病，相習於虛浮誇大，而不能實事求是。這種風氣流行的結果，使得部隊、機關和學校，一切辦事、命令和報告，都是互相欺騙，互相蒙蔽，而沒有幾件事是完全實在的，可以相信的。”蔣介石認為，這是一種“惡習頹風”，其嚴重後果是：“如果不徹底革除，真是要使得我們亡國滅種！”[2]

“怎樣才能革除這個惡習，轉移這種頹風？”蔣介石認為，“唯一致力的方向就是提倡實踐。要以總理知難行易的革命哲學，就是力行實踐的精神，來糾正我們過去的虛偽浮誇的惡習，要以篤行貫徹的事實，來洗刷我們過去徒有宣言口號，而沒有實際行動的恥辱！”[3]

實踐，是一個晚起的概念，原為實行、履行之意，更早的同義語有篤行、踐行、踐履等多種。朱熹就特別提倡“篤行”。[4]《宋史・理宗紀》在敘述北宋理學的發展歷程時說：“至我朝周敦頤、張載、程顥、程頤，真見實踐，深探聖域，千載絕學，始有指歸。”這以後，實踐一詞使用漸多。1937 年 7 月，毛澤東總結中外哲學，特別是馬克思主義的哲學發展史，寫成名文《實踐論》（論認識和實踐的關係——知和行的關係），自此，“實踐”遂成為哲學的重要範疇。蔣介石在到了台灣之後，不避因襲毛澤東著作之嫌，也在他原來使用多年的“力行”概念之外，更多地使用“實踐”一詞，這是有勇氣的，也是可嘉的。例如，其 1950 年 2 月 18 日日記云：“以後每一重要講演發表之後，必先有方法與行動之準備，見諸實行。此為今後實踐力行唯一之要務，應設法篤行之。”4 月 2 日，蔣介石到革命實踐研究院參加學員畢業典禮，不僅再次強調“實踐”的重要，而且提出要開展“革命實踐運動”。他說：“一切的一切，在於實踐。

1 秦孝儀編：《“總統”蔣公思想言論總集》卷 23，台北中國國民黨中央黨史委員會 1984 年版，第 24、25 頁。
2 秦孝儀編：《“總統”蔣公思想言論總集》卷 23，第 30 頁。
3 秦孝儀編：《“總統”蔣公思想言論總集》卷 23，第 30 頁。
4 楊天石：《朱熹》，香港中華書局 2002 年版，第 123 頁。

如果說是說，聽是聽，不能見諸行動，那無論什麼確切的指示，什麼新穎的理論，都要落空，不能發生一點效果。”又說：“所以當前最重要的一件事，就是要展開實踐運動。”[1]

二、孫中山的“知難行易”學說與蔣介石的“力行哲學”

知與行（認識與實踐）是哲學中的兩大範疇，知與行的先後及難易是中國哲學的兩大古老問題。中國古代有“知之非艱，而行之唯艱”的說法，因此，有些哲學家主張“知易行艱”，即認識易，實踐難。此說的弊端是易於導致人們畏懼實踐，為“知而不行”找到藉口。孫中山與之相反，提出“知難行易”，即認識難，實踐易，鼓勵革命黨人勇於作為，努力以實際行為改造社會和世界。孫中山稱之為“救中國必由之道”。[2]“力行”是蔣介石在20世紀30年代提出的哲學思想。它在孫中山“知難行易”思想的基礎上，進一步突出強調“行”的作用，要求人們認認真真，切切實實，下大功夫，盡全力於“行”，故稱“力行”。其論述主要見之於下述各次演講中。

1932年5月16日，蔣介石演講《自述研究革命哲學經過的階段》時聲稱：“我們要完成革命，要打倒日本帝國主義，只有實行總理的‘知難行易’學說。”蔣介石盛讚孫中山的這一學說為唯一的“人生哲學”，表示既“不能承認唯物論者，亦不能承認唯心論者”，而只承認“行”的哲學。他說：“古往今來宇宙之間，只有一個‘行’字才能創造一切，所以我們的哲學，唯認‘知難行易’為唯一的人生哲學，簡言之，唯認‘行’的哲學為唯一的人生哲學。”[3]

同年5月23日，蔣介石演講《革命哲學的重要》，認為“中國之所以積弱不振，就在於多數人的腐敗懶惰，不肯去行，以致形成今日這樣墮落的境地”。他繼續盛讚孫中山的“知難行易”學說，稱之為“新民族哲學”，要求“珍重這

1 《國民革命軍“第三任務”如何達成》，引自秦孝儀編：《“總統”蔣公思想言論總集》卷23，台北中國國民黨中央黨史委員會1984年版，第168頁。
2 《建國方略》，《孫中山選集》，人民出版社1956年版，第159頁。
3 《自述研究革命哲學經過的階段》，引自秦孝儀編：《“總統”蔣公思想言論總集》卷10，台北中國國民黨中央黨史委員會1984年版，第541頁。

個哲學，保存這個哲學，應用這個哲學”。[1]

同年6月6日，蔣介石演講《中國的立國精神》，肯定王陽明的“知行合一”學說，認為“王陽明的哲學是非常有價值的。他在儒教中間，誠是別開一個生面。他因為當時中國民族麻木、消沉、散漫、萎靡，只講玄學、玄教，盡是講，而不去行，這實在是亡國的現象”。他認為孫中山的“知難行易”學說接受了王陽明的影響，但是“講得更加明顯”，“要我們中國人在行的方面進行”，“獎勵我們中國人極力去做，不要伏在桌子上讀死書，嚼虛文”。[2]

1939年3月15日，蔣介石演講《行的道理》，表示在孫中山所說“能知必能行”之外，要續一句“不行不能知”。他認為“古往今來鑿山治水的巨大工程，騰空鑽地的偉大發明，旋乾轉坤、濟弱扶傾的革命工作都是我們人類力行所成就，所以問題完全在我們有沒有貫徹始終的決心和自強不息的精神”。他要人們篤信孫中山的知難行易學說，“從力行中去求真知”，將“行為”效果作為檢驗“真知”的方法。他說：“如果經過實行或實驗以後，而我們所得的知識，所用的方法，證明為不能見效，我們就可以察覺從前所認為已知者，其實不是真知。”[3] 何謂“真知”，如何檢驗“真知”，蔣介石這裏提出，其方法是“實行”或“實驗”，此前，還不曾有人這樣明確地表述過。

知和行是兩個既有密切聯繫而又互不相同的哲學概念。從根本上說，“知”源於“行”，一切認識都來源於實踐。人對大自然的改造，對社會的改造，包括對自身思想和道德的改造，都離不開“行”，離不開人的實踐活動。就這一意義上說，“行”創造一切的說法有其正確的、有意義的方面，但是，又有其錯誤的、不完整、不周延的方面。例如，“行”不能創造人類之外的包含宇宙萬物的大千世界，可以認識，但絕不可能創造社會發展規律，認為人類的“行”可以“創造一切”，這就誇大了人的主觀能力，變成一個十分荒唐的命題了。關於這一點，胡繩多年前就批評說：“用屬於人事範疇的概念來說明宇宙，其意義

1 《革命哲學的重要》，引自秦孝儀編：《“總統”蔣公思想言論總集》卷10，第541頁。
2 《中國的立國精神》，引自秦孝儀編：《“總統”蔣公思想言論總集》卷10，第602、604頁。
3 《行的道理》（行的哲學），引自秦孝儀編：《“總統”蔣公思想言論總集》，卷16，台北中國國民黨中央黨史委員會1984年版，第149、153—154頁。

也不過是把物質世界化為有目的的精神，而完成其唯心論。"[1]同時，"行"是人類特有的、自覺的、有意識的活動，都受特定思想的指導或影響。人在改造自然、改造社會、改造自身之時，必然同時伴有對自然和社會，也包括對人，對自己的豐富、深刻的理性認識，伴有對於真善美、假醜惡、正義與非正義的價值判斷。單純強調"行"或"力行"，否認價值判斷的重要，否認"知"和"求知"的重要，否認"知"對於"行"的指導作用，也會出現種種弊端。

人類社會生活中的常見現象是知而不行，知行分離，言行脫節。這可以說是國民黨政治生活中的頑疾、痼疾。多年來，國民黨神化孫中山，將其思想和言論視為盡善盡美、萬古不變的永恆真理。例如，舉行"總理紀念週"，誦讀《總理遺囑》，成為國民黨長期奉行的紀念儀式，然而，形式而已，並不實行，或者並不準備認真實行。1950 年 4 月 2 日，蔣介石"復行視事"之初就說："凡事只憑空談，不能力行，不能實踐，這是我們革命失敗、建國不成的病根。"[2]很明顯，蔣介石提倡實踐，強調知行一致，言行一致，知而必行，行而必果，目的在於醫治國民黨長期以來的頑疾、痼疾，改進國民黨人的黨風、政風。蔣介石又說："要從力行中來選拔我們的幹部，訓練我們的幹部，考核我們的幹部。今後無論黨、政、軍各級幹部必須以實事求是、精益求精兩句話來做一切工作的標準。"[3]這就是說，不是看幹部的口頭表態，也不是只看其認識水準、理論水準，而是要考察幹部的實際道德、工作精神、工作能力及其表現，這對於建立正確的選人、用人標準也是有意義的。

人類社會生活中的另一常見現象是"冥行妄作"，盲信、盲從、盲動、盲幹。"行"之前，既缺乏必要的知識準備，也缺乏正確的理論指導，就懵懵懂懂、糊裏糊塗地"行"起來。對於這種現象，今人或稱之為"只管低頭拉車，不管抬頭看路"。結果，指導思想不對，方向不對，設計的方案不對，就難免走錯路，做錯事，用力愈大，而錯誤愈大，南轅而北轍，效果適得其反，遭致

---

1 胡繩：《論誠》，《群眾週刊》，第 20、21 期合刊，1943 年 11 月。

2 《國民革命軍"第三任務"如何達成》，引自秦孝儀編：《"總統"蔣公思想言論總集》卷 23，台北中國國民黨中央黨史委員會 1984 年版，第 163 頁。

3 秦孝儀編：《"總統"蔣公思想言論總集》卷 23，台北中國國民黨中央黨史委員會 1984 年版，第 30—31 頁。

僨事和失敗。其流弊之極端，發展而為排斥理性，提倡蒙昧主義、奴隸主義和愚民政策，要求不加思考、無條件地服從領袖，服從組織，效命"黨國"。蔣介石在20世紀30年代的中國提倡"力行"，甚至將特務組織命名為"力行社"，正具有這樣的目的。

北宋的程頤說："今有人欲之京師，必知所出之門，所由之道，然後可往；未嘗知也，雖有欲往之心，其能進乎？"[1]這段話，強調的是"知"對"行"的指導作用，自然也有其道理。

三、蔣介石提倡"革命實踐運動"，解釋孫中山何以批判王陽明

蔣介石總結在大陸失敗的經驗，因此不以口頭宣導實踐為滿足，而是要開展運動，形成氣勢，真做、實做。

1950年上半年，蔣介石起草了一份《革命實踐運動草案》。同年5月8日到革命實踐研究院報告，要求學員們自由討論，提出意見。5月26日，蔣介石再以《革命實踐運動綱領草案》為題，到國民黨中常會報告。會上，國民黨常委們對蔣介石此舉多持"懷疑態度"，引起蔣介石的反感，日記云："可知其自信心與信仰心完全消失，皆以一事不舉、束手待斃為其唯一之出路也。"6月8日，蔣介石在日月潭修改在革命實踐研究院所作報告，擬定名為《自力更生與自強不息之實踐方案》。[2]6月11日，蔣介石以《實踐與組織》為題，到圓山軍官訓練團報告，認為自甲午戰爭以後，日本三次對外戰爭之所以勝利，其重要原因即在於能夠"實踐我國王陽明'知行合一'學說"。他說：

> 凡是他們自己認為必須追求的道德、知識和文化，第一步苦心孤詣以求其了解，第二步篤實踐履以促其實現。這就是王陽明所謂"即知即行"，毫不因循遲疑，敷衍懈怠。

1　楊時撰輯：《河南程氏粹言・論學篇》。
2　《蔣介石日記》（手稿本），1950年6月8日。

王陽明主張“致良知”，認為“良知”是人人先天具備、不學而知的本能，自然，不存在“知難”問題。對此，孫中山曾給予批判，認為王陽明之說“與真理背馳，以難為易，以易為難，勉人以難，實與人性相反”。並且說：“陽明之說，殊為學者傳誦一時，而究無補於世道人心也。”[1]針對學界長期流行的王學大有功於日本明治維新之說，孫中山明確提出：“日本之維新，皆成於行之而不知其道者，與陽明‘知行合一’之說實風馬牛不相及也。倘‘知行合一’之說果有功於日本之維新，則亦必能救中國之積弱，何以中國學者同是尊重陽明，而效果易趣也？”[2]蔣介石要建立“行的哲學”，必須妥善地解答孫中山和王陽明之間的這一分歧。

6月11日，蔣介石在圓山軍官訓練團報告之後，黃埔軍校第四任校長羅友倫寫成《讀訓質疑》一文，向蔣介石提出問題。7月30日，蔣介石到陽明山莊演講，回答羅的質疑。他說：陽明所謂“知”，偏重於人性的良知，不待學而後能，不待教而後知，與生俱來，是天賦之知，而孫中山所謂知難行易之“知”，乃是著重於科學上的知識之知，要由學、問、思、辨、實驗、研究等功夫才能得來。在做了上述區分之後，蔣介石重唸他在1932年5月的一篇舊文《自述研究革命哲學經過的階段》，其中說：

> 總理所講的“知難行易”的知，同王陽明所講的“致良知”與“知行合一”的知，其為“知”的本體雖有不同，而其作用是要人去行，就是注重行的哲學之意，完全是一致的。[3]

蔣介石認為：孫中山主張知難行易，目的在於鼓勵革命黨人勇於“行”，投入革命鬥爭。王陽明主張“知行合一”，目的是鼓勵人們“致良知”，勇於進行道德修養。二者的說法雖不同，但就重視“行”這一點卻是共同的。蔣介石自認為他的這一分析很高明，解決了“本黨哲學思想重要之公案”。[4]

是知難，還是行難？知易，還是行易？當視具體事物、具體條件而定，事

---

1 《建國方略》，《孫中山選集》，人民出版社1956年版，第158頁。

2 《建國方略》，《孫中山選集》，人民出版社1956年版，第159頁。

3 《總理“知難行易”學說與陽明“知行合一”哲學綜合之研究》，引自秦孝儀編：《“總統”蔣公思想言論總集》卷23，第342頁。

4 《蔣介石日記》(手稿本)，1950年7月30日。

物、條件不同，其難易也就可以有不同的回答。因此，難易問題並不是知行關係的科學表述。

除了推崇王陽明之外，蔣介石還推崇明末流亡日本的思想家朱舜水。6月27日，蔣介石主持軍官訓練團第一期畢業典禮，盛讚朱舜水在日本推廣儒學的功績。他說：

> 其學以存誠居敬、躬行實踐為主，與王學知行合一，即知即行的宗旨相同。[1]

朱舜水反對王學末流的空談性理，主張"學問之道，貴在實行；聖賢之學，俱在踐履"，因此，蔣介石將其視為王學一派。

在做了幾次講演，並自認為解決了孫中山思想和王陽明學說的矛盾之後，蔣介石於10月2日核定並公佈《革命實踐運動綱要》。該文件分"革命實踐運動之意義"、"革命實踐運動之內容"、"革命實踐運動之方法"等三大部分。《意義》部分再次分析國民黨在大陸失敗的原因，批評國民黨的諸多毛病。首先尖銳地提出問題：國民黨既有孫中山手創的博大精深的主義為方針，又有先烈們血淚寫下的史跡為楷模，為何遭此"悲慘之大失敗"？文件認為，其原因之一在於"虛而不實，偽而不誠"；其原因之二在於"言之不行，行之不果"。有此二風，遂致"事事為風氣所轉移，而不能轉移風氣"。文件要求國民黨人領悟失敗教訓，一是"去偽存誠，實事求是"，一是"做不到的不要先說，已經說的就要做到，既經做的就要做得徹底"。其總精神則是"一切言行，皆從實踐做起"，"從實踐上貫徹理論，從工作上實現主張"。[2]《綱要》要求國民黨人"改正過去有名無實的作風，振作革命積極進取的精神，不苟且，不因循，講方法，求實效，負責任，守紀律"。[3]可以看出，所謂"革命實踐運動"實際上是國民黨的一次"整風運動"，它是蔣介石在組織上對國民黨進行改造在思想和作風上的延伸。1950年11月27日，蔣介石在革命實踐研究院講話時就把這一點講得更

1 《軍官訓練團畢業學員的任務》，引自秦孝儀編：《"總統"蔣公思想言論總集》卷23，第314頁。

2 《革命實踐運動綱要》，引自秦孝儀編：《"總統"蔣公思想言論總集》卷23，第412—413頁。

3 《革命實踐運動綱要》，引自秦孝儀編：《"總統"蔣公思想言論總集》卷23，台北中國國民黨中央黨史委員會1984年版，第413頁。

清楚："我們的決心和目的，就是要改革我們過去舊的習慣和風氣。"[1]

20世紀40年代，中共為改造學風、黨風和文風，在延安等地區開展過以反對教條主義、主觀主義、宗派主義和黨八股為內容的"整風運動"，蔣介石注意並研究過中共的這一自我學習、自我教育的運動，對之持肯定態度。如1947年9月的下列日記：

> 閱毛匪"整風之決定"講稿，本日前後連看其中共中央決定等文字五篇，甚恨讀之不早也。
>
> 閱讀共匪整風文集，視為至寶。不閱此集，不能認識共匪之堅強，亦無法消除共匪禍患也。
>
> 閱共匪之整風文集，幾乎手不釋卷。[2]

上述文字，連續三天，充滿蔣介石對中共的仇恨，但是，其中顯示的對中共"整風"之舉的讚美以至豔羡之情，又是鮮明、強烈的。1949年8月6日，蔣介石由浙江定海起飛，赴韓國訪問，途中所閱書籍，即是《整風運動》。[3]到台灣後，蔣介石成立中央改造委員會後，企圖對國民黨進行"改造"，也曾要求將《中共幹部教育》、《中共工作領導及黨的建立》、《中共整風運動》等書作為"切實研究"、"集體研究"的書籍。[4]

為了培養軍事幹部，蔣介石於成立革命實踐研究院之後，又於1950年5月21日，分設圓山軍官訓練團。22日，訓練團舉行開學典禮，蔣介石在宣講《教育綱領》時，特列"理論與實踐之溝通"一條，要求"窮理致知，實踐力行，以科學思想、實驗方法、專門學識與研究精神，為治學治事的標準"。[5]這個訓練團由於聘請日本舊軍人為教官，遭到美軍顧問團團長蔡斯的反對。1952年，訓

---

1 《說明革命實踐研究院教育的精神和方法以及改造革命新精神新風氣的起點》，引自秦孝儀編：《"總統"蔣公思想言論總集》卷23，台北中國國民黨中央黨史委員會1984年版，第449頁。

2 《蔣介石日記》（手稿本），1947年9月2、6、7日。

3 《蔣介石日記》（手稿本），1949年8月6日。

4 《本年度黨的重心工作》，引自秦孝儀編：《"總統"蔣公思想言論總集》卷24，台北中國國民黨中央黨史委員會1984年版，第38—39頁。

5 《革命實踐研究院軍官訓練團教育綱領》，引自秦孝儀編：《"總統"蔣公思想言論總集》卷23，台北中國國民黨中央黨史委員會1984年版，第263頁。

練團改名實踐學社，訓練地點從圓山改到遠離台北的石碑。[1] 這一名稱固然是為了避免美軍顧問的警覺，但也說明蔣介石對"實踐"二字的酷愛。有意思的是，連當時國民黨中央黨部的禮堂都命名為"實踐堂"。[2] 1954 年 10 月 25 日，蔣介石命陳誠主持該社的教學。次年 8 月，蔣介石為提倡"實踐精神"，特別說明"實踐精義"的具體表現。一是以"實踐"作為立己、立人的急務，一是以"實踐"作為教育人才、考選人才的準則。他說："須知'實踐'的反面為'虛妄'，凡是一個不能實事求是的人，就必定投機取巧，蒙混欺詐，終致自欺欺人，自誤誤國。"[3]

值得指出的是，蔣介石的"整風"對象包括他自己。1951 年 9 月 4 日至 8 日，美、英、法等 48 個國家在舊金山市召開會議，討論和通過《對日和平條約》。該會由美國操縱和掌握，在大陸的中華人民共和國政府和在台灣的蔣介石政權都未被邀請參加。蔣介石把台灣當局未被邀請視為"第一之恥辱"，於痛憤美國"賣華"之餘，決心自力更生，發憤圖強，從頭做起。其 12 日日記云：

> 近日悲痛自反之餘，所謂從頭做起者，正由本月 9 日真為開始之時，自力更生之計劃與實踐行動，皆要由此開始，小子中正，如再有志不立，有口無心，則何以革命雪恥也？五年生聚，五年教訓，減政減軍，矢志組訓，不求外援，實事求是，精益求精，無論人與事，求精而不求多，此為獨立自主之要旨也。[4]

1950 年 3 月 1 日，蔣介石在台恢復"總統"職務，至 1958 年 3 月 1 日，正好 8 週年。2 月 24 日，蔣介石檢討敗退台灣的原因，認為"其咎不在於他人，而實由自我之缺陷太多"。他在日記中列述自己的種種毛病，如"對人對事皆無篤實之考慮與深切之認識，尤其對學術則剽竊皮毛，對黨政則驕矜武斷，只有虛妄浮誇、賣智弄巧、釣名沽譽，而無篤實踐履之言行"。他將這些

---

1 〔日〕野島剛著：《最後的帝國軍人：蔣介石與白團》，台北聯經出版事業有限公司 2015 年版，第 229—230 頁。
2 阮毅成：《我在台灣曾參加的大眾傳播事業》，《中山學術文化集刊》第 25 集抽印本，第 14 頁。
3 《實踐學社的教育宗旨和使命》，引自秦孝儀編：《"總統"蔣公思想言論總集》26 卷，台北中國國民黨中央黨史委員會 1984 年版，第 342—346 頁。
4 《蔣介石日記》（手稿本），1951 年 9 月 12 日。

毛病歸納為“不誠無信”四字。[1]

2月27日，蔣介石繼續回顧退台以來改變黨風和自身作風的努力，自稱：“無論在學術修養與生活行動上，為一本其誠與實為重生與復興之準則，以黨、政、軍、社之表率自任，此即‘實踐’與‘從頭做起’二口號之所由來也。在此8年期間，自認為無論對黨務改造、政治改組（中央與省）以及軍事（整頓）重建，莫不以此‘誠實’二字為其基準。”[2]

成績如何呢？自然，蔣介石提倡“實踐”，開展“革命實踐運動”，對於改變國民黨長期的“知行脫節”、“言行不一”等痼疾有益，但是，“疾”而至於“痼”，自然不是短期可以見效的。1954年12月20日，蔣介石在革命實踐研究院演講稱：

> “革命實踐運動”的重要性，大家並不是不知道的；我在每年送給黨、政、軍各部部門主管同志的日記裏，也特別將我手訂的《革命實踐運動綱要》印在卷首，其用意就是要你們念茲在茲，隨時反省，力行不懈。結果呢？你們並沒有依據綱要的內容，隨時切己體察，篤實踐履；雖然這個運動，已推行了五年，已然看不出一點成效來。[3]

又過了三年多，蔣介石在1958年2月27日的日記中說：

> 迄今再做第二自我檢討與反省，更覺一切現象皆是只具形態，而實際上仍見其欺偽不誠，虛浮不實，一如往昔，特別是精神上與習性上每況愈下，黨政同志之間對人處事，皆以自欺欺人為相尚，故社會上所表現之奢侈浮華，乃至窮兇極惡，無所不為，且習以為常而不以為怪。[4]

如果將蔣介石的這段檢討與他在革命實踐研究院開學時的批評相對照，可以發現，台灣國民黨的黨風與政風均無重大變化。

對於這種情況，蔣介石很焦急，但並沒有放棄他的“革命實踐運動”。

---

1 《蔣介石日記》（手稿本），1958年2月24日。

2 《蔣介石日記》（手稿本），1958年2月27日。

3 《推行革命實踐運動的回顧並提示今後時政方針》，引自秦孝儀編：《“總統”蔣公思想言論總集》卷26，第197頁。

4 《蔣介石日記》（手稿本），1958年2月27日。

1966年11月12日是孫中山誕辰101週年，台灣當局定該日為中華文化復興節。次年同日，蔣介石發表演講，要求台灣人民"導揚倫理、民主、科學、三民主義的主流，躬行實踐，以身作則"，"真知力行"，"篤實踐履"。[1]同年，蔣介石在國民黨第九屆中央全會第5次會議上發表演講，要求國民黨人"從'知'中去體認——知恥知病；從'行'中去完成——求行求新；歸結起來，就是要把握住這一個'行'字，實踐這一個'行'字"。[2] 1968年11月12日，蔣介石更在演講中提出："中華文化復興運動，乃為倫理、民主、科學之發皇，亦即為三民主義的實踐運動。"[3] 1972年3月10日，蔣介石在國民黨十屆三中全會上說："'說一丈，不如行一尺'，'知之深，不如行之著'。我們期望全國同胞一齊來實踐貫徹，就要全黨一百多萬同志一齊來率先力行。"[4]

從上述言論可以看出，蔣介石之所以一再強調"實踐"，強調"行"，固然可以說明他的極端重視，也可以從一個方面說明，國民黨的言行不一、言而不行的痼疾多麼嚴重，從"言之者諄諄"，不正可以看出"聽之者邈邈"的情況嗎？

1 《國父誕辰暨文化復興節紀念大會致辭》，引自秦孝儀編：《"總統"蔣公思想言論總集》卷29，第69—70頁。
2 《國父誕辰暨文化復興節紀念大會致辭》，引自秦孝儀編：《"總統"蔣公思想言論總集》卷29，第69—70頁。
3 《國父誕辰暨文化復興節紀念大會致辭》，引自秦孝儀編：《"總統"蔣公思想言論總集》卷29，第240頁。
4 《對中國國民黨第十屆三中全會及評議委員會第四次會議閉幕典禮致辭》，引自秦孝儀編：《"總統"蔣公思想言論總集》卷29，第545頁。

吳國楨治台及其與蔣介石政權的隔洋論戰*

* 本文錄自《找尋真實的蔣介石：蔣介石日記解讀》（4），東方出版社 2018 年版；原載《歷史教學》2016 年第 9 期。

一、美國人看中了吳國楨

1948 年 12 月 29 日，蔣介石下台前夕，為準備撤遷台灣，匆匆任命其心腹愛將陳誠為台灣省主席。次年 1 月 5 日，陳誠就職。8 月，美國發表《中美關係白皮書》。11 月，曾任駐華大使的司徒雷登電約"國防部"次長鄭介民赴美。11 月 17 日，美國太平洋海軍司令、上將白吉爾（Oscar Badger）與鄭介民談話，批評"陳誠將軍之行政尚未成功"，要求"改革台灣政治"，"能代表各階層各黨派之利益，而非國民黨一黨專政"，吳國楨在重慶市及上海市的"成就甚佳"，是"主持台政之理想人選"，應"給予彼完全之權力"。白吉爾並稱："美援來不來，乃以中國是否接受台政改革為前提。"[1] 後來，美國政府裏甚至有人提出，由吳主持國民政府，以便樹立民主政治。[2]

吳國楨 1921 年赴美留學，獲普林斯頓大學政治學博士學位。回國後歷任漢口市長、重慶市長、外交部政務次長、國民黨中央宣傳部長、上海市長等職，有"能吏"之稱。他的留學經歷和從政以來的聲譽得到美國人的欣賞。1949 年 5 月，吳國楨辭卸上海市長職務，到達台灣。1949 年 12 月 15 日，蔣介石在美

1 《吳國楨手稿》，引自黃卓群口述，劉永昌整理：《吳國楨傳》，台北自由時報公司 1995 年版，第 429 頁。
2 《顧維鈞回憶錄》第 11 冊，中華書局 1990 年版，第 118 頁。

國人的壓力下，任命吳國楨為台灣省主席，告訴他："我要你今後全力爭取美援。" 當晚，吳召開記者招待會，宣佈四點施政重心：1. 徹底反共，密切配合軍事。2. 努力向民主途徑邁進。3. 推行民生主義，為人民謀福利。4. 實行地方自治，發揚法治精神。後來，吳國楨自己解釋說："民主，指的是人民有權選舉自己的政府；法治，指的是保證個人的自由。"[1] 他在 23 名省政府委員中，任用了 17 名本省人，力求"讓他們能真正代表島內的不同利益"，"代表商業、勞工和農業利益等諸方面"。這是此前台灣歷史上不曾有過的，因此吳國楨稱之為"革命性的變革"。[2]

美國人欣賞吳國楨，蔣介石有喜有憂。喜，當然是獲取美援方便；憂，擔心吳國楨過於依賴美國。其日記云："每念'操之在我則存，操之在人則亡'之句，不勝憂惶，吳國楨言行情性皆以依賴美國為唯一救亡之道，更足憂慮。"[3]

二、推行地方自治，實行自由選舉

吳國楨認為：人心到處都有，爭取人民的向心力，說難不難，其辦法就是實施民主政治。陳誠當省主席的時候，省府大樓由士兵看守，門衛森嚴。吳國楨下令撤掉警衛，他決心從高位上走下來，正式宣佈，無論是為公事或者是為抱怨政府，任何人都可以來找他。兩個月之後，吳國楨獲得"民主省主席"的稱譽。1948 年，白崇禧為平息"二二八"事件，答應台人治台，縣長民選。當時，台灣正在按照孫中山的遺教，推行地方自治，自 1950 年 7 月 2 日起，至 10 月 29 日，吳國楨陸續在台灣舉行第一屆縣市議員、第三屆村里長、市民代表會第三屆代表、各縣市第一屆縣市長、區長等多次選舉，投票率在 62% 至 82%。

1950 年 12 月，台中市長選舉，無黨派的台灣人楊基先與國民黨籍候選人林金標、青年黨廖朝洲三人競選。楊係當地世家、台灣省政府民政廳長楊肇基

1　吳國楨：《夜來臨》，香港中文大學出版社 2009 年版，第 265 頁。
2　同上注。
3　《自記上星期反省錄》，《蔣介石日記》（手稿本），1949 年 12 月 24 日。

之姪，得到其叔父的支持。初選結果，得票超過林金標三分之一，但二人都不足半數，需要第二次投票。25 日，蔣介石召見吳國楨，命令楊基先退出競選。26 日，蔣介石到台中，得悉楊肇基演說中有攻擊政府，攻擊外省人的言論，立即致電吳國楨，要求查辦楊肇基，撤銷楊姪的候選人資格。[1] 28 日，吳國楨向蔣報告，楊肇基辭職，楊姪願退出競選，同時吳國楨也表示辭職，蔣自感理虧。29 日，蔣介石與張其昀等人討論台中選舉，決定林、楊照常競選，不加干涉。30 日，蔣介石反思，自覺“日前干涉台中市長選舉，勒令楊某退出之非法”，日記云：“如黨員林某失敗亦無愧色，於是寸衷大樂，此乃讀書明理之效歟！”[2] 當日，他在《上期反省錄》中自記：

> 台中市長選舉問題自覺處置錯誤，幸能及時改正，不致大錯，堪為自慰。[3]

選舉結果，非國民黨的楊基先當選。

蔣介石在台中選舉態度上的轉變，與其說是蔣介石“讀書明理”的效用，不如說是吳國楨抗爭的結果。關於此，吳國楨多年後回憶說：“看來國民黨的候選人似乎要敗選了，蔣總統給我發來密令，要我免去那位廳長的職務，並迫使無黨派台灣人退出競選。我不得不向蔣介石提出辭職，於是他撤銷了命令。”[4] 12 月 28 日，蔣介石記吳國楨來見，提出辭職時曾寫道：“（對吳）只有勸勉。對楊事，當另行考慮，以曲在我也。”蔣的此日日記可與吳的回憶參看。

台北市長選舉，競選人有吳三連及市商會總幹事高玉樹等 7 人。吳三連為台南人，無黨派，曾參加反日運動和台灣社會改革運動，長期擔任新聞記者。吳國楨積極支持吳三連，而選舉小組主任陳誠則態度消極。蔣介石託人勸告，要求陳“勿作旁觀”。[5] 1951 年 1 月 3 日，國民黨中央改造委員會決議，宣佈本黨支持吳三連為台北市長候選人。同月 14 日，吳三連以 92061 票當選台北市首

---

1 《蔣中正電吳國楨》（1950 年 12 月 27 日），《蔣中正“總統”文物》，台北“國史館”藏，002-090106-00017-471。
2 《蔣介石日記》（手稿本），1950 年 12 月 30 日。
3 《蔣介石日記》（手稿本），1950 年 12 月 30 日。
4 吳國楨：《夜來臨》，第 280 頁。
5 《蔣介石日記》（手稿本），1951 年 1 月 2 日。

任民選市長，得票率 65.6%，超過其他 6 位候選人總得票的 2 倍還多。[1] 這樣，台灣的兩個最大城市的市長就都入手於非國民黨籍人士。

這一屆選舉，台灣共選出縣市議員 814 人，縣市長 21 人。陳誠認為，“一人一票”是做到了，“秘密投票”也做到了，在中國是破天荒的一次創舉。[2]

三、吳國楨與陳誠的矛盾

吳國楨從 1949 年 1 月 5 日出任台灣省長，陳誠於 1950 年 3 月被蔣介石任命為“行政院”院長。兩者都以台灣省為主要施政對象，經常發生矛盾與衝突。因此，蔣介石在一段時期內，常為院與省和陳與吳之間的矛盾苦惱。

1950 年 8 月 1 日，吳國楨就職不過 7 個月就上書蔣介石，自述上任以來，省府墊繳中央餉款、軍米作價以及購置肥料，共達四億七千餘萬元，折合黃金 180 餘萬兩，平均每月貢獻“中央”不下 26 萬餘兩。在敘述一通成績之後，吳國楨突然表示要求辭去本兼各職，其理由只有一個：“心力交瘁，長此以往，終或僨事。”[3] 推其原因，應與“院”、省之間的矛盾有關。

陳誠和吳國楨之間的矛盾終於在新台幣的發行問題上爆發。

1950 年 1 月初，吳國楨上任十天，蔣介石就召見吳國楨及其財政廳長任顯群，重申可以在省政府中放手工作，但每月必須提供 4200 萬元軍費。此前，省政府的軍事開支不過 300 萬元，陳誠當省長時，軍費也不過 2500 萬元。突然增加的巨額開支使吳國楨感到極為棘手，但從大陸撤退的國民黨部隊正如潮水般湧進台灣。於是，任顯群決定開動印鈔機，秘密增發新台幣，然後設法如數收回，再行補報，以此救急。

抗戰勝利後，國民黨幣制改革失敗，物價狂漲。陳誠當省長時期，決定由台灣銀行發行新台幣，限定總額兩億元，以美金為計算單位，企圖藉此鞏固幣信，平穩物價，安定金融。現在吳國楨等私自增加新台幣發行量，必然造成通

---

1 吳三連口述，吳豐山撰記：《吳三連回憶錄初稿》，台北自立晚報社文化出版部 1991 年版，第 146 頁。
2 《陳誠先生回憶錄 —— 抗日戰爭》（上），台北“國史館”2005 年版，第 191 頁。
3 《吳國楨致總統》，“吳國楨案”，《“總統府”檔案》，台北“國史館”藏，011-100400-0014-008。

貨膨脹。1951 年 2 月陰曆年關，吳國楨、任顯群額外私自發行的新台幣已達 8800 多萬元。[1] 陳誠向蔣介石告發，引起蔣介石震怒。[2] 大陸時期，濫發紙幣引起的災難，蔣介石記憶猶新。

2 月 16 日，蔣介石經過長達數週的考慮，召集陳誠、吳國楨、"財政部"部長嚴家淦、"中央銀行"行長俞鴻鈞以及董事長徐柏園等會議，研討財經措施。會議決定：成立財經小組，以嚴家淦為召集人；台灣銀行鈔幣歸"中央銀行"監督，以後發行權歸還"中央銀行"；撤免任顯群的台灣銀行董事長職務。自此，吳國楨即與陳誠、嚴家淦更加不和。蔣介石覺得，吳國楨不僅不做檢討，反而攻訐陳、嚴二人，"希圖報復，其驕矜狹小，令人鄙視"。他提醒自己，對吳"應加警惕"，但仍對吳存在希望，期其有成。[3]

吳國楨認為蔣介石袒護陳誠和嚴家淦，憤憤不平。同年 2 月 19 日，財經小組開會，吳國楨不僅不參加，而且示意美國經援機構對台灣內部不能合作不滿，要求辭去省主席職務，與任顯群共進退。蔣介石感到為難，覺得既不能"重法而不體情誼"，又不能"掩護其非法"。[4] 在吳國楨與陳誠之間，蔣介石覺得吳未能多讀古書，而陳則氣量狹小，擔心都不能成事，但他仍期望吳"或可教導成材"。[5] 28 日，蔣思慮吳國楨堅決辭職的原因，在於與陳誠、嚴家淦勢不兩立，"有美國為他後援，故要脅請辭"，"破壞大局，亦所不恤"，這樣，蔣介石就對吳國楨很不滿意，但他仍慰留吳國楨，確定其方針為對吳說明利害：1. 如其辭職，非與陳、嚴爭意氣，而與我為敵。2. 今後對余負責，直接秉承意志。3. 應保持其以往勞績，不能掉以輕心。4. 尊重意旨，不算違忤。5. 重國家，輕個人。[6] 3 月 3 日，蔣介石日記有"訓國楨"的記載，說明他對吳國楨有比較嚴厲的批評。同日日記云："余不能違反國家紀律，為外人關係而有所遷就。如再不了，唯有實行最後一著：1. 改組省政府；2. 公開處治，實行紀綱。3

---

1 任治平口述，汪士淳、陳穎撰文：《這一生 —— 我的父親任顯群》，台北寶瓶文化舍業有限公司 2011 年版，第 197 頁。

2 參見《陳誠呈蔣中正》（1951 年 3 月 3 日），《蔣中正總統文物》，台北"國史館"藏，002-080109-00005-010。

3 《上星期反省錄》，《蔣介石日記》（手稿本），1951 年 2 月 17 日。

4 《蔣介石日記》（手稿本），1951 年 2 月 19 日。

5 《上星期反省錄》，《蔣介石日記》（手稿本），1951 年 2 月 24 日。

6 《蔣介石日記》（手稿本），1951 年 2 月 28 日。

月4日，蔣介石兩次與吳國楨談話，分析其辭職之利害得失。他向吳表示，任顯群必須撤職，否則不能打開僵局。由於吳國楨堅決要求辭職，這一天，蔣介石反復考慮，認為陳、吳既不能相容，二人之間必須允許一人辭職，"以法以勢論，則吳去為順；而以理論，則留吳為有利也"。[1] 次日，蔣介石調閱台灣銀行賬目及調查報告，確定吳國楨濫發鈔幣，罪責重大。3月6日，蔣介石召見任顯群，說明撤換其財政廳長的理由，要他轉告吳國楨，自定去留。[2]

蔣介石要吳國楨自定去留，吳國楨卻打消辭意了。3月7日，任顯群向蔣報告，吳已認錯。蔣介石與王世杰、黃少谷、張群商量，認為吳國楨並非堅辭，決定增加吳國楨為財經小組第二召集人，任顯群的撤換不限日期。[3] 這一天，宋美齡因為陳誠與吳國楨不和，既悲傷，又擔心，心情不佳，居然在樓梯上摔了一跤。[4] 10日，任顯群辭去台灣銀行董事長兼職，由"中國銀行"董事長徐柏園接任；嚴家淦辭去台灣銀行常務董事長，由任顯群兼任。[5] 3月10日，蔣介石認為陳、吳之爭已告一段落，在《上星期反省錄》中寫道："此實為台政安危所繫之大事也。"

台灣一島，既有"行政院"，又有省政府。兩者的施政範圍基本重合，因此，陳誠與吳國楨的矛盾繼續發展。1951年7月末，"隔閡日深"。[6] 蔣介石感歎："內以陳、吳不合，事多矛盾，因之經濟、政治皆呈停頓麻木之象。"加上財經會議之後，美國人員參加，金融發行額受到限制，並要求壓縮開支。蔣介石感到財經拮据，艱窘日增，處處受制，常常夢中哭醒。[7]

四、蔣介石調動人事，吳國楨轉趨積極

1951年8月16日，蔣介石指示陳誠，在"行政院"成立經濟動員局，統

1 《蔣介石日記》(手稿本)，1951年3月4日。
2 《蔣介石日記》(手稿本)，1951年3月6日。
3 《蔣介石日記》(手稿本)，1951年3月7日。
4 《蔣介石日記》(手稿本)，1951年3月8日。
5 《蔣介石日記》(手稿本)，1951年3月11日。
6 《蔣介石日記》(手稿本)，1951年7月28日。
7 《蔣介石日記》(手稿本)，1951年7月26日；參見《蔣介石日記》(手稿本)，1951年12月31日："內部陳、吳之爭始終未熄，所以經濟與政治亦時起動盪。"

一管理生產、貿易及有關經濟動員等各項事務，另指示吳國楨協力辦理。吳認為這是與省政府爭權，堅決反對。蔣介石企圖在二人之間調和。8 月 24 日，蔣介石與“行政院”秘書長黃少谷談話。10 月 7 日，與吳國楨談話。蔣介石意想不到的是陳誠突然於 10 月 17 日提出辭職。蔣一面考慮替代人選，一面慰留陳誠，表示是否成立經濟動員局，由陳自決，不加干涉。10 月 26 日，陳誠打消辭意，照常辦公。這一時期，蔣介石對陳誠在“行政院”的各部改組上顧慮多端，猶疑不決，曾經思考留陳、留吳的利害，並曾與黃少谷談話，希望陳主動調整“財政部”人事。12 月 27 日，吳國楨致函陳誠，以“力與願違，心有不逮”為理由，要求辭職。蔣介石召見吳國楨，退還辭職書，要他耐心、負責。吳不肯收回，受到蔣介石的“切戒”。當日，蔣介石又分別召見王世杰與黃少谷，請二人轉勸陳誠，對吳國楨“必須忍耐堅留”。[1] 29 日，吳國楨面見陳誠，要求辭職，陳誠口頭表示並於隨後去函慰留，聲稱“今後財經措施如何改進，中央與地方政府各項施政，如何更求配合良好，尊見所及，無不竭誠採納”。[2] 當晚，吳國楨第二次致函陳誠，提出“何必使充數如楨者濫竽其間”。30 日，陳誠第二次去函慰留。當晚，吳國楨第三次致函陳誠請辭，陳誠也繼續去函慰留。蔣介石批示：“應再懇切慰留，並令不得再辭。”[3] 4 天之內，吳國楨三遞辭呈，說明他和陳誠關係的緊張。

蔣介石為了將台灣建設為“模範省”，不願意吳國楨離職。1952 年 1 月，蔣介石接見張群，囑張勸吳打消辭意，商量解決問題的辦法。同月 17 日，蔣介石認為吳國楨“言行太過，近於驕橫要脅，不顧大體”。為此，蔣介石十分煩惱，以致失眠。同月 19 日，陳誠致函蔣介石，表示與吳國楨之間，“縱偶有政見參差之處，亦可隨時商議，藉圖匡濟”，要求蔣介石再次召見吳國楨“慰留”。[4] 29 日，蔣介石決定由俞鴻鈞兼任台灣銀行董事長。俞善於處理關係，與吳國楨合作良好。自此，吳國楨轉趨積極。

5 月 30 日，6 月 13 日，蔣介石兩次召集財經會談。當時，台灣每月增收

---

1 《蔣介石日記》（手稿本），1951 年 12 月 27 日。

2 《陳誠復函》，“吳國楨案”，《“總統府”檔案》，台北“國史館”藏，011-100400-0014-017。

3 《陳誠 40 年 12 月 31 日簽呈》，《蔣中正總統文物》，台北“國史館”藏，002-080101-00013-003。

4 《陳誠致蔣介石》，《蔣中正總統文物》，台北“國史館”藏，011-100400-0014-017。

2500萬元，全年增收1億4千萬元。蔣介石日記稱："台省財政之進步，吳（國楨）、任（顯群）實有大功。"1951年12月，蔣介石在《自己本年反省錄》中稱："一年間之財政、經濟，亦日趨穩定，預算收支，已接近平衡，而財政統收統支，亦能更進一步，切實執行。"他特別列舉"直接稅大增，社會財富偏傾之現象亦已大減，人民生活確已提高，銀行存款增加"等現象，顯然，這是對吳國楨、任顯群工作的肯定。[1]

這以後的一段時期，陳誠與吳國楨的關係仍然緊張。1952年12月31日，蔣介石日記云："辭修與國楨意見衝突，自去年以來，日加深刻。故行政院與省府，不能合作，政經皆難有重大進步。"但是，蔣、吳關係則大體正常。1953年2月5日，國民黨召開七屆十二次中央常務委員會，吳國楨向會議提出促進黨政關係建議案，表明了對"革新"的積極態度。28日，吳國楨會見蔣介石，彙報外匯枯竭，擔心下月經濟拮据。他向蔣介石建議，放寬商業統制，認為三年來農民生活已經大為改良，但對商人徵稅及管制都很嚴格，商人利益大減。吳國楨的這一意見得到蔣介石的充分肯定，在日記中表示："余認為其觀點甚確也。"[2]

五、吳國楨堅決反對蔣經國的特務統治

特務制度是一種超越法律的秘密權力統治。1949年7月，蔣介石在高雄決定，在中央黨部下設"政治行動委員會"，蔣經國為成員之一，其基本任務是"統一所有情報工作，並使之充實化"。1950年4月，蔣經國出任"國防部總政治部主任委員"，"政治行動委員會"改稱"總統府機要室資料組"，指揮所有黨政特務機構。蔣介石提拔原情報機關的中將彭孟緝，彭成立台灣情報工作委員會，聽命蔣經國，並將主委一職讓給蔣經國。蔣、彭所領導的情治機關嚴厲清查"匪諜"與"台獨"，冤案頻出。據統計，1950年至1954年，槍決3000人，監禁8000人，一時全台各地瀰漫"白色恐怖"。[3]

---

1 《蔣介石日記》（手稿本），1952年12月31日。

2 《蔣介石日記》（手稿本），1953年2月28日。

3 據蔣經國自述，至1960年，台灣當局偵破的"匪諜案"共24438人，釋放3346人。引自陳世宏等編：《雷震案史料彙編：黃杰警總日記選輯》，台北"國史館"2003年版，第70頁。

吳國楨在力所能及的範圍內反對濫捕。1951 年 6 月，《自由中國》發表社論《政府不可誘民入罪》，批評情治機關釣魚執法，藉機敲詐勒索。社論呼籲有關當局“勇於檢討，勇於認過，勇於把這件事的真相明白公告出來”。彭孟緝認為此文“侮辱了保安司令部”，準備逮捕《自由中國》編輯人員。吳國楨見到公文後，用筆打了大叉子，命令退回。[1] 後來，吳國楨告訴胡適，如非他的干預，《自由中國》在 1951 年年初就被停刊，主編人即遭拘捕。[2]

吳國楨主張法治，認為軍事法庭管轄的範圍只限“共產黨和間諜”兩項，“捕人必須先有犯罪證據，搜索必須經過法律手續”，而且主張必須給被告指定辯護律師。1952 年，他以去就為條件力爭，迫使蔣介石採納了這些意見。[3] 他對蔣介石說：“特務這麼倡狂，非改革不可。任何機構如不通過保安司令部，禁止隨意抓人；逮捕後 14 天，一定要釋放或起訴。”對此，蔣介石日記曾記載說：“為國楨對逮捕匪諜之觀念錯誤加以糾正。”[4] 當時，台灣火柴公司的董事長、電影製片人吳性栽在上海拍攝了一部對蔣介石極不恭敬的影片《民國四十年》，蔣經國就下令逮捕該公司在台灣的總經理王哲甫，將火柴公司充公。吳國楨事前毫無所知，認為該片和王哲甫無關，要求捕人的副司令彭孟緝立即放人。彭和蔣經國一起見吳。蔣經國聲稱，捕人係根據“總統”的特別命令。吳認為證據不足。他很生氣地對蔣經國說：“擔任省主席兼保安司令的，是你還是我？”事後，吳國楨又面見蔣介石，力辯自己的“法律根據是十分正確的”。蔣介石大發雷霆，日記記載：“（為）火柴公司經理通匪案件諸事時常發怒，而且出言粗暴，形態驕強，獲罪於人，應切戒之。”[5] 8 月 12 日，王世杰見蔣，認為王案“罪證不足”，蔣介石嚴厲責備王世杰，在日記中寫道：“此種罪證確實之通匪資敵案而猶言無證，不知其何心意耶！”[6] 他決定將該案移交國防部軍事法庭審判。吳國楨仍不甘休，致函蔣介石抗議，說明逮捕非法，不公正，要求釋放王

1 《雷震回憶錄》，引自《雷震全集》第 11 冊，台北桂冠圖書股份有限公司 1989 年版，第 82 頁。

2 吳國楨：《我反對蔣的事項》，原載美國《丹佛郵報》1954 年 9 月 5 日，此據《“總統府”檔案》，011-100400-0014-187。

3 《吳國楨復胡適函譯文》，《“總統府”檔案》，011-100400-0016-124；吳國楨：《我反對蔣的事項》，原載美國《丹佛郵報》，1954 年 9 月 5 日，此據《“總統府”檔案》，011-100400-0014-185。

4 《蔣介石日記》（手稿本），1950 年 8 月 11 日。

5 《上星期反省錄》，《蔣介石日記》（手稿本），1950 年 8 月 12 日。

6 《蔣介石日記》（手稿本），1950 年 8 月 12 日。

哲甫。蔣原擬處以死刑，讀了吳函後，派秘書通知，改判七年監禁。[1] 蔣介石日記稱："本日為吳主席對火柴公司王某有罪、無罪之爭，心頗不安也。"[2]

1952 年 12 月 28 日，台灣舉行第二屆縣市議會議員選舉。選舉之前，蔣經國向特務下令，以戶口特檢為名，一夜逮捕 900 餘人。其中，除輕微違警事件 19 人，其餘均為無辜者，吳國楨干預後，均恢復自由。基隆市有兩位市議員因未遵照黨部指示，沒有將票投給國民黨提名的議長，竟因此被捕。吳國楨限彭孟緝三小時內開釋。開釋後，兩位議員因害怕特務報復，竟反對吳進一步追究真相。台灣省政府財政廳長任顯群是吳國楨的重要助手，為其自港來台的叔父作保，特務認為此人有"匪諜嫌疑"，將任逮捕繫獄。宣判時，其叔無罪，任卻以"知情不報"罪被關 2 年 9 個月。

蔣介石敗退台灣初期，隔海與中共對峙，隔洋與美國摩擦，風雨飄搖，驚魂難定，只能依靠特務進行統治，因此，吳國楨和蔣經國的矛盾實質上是和蔣介石的矛盾。當時，蔣介石一意培養蔣經國，要求吳國楨輔佐。1953 年 2 月，蔣介石派"總統府"副秘書長黃伯度和吳國楨談話，示意吳只要和蔣經國合作，當"行政院"院長或當省主席兼院長，由吳挑，吳拒絕。蔣介石親自和吳國楨談話，吳稱："經國兄當然我是要幫忙的。如果鈞座厚愛經國兄，則不應使主持特務。蓋無論是否仗勢越權，必將成為人民仇恨之焦點。如果不做特務，做點社會福利方面的工作，我決盡心協助。"[3] 在吳國楨看來，蔣經國的思想和自己無法合得來，難以遷就、湊合。蔣介石不聽吳國楨的勸告，不僅使蔣經國控制特務，而且使之操縱黨部，主持"中國青年反共救國團"，吳國楨乾脆拒絕為"救國團"發放經費。

六、蔣介石因"糧荒"等事嫌惡吳國楨

蔣、吳之間理念不同，治理手段不同。二人可以合作，但無法長期保持良

1 〔美〕裴斐、韋慕庭訪問整理：《從上海市長到台灣省主席》，上海人民出版社 2015 年版，第 117—118 頁。
2 《蔣介石日記》（手稿本），1950 年 8 月 13 日。
3 黃卓群口述，劉永昌整理：《吳國楨傳》下冊，台北自由時報公司 1995 年版，第 461 頁。

好關係。吳國楨曾自述，蔣"選我做省主席，讓我放手去幹，並默許改革，只是以此作為喚起美國同情和獲得美國支持的結果。只要我採取的措施能加強他的地位，如稅收改革和土地改革，他都會歡迎。但當涉及法治和通過自由選舉實行民主政治這兩個基本原則時，他便暗中生厭"。[1]

1953 年 3 月 7 日，蔣介石《上星期反省錄》云："吳國楨之不能誠實，其玩弄手段至此，殊所不料。余以精誠待彼，而彼反以虛偽對余。"[2] 此事對蔣介石刺激很深，也使他難以理解。吳國楨長期咳嗽，蔣介石認為"除以其久咳陷入腦病，成為神經質之外，再無其他理由可以解釋其言行矣"。他覺得自己多年對吳的愛護、培養苦心都白費了，十分傷感地歎息道："豈國人皆是不值培植，不受愛護如此者乎？可痛。"這一時期，蔣介石失眠病再發，他認為其原因之一在於吳國楨的"驕矜失信，令人絕望"，甚至在日記中寫道："本月所最痛心而難堪者，乃為吳國楨之驕傲狡橫，其言其行有如此者也！""驕傲"，這是吳國楨的老毛病，但是，以"令人絕望"、"狡橫"來批評吳國楨，則是第一次。3 月 28 日，蔣介石有了再次改組台灣省政府的念頭，日記云：吳"驕矜狡詐，不能合作，故省政阻滯，非決心改組不能再求進步矣"。

蔣介石上述日記所載，模糊含混，其內容，結合蔣介石同一時期的日記，當與台灣那時發生的嚴重糧荒相關。

自 1950 年起，台灣省政府實行肥料專賣，農民按三成比例以稻穀向政府換取肥料、棉布、食鹽等實物，政府從而取得糧食。1952 年，台灣省政府取消肥料換穀制度。換取的稻穀大量減少。當年 5 月 21 日，吳國楨在"行政院"241 次會議上提出，可能出現糧食問題，陳誠因而聲稱"希望大家不要因警報而怕糧荒"。[3] 1953 年 2 月 14 日（夏曆春節）前，米價飆漲。3 月下旬，黑市米價每斤二元二角。台北不少地方無米可購。適逢各地乾旱，影響收成，糧荒日益嚴重。台灣當時實行公教人員實物配給制度，米、煤、油、鹽、制服等 5 項物資按人口配給。至此，台灣全省缺糧約達 14 萬噸，嚴重影響公教人員和市民配

---

1 吳國楨：《夜來臨》，第 279 頁。

2 《蔣介石日記》（手稿本），1953 年 3 月 7 日。

3 《陳誠先生回憶錄——建設台灣》（下），第 718 頁。

售。[1]有的地方甚至出現砸米店、搶糧庫的行為。4 月 16 日，國民黨中央召開第七屆中常會第 26 次會議，蔣介石認為“最近糧價上漲。情形很嚴重”，“比以前法幣貶值問題更重要”。[2]其《上星期反省錄》云：“糧食恐慌情形真為奇異，此全由國楨自私行為所造成，不得不加斥責與指明也。”同月 24 日，蔣介石主持財經會談，討論糧食政策，對陳誠和吳國楨的糧政舉措表示不滿，日記云：“對國楨不德之回憶又發惱怒，而對辭修之無能無術更覺悲憤，不知國家之前途究將何如矣。”這一時期，他經常為陳、吳二人發脾氣，不得不提醒自己“懲憤自重”。[3]

此前，蔣介石曾召見“行政院”秘書長黃少谷，指示“採購糧食辦法，切勿用黃金”。糧荒期間，台灣當局曾拋售糧食 5 萬噸。他追問：“為誰之主張，何以不報？”1947 年，宋子文動用“改革幣制黃金”，蔣介石發覺時已不及補救，終於法幣崩潰，無可收拾。蔣介石認為，拋售存糧與當年拋售黃金“罪惡相等”，“以政府今日之存糧無異於大陸法幣之基金也”。[4]

顯然，蔣介石認為，拋售“存糧”而又隱瞞不報的主謀是吳國楨。其 4 月 30 日所記《本月反省錄》云：“糧食恐慌實為無妄之災也。國楨私心自用，痛心極矣！”前引日記中，蔣介石之所以對吳極為氣憤，幾至深惡痛覺，決心撤換，原因在此。

1954 年 12 月，葉公超訪問華盛頓，美國國務院要求了解吳國楨事件的內情。20 日，葉公超對中國科的馬康衛等人說：“吳擅自命令他的財政廳長發行八千多萬元台幣鈔票，事先既未得到政府批准，事後又未立即向政府報告。”又說：“這種非法行動由於吳的另一專擅行為而更加嚴重。吳繼續動用存在政府倉庫中的稻米儲備，此事同樣未向政府報告。”“當庫存枯竭的消息傳出以後，幾乎在居民中引起很大恐慌，米價因而暴漲，政府不得不採取緊急措施。”[5]葉公超的這段話，揭示了蔣吳矛盾中一個很少為人所知、吳國楨自己也從來沒有

---

1 《陳誠先生回憶錄 ——建設台灣》（下），第 765、771 頁。

2 《中國國民黨第七屆中常會第 26 次會議記錄》，台北中國國民黨黨史館藏，7.3/447。《蔣介石日記》（手稿本），1953 年 4 月 16 日。

3 《蔣介石日記》（手稿本），1953 年 4 月 25 日、30 日。

4 《蔣介石日記》（手稿本），1955 年 4 月 5 日。

5 《顧維鈞回憶錄》第 12 冊，第 26 頁。

講過的秘密。

七、美國人婉言勸說，蔣介石搶先決定撤換吳國楨

吳國楨擔任台灣省主席三年，先後要求辭職十餘次。蔣介石照例“慰留”，甚至直接批示“不准”。1953 年 2 月 16 日，吳國楨親筆致函蔣介石，聲稱“常患咳嗽，久醫不癒，影響神經，且成痼疾”，要求辭職養病。蔣介石於 19 日回函，准假半月或 1 月。3 月 5 日，吳國楨以“宿疾日深”為理由，再次提出辭呈。7 日，蔣批示給病假一個月。[1] 3 月 10 日，吳國楨偕夫人飛抵台中，乘車轉赴日月潭休假。3 月 25 日，吳國楨接到蔣介石侍從室電話，得知在美醫治皮膚病的宋美齡因吳辭職事，已由美趕回台北，希望與吳氏夫婦晤談。3 月 30 日，吳國楨致電陳誠，聲稱“調治兼旬，宿疾迄未痊癒，不克再荷重任”，再一次要求辭職。[2] 4 月 4 日，吳夫婦赴士林官邸會見宋美齡，宋問吳政敵是誰，吳不答，僅向宋表示辭意已堅，請多原諒。

吳國楨一再請辭，蔣介石本已不快，糧荒期間擅自拋售糧食的行為更使蔣感到吳國楨“狡橫”、“絕望”，但是，還沒有下定撤換吳國楨的決心。

吳國楨和美國關係良好，撤吳為美國人所不樂見。新近就任美國“駐華大使”的藍金和王世杰、葉公超談話，委婉地提到，撤換吳國楨，須防止吳的美國朋友的“不良預測”。他小心翼翼地聲明“不以大使地位說話”，同時約期會見蔣介石。陳誠等在向蔣介石轉達時特別說明，藍金“出於善意，並無干涉內政”。蔣介石雖也認為此係藍金的“私人好意”，但總覺得美國方面是在“干涉內政”，“事實上則啟干預人事之端”，因此，特意推遲和藍金的見面時間。為避免“夜長夢多”，蔣介石就在吳氏夫婦到士林官邸訪問的同一天，決定撤換吳國楨、改組台灣省政府，和美國人鬧了一點獨立性。[3] 這一過程，蔣介石曾經寫道：“國楨辭職問題，乃為三年來內部之糾紛與對外之關係最為複雜不易解決

1 《陳誠四十二年四月一日簽呈》，《蔣中正總統文物》，台北“國史館”藏，002-080101-00013-003。
2 同上注。
3 《上星期反省錄》，《蔣介石日記》（手稿本），1953 年 4 月 4 日、7 日、9 日、11 日。

之事。最近，美使雖以私人好意貢獻意見，但總有干涉內政之意，故決然批准其辭呈，此乃政治之加強，又得進一步矣。然而用心苦極。”[1] 年底，蔣介石又在《本年總反省錄》中寫道：“吳國楨與孫立人飛揚跋扈，挾外凌上，亦可謂忍受極矣。”對於吳，蔣介石斥之為“心跡更不堪問”，“如美、英任其為台灣託管制度下之傀儡，則其且求之唯恐不得矣。推其三十八年杪，要求任其為省主席時之情景，彼實自居為台灣託管專員之候補者，是其用心誠亡國奴之尤者也”。[2] 可見，蔣介石不願意美國人干涉他的用人行政，也不能容忍吳國楨依仗美國的氣勢壓制自己。

八、汽車螺帽失落，吳國楨疑為暗害，申請赴美

4 月 5 日，吳氏夫婦由台北乘車返回日月潭，在台中午餐後，發現所乘汽車的兩個前輪插銷上的螺帽均不翼而飛。這種情況，在盤旋山徑去日月潭的路上，隨時可能車毀人亡。這件事使吳國楨懷疑屬於有意謀害，高度警惕起來。

同日，蔣介石召見俞鴻鈞，表示第一要事是“統一經濟政策”，委派其繼任台灣省政府主席。俞體弱多病，聲言如俞大維不就，當唯命是從，蔣介石很滿意，覺得俞鴻鈞追隨到底，不辭犧牲，比“投機驕矜”的吳國楨要好得多。4 月 10 日，“行政院”決議，批准吳國楨辭去台灣省政府委員兼主席職務。吳國楨得悉，擔心留在日月潭再次發生危險，立即以出遊為名，驅車疾馳台北。

誰是螺帽事件的謀主？蔣介石還是蔣經國？吳國楨回到台北，立即致函蔣介石，特意引用“臣罪當誅，天王聖明”的古語，末尾詢問：“閣下，恁能憐憫忠實的僕人嗎？”他要求會見蔣介石，企圖查明蔣介石是否知情。不僅專派司機將信送到蔣介石所住士林官邸，還打電話給蔣的侍從，要求安排與蔣見面。蔣介石當時正因糧荒問題生吳國楨的氣，沒有答復。[3] 吳國楨給老朋友張群打電話，張群遲至第二天才來見吳，批評吳“自己做了一件糟糕的事”，建議他不要

---

1 《上星期反省錄》，《蔣介石日記》（手稿本），1953 年 4 月 11 日。

2 《本年總反省錄》，《蔣介石日記》（手稿本），1953 年 12 月 31 日。

3 吳修垣編著：《從上海市長到台灣省主席（1946—1953 年吳國楨口述回憶）》，上海人民出版社 2015 年版，第 147—148 頁。

再辭去“行政院”政務委員和國民黨中常委兩項職務，並說：“有時候，這或許就是個生死問題。”吳國楨熟知台灣特務竊聽的事實，也聽說過蔣介石下令暗殺違背其意願的下屬的兩例故事，因此非常擔心自己會遭到同樣的命運。為預留後事，便邀請將於 19 日離台返美的合眾社記者阿瑟·戈爾到家中，交給他三封信，一封給霍華德報系的羅伊·霍華德，一封給魏德邁將軍，一封給《芝加哥論壇報》的羅伯特·麥考密克。吳對阿瑟說：“如果今後我發生不幸，你務必將全部內情告訴這三位先生。”同時吳還交給阿瑟一個聲明：所述一切，都是千真萬確的。[1]

4 月 16 日，吳國楨向俞鴻鈞辦理移交手續後，立即給蔣介石辦公室打電話，正式要求安排會見。這時，吳國楨的母校格林內爾大學決定於 1953 年的開學典禮上授予吳國楨名譽博士學位，華盛頓大學等處也紛紛邀請吳到美國參加會議或演講。吳遂以之為理由，直接向蔣介石申請赴美護照，其妻子和年僅 13 歲的兒子吳修潢同行。兩週後，沒有答復。吳國楨致函宋美齡，說明形勢或許會迫使他在美國無限期待下去，如不給護照，自己將給在美國的朋友寫信，說明台灣方面拒絕發護照給他。終於，吳國楨和妻子得到護照，但兒子沒有得到。“外交部”部長葉公超得知吳國楨曾告知宋美齡再也不回來，葉稱：“那或許是總統不給你兒子發護照的原因。”

5 月 17 日，吳國楨的赴美機票已訂，打電話給蔣介石的侍從，要求會見，向蔣告別，仍然沒有回音。5 月 23 日，宋美齡打電話給吳國楨，聲稱總統要他現在就向他們告別，並且轉達口信，要吳將孫中山的全部著作帶上，在赴美途中讀一遍。吳國楨有些發怒，在電話中回答：“請告訴總統，謝謝他的提醒，也請告訴他，我已熟讀過孫中山博士的全部著作，請他也照我的樣子去做。”[2] 5 月 24 日，在機場上舉行了盛大的歡送會。蔣經國、陳誠都出席了，而且都與吳國楨合了影。

吳國楨的 13 歲的兒子吳修潢被留在台北，其理由是根據《兵役法》，凡

1　吳修垣編著：《從上海市長到台灣省主席（1946—1953 年吳國楨口述回憶）》，上海人民出版社 2015 年版，第 148—150 頁。

2　吳修垣編著：《從上海市長到台灣省主席（1946—1953 年吳國楨口述回憶）》，第 154 頁。

在台灣居住人民之子女必須大學畢業，經過軍事訓練，始能"出國"留學。[1]吳國楨認為，這一法律並不包含未成年之子女前往國外就養於其在國外謀生的父母，當局之所以拒發吳修潢的護照，目的在於留作人質。到美國後，吳國楨夫人黃卓群幾次致函宋美齡求助，宋回函說："似乎沒有什麼可行的法子，因為目前當局對他這種情形的規定沒有改變的餘地。"[2] 1953 年 12 月，吳國楨致函台灣最高當局，希望給未成年家屬資格批准吳修潢來美，沒有回音。1954 年 3 月 2 日，吳國楨致函"外交部"。15 日，再函蔣介石，聲稱即使國楨有罪，也不應罪及孩子；如 4 月 15 日尚無音訊，則將"採取另一種步驟"，希望蔣介石根據"幼吾幼以及人之幼"的古訓，從人道著想，慨然批准。[3]這期間，"美國駐台灣使節"蘭金也從中說話，吳修潢才拿到護照。

九、台灣傳言，吳國楨套取巨額外匯，吳撰寫啟事闢謠

吳國楨帶著對台灣蔣介石集團的滿肚子意見，也帶著對未能隨行的兒子的掛念到了美國。最初，吳國楨謹言少語。到華盛頓時，顧維鈞親自陪他參觀，安排和要人見面。儘管顧維鈞覺察到了吳國楨"對台灣的局面心存不滿"，但是，吳很少流露，"未露聲色"。[4]至 11 月 20 日，吳國楨開腔，打破沉默，源起於蔣介石下令解除黨國要員王世杰的職務。王世杰，曾任北大教授、教育部長、國民黨中央宣傳部長、外交部長等職。蔣介石敗退台灣後，任"總統府"秘書長。1953 年 11 月 17 日，因"兩航案"被蔣介石以"蒙混舞弊，不盡職守"的名義下令解除職務。20 日，宋美齡致函吳國楨，稱蔣囑吳回台任"總統府"秘書長。吳回函拒絕，答稱："政府年來措施，並不與楨之一貫主張相同，且變本加厲之處。"[5] 12 月初，台灣流傳謠言稱，吳國楨在赴美前曾通過王世杰套取巨額外匯，潘公展隨即在美國《華美日報》發表文章，要求調查懲處，澄清政

---

1 黃卓群口述，劉永昌整理：《吳國楨傳》下冊，台北自由時報公司 1995 年版，第 477 頁。
2 黃卓群口述，劉永昌整理：《吳國楨傳》下冊，第 478 頁。
3 黃卓群口述，劉永昌整理：《吳國楨傳》下冊，第 555 頁。
4 《顧維鈞回憶錄》第 11 冊，第 117 頁。
5 黃卓群口述，劉永昌整理：《吳國楨傳》下冊，第 481 頁。

風。香港《新民晚報》則載文稱，美國副總統尼克松在訪台時向蔣介石告密，稱吳在美生活豪奢，所住華都飯店僅一日房租即達 198 美金。這些誣衊，吳國楨當然不能容忍。

1954 年元旦，吳國楨致函尼克松查證，尼克松回函，聲稱在和蔣談話時根本沒有提過吳國楨的名字。1 月 2 日，吳國楨以"一名國民黨黨員"的名義，致函國民黨中央黨部秘書長張其昀，要求轉呈蔣介石，徹底查明所傳"套取巨額外匯"一事，公佈真相。1 月 15 日，吳擬具《啟事》，說明"為國服務廿餘年，平生自愛，未曾貪污"，來美時經"行政院長"陳誠批准，僅以私人所有台幣購買 5 千美元作為旅費等情況。吳同時聲明："在此國難當頭之際，若存心渾水摸魚，盜取公帑，實將自覺不儕於人類。""如楨個人有任何劣跡，敬請國人檢舉，政府查辦。"[1] 吳在台北的父親吳經明約集《中央日報》等幾家報紙的廣告科人員，請求刊登啟事。當晚，張其昀到吳府，聲稱吳的《啟事》已呈報"總統"，"總統"諭：此事政府已經明了，請不必登報。

蔣介石見到吳國楨的《啟事》後，認為吳國楨的言行已經"漸近於威脅與越軌態度"，感到不快，但蔣決定"仍應導之以理"，要張其昀"代為勸慰"。2 月 7 日，《中央日報》刊出《吳國楨啟事》。8 日，張其昀回函吳國楨，向吳通報見蔣的情況，說蔣曾表示"此次全會任務重大，各項要計，均待共籌"，又稱蔣對吳"眷念至深，將有新命，亟待面商，務望即日命駕來台，參與全會"等等。張將《中央日報》所刊吳國楨的《啟事》剪寄，並解釋說："前次，總裁指示不必登報者，純出愛護之意，以為此類無稽之談不必與之計較。"[2] 然而，張其昀沒有及時將有關消息電告吳國楨，這封信也寄晚了。在美國，吳國楨已經向台灣開火了。

---

1 台北《中央日報》，1954 年 2 月 7 日、8 日。

2 《張其昀致吳國楨函手跡》，引自黃卓群口述，劉永昌整理：《吳國楨傳》下冊，第 495 頁。

十、隔洋開火，吳國楨致函“國民大會”，張道藩出面應戰

1954年2月8日，美國芝加哥WGN電視台舉行現場直播記者會，原定採訪對象爽約，臨時拉定居於芝加哥郊外的吳國楨代替。這時，吳國楨還不知道他的《啟事》已在台北發表，也不知道美國報紙已有報導。當記者詢問“台北報紙說您貪污，有無此事”時，吳國楨憤激地回答：“這是政敵的污衊行為。”記者再問吳辭職來美的原因，吳答“健康和政治兩個方面的原因”。

次日，美國CBS全國廣播電視派人再次訪問吳國楨，於12日向全美廣播。16日，吳接見合作社記者。記者詢問最近是否準備回台灣，吳答：“在目前環境下，我不願回台灣，現在台灣政治情形與我當初和當局發生爭論時並無改變。”

不僅如此，吳國楨還進一步說明了他和台灣當局的努力目標：1. 爭取台灣人民的全力支持。2. 爭取海外僑胞的全力支持。3. 爭取自由國家尤其是美國之同情與支持。吳稱：“除非吾人能在現行統治地區實施民主，則上述諸端皆無法做到。”他補充說：“不幸的是，若干人士竟認為與共產主義作戰必須採取共產主義方法。”最後，吳國楨提高嗓門，大聲說：“我深信，目前的政府過於專權。”

美國合眾社和紐約《世界電訊報》、《太陽報》等迅速報導了吳國楨的上述言論。《世界電訊報》屬於霍華德系，一向擁蔣親台，其2月17日的社論題目竟是《警告蔣總統》。

蔣介石一向以“民主”相標榜。1946年、1948年，為了和中共鬥爭，蔣介石兩次召開國民大會，制定憲法，選舉總統。儘管他認為中國人程度不夠，學美國民主反而誤事、壞事，但是遷台之後，卻仍然標榜“自由中國”，以與中共相抗衡。當時，蔣介石正籌備召開“國民大會”，選舉正副“總統”，裝點民主。在這樣的時刻，吳國楨的言論自然使蔣介石大為憤怒。其2月18日日記云：“吳之虛偽欺詐，本無氣質之人，唯有絕望而已。”19日日記再云：“吳國楨以公開反動，必欲損毀政府之險惡言行，已經暴露。”1951年8月，台灣空軍駐

美辦事處主任毛邦初與空軍總司令周至柔之間公私交惡，互控貪污，台灣當局向美國哥倫比亞特區政府提出告訴，一時沸沸揚揚。蔣介石認為毛向美方“密告內部之事”，“討好外國”，“無異詆毀政府，誣陷上官”。[1] 有鑒於此，蔣介石決定對吳國楨事件“設法防止”。20 日，他在《上星期反省錄》中嚴厲指責吳國楨為“此逆”，稱其為“濫笑善哭之小人，不可共事”。2 月 24 日，更進一步確認吳國楨已經走上“反動的路”。[2] 於是，一場反擊吳國楨的戰鬥在台灣打響。

2 月 26 日，“立法院”院長張道藩在該院院會上對吳國楨提出質詢，自稱和吳是南開中學時代的老同學，但是如今他反動了，他錯了，就絕對不能寬容他。接著，張道藩要求吳國楨答復：“今天在自由中國所行的不是民主是什麼？所謂‘專權’做何解釋？”[3]

2 月 27 日，吳國楨致函“國民大會”，指斥台灣國民黨當局的六大過失：1. 一黨專政。所謂“民主”實係虛偽，所謂“集權”卻是實在。2. 軍隊之內有國民黨黨組織及政治部。3. 特務橫行。4. 人權無保障。5. 言論不自由。6. 思想控制。為此，他提出六項解決辦法：1. 議定政黨法，保障各方人士成立政黨，批評政府。2. 撤銷軍中的黨組織及政治部。3. 擬定“國家安全制度”之法律，規定特務機關權力。4. 組織委員會，公開接受無辜被捕者及非法受擾者親友的控訴。5. 組織委員會，徹查過去言論不自由，如報紙停刊、記者被捕等情況，追究責任。6. 撤銷“青年反共救國團”。[4] 吳同時致函蔣介石，要求蔣准許“國民大會”討論該函，並在台灣報紙公開發表。又致函胡適，希其催促，表示將等候至 3 月 9 日，如無音訊，將在美國發表。

吳國楨的這幾封信，台灣報紙稱為“集近十年來國際共產黨徒對我政府毒謀攻擊之大成”。蔣介石批評其“不法無恥”、“違法亂紀，挾美自重”，“若不從速懲治，第二、第三之吳國楨必相繼續出”。他決定：甲、由張道藩與吳“周旋”，再加斥責，以明其罪惡。乙、即以違法亂紀罪撤職查辦，或准予辭職，其任職期內所有職務真相事實如何，交付行政人員懲戒委員會依法處理。丙、追

1 《蔣介石日記》（手稿本），1951 年 3 月 9 日。
2 《陶希聖日記》，1954 年 2 月 24 日。
3 黃卓群口述，劉永昌整理：《吳國楨傳》下冊，第 499—501 頁。
4 黃卓群口述，劉永昌整理：《吳國楨傳》下冊，第 502—503 頁。

究其上海市長任內及其交卸之手續與實際情形，以及其上海市銀行賣空買空，囤積糧食，操縱貿利，有無渾水摸魚情形，一併徹查。[1]

3月3日，蔣介石召見國民黨中央委員陶希聖、“行政院”副院長黃少谷，“指示其最後解決之決心與手續之準備”，不必另商他人，以免耽誤時機，限第二天發表對吳的答復。關於吳國楨要求蔣介石允許“國民大會”發表其信件一點，蔣認為這表現出吳的“狡猾背謬”，“實為從來所未見”。

3月4日，張道藩遵命在台北中山堂舉行記者招待會，宣稱吳國楨用“莫斯科指使下的共黨”辦法，來“製造人民對於政府的懷疑和責難，破壞中華民國的聲譽和國家的地位”。他攻擊吳在台灣省政府三年多任內“私自濫發鈔票，私自拋空糧食”，“非法、亂紀、專擅”，“危害國家利益”，“包庇貪污營私舞弊、勾結奸商、謀取暴利”。“他自己就是法律，他自己就是政府，挾外自重，目無法紀”，“以政見不同作藉口來掩飾他的失職”，特別指責他在辭職前夕，“將政府五萬噸存糧私自拋售一空，使社會一度發生極大的恐慌”。

3月9日至11日，蔣介石先後召見張其昀、陶希聖、“國民大會”主席團洪蘭友及“保密局”毛人鳳等人，聽取對吳國楨的處理方針。他認為幹部宣傳無方，缺乏鬥爭精神，因此大發脾氣。毛人鳳彙報，在和任顯群談話時，任表示願製造吳的貪污案，將功贖罪，蔣介石不同意，限任顯群在三天之內從實呈報吳在拋售黃金等方面的舞弊行為。在蔣介石的憤慨與高壓下，“國民大會”主席團於3月10日做出決議：“吳國楨以現任行政院政務委員，在國境外揚言政見不同，肆意詆毀政府，並欲藉本大會期間，增加其惡意宣傳之力量，主席團因為此種直接、間接有利於匪敵之言論行為實堪深惡痛絕。”

11日，張道藩以“立法委員”身份，向“行政院”院長陳誠提出13個問題：

1. 1949年4月“軍事緊急之際，吳國楨辭上海市長，經過實情如何”？

2. 吳國楨當時等於“臨陣脫逃放棄職守”，何以1950年又任其為台灣省主席？

3. 吳在台灣省主席任內，“未經行政院核准私自濫發鈔票”，“何時發現”，

---

1 《蔣介石日記》（手稿本），1954年3月2日。

擅發若干？

4. 聞吳任內暗中操縱外匯及貿易，請"行政院"查明詳情。

5. 台灣林產，弊端甚多，吳上下其手，獲利甚多，曾否發現？

6. 吳任內主張拋售黃金，為數甚大。

7. 吳於交化主席職務之前，將五萬噸存糧拋售一空。

8. 吳任上海市長時，派其族岳丈黃金疇為上海市銀行總經理，於辭職之前，另派朱愼微接充。現黃、朱二人均在台灣，究竟彼等對於上海市銀行之交代如何？

9. 聞吳任上海市長時，警察局調查人口為 590 萬，吳謊報 630 萬，向中央請求配發相應人口需要的糧食，是否有此事實？如有，每月所謊報的 40 萬人的糧食如何報銷？

10. 吳國楨向陳良交代上海市長職務時，一切重要文件及賬冊均無交代，事實如何？

11. 聞吳國楨將上海市政府汽車數輛，運至台灣，以個人名義出售，得款自肥。聞現"中央"信託局賀副局長所乘汽車，即係吳所出售上海市政府公產，有無其事？

12. 吳國楨自上海遷台時，運來大小行李 970 餘件，而其出國時，又攜走行李十大箱，要求海關免予開箱檢查。民間有箱內皆係黃金、美鈔之傳說，事實經過如何？

13. 其他有關吳國楨包庇貪污、營私舞弊、勾結奸商、謀取暴利的事實甚多，亦請一併查明答復。

這 13 個問題，並無確鑿根據，不少問題聲明出自傳"聞"，只要求調查，不負任何法律責任。集中到一起，無非是將吳國楨搞臭。

3 月 16 日，陶希聖向蔣介石陳述吳案戰略：序戰已告段落，今後為本戰，以法律問題穩紮穩打。蔣介石表示同意。[1]

3 月 17 日上午，國民大會並未公佈調查結果，就通過臨時動議：1. 吳國楨

---

1 《陶希聖日記》，1954 年 3 月 16 日。

藉口政見不同，在國外散播流言，掩飾其在台灣省政府主席任內之種種不法行為，請政府明令撤免其政務委員職務；2. 請政府飭令吳國楨迅即“回國”，聽候查辦。

同日，蔣介石發佈《總統令》，聲稱吳國楨“歷任政府高級官吏，負重要職責者二十餘年，乃出國甫及數月，即背叛國家，誣衊政府，妄圖分化國軍，離間人民與政府及僑胞與祖國之關係，居心叵測，罪跡顯著，應即將所任政院政務委員一職，予以撤免，以振綱紀。至所報該吳國楨前在台灣省政府主席任內，違法與瀆職情事並應依法徹查究辦”。[1]

吳國楨的“政務委員”職務撤免了，蔣介石又於 17 日主持國民黨七屆九十次中常會，中央紀律委員會提請開除吳國楨黨籍，獲得通過。蔣介石致辭，稱自吳國楨案發生，黨和政府均蒙受甚大影響，用人不當，尤覺負疚。對吳國楨函所指摘的六點，蔣介石一方面認為“久為共匪及其同路人所渲染”，但同時則要求國民黨中央“徹底檢討，研究改進”。[2] 他在日記中攻擊吳國楨：“狂妄荒唐，實為汪精衛所不及，其居心奸詐叵測，蓄意叛黨賣國至此，實已為夢想所不及，天下竟有如此人猿耶！”[3] 將吳國楨詆為“汪精衛所不及”，斥之為“人猿”，這在蔣介石的罵人語言中，還是極少見的。

吳國楨指責台灣當局六大缺失的“致國民大會函”，國民黨中常會本已決定不予發表，蔣介石聽從胡適的意見，任由“國民大會”公開印發，並於 3 月 11 日在台灣報紙刊登，蔣介石自覺效果不錯，在日記中不無得意地寫道：“可知開誠佈公，不懼譭謗，是政治唯一之要務也。”[4]

3 月 19 日，“行政院”組織“吳案小組”，決定自 20 日起開始工作。[5]

3 月 20 日至 22 日，“國民大會”第二次會議舉行第一次選舉大會，選舉第二任“總統”，蔣介石當選。3 月 31 日，蔣介石反省本月各事，認為“國民大會”圓滿閉幕，各次選舉“皆用最民主之方式實施”，“對吳逆等之斥責”等，

---

1 台北《“總統府”公報》，第 480 號，1954 年 3 月 17 日。
2 《中國國民黨第七屆中央常務委員會第 90 次會議記錄》，台北中國國民黨黨史館藏，《會議記錄》，會 7.3/115。
3 《蔣介石日記》（手稿本），1954 年 3 月 17 日。
4 《蔣介石日記》（手稿本），1954 年 3 月 13 日。
5 《陶希聖日記》（手稿本），1954 年 3 月 19 日，第 832 頁。

“亦皆依民主程序進行”，唯一遺憾的是宋美齡受到刺激，健康不佳。他在日記中寫道：“政治與黨務忙碌之中，加之吳逆乘機狂吠猛攻之際，而於整軍與人事之設計，仍能積極進行，甚覺自慰，但妻病時發，未免受到影響耳！”[1]

3 月 25 日，蔣介石在“國民大會”閉幕詞中宣稱，這次“國民大會建立了民主政治的典範”。他在不點名地批評吳國楨“在國外，藉外國政治的保護和外國勢力的憑藉，橫行不道，為所欲為”之後，又不得不表示，歡迎國民批評、檢舉政府“鉗制思想、束縛言論，或秘密警察、特務橫行的事實”，一定“誠意接受”，“要徹底查明，要切實改正”。[2]

十一、吳國楨第三次上書蔣介石，要求“真改革”

吳國楨雖然被撤銷了國民黨黨內外的一切職務，但是他卻不肯甘休，愈戰愈勇。3 月 20 日，第三次上書蔣介石，提出 12 問，要求一一解答：

1. 國民黨經費是否由政府負擔？

2. 政府有何畏懼，不通過《政黨法》，保障各方反共人士均能在台公開成立政黨，批評政府？

3. 軍中究竟有無國民黨之組織？

4. 政治制度對於士氣究係有益有害？益處何在？害處何在？

5. 我國特務機關，究有若干？其權力有何範圍？何人出面支持？何人背後支持？

6. 特務拘捕人員，究向何方報告？若超過法律範圍，究向何人負責？

7. 特務曾否干涉選舉？曾否違法逮捕人民？

8. 特務機關自民國三十九年三月一日起，至今已逮捕多少人民？

9. 台灣有無秘密監獄，能否派員查勘？

10. 自三十九年三月一日起，至今有多少報紙奉令停刊？有多少記者被捕？

---

1 《蔣介石日記》（手稿本），1954 年 3 月 31 日。

2 《對第一屆國民大會第二次會議閉幕詞》，引自秦孝儀編《“總統”蔣公思想言論總集》卷 26，第 30—31 頁。

其事實經過及法律根據何在？

11. 青年團究係隸屬政府或國民黨？

12. 青年團若隸屬於政府，究係隸屬何院何部，其組織法曾否經“立法院”通過？若隸屬於國民黨，何以據“中央社”報導，其經費係列入國家預算之內？

信中，吳國楨指出，政府對於本人私德，指毀萬端，豈不令人民感覺，政府是在詞盡理窮，故意栽誣？他說，近代文明國家，凡提出罪狀，必須先舉證據，而政府不然，先提罪名，再羅織證據。此種辦法，在中古時代，帝王專制，或屬可行；在 20 世紀國家，這樣做只能損傷政府名譽。

針對張道藩等加在自己頭上的種種不實之詞，吳國楨向蔣介石提出 4 點質疑：

> 1. 如果政府認為國楨在上海貪污瀆職，或棄職潛逃，何以在大陸既失，台灣最危險的民國三十八年任命國楨為台灣省主席？
>
> 2. 國楨承乏台灣省政，三年有餘。若有過失，何以不早日彈劾，何以必須在國楨堅決辭職，至再至三之後才加以批准？何以鈞座在復職週年紀念宴會，四十一年元月及四十二年元月的國民月會等場合，對於省政稱讚備至，對於財政、金融、糧食政策，推為省政成績第一？
>
> 3. 國楨辭職已將一載，何以鈞座在（1953 年）11 月 20 日還託最親信之重要人物親筆致函，要國楨回國就任“總統府”秘書長？直至（1954 年）2 月 8 日，還命國民黨秘書長親筆致函，要國楨趕速“回國”，擔任新職？
>
> 4. 國楨於 2 月 7 日，迫不得已，始對政府略有忠告，2 月 27 日始正式分呈國民大會及鈞座，陳述意見，3 月 4 日，張道藩受人指使，不提證據，空口控訴國楨各項罪名，豈非故意誣陷，以圖搪塞？

函末，吳國楨再次懇請政府派員來美，徹查其本人經濟情況，可以將證據檢送美國法院，要求“引渡”。吳稱，本人屆時一定放棄政治犯的特權，到法庭對質。若真有罪，則自甘“回國”領罪。吳提醒蔣介石：“警察國家，何種證據不可偽造？”“民主國家之法院非御用法院可比，若一朝偽造證據被人查出，則國家體面又將何在！”吳預估，台灣當局可能不敢要求“引渡”，而在台灣缺席審判，或下令通緝，或羅織冤獄，蔣介石“大權在握，何不可為”，但他就此警告說，那時的場面將是：

> 不啻自身證明其為警察國家之本質，宣告政府領導能力及政治道德之破產，而將予楨以更向全世界輿論控訴之口實。一誤不可再誤。楨雖已開罪鈞座，但深望鈞座以我國元首之地位，不再執迷不醒，陷國家民族於不可挽救之危機，而能下詔罪己，幡然改圖，接受楨六建議，則楨雖不能回國，全國人民亦將受賜無窮矣！

最後，吳國楨聲明，台灣方面只有蔣介石的一面宣傳，因此，要求蔣將此文交台灣各報全文發表。[1] 他將此函送交台灣駐紐約"總領事館"，請其轉交中央社紐約辦事處，聲稱"如中央社在25日不發表，則訴求該社賠償名譽損失200萬美元，除訴訟必需費用外，以餘款四分之三歸還美國政府，四分之一作為救濟流亡的中國知識青年之用。吳國楨決不取分文。"[2]

十二、吳國楨第四、第五次上書，指蔣"一人控黨，一黨控政"

3月25日，吳國楨從美聯社台北電中得悉，蔣介石在"國民大會"閉幕詞中聲明"歡迎有助於中國之批評"，但"中國人利用在外國居留之安全來批評政府，實與共黨無異"。3月26日，吳國楨讀到合作社報導，蔣介石對自己的3月20日函拒不受理，而且不准在台灣報紙發表，認為蔣介石已決定"封閉台灣人民之耳目，不使其有任何言論新聞自由"。因此，吳國楨於3月28日第四次上書蔣介石。

書中，吳國楨列舉自己在1950年、1952年向蔣介石兩次進言後幾遭暗算，王世杰談話被特務錄音而被免職，以及龔德柏在1949年前大膽批評政府，來台後被特務秘密拘捕等三事為例，說明：1. 在台灣向蔣直言而爭者有遭暗害可能。2. 在台灣背後指摘蔣者有遭污毀之可能。3. 在到台灣之前曾經批評政府

---

1 黃卓群口述，劉永昌整理：《吳國楨傳》下冊，第556—559頁。

2 黃卓群口述，劉永昌整理：《吳國楨傳》下冊，第512頁。參見《陶希聖日記》，1954年3月28日，第835頁。

而在到台以後並不發言者，有被非法拘捕秘密監禁之可能。據此，吳國楨向蔣介石問道："安能有人敢向鈞座在台做'合理'之批評建議耶？"接著，吳國楨引美聯社報導的蔣介石講話，說明"依鈞座之意，則凡在國外之中國人也不能批評鈞座"，由此，吳國楨得出結論說："嗟夫皇天！是鈞座不願任何中國人批評鈞座而已耳。"

據美國的中文《僑報》報導，蔣介石在"國民大會"閉幕詞中說："國家之自由高出於個人自由之上。"吳國楨認為此語在理論上實可研究。他分析說：

> 不知鈞座所指國家為何。若謂國家係一國國民全體個人所湊成，則每個個人若無自由，其集合體之國家又何能有自由？若謂國家自國家，個人自個人，則揆度鈞座之意，無非只有鈞座能代表國家，其他人民不能代表國家。只有鈞座有自由，其他人民無自由。

法國的皇帝路易十四曾經說過："朕即國家。"吳國楨認為此語引起法國後來之大革命，為舉世所詬病，因此要求蔣介石以此為鑒，慎重發言。

書末，吳國楨恭維蔣介石"天稟聰明"，但批評他"自私之心較愛國之心為重，且尤故步自封，不予任何人以批評建議之機會"，表示將於日內就個人所見，提出簡單具體之積極建議，希望蔣"力自檢討，虛己從人"。

第五書作於4月3日。吳國楨首先向蔣說明自己的堅決反共立場，表明只有"勸導鈞座，而無摧毀鈞座之意"，目的在於"說明事實，促使鈞座民主化、進步化"。他嚴厲批評蔣介石"自私"，"在大陸則只顧個人之政權，在台灣則於苟安之後，又只圖傳權於子；愛權勝於愛國，愛子勝於愛民。因此遂走上一人控黨，一黨控政，以政治部控制軍隊，以特務控制人民之重大途徑"。當年1月28日，胡適曾在台北對合眾社記者宣稱，蔣介石將做大規模的改革政府行動，以答復各方對於政府的嚴厲批評。吳稱：聞之倍增興奮，但又擔心蔣"言改革而實不改革，假改革而不真改革"，因此，在深思焦慮一個多月之後，向蔣介石提出，必須：1. 責任內閣制，以胡適為"行政院長"，所有政權、軍權均由"行政院長"全權處理，"總統"不再過問。2. 派蔣經國來美國，入大學或研究院讀書，使其能對於民主政治深切了解；在大陸未恢復以前，不必重返台灣，以此向全世界表明不欲傳權於子的心跡。

函末，吳國楨表示："舉國人士所患者即鈞座不肯改革耳，若鈞座肯真心改革，則何人將不歌功頌德，衷心擁護？楨雖漂流海外，亦將首先吶喊，稱頌鈞座也。"[1]

吳國楨的這封信，雖然極為尖銳、嚴厲地批評蔣介石，但是字裏行間，仍然充溢著對蔣介石的期望。信寄出後，沒有反響。

十三、論戰的擴大與胡適的加入

在上書蔣介石之外，吳國楨還在美國報紙和雜誌上，發表抨擊台灣蔣介石政權的言論。

據初步檢索，其較重要者有：1954 年 6 月 29 日，美國《展望》雜誌發表吳國楨所作《美援在台灣建立了一個警察國家》，猛烈攻擊蔣介石父子，甚至攻擊蔣經國的蘇聯妻子蔣方良。吳宣稱，蔣介石一旦過世，蔣經國有可能接受共產黨的"誘惑"，將台灣變成為"赤色中國的一個富庶省區"。[2]

同年 7 月 26 日至 28 日，美國民主黨赫斯特系統的報紙連續刊登對吳國楨的訪談，要求美國壓迫台灣當局進行"改革"。[3]

同年 9 月 5 日，吳國楨在美國《丹佛郵報》發表《我反對蔣的事項》，列舉七項理由，進一步指證台灣已經成為"警察國家"：1. 台灣現有一權力浩大而以蔣經國為首的機密警察組織。2. 台灣並無法治。3. 台灣無新聞自由。4. 無自由選舉。5. 政府完全為國民黨一黨控制，國民黨為蔣介石一人控制。6. 控制軍隊，政工幹部所注意者非忠於國家，而是忠於蔣氏父子。7. 組織"青年反共救國團"，控制思想，訓練青年。[4]

在一段時期內，胡適沒有參與論戰。1954 年 2 月，胡適自美返台，出席

---

1 《附錄》，引自黃卓群口述，劉永昌整理：《吳國楨傳》下冊，第 563—565 頁。

2 Your money has built a police state in Formosa, Look Magazine Vol.18, pp.39-45. June29, 1954。

3 《赤色政權虛張的力量》，"吳國楨案"，《"總統府"檔案》，台北"國史館"藏，011-100400-0016-051-068。

4 《我反對蔣的事項》，"吳國楨案"，《"總統府"檔案》，台北"國史館"藏，011-100400-0014-182-194。

“國民大會”期間，他曾訪問蔣介石和陳誠，勸他們平息和吳國楨之間的爭論。陳誠告訴胡適，美國“大使”蘭金找過自己，表示了相同的意見；自己也已告訴蘭金，政府將力求平息事態。[1] 胡適於 4 月 5 日自台返美後，曾與吳國楨長談 8 小時，勸吳息爭。[2] 5 月 11 日，胡適應邀到華盛頓，會晤美國眾議院外交委員會遠東小組委員會主席、參議員亞歷山大·史密斯。史密斯希望“整個事件能平靜下來”，商量出一個使台灣及吳國楨方面“均有面子之解決方法”。他告訴胡適，遠東小組委員會在辯論援華時一定會提出吳國楨問題，要設法使台灣當局“避免一切可能出現的麻煩”，“同時還要顧及吳的體面”。他詢問胡適，不知道政府是否還有可能將吳召回去，重新委以某種重要職務？胡適則將陳誠的態度告訴了史密斯。

吳國楨於《展望》雜誌發表攻擊蔣介石父子的文章後，胡適於 8 月 3 日致函吳國楨，批評吳“沒有政治意識”、“沒有一般常識”，“有時也缺乏道德觀念”。他針對吳國楨曾身兼台灣保安司令這一點，批評吳國楨在許多事件上“存心說誑”，“用來欺騙美國的民眾！並且用來污衊自己的國家和你自己的政府”。信稱，台灣當局的“每件錯誤與劣行你都不能逃避一份道義責任，正因為在你當權時從不曾有道義勇氣講出來”。[3] 8 月 7 日，吳國楨答復胡適，承認胡適對自己的批評，他說：“我很悔恨在過去有若干次為了遷就別的影響，未能顧及道德的考慮。那就是為什麼我現在決定將唯道德的考慮是從，而不顧其他理由。假如我在過去曾有錯誤，那是因為我懦弱，而我今後定將不再懦弱。”[4]

8 月 16 日，胡適在美國《新領袖》雜誌發表《台灣自由如何》一文，引用一位旅台三年的美國人士的言論，認為台灣已經有了“多少代以來中國最好的政府——最自由、最有效率，並且最廉潔”，但是，胡適畢竟無法否認國民黨當局鎮壓人民的許多事實，他承認，“在 1949 到 1951 年期間，還說不到法律與民主的統治，當時正是對共軍進攻與滲透及通貨膨脹危險的戒懼達於極點的

1 《顧維鈞回憶錄》第 11 冊，第 146 頁。
2 《顧維鈞大使致葉部長函》，1954 年 5 月 12 日，《“外交部”檔案》，台北“中央研究院”近代史研究所藏，411.1/0047。
3 《顧維鈞大使致葉部長函》，1954 年 5 月 12 日，《“外交部”檔案》，台北“中央研究院”近代史研究所藏，411.1/0047。
4 《吳國楨答胡適》，“吳國楨案”，《“總統府”檔案》，台北“國史館”藏，011-100400-0016-122。

時期，只在過去三年間，特別顯著的是自 1952 年 6 月以來，方始有了遠比過去任何時期尺度為大的人民自由與法律統治。”[1] 8 月 16 日，吳國楨復函胡適，回憶 1953 年年初以來的三次重要談話，進一步詢問胡適：“我絞盡腦汁也想不出你為什麼寫那樣的文章。你和我持不同立場是完全可以的，你對我的立場批評或責難也完全可以，但是為什麼你提出的事實和你自己告訴我的事實竟前後矛盾呢？”[2] 當年 4 月，胡適在和吳國楨談話時，曾稱有某機關希望胡在無線電廣播中反對吳國楨，遭胡拒絕。現在吳國楨詢問胡適：“是不是那種機關不斷的壓迫使你不得不言？”[3] 對此函，胡適沒有作答。

此後，吳國楨對蔣介石父子的攻擊趨緩。12 月 1 日，吳國楨在美國發表演說，其中居然對台灣當局“無攻擊之語句”，台灣“新聞局”局長立即報告“總統府秘書長”張群，張群立即轉報蔣介石。[4]

十四、雙方罷兵息爭的原因

吳國楨和台灣蔣介石政權之間的論戰趨緩，原因很多。

其一是台灣當局找不到多少吳國楨的“罪行”資料。“國民大會”選舉蔣介石為第二任“總統”後，蔣介石一直忙於命令情報機構收集吳國楨的罪行資料，以便通過法律手段，將吳國楨交付法庭處理，但是一直苦於“人證雖有而物證甚少”[5]。1954 年 4 月 8 日，“行政院”吳案小組開會。陶希聖此前聽說，中共部隊 1949 年進攻上海之際，浙江的陳儀準備起事，曾派任顯群赴滬，聯絡吳國楨，因此主張對任顯群要“打到底”，企圖以之為缺口，尋找吳的政治問題。[6]

1　胡適：How Free is Formosa? The New Leader, Vol.37, No.23, August 16, 1954, pp.16-20。參見“吳國楨案”，《“總統府”檔案》，台北“國史館”藏，011-100400-0016-104-112 頁，並可參見蔡登山編：《吳國楨事件解密》，台北獨立作家 2014 年版，第 77—119 頁。對於胡適此文，蔣介石曾在 1954 年 9 月 2 日日記中加以肯定。

2　吳國楨：《答胡適函》，原刊金山《世界日報》英文版，1954 年 8 月 17 日，此據“吳國楨案”，《“總統府”檔案》，台北“國史館”藏，011-100400-014-177。

3　吳國楨：《答胡適函》，“吳國楨案”，《“總統府”檔案》，台北“國史館”藏，011-100400-0014-177。

4　“行政院”新聞局：《函送參考資料請轉呈鈞閱由》，“吳國楨案”，《“總統府”檔案》，台北“國史館”藏，011-100400-0016-174-185 頁。

5　《蔣介石日記》（手稿本），1954 年 3 月 20 日。

6　《陶希聖日記》，1954 年 3 月 16 日、4 月 8 日，第 831、840 頁。

4月9日，陶希聖密呈蔣介石，建議對吳國楨和任顯群，"要於慎重漸進之中抱下煞手之決心"，"不可束手以待吳之煞手"。[1] 當日，蔣介石召見謝冠生、林彬、黃少谷等人，研究處理吳國楨方案，認為"準備仍未充足，尚須搜尋有力證據"，決定暫不起訴，積極準備，待機再動。[2] 5月3日，蔣介石指示陶希聖，吳案不可放鬆，但目前不必起訴。[3] 9月12日，國民黨中央籌備成立中央宣傳指導小組，陶希聖密呈蔣介石，不參加小組，"專打吳案"。[4] 不過陶希聖此後也沒有拿出多少像樣的材料來。

其二是部分親台的美國人士的勸說、調解。1954年3月12日，前美國海軍上將柯克在華盛頓與周以德、魏德邁、霍華德、柯爾柏等人聚會，公推柯克到芝加哥郊外吳國楨的住處與吳面談。談話中，柯克批評吳國楨在美國境內批評台灣當局"實所不當"、"不智"，"阻礙美國使東亞恢復自由之力量"。4月1日，柯克致函台灣當局"外交部"部長葉公超，說明吳國楨"異常激動"，"最佳之處理辦法為先平息其激動之情緒"。[5]

其三是駐美"大使"顧維鈞的建議。顧維鈞從1946年起，一直從事對美"外交"。他從維護國民黨的利益出發，認為吳"在外國庇護下公開抨擊政府"，這是"中國人最痛恨的行為"；同時認為台灣面對大陸共產黨人威脅，"必須把一切安全問題放在首位"，"某些行動顯然是保證安全所需的緊急措施"；又認為吳國楨的批評有"誇大事實，歪曲真相"的部分。[6] 因此，他不贊成台灣方反擊吳國楨，希望停止爭論，平息事態，避免擴大化。當時，美國國會中某些民主黨人企圖將吳國楨問題炒大，使之成為與共和黨"競選運動中的一個爭點"。[7] 顧維鈞擔心這種炒作會給國會造成不良印象，影響美援。他在給"外交部"和蔣介石的電報中一再陳述意見。1954年，長期在華盛頓國際貨幣基金任職的

---

1 《陶希聖日記》，1954年4月9日，第840頁。

2 《蔣介石日記》（手稿本），1954年4月9日。《吳國楨傳》下冊514頁載：4月中旬，蔣派吳國楨的舊識劉文島赴美勸吳，台北不再攻擊，吳也停歇。此說待考，姑記於此。

3 《陶希聖日記》，1954年5月3日，第850頁。

4 《陶希聖日記》，1954年9月12日，第902頁。

5 《柯克上將致葉（公超）部長函》，"吳國楨案"，《"總統府"檔案》，台北"國史館"藏，011-100400-0014-088-093。

6 《顧維鈞回憶錄》第11冊，第118、120、121頁。

7 《顧維鈞回憶錄》第11冊，第129頁。

俞國華應召返台，俞是蔣介石的奉化同鄉，曾任蔣的侍從室秘書，和蔣關係密切，顧維鈞委託俞國華向蔣面陳。俞回台後，轉達顧維鈞的口信以及美國人士的態度："都主張保持冷靜，讓事情自行消弭，以免引起美國公眾過分注目，於我不利。"蔣介石最初對吳國楨仍然非常惱怒，在俞國華反復勸說後，才勉強表示："必須暗中進行調查，以便對吳做好準備，必要時用以對吳進行反擊。"[1] 既然只是"做好準備"，對吳國楨的公開討伐和譴責自然暫停。

1954 年 3 月，吳國楨曾向美國報界宣佈，他將有 12 篇給蔣介石的信函，"每篇將舉新事實相詰辯，務使政府窮於應付"，但是，他只寫到了第 5 篇，並沒有繼續寫下去。[2]

附記：本文寫作中，承美國胡佛檔案館林孝庭教授自哈佛大學圖書館攝影寄送吳國楨在《展望》雜誌上所發表的文章，謹致謝忱。

---

1 《顧維鈞回憶錄》第 11 冊，第 146 頁。

2 《芝加哥總領館致台北外交部》，"吳國楨案"，《"總統府"檔案》，台北"國史館"藏，011-100400-0014-080。

孫立人對蔣政權的不滿及其「兵變」冤案*

* 本文錄自《找尋真實的蔣介石：蔣介石日記解讀》(4)，東方出版社 2018 年版。

孫立人是抗日名將。在中國遠征軍的入緬戰役中建有卓越功勳。1949年6月，蔣介石為準備遷台，任命孫立人為陸軍副司令長官，兼陸軍訓練司令官。蔣介石特別關照已經擔任台灣省主席和台灣警備司令的陳誠，“信任之”。[1] 同月底，孫立人到台灣南部的鳳山，主持新軍訓練。8月30日，蔣介石正式任命孫立人為台灣防衛司令。1950年1月，孫立人升為陸軍二級上將。3月17日，蔣又任命其為“陸軍總司令”兼“保安總司令”。可以說，蔣介石對孫立人給予了很大信任，幾乎將台灣和國民黨的命運交給了他。但是，蔣介石很快就對孫立人懷疑、不滿，擔心其為美國人利用，發動兵變，於是毅然削去其軍權，逮捕其部屬多人，又繼而宣稱孫立人為“匪諜”所利用，其幕後策劃者則由美國中央情報局變化為中共，結果，孫立人的部屬多人判刑，孫本人被軟禁多年。在這一冤案的發展過程中，蔣介石作用關鍵，是主角。

關於孫立人案，研究已多。李敖編《孫案研究》等書彙集了若干文獻資料；朱浤源教授多年來孜孜不倦進行口述調查，其《孫立人上將專案追蹤訪談錄》保存了許多當事人的記憶；沈克勤的《孫立人傳》是迄今為止最為詳贍的傳記。但是，已有的成果大都局限於事件的敘述和政治上的分析，很少有人能令人信服地說明蔣介石的主角作用及其心理變化歷程。這一課題，此前幾乎難以著

1 《蔣介石日記》（手稿本），1949年6月12日。

手，現在，雖然事件的主角之一蔣經國的日記尚未全部開放，彭孟緝的日記已由本人燒掉[1]，但是，由於蔣介石日記的開放，基本條件就具備了。不久前，已有學者開始作此探索，惜非專論，所見資料亦有未廣之處。[2] 2016年3月，台灣“國史館”開放了一批封存已久的孫立人檔案。出於保護私人隱私的理由，部分內容掩蓋而不示人，不過仍為進一步的研究提供了新資料。

本文企圖解決：1. 孫立人和美國的真實關係。2. 蔣介石對孫立人由充分信任而視為“軍閥”、“漢奸”的認識變化。3. 孫立人案由“兵變案”向“匪諜案”的轉變過程。4. 孫立人對蔣介石的真實態度、思想發展軌跡與“苦諫”策略的產生。

一、不斷發生的“匪諜案”使蔣介石誤認為孫立人處於共產黨的包圍中，難堪重任

1949年10月5日，蔣介石日記云：“共匪與俄諜到處活動，而且深入各國，其挑撥我內部，望我自相殘殺之陰謀，思之殊堪驚悸。現復以孫立人為其目標，將行讒間矣。我國政、軍、黨之失敗皆中其毒計，而不自悟所致也。”這裏提到了“共匪”與“俄諜”以孫立人為工作“目標”問題。同日日記：“接妻密函，報告立人事，其全被共諜所利用而不察，如非余之明見，則誤大事矣。”此函今尚未見，當時宋美齡尚在美國訪問，函中所報告的孫立人被“共諜”利用的事實，根據從何而來，難以確指。不過，可以肯定的是，宋美齡這封信引起了蔣介石對孫立人的警惕。自1950年3月開始，發生在孫立人周圍的“匪諜”案件就多了起來。

1. 李朋與黃氏姐妹案。李朋，天津人，畢業於西南聯大歷史系。曾任《中央日報》採訪部主任。國民黨從大陸撤退時，改任蘇聯塔斯社記者、台灣省政府新聞處英文秘書等職。據稱為蘇聯提供情報，直接向海參崴和赤塔發報。1950年3月18日，李朋被捕，牽連涉及在孫立人身邊工作的黃珏及其妹妹黃

---

1 據彭蔭剛先生面告。

2 馮琳：《試論吳國楨案與孫立人案前後蔣介石之心路》，《近代史研究》，2014年第6期。

正。二黃原係金陵女子大學學生，到台灣後投入孫立人舉辦的女青年大隊受訓。黃玨任“防衛司令部”衛生處處長，黃正經孫立人夫人安排，任孫立人英文秘書。李朋事發，蔣經國、彭孟緝以保安司令部的名義行文並電話通知孫立人，要求黃氏姐妹前來接受問話。孫立人不認為二人有問題，而且認為部下有軍法處，應在本部軍法處先審，真有問題，再送保安司令部，方合程序。[1] 3月21日，黃玨及其妹妹黃正被捕。22日，蔣經國在與蔣介石同車途中告狀，蔣當日日記中即有“聞孫立人包庇共匪女諜，不肯遵令解繳”的記載。4月17日，蔣介石審閱案卷，認為黃氏姐妹“其與孫立人之關係深切可駭，立示其逮捕，王（黃）女實有重大嫌疑也”。[2] 8月12日，李朋與汪聲和等4人被判處死刑，黃氏姐妹等5人以“因過失泄露職務上所知悉之軍事機密消息”罪，被判10年徒刑。[3]

2. 周芝雨案。6月20日，台灣當局保安司令部破獲所謂新台公司間諜案。21日，副司令彭孟緝與總政治部主任蔣經國向蔣介石報告，其內容：一為孫立人的“陸軍總部”軍法處處長周芝雨與裝甲旅辦公室主任合作，將國民黨軍自舟山、海南撤退以後的軍事新部署提交中共地下工作人員。二為台灣糖業總經理沈鎮南計劃使用所屬鐵道、機車，配合中共部隊登陸。周芝雨畢業於東吳大學及北平大學法律系，曾在國民黨第27軍范漢傑屬下任軍法處長、政工處長。到台灣後，經人推薦，在孫立人的“陸軍總部”軍法處任少將級處長，是所謂“一級主管”。1950年6月26日，蔣介石與孫立人談話，嚴厲批評其“陽奉陰違及招奸泄機各種不法行動”，聲稱“如其不改，則不用他”，“姑視其果否悔改耳”[4]。7月1日，周芝雨被捕。7月7日，蔣介石日記云：“最近孫立人部又有匪諜重案之發現，此人夜郎自大，粗淺糊塗，不知如何結果矣，應加注意。”[5]其中所言“匪諜重案”當即周芝雨案。孫立人應周妻之請向蔣介石申訴，但蔣

1 朱浤源主編：《孫立人上將專案追蹤訪談錄》，台北學生書局2012年版，第519頁。
2 《蔣介石日記》（手稿本），1950年4月17日。
3 朱浤源主編：《孫立人上將專案追蹤訪談錄》，第503頁。
4 《蔣介石日記》（手稿本），1950年6月26日。
5 《蔣介石日記》（手稿本），1950年7月7日。

根本“不讓孫解釋”。[1] 周原判徒刑 20 年，經蔣介石親批，處死刑。當年 11 月 23 日，周芝雨和陸效文等其他 5 人一起被槍決。此案當時被稱為“朱毛匪黨中央政治局潛台地工組織案”。

3. 李鴻案。1948 年 10 月 18 日，長春國民黨軍第六十軍軍長曾澤生起義，同時駐守長春的新七軍軍長李鴻及其部屬陳鳴人師長、彭克立副師長、曾長雲團長等被送入哈爾濱“解放團”學習，1949 年 5 月 26 日釋放。消息為先期到台的原新七軍軍官潘德輝得知，報請孫立人，轉報蔣介石同意，派人持孫的親筆函潛入大陸，勸說李鴻等回台，繼續為國民黨效力。1950 年 5 月，李鴻等秘密到達台灣，向蔣報到，蔣曾擬任命李鴻為軍官學校校長或新組建的“成功軍”軍長。7 月 28 日，蔣介石主持情報會談。蔣經國、彭孟緝報告稱，當年 1 月下旬，李鴻曾在北京會見中共中央社會部部長李克農，李要求李鴻到台後，策反孫立人，配合解放軍進攻台灣。[2] 蔣介石日記云：“李鴻、彭克立、陳鳴人果受共匪之指使而來包圍孫立人，以備回應共匪攻台也。孫之糊塗極矣。”[3] 同月 30 日，李鴻等以“匪諜”罪被捕，自此，囚禁 25 年。[4] 同年 9 月 8 日，蔣介石召集情報會談，日記云：“立人豈其明知李鴻等為匪諜而故意庇縱手下？”[5] 1951 年 1 月 26 日，蔣介石審閱李鴻案卷，認為孫立人委派陳鳴人擔任“陸軍總司令部”營務處處長，明知其為“匪諜”而仍重用其為心腹，既覺得孫“可痛”，又認為孫“冥頑自大”，“荒謬已極”。[6]

4. 羅又倫事件。羅又倫，一作羅友倫。原遠征軍第五軍參謀長。1950 年 8 月，蔣介石成立鳳山軍官校，企圖以之作為黃埔軍校的延續，羅為校長。同年 10 月 20 日，羅的勤務兵因向衛兵毛雨青借錢未遂，誣告毛企圖“用手榴彈炸校長”，毒打之後，牽連而及教官吳義方。21 日，蔣經國向蔣介石報告該案，

1 周固猷（周芝雨之子）:《面謁孫立人先生有感》（中），洛杉磯《國際日報》，1988 年 10 月 17 日。1981 年、1982 年，周固猷曾兩度到北京中共中央統戰部，要求提供其父的資料，統戰部負責人明確回答，不是他們派到台灣潛伏的地下工作人員。見《枉入生死簿，冤死馬場町》，《中報》（洛杉磯版），1988 年 4 月 22 日。以上剪報，承李樹金先生賜贈，謹此致謝。

2 《郭廷亮等陰謀叛亂案偵查報告書》，台北“國史館”藏，011-100200-0011-023。

3 《蔣介石日記》（手稿本），1950 年 7 月 28 日。

4 朱浤源主編：《孫立人上將專案追蹤訪談錄》，台北學生書局 2012 年版，第 488 頁。

5 《蔣介石日記》（手稿本），1950 年 9 月 8 日。

6 《蔣介石日記》（手稿本），1951 年 1 月 26 日。

成為謀刺校長事件。鳳山軍官學校的前身是孫立人所辦的第四軍官訓練班。蔣介石日記云："其內容複雜，立人糊塗，毫無政治腦筋，更無革命精神與志氣，奈何！"

在此前後，蔣介石舉行第四次聯合軍事演習，到屏東、宜蘭、北投、桃園、湖口、台南、台中等地檢閱部隊，對孫立人的"不精誠"頗為失望。[1] 11 月 4 日，蔣介石到高雄，與羅又倫校長談軍校整肅等事。次日，到校召集官生訓話，自認為是"冒險之舉"，可見當時蔣介石膽戰心驚的狀況。1951 年 1 月底，奉蔣介石諭：吳義方、毛雨青無罪釋放。[2]

5. 段澐案。段澐，字湘泉，湖南衡陽人，黃埔軍校第 5 期畢業生。歷任第 95 師師長、第 87 軍中將軍長等職，為程潛女婿。驍勇善戰。抗戰勝利時曾赴越南，接受日軍投降。國民黨遷台後，任台灣防衛總司令部副總司令，為孫立人副手。1950 年中共派其堂兄段徽楷、妹夫謝小球赴台，遊說段澐在解放軍攻台時內應。段澐 1952 年 8 月被捕，1954 年 2 月 3 日被害。

這一時期，台灣不斷發生"匪諜"案件，以致"匪諜就在你身邊"成為流行語。蔣介石自稱："甚覺共諜案之層出不窮。"[3] 當事人黃玨說："50 年代的台灣，幾乎變成一個恐怖的世界（即國人所稱白色恐怖時代），蒙不白之冤、坐牢的、喪命的比比皆是。"[4] 這些案件大部分虛構不真，少數案件確實與中共的地下活動有關，例如著名的吳石案，但是，大多數案件或由於神經過敏，或由於邀功請賞，刑求而來，並無過硬的可靠證據。

發生在孫立人周圍的上述"匪諜"案，其情況與台灣當時的其他"匪諜"案件總體類似。例如黃玨、黃正姐妹本是天真無邪的少女，和中共毫無關係，卻莫名其妙地牽連入案。這些案件動搖了蔣介石對孫立人的信任，使蔣感到孫立人糊塗，立場曖昧，其司令部複雜、混亂，已為"共諜"利用，或被"暗中操縱"，不能予以重任。例如，周芝雨案發時，正值朝鮮戰爭爆發，蔣介石最初企圖出兵援助韓國。6 月 30 日，蔣介石與"參謀總長"周至柔、"副參謀總長"

---

1 《上星期反省錄》，《蔣介石日記》（手稿本），1950 年 10 月 21 日。

2 揭鈞：《孫立人將軍側記：小兵之父》，台北躍升文化事業有限公司 1991 年版，第 210—211 頁。

3 《蔣介石日記》（手稿本），1950 年 6 月 1 日。

4 朱浤源主編：《孫立人上將專案追蹤訪談錄》，台北學生書局 2012 年版，第 505 頁。

郭寄嶠開會討論，孫立人自告奮勇，躍躍欲試，企圖領兵入朝。照理說，孫立人久歷戎行，有豐富的國外作戰經驗和實績，是可用人選，但蔣介石卻幾乎未加思考就加以否定。其日記云："惜其精神品格與思想，皆令人可慮耳。"又曾對人稱："立人司令部之紛亂可慮也。"[1]

二、蔣介石不願任命孫立人為"反攻總司令"，孫一再辭職，表示不滿

孫立人愛國，抗戰有功，但堅決反共。朝鮮戰爭爆發，孫立人企圖乘機進攻大陸沿海。他向蔣介石建議，兵分三路，由沿海反攻。也曾找美國駐台"使節"蘭金，討論台灣軍隊在華南沿海登陸，配合朝鮮戰爭。孫稱，四個月之內即可準備足夠的部隊，開赴戰場。[2]

此時，由於蔣介石對孫立人的信任已經動搖，不願付以大權。孫立人感到了蔣介石的這種心理，以辭職相抗。1951 年 1 月，孫立人口頭向蔣介石提出，辭去"陸軍總司令"一職。同月 15 日，蔣介石與孫立人談話，進行批評和慰勉。日記云："明告其去年環境如不能照余命令改變，則其可喪身亡國而有餘。今既已徹底遵命改造，則可無顧慮，乃可安心盡職，不必疑慮，此實為去年救國工作中已成為惟一成敗之問題，幸賴天佑，卒能如計完成，公與私皆能轉危為安也。"[3] 不過，這次談話並沒有取得效果。1 月 21 日，孫立人再次強烈地要求辭職。當時，蔣介石在台北召開軍事會議，孫立人在屏東居住七日，不來參加，以此"表示消極"。同月 25 日，蔣介石日記云："孫立人行態似有憤憤不平之心，並以辭職相脅，其意必欲獲得反攻大陸全國之指揮權，無奈太不自量，僅藉美國之感情保護，而不知其本人之才德如何。惡乎可！應加以勸誡與善導之，未知能有效否？"[4] 直到 1 月 27 日，孫立人才"自動歸來"，參加會議。

1 《蔣介石日記》(手稿本)，1950 年 6 月 30 日。
2 朱浤源主編：《孫立人上將專案追蹤訪談錄》，台北學生書局 2012 年版，第 81 頁。許逖著：《百戰軍魂孫立人將軍》(下)，台北懋聯文化基金版 1993 年，第 172 頁。
3 《蔣介石日記》(手稿本)，1951 年 1 月 15 日。
4 《蔣介石日記》(手稿本)，1951 年 1 月 25 日。

1月29日，蔣介石在日記中記下了他對孫立人的"應指正各點"：

1. 他的才品聲望皆不能作反攻總司令。
2. 他不能視余在台改革為大陸作風，等於侮辱領袖與全體將領。
3. 他不能對外國人有怨言，等於告洋狀之言行。
4. 如其過去行態，若有常識之部下對之是否能再尊重其人格與聽命？

這四點反映出，蔣介石已經感到，孫立人對自己不恭，因此極為憤懣，同時蔣認為孫愛在外國人面前發牢騷，"告洋狀"，"才品聲望"都不理想，既不能成為軍事領袖，也難以馭下服眾。1月30日，蔣介石與萬耀煌談孫立人，居然大發脾氣，事後反省，在日記中寫下"戒之"二字。[1]

事後，蔣介石繼續思考訓導孫立人的辦法。其2月4日日記云："立人之無行不學，幾無東方軍人之品格，如何可使之改過成功，甚為憂慮。"他問自己："與其直接之責備教訓，反不如間接之規勸與警告，或易為力乎？"[2]

1952年，蔣介石建立軍事首長任期制，每屆二年。11月16日，蔣介石聽說孫立人再次要求辭職，非常失望，日記云："此人既不能令，又不受命，太不自知，毫無自反自重之品性。"[3] 12月26日，孫立人正式提出辭呈。蔣介石認為這是由於孫"不滿於最近建立制度，限制其許可權"，在日記中寫道："此乃往昔軍閥之所為，應予斥責。"[4]將孫立人和"軍閥"類比，在蔣介石這還是第一次。

三、美國人企圖利用孫立人搞政變

除了孫立人周圍不斷發生的"共諜"案外，美國人和台獨份子企圖利用孫立人發動政變，這也引起蔣介石對孫的警惕。

早在蔣介石敗退台灣之前，美國就有人看中孫立人。1949年年初，駐日盟

---

1 《蔣介石日記》（手稿本），1951年1月30日。
2 《蔣介石日記》（手稿本），1951年2月4日。
3 《蔣介石日記》（手稿本），1952年11月16日。
4 《蔣介石日記》（手稿本），1952年12月26日。

軍最高總司令麥克阿瑟邀請孫立人訪日。2 月 10 日，孫立人經過時在澎湖的蔣介石的核准，攜帶陳誠函件，到達日本東京，和麥克阿瑟會談。孫立人建議將台灣設為"自由省"。3 月 5 日，孫立人致函麥克阿瑟云："我國局勢異常險惡，惟非毫無指望。其解決之首要條件，在於坦承過去錯誤，並即刻行動以矯之。換言之，我們最迫切要務，其為對處理軍事，甚至政治事務，在心理上與方式上的重大變革。"[1] 不過，局勢並未按照孫立人的希望發展。同年 5 月，孫立人的指揮權受到陳誠及其親信的干擾，孫立人向美國駐台北"總領事"艾嘉表達了"不滿"，主張"軍民分治"，認為台灣將與中國大陸一樣，因內訌、缺乏組織而淪陷。[2] 同月 18 日，孫立人再次致函麥克阿瑟，聲稱"去信以來，中國情況急劇惡化，紅軍業已越過長江"，時機已經成熟，要求美國"嚴肅考慮"自己東京之行時提出的"自由省"理念。[3] 關於"自由省"，孫立人沒有清晰、具體的說明，但既名為"省"，顯然，它是中國領土的一部分。孫立人所要求的是"對處理軍事，甚至政治事務，在心理上與方式上的重大變革"，這和美國企圖霸佔台灣，或將台灣交聯合國託管迥然不同。

1949 年 3 月，美國駐華大使館參贊莫成德（Livingston N. Merchant）向國務卿艾奇遜報告："我們所要的是一個能力強、做事踏實的人。""專為台灣謀福利。""孫立人的經驗也許不足，但其他條件都甚合適。"[4] 3 月，美國駐香港副領事謝偉思（John S. Service）和美國駐廣州代辦企圖安排台獨份子廖文毅與孫立人的下屬見面，有所謀劃。5 月，莫成德回美，向艾奇遜提出，由孫立人主持台灣政局，美國長期租借台灣和澎湖的海空軍基地。[5] 6 月，美國又曾制訂佔領台灣計劃，"結合島內孫立人，希望他可以提出變通方法，聲稱他傾向台灣人的主張，而參與這次新佔領"。[6]

---

1 《孫立人致麥克阿瑟函》，沈克勤文件，第 1 盒，美國斯坦福大學胡佛檔案館藏。

2 《駐台北領事（艾嘉）致國務卿電報》（1949 年 5 月 18 日），台北《新新聞》第 515 期，1988 年 3 月 28 日—4 月 3 日。另見《美國國務院機密檔案中對"孫案"的記載》，《中國軍魂》，台北學生書局 1992 年版，第 34 頁。

3 《孫立人致麥克阿瑟函》，沈克勤文件，第 1 盒。

4 《CIA 檔案中的孫立人》，台北《新新聞》，1994 年 2 月 6 日—2 月 19 日，第 19 頁。

5 美國國安會文件，NSC37-5，1949 年 3 月 1 日。

6 《關於對台灣及澎湖可能行動方案的評定 —— 極機密》（1949 年 6 月 23 日）；《美國國務院對台灣及澎湖政策方案 —— 極機密》（1949 年 7 月 6 日），轉引自陳正茂：《戰後台獨運動先驅 —— 廖文毅與"台灣再解放聯盟"初探》，《台北城市大學學報》第 35 期，2012 年 5 月。

1950年1月5日，美國總統杜魯門宣佈袖手旁觀，除經濟外，不再向台灣提供軍事援助。12日，艾奇遜宣佈，台灣和韓國不在美國的防衛區域之內。同月，台獨組織"台灣再解放聯盟"的代表楊肇嘉訪問美國駐台北"總領事館"代辦，提出成立台灣臨時政府，孫立人代表台灣人發動兵變，建立台灣軍，接收"中央政府"等計劃，美國人對此曾感興趣。[1] 此後，美國國務院部分決策人士即提出計劃，策劃政變，以孫立人取代蔣介石，成為台灣地區領導人。[2]

同年2月20日，美國國務院中國科擬訂《台灣政變草案》，建議以孫立人為政變指揮官，推倒蔣介石，將其軟禁或放逐。[3] 5月25日，美國助理國務卿魯斯克（Rusk Dean）在五角大樓與助理國防部長彭斯少將（James Burns）、軍援局長萊姆尼茲（Lemnitzer）集議，討論軍援台灣以及秘密支援台灣反對勢力問題。魯斯克提出，迫使蔣介石退休，將權力交給吳國楨和孫立人。5月30日，魯斯克、國務院政策規劃局局長尼茲（Paul Nitze）、美國巡迴"大使"吉賽普（Phillip Jessup）再次討論台灣局勢，要求蔣介石將台灣交聯合國託管。會後，在呈給艾奇遜的簡報中建議，告知蔣介石，囑其離開台灣，將權力交給孫立人。[4]

6月19日，美國國務院召開對台政策會議，認為：1. 如美國要防衛台灣，則蔣介石及其黨羽必須離開台灣，將民事與軍事交由美國所指定的中國人（即大陸人）和台灣人領袖。2. 上述步驟完成後，美國海軍將駐防台灣水域，以避免中共攻台或台灣反攻大陸。3. 如蔣介石抵制上述計劃，美國應派出密使，以最嚴密的方式通知孫立人，如果他願意發動政變，以軍事控制全島，則美國政府將提供必要的軍事援助和建議。[5] 據說，美國國務院擬定了在台灣發動政變的日子：6月的最後一個週末，即6月24日，或25日。[6] 然而，就在此際，朝鮮戰

1 《台北美國總領事館代辦史壯致國務院電報》，1950年1月13日，794A. 00/1-1350，轉引自陳正茂文：《戰後台獨運動先驅——廖文毅與"台灣再解放聯盟"初探》，《台北城市大學學報》第35期，2012年5月。

2 林孝庭：《台海冷戰解密檔案》，三聯書店（香港）有限公司2015年版，第69頁；State Department memorandum, Subject: Support of China Mainland Resistance and Use of Nationalist Forces Formosa, top secret, January 24, 1951, in ROCA, reel 23.

3 《CIA檔案中的孫立人》，台北《新新聞》，2月6日—2月19日，第22頁。

4 林博文著：《1949，石破天驚的一年》，台北時報文化出版社2009年版，第139頁。

5 OCA, Box17, 18, NARA; Cumings（康明思）, *Origins of the Korean War*, Princeton: Princeton Univ. Press, 1990, p.508.

6 屈山河（林博文）：《美國一度想在台灣搞政變》，台北《新新聞》，1994年2月6日—2月19日。

爭爆發，美國政府迅速改變原來的棄蔣政策，改取支持、保護態度。

上述資料均為美國官員對美國政府的彙報，它們充分顯示出，1949 年至 1950 年的一段時期，美國確曾多次企圖在台灣發動政變，以孫代蔣。對於美國人這些企圖，孫立人或不加理睬，或不肯明確表態。1949 年 2 月初，美國駐華大使館武官梅傑．布雷迪（Major Brady）到台灣鳳山密會孫立人，密談三天，每天約兩小時，離去時對接待的翻譯于漢經說：孫“是我們最後的一星希望，但他堅持忠於國家，不做歷史的罪人”。于漢經將其臨別留言告訴孫立人，孫稱：“他們思想簡單，異想天開，過分天真，不懂我們國情。”[1] 同年 12 月，“美國駐台使館代辦”史特朗（Rober Strong）和“美前駐台北總領事”克倫茲（Kenneth Krentz）到台北，當面告訴孫立人“如果他同意控制”國民政府，美國“將會徹底支持”他，孫立人拒絕了克倫茲的遊說。[2]

當然，美國也有部分檔案顯示，1950 年 3 月至 6 月初的短暫時期，孫立人曾向美國人表達過對蔣介石和國民黨人的強烈不滿，一度有過反蔣念頭，並曾試探過美國人的態度。不過，這一時期，蔣介石剛剛“復職”，正高度信任、重用孫立人，而且這些資料均出自美國單方面，各有許多疑點，其可靠性難以確認。

1. 1950 年 2 月底或 3 月初，孫立人曾向“美國經濟合作總署駐台辦事處主任”克雷格（L.F.Craig）吐露，他和自由派團體相信，反動的國民黨政府正在糟蹋台灣，並讓共產黨有機會佔領。他和自由派團體將推翻政府以成立一個能夠反映人民意志的政府，掃除腐敗與無能，讓這個政府能夠保衛台灣。孫立人說，“這項計劃的可能性相當大”，想知道美國是否支持他們。[3] 此前，孫立人已和麥克阿瑟建立聯繫，推翻台灣蔣政權這樣的機密要事，何以孫立人不和麥克阿瑟商量，卻透露給一個只管經濟援助的低級美國官員？

2. 1950 年 3 月 20 日，美國中央情報局秘密報告《台灣可能的發展》說：“孫

---

1 朱浤源主編：《孫立人上將專案追蹤訪談錄》，台北學生書局 2012 年版，第 255—256 頁。
2 《康明思訪問史特朗記錄》，轉據沈克勤：《孫立人傳》（下），台北學生書局 2005 年版，第 698 頁。
3 TOPSECRET：(1950)350.3006，NARA(美國國家檔案館.) College Park，Maryland，USA 參見周宏濤：《蔣公與我：見證中華民國關鍵變局》，台北天下遠見出版公司 2003 年版，第 409—410 頁；林博文：《1949，石破天驚的一年》，台北時報文化 2009 年版，第 143—144 頁。

立人正計劃發動政變，俾使蔣介石成為有名無實的領袖，同時並剷除其親信。”[1] 這份資料沒有說明孫立人如何“計劃”，也未說明情報來源，只能看作是美國內部倒蔣派的一種判斷和猜測。

3. 1950 年 4 月 27 日，美國駐台武官巴瑞特（David Barrett）與孫立人接觸。事後，巴瑞特密電國務院，轉述“高級官員”（孫立人）的談話：蔣介石及其黨羽已到了“混亂及絕望”的狀態，建議採取“劇烈的行動以挽回狂瀾”。[2] 這一資料的疑點同樣在於，巴瑞特只是低級武官，孫立人何以會對他談及如此高度機密的問題。

4. 1950 年 5 月 3 日，美國國務院政策規劃局局長尼茲提出極機密報告《台灣局勢的假設性發展》，聲稱孫立人曾提出，準備將台灣擦拭乾淨，掌握台灣全部軍事而不致失去海軍和空軍。[3] 這份文件的重大缺陷在於只陳述孫立人的打算，而未能提出其消息來源。

5. 1950 年 6 月初，魯斯克突然收到孫立人託原海軍上將柯克（Charles M. Cooke）帶來的密信，表示願意領導兵變，除去蔣介石，要求美國支持，至少默許。孫稱：如果掌權，將制止國府的貪污，並在對付共黨方面，較蔣更具彈性。魯斯克為了防止蔣介石得知後會殺掉孫立人，立刻將密信燒掉，並將其內容報告國務卿艾奇遜，艾奇遜答應報告杜魯門總統。[4]

孫立人“密信”一說近年來頗受史家重視。此說最早見於美國學者熊安邦（Thomas J. Schoenbaum）為魯斯克所寫傳記《和平與戰爭的導向》。[5] 該書部分資料出自魯斯克口述，1988 年出版之後，孫立人的義子揭鈞於 1989 年 4 月 25 日寫信向魯斯克詢問究竟，魯斯克於 1989 年 5 月 3 日答稱：“韓戰之前，我是非常間接地收到一個訊息，說孫將軍是想做主政台灣的打算，但由於韓戰的爆

1 Papers of CIA（中情局）, Probable Development in Taiwan, ORE 7-50, 1950 年 3 月 20 日 .

2 OCA, Box 4195, Barrett to State, Originally top secret, April 27, 1950. Bruce Cumings（康明思）, Origins of the Korean War, Princeton: Princeton Univ. Press, 1990, p535.

3 Hypothetical Development of the Formosan Situation，May 3，1950，N ARA，INR Files，Box 4195 doc793.00/5-350。參見林博文著：《1949，石破天驚的一年》，第 143 頁。

4 〔美〕陶涵：《蔣經國傳》，台北時報文化出版公司 2000 年版，第 215 頁；林博文：《1949，石破天驚的一年》，第 139—140 頁。

5 Thomas J. Shoenbaum, *Waging Peace and War*, p.209, New York: Simon and Schuster, 1988.

發，我們覺得這會引起台灣方面的混亂，因而不鼓勵這種想法的進行。”[1] 1990 年 9 月，《美洲時報週刊》記者杜念中訪問魯斯克，魯斯克重申對熊安邦所述內容。[2] 杜念中的訪問記發表後，揭鈞再次向魯斯克詢問，魯斯克於 9 月 12 日親筆簽名寫信答稱：“關於韓戰前不久，接到據稱是來自孫立人將軍的資，本人不願再做任何評論。我不能證實該消息的確出於孫立人將軍，甚至該消息如何傳來，都無法憶起。”又稱：“孫立人將軍是一位很傑出的將領，近來新聞界的謠言，將無法損害他的名譽，我個人對他的軍事才能非常敬佩，而且對他在第二次世界大戰期間在緬甸為盟軍所立的戰功，甚為感激。”[3]

魯斯克所述，不僅前後不一，而且孫的“密信”是提供艾奇遜、杜魯門做出決策的依據，如何可以輕率“燒掉”？孫立人的反共情緒和蔣介石同樣強烈，何以會準備提出“較蔣更具彈性”的對共政策？有何必要在爭取美國支持時談及此點？此外，柯克上將 1952 年 2 月到台灣後，即堅定地支持蔣介石政權。何以他不久即會為孫立人傳送反蔣密信。這些，都難以合理解釋。

綜合以上種種分析，1950 年 2 月至 6 月初，孫立人是否有過反蔣動念，只能存疑，有待藏於胡佛檔案館尚未完全開放的柯克文件和美國其他新文件的發現。

四、蔣介石對美國人和孫立人都保持警惕

美國人企圖以孫代蔣的種種情況，蔣介石不會都很清楚，但必然陸續有所耳聞。1950 年 1 月初，蔣介石曾當面詢問孫立人計劃發動兵變是否屬實，孫稱是“共產黨製造的”，蔣當時相信了孫的自辯。[4] 後來，還曾有人向蔣提供情報，說孫立人幾度派人到蔣介石的草山官邸附近勘察地形，蔣在報告上批示：“查明

---

1 揭鈞：《小兵之父——孫立人將軍側記》，台北躍升文化事業有限公司 1991 年版，第 129 頁。

2 《中國時報週刊》，1990 年 9 月 1 日至 7 日，第 8—11 頁。參見陶涵：《蔣經國傳》，華文出版社 2016 年版，第 223 頁。

3 《小兵之父》，第 133 頁；參見《孫立人當年同意兵變之說，魯斯克表示並無證據》，台北《中央日報》，1990 年 9 月 28 日第 2 版。據報導，台灣財團法人立新社曾在 9 月 27 日公開展示魯斯克此函。

4 TOPSECRET：(1950) 350.3006。參見周宏濤口述，汪士淳撰寫：《蔣公與我：見證中華民國關鍵變局》，台北天下遠見出版公司 2003 年版，第 402、403、405、407—410 頁。

目的。”這些地方，說明蔣介石對孫立人懷疑，並不放心。1950 年 6 月 6 日，蔣介石的親信董顯光訪美，與杜勒斯見面，杜勒斯表示，如果蔣介石“謙遜一點”，台灣還有可能有救。董顯光和顧維鈞推測，杜勒斯的意思是，以蔣介石下台為條件，美國才負責保衛台灣。[1] 這些情況，自然會很快傳到蔣介石耳中。

朝鮮戰爭爆發後，杜魯門於 6 月 27 日下令第七艦隊協防台灣。7 月 27 日，批准向台灣贈送部分軍事物資。28 日，派蘭金為駐台“公使銜”代辦。同月 31 日，麥克阿瑟率領美軍代表團訪問台灣，與蔣介石會談，商討共同防守台灣。8 月 5 日，麥克阿瑟的參謀長福克斯（Alonzo P.Fox）率領由約 40 名軍官組成的軍事調查團抵達台灣。兩個月後，調查團向美國政府提出援台方案。11 月 23 日，首批緊急援助 4700 噸彈藥運抵台灣。1951 年 2 月 9 日，台灣與美國簽訂《中美共同互助協定》。

美國外交官員和軍事顧問們陸續抵台，加強了和國民黨在台將領之間的聯繫。1951 年 3 月 9 日，蔣介石日記云：“最痛心者為將領無常識，不唯希冀挾外自重，而且密告內部之事，原其心跡，乃為討好外國，而其影響則無異詆毀政府，誣陷上官，其害所至，將致賣國亡身而有餘。毛邦初與孫立人之無識至此，可痛。”[2] 從這則日記看，當時，美國人員著手調查國民黨敗退台灣以後的狀況，國民黨將領中也有人向美方提供訊息，所謂“密告內部之事”，指此。蔣介石對這種情況很反感，批評其為“挾外自重”、“討好外國”，認為其發展將“賣國亡身”，既損害國民黨在台灣的統治，也毀了自己。日記中提到的毛邦初原為蔣介石原配妻子毛夫人的姪子，任國民政府空軍副總司令，專司空軍在美採購業務。1950 年因與“空軍總司令”周至柔交惡，向美國參議員諾蘭透露空軍在美採購的弊端，蔣介石下令撤銷毛在美國主持的空軍辦事處，交出所保管的款項。這裏，蔣介石將孫立人與毛邦初相提並論，顯然認為孫有類似的向美國人告狀的行為。1951 年 3 月 30 日，蔣介石在《上星期反省錄》中提醒自己：“孫、毛等勾結外力，要脅上官之防制。”[3] 4 月 21 日，美國國防部任命

---

1 《顧維鈞回憶錄》第 11 冊，第 762 頁。
2 《蔣介石日記》（手稿本），1951 年 3 月 9 日。
3 《上星期反省錄》，《蔣介石日記》（手稿本），1951 年 3 月 10 日。

蔡斯（W.C.Chase）將軍為軍事顧問團團長，首批顧問團成員隨即抵台。4月29日，蔣介石在日記中記下“注意五點”：

> 1. 對立人應否愷切警告，毋依賴，毋驕矜，勿作挾外自重？
>
> 2. 通告各主官不作越分、親外、自賤，以能交接外人自豪，應要自力更生。
>
> 3. 我國傳統習慣最鄙視重外輕內，以夷亂華，而軍人尤應自重。
>
> 4. 惟以精誠待人，本合作互助之精神，不亢不卑，互尊互敬，勿予人以排外傲慢之印象。
>
> 5. 運用顧問而不為顧問所用，要能自身研究，切實學習，先求自身學識、見解予以平等，而後才得見重於人，求得平等也。[1]

以上各點，反映了蔣介石當時既要爭取美援，又不想完全受美國控制，力圖在一定程度上維護主權，保持雙邊關係中的平等地位，不過度喪失尊嚴。5月9日，蔣介石日記又云：“外長對外討好失言，陸長通外要脅，無知致此，憤悶殊甚。”[2] 這裏的“外長”，指葉公超，所稱“陸長”，指孫立人。蔣介石感歎地寫道：“文武高級幹部之無常識，無志氣，以外為內，以敵為友，此種媚外為榮、自卑自賤之習性不能改變，則國亡無日矣！”[3]

蔣介石是民族主義者，和美國有矛盾。後來，中共方面逐漸看到了蔣介石在對美關係中的這些特點，設想加以運用。1959年2月2日，毛澤東曾說：“台灣是蔣介石當‘總統’好？還是胡適好？還是陳誠好？還是蔣介石好？”這層意思，毛澤東在同一講話中又重複過一次，他說：“至於當‘總統’，還是他好。最後，美國可能不要台灣，把他當個毒瘤沾在他們身上，我們將計就計，只要他這個葫蘆掛在我們腰上，總是有辦法的，十年，二十年會起變化。給他飯吃，可以給他一點兵，讓他去搞特務，搞三民主義。”

1 《蔣介石日記》（手稿本），1951年4月29日。
2 《蔣介石日記》（手稿本），1951年5月9日。
3 《蔣介石日記》（手稿本），1951年5月9日。

五、孫立人和美國顧問都反對國民黨軍中的政工制度，蔣介石既嚴厲批孫，又擔心其“不顧一切”

國民黨軍隊的政工制度源於20年代的黃埔建軍。當時採用蘇聯辦法，例如，建立政治部，注重士兵的政治教育。國民黨敗退台灣以後，在原來的一套辦法之外，大力加強特工制度，用以探聽情報，監視、控制軍官和士兵，向以蔣經國為首的總政治部打“小報告”。當時，部隊政工人員密佈，據說，三個人裏邊就有一個“政工戰士”。[1] 一個營四個連，一定要有政工人員出身的當連長。在部隊裏，政工人員有特權，僅以計算年資而論，9個月就算一年。[2] 據陸軍總部中校副組長王善從談：“當年國軍部隊完全都在特務手裏，各級軍事、政工幹部均已換成蔣經國的親信與心腹。部隊裏的官兵，保防組織可以根據己意，區分優秀、忠貞、中間、不良、惡劣等五類份子，分別加以淘汰、禁閉、集中管理等不同處置。”[3] 在這種狀況下，部隊要用三分之二的時間應付政工人員，只有三分之一的時間用於訓練。

孫立人並不籠統地反對部隊的政治工作。相反，他認為政工是“部隊長的一大幫手”。“它對外是安撫百姓，收攬民心，對內是激揚士氣，加強團結，收指臂之效。”他所反對的是“監視部隊行動，與部隊長勢成水火”，如明末之“監軍”、今之“特工”、俄共之“格別烏”、德國納粹之“蓋世太保”。[4] 其中所指今之“特工”，就是國民黨敗退台灣以後蔣經國在軍中所實行的制度。

美國有自己的一套管理、教育軍隊的理念和辦法。蔡斯等抵達台灣後，企圖按照美國模式改造國民黨的軍隊。孫立人於1926年進入美國著名的弗吉尼亞軍事學院，熟悉美國模式。還在1950年12月初，孫立人就曾模仿美國做法，在陸軍總部召開“年終良心擴大會”，讓高級軍官聽取士兵的心底話。他在會上說：“現在社會黑暗，人心不古，不但做事騙人，說話也看人，所以社會動盪不安，就是彼此不能開誠相見，埋沒了良心之故。”[5] 因此，孫部官兵敢於在孫立

1 朱浤源主編：《孫立人上將專案追蹤訪談錄》，台北學生書局2012年版，第645頁。
2 朱浤源主編：《孫立人上將專案追蹤訪談錄》，第658頁。
3 《剖冤案，爭是非》，李敖編：《孫案研究》，台北學生書局1998年版，第295—296頁。
4 《孫立人回憶錄》第4冊（未刊稿），台北“中央研究院”近代史研究所圖書館藏，第562頁。
5 艾思明：《認識孫立人將軍》，台北群倫出版社1987年版《名將孫立人》，第276頁。

人面前袒露思想，說怪話，發牢騷。孫主張軍隊國家化，認為軍隊的任務是對外，打敵人，絕不可成為私家軍，對付自己的同胞。[1] 他在陸軍總部曾批評蔣經國的做法，聲稱"我非常不滿意打小報告的人"。[2] 這樣，在美國軍事顧問、孫立人和蔣介石、蔣經國之間，必然或明或暗，發生矛盾和衝突。蔣介石日記云："晚課，為軍隊政治教育又遭美人干涉，立人不知政治教育之重要。可歎！"這段日記顯示，在對軍隊進行"政治教育"方面，美國軍事顧問和孫立人之間一致，而和蔣介石對立。

美國顧問要求撤銷由蔣經國主管的軍隊中的"政治部"，將軍事全權交給孫立人，蔣介石堅決不肯接受。其1951年9月30日日記云：

> 本月內政、經濟尚稱穩定，六十七師已編定完成，開始美式訓練。美國對台灣控制之進行，日緊一日。對於普通與軍事預算已允其參加編審，仍未饜其所望乎？惟彼將要求撤銷政治部，以軍權全交孫立人之掌握，以供其驅使與徹底控制之一點，乃為我國存亡問題，決不接受，此外余皆可與之開誠協商，以求解決也。[3]

在對美關係上，蔣介石有其底線。他可以允許美國人參加制訂普通和軍事預算，以至做出更大的讓步，但是，將"軍權全交孫立人"，讓美國人"徹底控制"台灣的軍隊，他是不幹的。

1952年，美國顧問團繼續反對台灣軍隊中的政工制度。4月23日，蔣介石與蔣經國談話，得知蔡斯對政治部的執掌"仍多異議"。4月28日，蔡斯想再談，蔣介石居然不聽。[4]

在相當一段時間，孫立人和美國人聯繫密切。[5] 蔣介石對此極為不滿。1953年3月21日，蔣介石預定工作課目，決定"嚴戒孫立人對外人之態度"。[6] 7月7日為國民黨軍隊的陸軍節，孫立人在台北賓館大宴"外客教授與不相干之軍

---

1 朱浤源主編：《孫立人上將專案追蹤訪談錄》，台北學生書局2012年版，第263頁。
2 《英雄氣短遭構陷》，引自李敖編：《孫案研究》，台北學生書局1998年版，第328頁。
3 《本月反省錄》，《蔣介石日記》（手稿本），1951年9月30日。關於美國人要求撤銷政治部的記載，可見於《蔣介石日記》（手稿本），1952年4月23日及4月28日。
4 《蔣介石日記》（手稿本），1952年4月28日。
5 朱浤源主編：《孫立人上將專案追蹤訪談錄》，台北學生書局2012年版，第635頁。
6 《本星期預定工作課目表》，《蔣介石日記》（手稿本），1953年3月21日。

人”。蔣介石得悉，極為憤怒，次日日記稱：“此人荒蕩狂妄，非嚴教切戒不可矣。”當晚，蔣介石心緒不安，十分苦悶，一直在思考如何能使孫立人“就正成人”。[1] 7月11日，蔣介石在《上星期反省錄》中記道：“孫立人在陸軍節狂妄大宴，不知其究何用意，愚極矣。”但是他判斷，此乃孫立人的“無知無識之行動”，決定仍持“忍耐不躁”態度。[2] 至1953年年底，蔣介石認為孫立人並無改正之態，而且變本加厲，他在《本年總反省錄》中自記：“對（美國）顧問團之忍辱負重，自覺修養無失，對吳國楨、孫立人之飛揚跋扈，挾外凌上，亦可謂忍受極矣。”

美國不僅反對國民黨對軍隊的政治工作，而且提出成立“中美聯合作戰中心”，以蔡斯為指揮官，協調美國部隊和台灣地區國民黨軍隊的“共同禦敵”問題。這個“中美聯合作戰中心”，蔣介石日記裏稱之為“聯合司令部”。1954年1月2日，蔣介石接獲蔡斯來函，信中，蔡斯對台灣軍中的政治工作多所指摘。同日，蔣介石確定《本星期預定工作課目》，決定拒絕蔡斯所提“聯合司令部”的意見，同時，“糾正”孫立人的“不法行動”。這以後的一段時期，蔣介石日記中不僅連續出現對孫立人的嚴厲批評，而且也出現對美國軍事顧問團副團長麥唐納的指責。如：

> 1月8日：訓誡麥唐納之要旨：不宜無故指摘，無理取鬧，越俎代庖，損害邦交，違反美國援華政策。
>
> 1月9日：孫立人之傲慢無視態度，於今為烈，因防其惱羞成怒，不顧一切之行動，可慮，當慰勉之。
>
> 《上星期反省錄》：近日終為孫立人與麥唐納驕橫幼稚，與蔡斯來函無理取鬧之言態所困擾。
>
> 1月11日：對孫立人，應單獨警告其最近言行錯亂之事實，令其從速反省，切實改正。對美顧問，警告其勿鼓勵中國軍官違法抗命。

從上述諸日日記看來，蔣介石顯然對孫立人與麥唐納之間的關係強烈不滿，而且擔心孫立人會有“不顧一切之行動”。1月23日，蔣介石親自主持軍

---

1 《蔣介石日記》（手稿本），1953年7月8日。

2 《本月反省錄》，《蔣介石日記》（手稿本），1953年7月31日。

事會議，發表訓詞，雖不點名，但言辭激烈，"徹底揭穿"孫立人與美國顧問之間所謂"勾結、狼狽之不規〔軌〕行為"。他在《上星期反省錄》中自稱："對孫立人一年來卑劣不正之行動，嚴厲指斥（其）不道德與無人格之所為。"23日宴會，孫立人未到，蔣介石忐忑不安："彼或尚有知恥之心乎？抑或惱羞成怒之表示乎？"

蔣介石何以採取如此激烈態度？1月31日，他在《本月預定表》中自我揭示："立人勾結麥唐納，挾外自重，圖保其地位，對軍中黨務與防共組織泄露之於麥，以此為脅制政府之資料，殊為痛心。蔡斯竟來函責難，其勢洶湧。"原來，孫立人向美國顧問泄露了蔣介石和蔣經國在軍中的"黨務與防共組織"的秘密。[1] 這是蔣介石的大忌。

2月12日，蔣介石召見蘭金和蔡斯、麥唐納等，明確表示，政工制度不能改變，同時溫和而不無嚴厲地批評蔡斯來函"無理取鬧"，"使之改正"。[2]

蔣介石反對孫立人與美國軍事顧問建立密切關係，但是，他本人卻積極聘請原日本軍官來台任教，給予尊禮、崇信。

蔣介石長期崇拜日本軍隊及其"武士道"精神，敗退台灣後，聘請原日本軍人白鴻亮為首的教官群，以白為總教官，建立"白團"，以便訓練台灣軍隊，訓練國民黨軍官。對此，孫立人持反對態度。1950年6月4日，蔣介石與孫立人談話，孫認為蔣介石所採取的這種與日本軍人的"合作政策"並"不能強國"，蔣介石認為孫立人的"恐日病"仍然存在。他不願與孫立人談論，只簡單地回了一句："此非其所顧慮之事。"[3] 同月23日，蔣介石親到圓山軍官訓練團，聽白鴻亮演講後自記心得云："甚望能以此機動戰術統一我軍官思想，此為今後剿匪抗俄之基本問題也。"[4] 6月27日，他主持圓山軍官訓練團第一期畢業典禮，認為訓練成效超過預期。他甚至誇讚白鴻亮所講的"武士道"是"世界黑暗中之光明"。

1　《蔣介石日記》（手稿本），1954年1月31日；呂芳上主編：《蔣中正先生年譜長編》第10冊，台北"國史館"2015年版，第296—297頁。

2　《蔣介石日記》（手稿本），1954年2月12日；呂芳上主編：《蔣中正先生年譜長編》第10冊，第298頁。

3　《蔣介石日記》（手稿本），1950年6月4日。

4　《蔣介石日記》（手稿本），1950年6月24日。

蔣介石之所以如此，原因在於日本已是戰敗國，他認為這批日本的來台教官在可控範圍之內，不會對他的統治形成任何挑戰和威脅。

六、孫立人耿直、孤傲，自作主張，擅自邀請艾森豪威爾訪問台灣

蔣介石對孫立人的不滿起始於 1949 年 5 月。當時，湯恩伯的部隊自上海撤退來台，蔣介石命孫把正在訓練用的營房讓出來，孫反對，只肯騰出幾所小學。蔣介石批評孫立人“太自私”，孫聽了“火冒三丈”，認為湯部只是“一大堆殘兵敗將”，自稱一向“對事不對人”，“絕不敢稍存私心”，批評蔣介石：“喜歡聽小話，在大陸上受了這麼大教訓，難道我們還不能覺悟嗎？”並且聲言：“如果共匪再打來，你能往哪裏跑？只能往太平洋裏跳。”[1] 29 日，蔣介石日記云：“彼設詞搪塞，並多說無謂攻訐之語，令人更覺悲傷矣。”

1950 年 6 月，孫立人主持的一項軍事工程未能如期開工，使蔣很反感。同月 30 日，蔣介石在《本月反省錄》中批評孫立人：“荒唐誤事如此，是所不料。”7 月 1 日，蔣介石在日記中寫道：“審閱情報，益覺俄共謀台之急，立人誤事之大。”又稱：“第三期工事本限上月底完成，而至今猶未開始也。立人之不負責與無人格如此。可痛！”[2] 蔣介石不了解，工程拖延的原因在於“國防部”和台灣省政府之間的矛盾，經費沒有落實。[3]

孫立人有鮮明、獨特的個性，首先是耿直、孤傲、自負。根據蔣介石安排，周至柔任“參謀總長”，孫立人任“陸軍總司令”，但是二人之間不能相容，經常吵架。其原因之一在於，當時各軍種薪酬標準不同，空軍比陸軍高兩倍，海軍比陸軍高一倍，孫立人要求三軍一致。[4] 其原因之二在於，美國向孫立

1 《孫立人回憶錄》（未刊稿），台北“中央研究院”近代史研究所圖書館藏第 4 冊，第 82、83 頁。朱浤源主編：《孫立人上將專案追蹤訪談錄》，台北學生書局 2012 年版，第 56 頁。

2 《蔣介石日記》（手稿本），1950 年 7 月 1 日。

3 《台灣軍事講稿》，朱浤源主編：《孫立人言論選集》，台北“中央研究院”近史所史料叢刊 44 卷，第 216—217 頁。

4 《英雄氣短遭構陷》，李敖編：《孫案研究》，台北學生書局 1998 年版，第 326 頁。

人部提供器材，周至柔轉給空軍，卻不通知孫。[1] 1953年年初，蔣介石召集軍事會議，聽取陸、海、空、勤各軍"總司令"報告。在估計中共部隊戰力問題上，孫立人與周至柔相差甚遠。1月22日，蔣介石接見孫立人，嚴厲批評孫不能與周合作。但是，二人間的矛盾始終未能解決。12月2日，蔣介石召集"軍務彙報"，二人"對罵"。下午，蔣介石召見孫立人，詢問孫對周的"侮辱情形"，據蔣介石記載，孫"自覺有愧，乃忸怩言辭，但尚不認錯"，蔣介石便藉機訓斥孫"恃外凌上，乃為我國所認為最卑劣之人格"，並且舉出兩件要務，指明孫的"目中無人、藐視紀律之過犯"，命孫急向周至柔"認錯解釋，以免觸犯軍紀"。據稱孫"乃從命遵辦"。[2]

孫立人對國民黨的其他將領，也常有尖銳的批評。例如批評胡宗南是常敗將軍，彭孟緝不會打仗，軍事演習結束不知如何講評等等。桂永清繼周至柔之後擔任"參謀長"，孫立人不滿地說："好鋼擺在倉庫裏腐爛，廢鐵拿出來當鋼用。"[3] 因之，他雖對蔣介石忠誠，但認為他"不識人"。[4] 加之孫立人個性倔強，不善言辭，不會應酬，不容易接受別人意見，因此，孫立人在台灣的國民黨軍隊中缺少人緣。

最使蔣介石不滿的是，孫立人未經請示，就擅自致電美國新當選而尚未就職的總統、共和黨人艾森豪威爾，邀請其訪問台灣。1945年5月，孫立人曾應艾森豪威爾之邀，赴歐洲訪問盟軍總部，此次應是回請。1952年11月11日，蔣介石聽說此事，認為"此實意想不到"，在日記中批評其："不知為人之道，實不足教矣！"[5] 18日，孫立人當面報告蔣介石，已發出邀請，蔣介石當即斥責其"妄為"，"不知做軍人的道理"，迫使孫立人不得不"承認錯誤"。[6]

---

1 朱浤源主編：《孫立人上將專案追蹤訪談錄》，台北學生書局2012年版，第259頁。
2 《蔣介石日記》（手稿本），1953年12月2日、5日。
3 《英雄氣短遭構陷》，李敖編：《孫案研究》，台北學生書局1998年版，第328—329頁。
4 《虎將投閒種花》，李敖編：《孫立人研究》，台北李敖出版社1988年版，第295頁。
5 《蔣介石日記》（手稿本），1952年11月11日。
6 《蔣介石日記》（手稿本），1952年11月18日。

七、蔣介石削去孫立人的軍權，調任“參軍長”，使其“無權可弄”

按蔣介石的軍隊長官任期制，至1954年4月，孫立人已經連任兩屆“陸軍總長”，不能再任。6月，蔣介石推行“整編陸軍計劃”，感到孫立人“延緩拖牽”，已經不耐。[1]當時，孫立人堅持其指揮權須待6月30日才能交接，其部隊無法整編，蔣介石大不滿意，認為“此乃立人為人之拖延觀望、得過且過之惡習，難怪所部對其毫無信仰也”。[2]為此，蔣介石下令將孫立人的任期延至7月。對於7月以後如何安置，蔣介石感到為難。

孫立人1925年畢業於美國普渡大學土木工程學系。該校擬邀請孫立人於1954年訪問，授予其榮譽博士學位。2月6日，蔣介石日記云：“立人訪美，決以其調職後行之，但其繼任人選，暫不發表，先派員代理，勿使刺激，則其不致在外出醜。”當時，吳國楨已經和蔣介石鬧翻，正向美國輿論界大揭台灣黑幕，蔣介石擔心孫立人成為吳國楨第二，但他又認為，孫立人尚在可與之善與惡之間，決定“盡心而善導之”。

周至柔屆滿，蔣介石揣度，美國人希望孫立人出任“參謀總長”，但這為蔣介石所不願。蔣介石考慮過讓孫擔任“國防部副部長”，反復考慮之後，確定讓孫擔任一個禮儀性的、象徵性的閒職——“總統府參軍長”。[3]4月16日，蔣介石在日記中記述了對孫立人的考量：一方面，孫立人“恃美自驕，已成為有恃無恐，而美副團長且為其保鏢，做有力之後盾，並已為其宣傳，有參謀總長非其不可之勢”。但是，蔣介石認為，蔡（斯）、蘭（金）等態度有改變，“已知其過去行為與態度，認為不當”。另一方面，孫立人“不自知其愚拙，已為共諜間接利用，顯與國防部、政治部為敵，且對余無形中亦加威脅”，“其陸軍部環境與心腹之心理，暗中已受匪諜操縱而不可救藥，非令其完全脫離不可”。

儘管蔣介石決心將孫立人調離關鍵軍事崗位，但是他認為孫立人和已經到

1 《蔣介石日記》（手稿本），1954年6月4日。
2 《蔣介石日記》（手稿本），1954年6月5日；呂芳上主編：《蔣中正先生年譜長編》第10冊，台北“國史館”2015年版，第333頁。
3 《蔣中正致俞大維電》（1954年6月14日），《蔣中正“總統”文物》，台北“國史館”藏，002-010400-00022-052。

了美國的"吳逆"國楨還不一樣，吳"狡横"，孫則"尚有忌憚"，因此，決定兩手：一是"先以精誠告之，冀其覺悟，調就參軍長，隨從學習，勿使自棄"。蔣介石認為，這是"公私兩全"之計。另一手是"依法處理，不能放任"。蔣介石決定，使用法律之前，先將事實告知蔡斯和藍金，爭取主動，不使誤解，"此案萬不能再處被動地位"。

當天的日記中，蔣介石從台灣當局、美國政府、"台美"關係等各方面分析用與不用孫立人的利害，其細緻、深入，以至篇幅都為蔣介石日記所少見。1. 由於受美國人重視和美援關係，孫自認為"參謀總長"非彼不可。但是，其人"拖拉呆滯，好聽細言，私植派系，間接已受共產包圍，環境險惡，對上陽奉陰違，有恃無恐"，"無軍人之人格"。基於以上理由，蔣介石認為"若再用其掌握兵權，則後患難除"。2. 續用之利害。蔣介石認為，續用，其利在：對"美國心理較佳"，"美援不因此受影響"，但也絕不會因此增加；其害在：孫將"其勢更盛，對內影響惡劣，弄權自用，派系更大，必形成尾大不掉之勢"，而其結果是："復國前途不惟無望，而且政府重心亦將動搖，以彼本人為一無腦筋、無思想，而又愚好自用之妄人與軍閥是也。"

想來想去，蔣介石決定將孫立人調任"參軍長"，認為這樣做，一可以使孫"無權可弄，無勢可恃"，在新崗位上，"示以不能恃外勢以維持其地位，使之澈悟以轉移其心理"，二可以利用其在自己身邊的機會，使其學習訓練，或有成全之望。蔣介石估計，孫立人可能"不肯降心相從，不顧一切脫離革命藩籬"，不能不防，但是"與其養癰遺患，將有不可收拾之一日，則不如毅然斷臂早為自立之計"。[1]

同日，蔣介石任命黃埔系的桂永清接替周至柔，出任"參謀總長"，並決定以"非正式"、"間接方法"通知美國使節藍金。6 月 24 日，蔣介石發佈命令，以黃杰為"陸軍總司令"，梁紹序為"海軍總司令"，王叔銘連任"空軍總司令"，孫立人為"總統府參軍長"。7 月 3 日，各機關軍政機關首長、次長宣誓就職。至此，蔣介石覺得他五年以來在台灣的整政、整軍等工作已經得到結

1 《蔣介石日記》(手稿本)，1954 年 6 月 21 日；呂芳上主編：《蔣中正先生年譜長編》第 10 冊，第 338－339 頁。

果，孫立人還在其“軍閥形成”的初期，就“操刀一割，以絕後患”，自覺頗為滿意。[1]

八、傳說中的屏東“兵變”，蔣介石判斷為美國中央情報局搞鬼

孫立人未能升任“參謀總長”，投閒置散，使許多人不平，孫立人的下屬郭廷亮尤甚。

1953 年 2 月，蔣介石即決定著手肅清“陸軍總部”的“匪諜”。[2] 1954 年 1 月 28 日，“國防部”總政治部第四組組長魏毅生向總政治部主任蔣經國呈送孫立人及其左右可疑份子調查報告，列舉孫立人“自我標榜”、“反對政工，不滿組織領導”等情況，建議飭查詳情及其真實企圖，蔣經國批示“如擬”。[3] 據此，總政治部當即展開秘密偵查。同年 5 月 24 日，總政治部再次向蔣經國呈送《對孫立人思想言行的分析與檢討》，認為孫立人“對革命缺乏認識，對黨的觀念薄弱”、“與吳國楨為同路人”、“驕矜自負，不滿現實”、“破壞並打擊政工制度”、“藉外力以自重”。文件提出：孫立人自 1949 年秋，即成立“政治小組”，其成員“想捧孫創獨立局面”；孫本人則以訓練作為“培植封建勢力的搖籃”，“頗有另樹一幟之意圖”。[4] 其綜合評語為：“孤傲自負，絕難忠於領袖，忠於黨國”，是一個“有野心、有企圖的封建思想人物”。1955 年 2 月，陸軍軍官學校少校教官孔惠農向總政治部密報，郭廷亮利用曾任第四軍官訓練班大隊長身份，與畢業軍官聯繫，藉口改善部隊待遇，陰謀叛亂，其幕後主使人為孫立人，並有國際背景，[5] 5 月 24 日，第十軍劉永德少校向左營軍區政戰部主任阮成章密報，其內容稱，5 月下旬或 6 月上旬，郭等擬乘蔣介石到高雄大貝湖檢閱軍隊演習期間，劫持“總統”，逼其發佈命令扣留周至柔、彭孟緝、蔣經國等人，“由孫

---

1 《蔣介石日記》（手稿本），1954 年 6 月 21 日；《蔣中正先生年譜長編》第 10 冊，第 345 頁。

2 《蔣介石日記》（手稿本），1953 年 2 月 12 日。

3 李炳南等 4 人：《監察院調查報告》（第二案，2014 年 7 月），附件之 18《孫郭案 36 年至 45 年底紀事總表》，第 9—10 頁，以下簡稱《監察院調查報告》（第二案）附 18，第 9—10 頁。

4 《監察院調查報告》（第二案），附 18，第 11—13 頁。

5 《監察院調查報告》（第二案），附 18，第 12 頁。

總司令執政，與美國配合，反攻大陸，重建國家”。阮成章認為此情報可靠程度甚大，“為國家安全，我們寧信其有，不信其無”，立即報告蔣經國。[1] 蔣經國立即抽調陸海空等單位保防人員組成專案組前往南部，由毛人鳳負責處理。[2] 5月25日，郭廷亮及其全家，包括4歲的男孩和不到2歲的女兒都被逮捕。

5月27日，蔣介石到新竹基地，主持北部地區軍隊的校閱大典和步兵聯合陣地攻擊演習。同日，陸軍第九軍上尉參謀劉凱英到台北孫公館報告郭廷亮被捕消息。28日，孫立人決定南下屏東，向蔣介石請假，蔣介石不准，要孫30日和自己同機前往。談話中，蔣勸孫“以後少跟政客們來往”，“這次我要把你給孤立起來”。[3]

由於蔣介石不批准孫立人離開，孫即命隨從參謀陳良壎當晚乘汽車南下，將郭廷亮被捕的消息通知多人。[4] 6月1日，劉凱英聞風逃匿。2日晚，劉再訪孫公館。孫立人表示，“如果沒有路費，我可以給你”。[5] 8日，劉凱英被捕。其後，孫立人部屬的被捕面迅速擴大。

郭廷亮，雲南河西人。1940年畢業於稅警總團幹部教練所的高級班，留所任教育班長。當時，孫立人任稅警總團團長，此為二人相識之始。郭廷亮後隨孫立人遠征緬甸，作戰有功，曾獲美軍獎勵的“紫桐勳章”和中國的陸軍甲等勳章。1948年中共第四野戰軍進駐瀋陽，年底，郭廷亮輾轉到達台灣，曾任第四軍官訓練班示範營少校營長。1955年年初，郭廷亮畢業於步兵學校高級班，留校任戰術教官。

1954年6月，孫立人調任“參軍長”職務後，郭廷亮不平，於同年年底聯絡第49師145團訓練官王霖，說明擬在蔣介石出巡閱兵時，向其陳情，要求“政治中立，政工部門不干涉部隊的事”，並稱：“願領頭向總統陳情，即使觸

---

1 原景輝（台南第十軍保防科長）：《參與辦理“孫立人案”之經過》，《傳記文學》，2013年7月號。

2 呂芳上主編：《蔣中正先生年譜長編》第10冊，第463頁。谷文正口述：《白色恐怖秘密檔案》，台北獨家出版社1995年版，第184頁。

3 《孫立人筆記》，轉引自揭鈞：《孫立人將軍側記：小兵之父》，台北躍升文化事業有限公司1991年版，第301—302頁。

4 九人報告，《孫立人自述生平》，台北海外出版社1989年版，第251頁。

5 九人報告，《孫立人自述生平》，第251頁。

怒總統，在所不懼。"[1] 該陳情書遂由王霖起草，郭廷亮修改後，要王再整理。[2] 同時，郭廷亮在軍中發動，擬"聯名力保"孫立人出任"參謀總長"。其人數達百人以上。不幸，在聯絡到"海軍總政戰部"第四科科長袁金貴時，袁向阮成章報告，郭廷亮因而被捕。[3]

5 月 28 日晨，蔣介石得到報告，孫立人前第四軍訓班系統人員，策動在即將舉行的"南部校閱"時控制炮兵，先對閱兵台瞄準，然後向蔣請願，要脅蔣任用孫立人。蔣介石當即認為這是"西安事變的重演"。[4] 同時，蔣介石也得到報告，美國國務院正下令其情報人員，調查孫立人在台灣軍中的"勢力如何"、"擁護者之確息"，蔣介石感到國際環境險惡，外國勾誘力之大，決心徹底肅清"洋奴成性之人"，"不留餘地"。[5]

蔣介石曾經猜測，傳說中的"屏東兵變"是孫立人受到美國長期"暗示"的結果，可能"與美國尚無關係"。[6] 6 月 3 日，蔣介石召見新自美國回台的俞國華，俞向蔣報告：美中央情報局正準備大款，利用台灣內外的反動派，對蔣個人做"誣衊之宣傳，以為其重建傀儡政府之張本"。俞的報告使蔣相信：孫立人的軍訓班在台灣南部的"叛亂計劃"與美國方面的"倒蔣陰謀"之間"顯然有關"。當年 1 月 19 日，美國總統艾森豪威爾在記者招待會上提出，將台灣與中共視為"分開之獨立國家，互相保證安全，以解決台海危機"。[7] 4 月 24 日，美國參謀長聯席會議主席雷德福（Arthur M. Redford）和負責東亞事務的助理國務卿饒伯森（W. S. Robertson）訪台，和蔣介石談判，力主台灣國民黨軍隊自金門、馬祖撤出，海峽停火，以便和大陸隔離，實行"兩個中國"政策。美國的主張遭到蔣介石的堅決拒絕，談判失敗。雷德福和饒伯森二人中，蔣介石對饒

---

1 《孫案小角色自述》，《孫立人案相關人物訪問記錄》，台北"中央研究院"近代史研究所 2010 年版，第 51 頁。

2 朱浤源主編：《孫立人上將專案追蹤訪談錄》，第 634—635 頁。

3 谷文正口述：《白色恐怖秘密檔案》，台北獨家出版社 1995 年版，第 184 頁。

4 《蔣介石日記》（手稿本），1955 年 5 月 28 日；呂芳上主編：《蔣中正先生年譜長編》第 10 冊，第 463 頁。

5 《上星期反省錄》，《蔣介石日記》（手稿本），1955 年 5 月 28 日；《蔣中正先生年譜長編》第 10 冊，第 464 頁。

6 《本月反省錄》，《蔣介石日記》（手稿本），1955 年 4 月 31 日；呂芳上主編：《蔣中正先生年譜長編》第 10 冊，第 465 頁。

7 資中筠、何迪編：《美台關係四十年》，人民出版社 1991 年版，第 286 頁。

伯森的印象尤壞，認為其人“粗淺無恥”，是“流氓之尤”。[1] 雷德福和饒伯森返美後，蔣介石得到情報，美國將“陰謀倒蔣”，“以吳國楨、孫立人、胡適為替代之意中人”。[2] 蔣介石由此判斷，“屏東兵變”是饒伯森對自己拒絕從金、馬撤軍後所採取的“第一步驟”，因而感到“可危之至”。[3]

6月6日，台灣當局在台灣南部新近整修的屏東機場舉行年度大閱兵，蔣介石到場主持，孫立人、蔡斯、美軍卸任上將泰勒，當時台灣國民黨軍隊的幾乎所有高級將領均參加觀禮。這天並未發生事故，保密局所派一百多人在山上守了半天，也未發現異樣，所謂“孫立人兵變，事敗案發”之說則暗中不斷流傳、擴散。事前，有關方面還安排了監視孫立人的專人，並要他留意有政變的可能。[4]

據參加檢閱的當事人說，檢閱前，政工人員從軍、師中調集300名15至20歲的衛生兵，編為檢查小組，蔣經國向他們訓話稱：“現有喪心病狂的高級將領，要趁總統親校時謀刺總統，你們是部隊的忠貞份子，總統的安全要靠大家的保衛。”校閱日，這些衛生隊員每組4人，另加2名憲兵，擔任機場的戰備檢查，居然查出有士兵在背包內裝進稻草，內藏彈藥，被帶上卡車捉走。照道理，這是嚴重問題，然而，被捉走的人談笑自如，毫無懼色。[5] 6月7日，蔣經國向蔣介石報功，聲稱孫立人部奪取彈藥，陰謀暴動，一直到6月4日、5日仍在進行，幸而均被破獲，閱兵方得平安無事云云。[6]

以上情節說明，“事變”的主持者是蔣經國。情報局督察長谷正文認為其實際操縱者則是彭孟緝。他後來說：“對孫立人的全盤鬥爭工作，彭孟緝可謂嘔心瀝血，他一方面妥慎佈置孫立人叛變的背景，一方面四處搜羅、編織孫立人叛變的蛛絲馬跡。”其目的在於“拉下孫立人，逐步掃除他當上‘參謀總長’

---

1 《蔣介石日記》（手稿本），1955年4月27日；呂芳上主編：《蔣中正先生年譜長編》第10冊，第452頁。

2 《本月反省錄》，《蔣介石日記》（手稿本），1955年5月31日；呂芳上主編：《蔣中正先生年譜長編》第10冊，第405頁。

3 《蔣介石日記》（手稿本），1955年6月3日；呂芳上主編：《蔣中正先生年譜長編》第10冊，第487頁。

4 揭鈞：《孫立人將軍側記：小兵之父》，台北躍升文化事業有限公司1991年版，第274頁。

5 《王霖先生訪問記錄》，《孫立人案相關人物訪問記錄》，台北“中央研究院”近代史研究所2010年版，第44頁。

6 《蔣介石日記》（手稿本），1955年6月7日。

的障礙。其手法則是以眾星拱月的方式，讓孫立人無從逃遁”。[1]

6月8日，蔣介石召見步兵學校校長吳文芝與王寓農。他們向蔣報告，“步校為孫部陰謀之發源地，其主動者為少校教官之郭廷亮”。[2] 10日，蔣經國再次向蔣介石報告，“此次陰謀叛變的首要皆已逮捕，而且金門亦有發現，可知陰謀有整個計劃。”[3] 11日，蔣介石在《上星期反省錄》寫道：“年中校閱已如期完成，幸孫系陰謀案及時發現，不為所算，否則，不僅為西安叛亂之續，而且國家之命脈亦將被其斬斷絕矣。感謝上帝脫離我兇險，故世局雖極變幻窘，然此心仍對前途毫不疑懼也。”[4] 6月16日為黃埔軍校建校31週年紀念日，蔣介石派陳誠前往代為主持。這時蔣介石得悉，“孫系謀叛案”仍在繼續發展，其上層人物已一網打盡。

這一時期，蔣介石相信屏東的“陰謀叛亂”案與美國中央情報局有關。6月12日，蔣介石分析，美國因無法達到使自己放棄金門的目的，“認余為其和平之障礙，故其準備對我顛覆之陰謀亦日趨積極”。[5] 6月18日，蔣介石日記云：“美情報局企圖顛覆我陰謀進行未已。”又云：“本週苦痛憂患較多，而以孫案與美有關問題為甚。”在當天所寫《上星期反省錄》中，蔣介石甚至批評到了美國總統艾森豪威爾：“美國幼稚之言行及其對我盟約精神之違反，尤以愛克（指艾森豪威爾）缺少誠意。”[6]

6月19日，蔣介石精心擬定與美國“駐台大使”蘭金的《談話要旨》，中稱：

> 孫部謀叛陰謀組織之暴露，雖非重大，但足驚駭聞。其事發動失敗時，將逃往美使館，請求政治庇護。
>
> 美在台之情報與宣傳人員漸越範圍，且有以減低政府聲威與專找軍政不利消息做報導。共匪潛伏與吳逆誇妄，美應不為其所利用。[7]

---

1 谷文正口述：《白色恐怖秘密檔案》，第175、177頁。
2 《蔣介石日記》（手稿本），1955年6月8日。
3 《蔣介石日記》（手稿本），1955年6月10日。
4 《蔣介石日記》（手稿本），1955年6月11日；呂芳上主編：《蔣中正先生年譜長編》第10冊，第469頁。
5 《蔣介石日記》（手稿本），1955年6月12日。
6 《蔣介石日記》（手稿本），1955年6月18日；《蔣中正先生年譜長編》第10冊，第471頁。
7 《蔣介石日記》（手稿本），1955年6月19日。

這份《談話要旨》所列孫部在叛亂失敗時“將逃往美使館請求政治庇護”等情，顯係國民黨情報人員的編造，這使蔣極感為難。當時，台灣和美國還保持“外交”關係，蔣介石還在爭取美援。將這些事情講給美國使節聽，豈不意味著要和美國攤牌？

九、猜想中美國人策劃的“兵變案”被說成以中共為背景的“匪諜案”

當日，蔣介石與蔣經國討論“孫案”處置方針。第二天，又召見張群，將“孫案”文件交其研究，代擬處置辦法。[1] 在經過了和蔣經國、張群二人的研究後，蔣介石才於這一天晚上和蘭金談話，其主要內容就和原擬《談話要旨》大不一樣了。根據蔣介石日記，當日蔣所談，主要是“共匪諜探在台活動情形”，特別提醒美國“在台情報與宣傳機構，應嚴防匪諜滲入”，只是順便提到“孫案大略”，還試探性地詢問：“美國對我政策有否變更跡象？”[2] 這就避開了根據原《談話要旨》談話必然會出現的尷尬局面。

我們目前還沒有資料證明，蔣介石在和蘭金談話時，已經將兵變原因推給了“共諜”，但是這以後，國民黨的情治人員在審訊郭廷亮等“人犯”時卻就按照“共諜”的定性依樣畫葫蘆了。例如，參加監察委員會調查小組的曹啟文指出，情治人員在台灣南部審訊郭廷亮時，逼郭招供的內容是“孫立人如何勾結美（國）人，圖作第二之吳廷琰”，押到台北後，才改變方向。[3] 又如，審訊49師通訊官賴卓先時，情治人員最初提出的問題是，如何“挾持總統”、“搞兵變或兵諫”？後來才發展為“你知不知道郭廷亮是匪諜”，郭利用孫將軍的關係，“為匪做兵運工作”，等等。這種改變，賴卓先當時就明白：“只有製造匪諜案，才容易處理，別人也才不敢碰。”[4]

應該指出的是，蔣介石在和蘭金談話時採取低調，但是他心中對美國人的

1 《蔣介石日記》（手稿本），1955年6月20日。

2 《蔣介石日記》，1955年6月20日；呂芳上主編：《蔣中正先生年譜長編》第10冊，第472頁。

3 曹啟文：《上校長書》，台北“監察院”李炳南等4人：《孫郭案調查報告》（第一案），第44—46頁。

4 朱浤源主編：《孫立人上將專案追蹤訪談錄》，第620頁。

敵視卻並未減弱。6 月 21 日，蔣介石深夜自思，覺得外國人“無一不是奴役待我中國，雖其程度有深淺，不過一則欲飲吾血，一則欲啖吾肉之差”而已。[1] 當時，蔣介石企圖向金門增加一師兵力，蔡斯間接警告說：凡受美援裝備之部隊調赴外島，必須取得美國同意。

6 月 23 日，蔣介石指示“國防部”部長俞大維審核孫立人案，俞大維認為美國人不會相信此案的真實性，主張對孫“寬大，不加處分”，調動其職務，並且“佯作信任”之意。他提出：“此案如切究公開，徒貽共匪與反對派之口實，真以為我國軍內部為政工與派系之爭而動搖，已呈不能控制之象，徒喪失領導之威信。”蔣介石覺得俞大維“有見地”，看出俞“消極已極”，只好“裝作不信此事對孫有關”。[2]

郭廷亮被捕後，即在南部經過十晝夜的嚴酷刑求，現存自 5 月 27 日的《偵訊筆錄》至 6 月 5 日晨郭廷亮所寫《自白書》，共 13 份，均未涉及“匪諜”問題。6 月 6 日，郭被押到台北“國防部”情報局看守所。10 日，情報局等單位組成“常明專案組”，繼續審訊。20 日以後，“偵訊人員改變口吻，要求扮演匪諜自首”。[3] 郭廷亮自稱“受良心之責備”，自動請求“自首”獲准。台灣情治機構決定自 6 月 30 日起，每日支付郭廷亮優待費 10 元。[4]

6 月 28 日，蔣介石審閱郭廷亮的前後供詞，認為此案“又為共匪利用孫為傀儡叛亂之陰謀”。[5] 這樣，原來蔣介石猜想中美國人策動的“兵變案”就變成了和中共相關的“匪諜案”了。

6 月底，蔣介石思前想後，判斷孫立人 5 月 28 日請假回屏東，“本已決心發動，且已不顧成敗，準備實施”，但因蔣不准，其計不逞，因而轉危為安。他在日記中寫道：“立人之愚拙，余本知之，即其性質之滯鈍卑鄙，尤其是‘污泥便醜’之劣根性，余亦知之，但不料其荒謬狂妄，不計利害，一至於此耳。”[6]

---

1 《蔣介石日記》(手稿本)，1955 年 6 月 21 日。

2 《蔣介石日記》(手稿本)，1955 年 5 月 25 日。

3 台北“監察院”李炳南等 4 人：《孫郭案調查報告》(第一案)，第 181 頁。

4 《郭廷亮審訊筆錄》(1955 年 9 月 8 日)，《“總統府”檔案》，011-100200-0007-006-008；《郭廷亮報告書》(1956 年 2 月 20 日)，《孫郭案調查報告》(第一案)，第 230 頁；《44 年 11 月 1 日代電》，《孫郭案調查報告》(第二案)，附件 18，第 56、192 頁。

5 《蔣介石日記》(手稿本)，1955 年 6 月 28 日。

6 《蔣介石日記》(手稿本)，1955 年 6 月 30 日；呂芳上主編：《蔣中正先生年譜長編》第 10 冊，第 675 頁。

7 月 2 日，蔣介石思考俞大維所言，覺得此次叛變陰謀能事前撲滅，而並未發生，表明自己確能控制一切陰謀，並不損害威望。但是，他認為俞大維的不能“切究公開”的意見也有道理，因為此時尚未“反攻大陸”，“無論對內對外，對敵對友，不能不極端慎重，免亂大謀，尤不可授美國政府以口實”。[1]

7 月 3 日，蔣介石繼續審閱孫立人案的有關案卷，看到江雲錦的自白書，其中，江交代：自 1953 年起，奉孫立人之命，聯絡各部隊軍訓班同學。1954 年將名冊送呈孫立人。1955 年 5 月 18 日在台南十六七人會議；25 日北返，會見孫立人，孫稱，已準備好文告，將到南部去，假藉“總統”名義召集營長以上官長訓話，以八個團的兵力發動“奇襲”，囑其候命赴南部等待。[2] 蔣介石相信這份自白書，在日記中歎道：“立人誠一糊塗蟲也，危險極矣！”

7 月 5 日，蔣介石決定明告孫立人以下各點：1. 此案之經過與供詞。2.“反黨政”口號之製造與號召之實情。3. 先一月吳國楨來信對蔣的警告是“預定之計劃”。4. 郭廷亮匪諜與鄭子東父子之關係。[3] 5. 向孫表示，不信孫本人會主謀此案，可以免予追究，但孫應反省悔過，不得再任用此種匪諜，交接雜友。6. 孫可言行自由，不予拘束，但對任何人都必須照此實情明告，不得另有託詞假言，否則將公審。7 月 9 日，蔣介石又做出幾項決定：1. 令其告假離職，待罪悔過，但不開除其“參軍長”原缺，派員代理。2. 與顧祝同對調，任孫為戰略顧問副主委，與“叛將專家”白崇禧並列，令其閉門思過，不得任意說話。3. 直調為戰略顧問，仍令其自反自檢，不得任意言行，待其悔過自新以後，另候任用。在以上 3 項決定之外，是否要將各主犯口供全部交孫立人閱，或是僅令其閱讀一部分？蔣介石一時還拿不定主意。對其中江雲錦的自白書，蔣決定，非至不得已必須使孫立人徹底明了案情時，不能交閱，以便“暫不說破，保留餘地”。

這時，蔣介石已經完全確定，郭廷亮是潛伏在孫立人左右的“老共產黨

---

1 《上星期反省錄》，《蔣介石日記》（手稿本），1955 年 7 月 2 日；呂芳上主編：《蔣中正先生年譜長編》第 10 冊，第 476 頁。

2 江雲錦自白書未見，此據《孫案調查筆錄．黃少谷、江雲錦問答記錄》，《“總統府”檔案》，011-100200-00008-047-048；又，《國防部孫案起訴書》，李敖編：《孫案研究》，第 211—212 頁。

3 鄭子東父子，指鄭子東及其子鄭世瀛，與孫立人相關另一“匪諜案”。據稱，二人在哈爾濱參加中共，1948 年 11 月初到台灣。鄭子瀛被判無期徒刑，鄭子東被判有期徒刑 7 年。

員"，但他認為，郭本人尚未徹底招供，其聯絡接頭人也還不清楚，決定重加偵審，挖掘隱伏份子。同時，蔣介石也決定，系統編輯"孫案"前後的各次口供與案情，以備萬不得已時發表。[1]

7 月 15 日，蔣介石繼續思考孫立人的處理方針。最初，計劃與孫談話，如孫讀書果有心得，且能反省自責，則將來可送其赴美，但轉念一想，美國環境不良，反動份子太多，孫必深陷不能自拔，因此，決定"准其告假，專心讀書休養"。[2] 16 日，再次思考對孫立人是停職候查、候審，或免職查辦，以及是否公開案情等問題，決定"停職候查後候審"。這時候，蔣介石雖然不再懷疑美國人操縱兵變了，但是要處理孫立人這樣一個為美國人所喜歡的將領，所以 19 日，蔣介石不得不再次思考美國人對"孫案"的可能反應。

7 月 21 日，蔣介石研究郭廷亮口供，認為這是中共"造成我內部矛盾與顛覆叛亂之陰謀"。對孫立人，蔣介石考慮了兩種處理方針：其寬大方針為，認孫"受共匪陷害，用人不慎"，自請處分，則可處以"停職反省，以觀後效"；如孫不服，則照原擬方案，"應即停職，聽候徹查"。22 日，蔣介石決定不再允許孫立人參加軍事會議。他對孫的為人做了 5 點結論：虧虛、糊塗、無知、無恥、拖延不決。[3] 23 日，蔣介石在《上星期反省錄》中寫道："對孫案，以郭匪諜口供與自白，完全明了，乃可做最後決定矣。"[4] 這則日記表明，蔣介石自以為，"孫案"的主要情節已經審理清楚，可以定案了。

7 月 26 日，由陳誠出面與孫立人談話。陳以郭廷亮的口供為據，要孫認罪，孫拒不承認，再由葉公超與張群出面，勸孫立人不可強辯，應負責自請處分。[5] 28 日晚，蔣介石接到孫立人報告，"辭職候查，懇求保全"，但仍然"毫不承認其責任與此案關係"。蔣介石在日記中鄙夷不屑地寫道："此人絕無男子氣質，本來如此，不足為異。"[6] 30 日，蔣介石召見陳誠、張群，指示將該案重要

---

1 《蔣介石日記》（手稿本），1955 年 7 月 12 日。
2 《蔣介石日記》（手稿本），1955 年 7 月 16 日。
3 《蔣介石日記》（手稿本），1955 年 7 月 22 日；呂芳上主編：《蔣中正先生年譜長編》第 10 冊，第 481 頁。
4 《上星期反省錄》《蔣介石日記》（手稿本），1955 年 7 月 23 日；呂芳上主編：《蔣中正先生年譜長編》第 10 冊，第 481 頁。
5 《蔣介石日記》（手稿本），1955 年 7 月 26 日；呂芳上主編：《蔣中正先生年譜長編》第 10 冊，第 482 頁。
6 《蔣介石日記》（手稿本），1955 年 7 月 28 日；呂芳上主編：《蔣中正先生年譜長編》第 10 冊，第 482 頁。

口供交給孫立人閱讀，觀察其心理與行動有無悔悟之意，再定處分，務使“仁至義盡”。[1] 31日，蔣介石舉行擴大軍事會議，孫立人受陳誠之邀到陳宅談話，孫、陳二人當日就都沒有參加會議。會上，宣佈“孫立人案”。8月1日，孫的隨從參謀陳良壎奉台北地區憲兵隊指示，轉告孫立人“不要出門”，這實際上是孫立人受到軟禁的開始。[2] 次日，陳良壎被捕。

這時，蔣介石雖然已經不讓孫立人參加軍事會議，但孫若無其事，始終拒不承認所謂“包藏匪諜”的罪名。蔣介石在《上星期反省錄》中寫道：

> 此人既無丈夫氣，亦無軍人魂，可說毫無人格，只知恃外凌上，惡劣成性之漢奸，實為張學良之不如。[3]

稱孫立人為“漢奸”，這是蔣介石對孫的最嚴厲、最狠毒的責罵。

8月1日，張群按照蔣介石的指示，將郭廷亮和江雲錦的自白書交給孫立人反省。8月3日，孫立人向蔣介石呈遞《簽呈》，自承“實有過錯”，“請予懲處”。他表示：1. 郭廷亮為多年部下，竟是匪諜，利用本人關係，肆行陰謀，本人竟未警覺，實為異常疏忽，大虧職責。2. 兩年前鑒於部隊下級幹部和士兵中，因“反攻”有待，思想抑鬱，曾指示督訓班江雲錦等人，側面聯絡疏導，運用同學、友好關係，互相勉力，加強團結，但江雲錦等“不但有形成小組織之嫌，且甚至演成不法之舉動”。孫立人強調，個人本意在於“為國效忠，原屬積極之動機”，但“領導無方，竟至變質”，推根究源，在於本人“愚昧糊塗，處事不慎，知人不明”，“幾至貽禍國家，百身莫贖”。孫稱，以上二事，均應接受制裁，希望蔣“賜予免職”，自己則“閉門思過，痛悔自新”。[4]

關於這份《簽呈》的起草者和起草經過，說法不一。孫立人的義子揭鈞的說法是：“總統府”局長黃伯度和傅亞夫兩人，帶了許多“自白書”及一張三百多人的名單到已被憲兵包圍的孫府，要孫將軍看完後，寫一張“辭職簽呈”。

---

1 《蔣介石日記》（手稿本），1955年7月30日；呂芳上主編：《蔣中正先生年譜長編》第10冊，第482頁。

2 《1955年7月風暴》，引自李敖編：《孫案研究》，第311頁。

3 《上星期反省錄》，《蔣介石日記》（手稿本），1955年7月30日；呂芳上主編：《蔣中正先生年譜長編》第10冊，第483頁。

4 《孫立人與匪諜郭廷亮》，台北“外交部”藏檔，最機密，第16號，台北“中央研究院”近代史研究所檔案館，405.8/0001。

孫將軍不願寫，黃伯度花言巧語，要孫將軍顧全三百多名部下的性命，還是遵照“上面”的意思，寫個簽呈，以保平安。揭鈞又說，孫將軍說他從來沒有失眠過，只有黃伯度走後的那天晚上無法成眠，次日，親自寫了一個簡單的《簽呈》，給黃伯度帶回“總統府”。其後，由孫立人的姪子、原“陸軍總部”辦公室主任孫克剛等修改，再寫了三稿，才寫出了“上面”滿意的《簽呈》。他們要孫立人一定簽字，說如果承認，就可保全二三百人。孫立人稱：“我這一生對任何事情都是提得起，放得下，只有對你們放不下，沒辦法，我只好簽字了。”[1] 另一種說法是，孫立人的《簽呈》為“總統府”副秘書長黃伯度擬稿，長久苦勸，孫立人才簽名。[2]

8 月 9 日，台灣當局派“外交部”次長沈昌煥到華盛頓，與“駐美大使”顧維鈞、駐聯合國“代表”蔣廷黻商量“孫案”處理問題。顧維鈞認為孫立人“在美國有很高的聲譽”，力主成立調查委員會，公正無私地進行調查處理。[3] 8 月 15 日，蔣介石與張群、黃少谷、葉公超等討論，與會者認為無此先例，而且破壞軍法系統，蔣介石卻贊同顧維鈞等人的意見。8 月 20 日，蔣介石下令批准孫立人的申請，免去其“參軍長”職務，其遺缺由“國防部”副部長黃鎮球接任。同時，決定派陳誠、王寵惠、許世英、張群、何應欽、吳忠信、王雲五、黃少谷、俞大維九人組織調查委員會，以陳誠為主任委員，負責徹查具報。[4] 其中，或為無黨派人士，如王雲五；或德高望重，如許世英；或為“黨國”大佬，如何應欽、吳忠信；王寵惠則是著名的法學權威，蔣介石企圖以此減少國際誤解，取得廣泛共識。

8 月 22 日，蔣介石得知美國雷德福對孫立人案表示不滿，認為問題出在國民黨的政工制度對於將領的牽制與監察。蔣介石不以雷德福的看法為然，認為孫之謀叛事實俱在，人證已足，美國今後是否會因此改變對台政策，不必深慮。他覺得，自己在軍隊人事任命上沒有遷就美國，因而能避免危機，頗覺自得。第二天，居然破例到公園遊逛散心。他想起過去和馬歇爾打過的交道，認

---

1 朱浤源主編：《孫立人上將專案追蹤訪談錄》，第 270—271 頁。

2 《孫立人將軍冤案雜感》，引自李敖編：《孫案研究》，第 332 頁。

3 《顧維鈞回憶錄》第 11 冊，第 532 頁。

4 台北《“總統府”公報》，第 629 號，1955 年 8 月 23 日。

為美國軍政要員都中了共產黨的"心戰"之毒，以致至死不悟，很為美國人歎息，也很為自己的高明自喜。

8月23日，美國《紐約時報》記者訪問孫立人。24日，華盛頓《每日新聞》發表論文，認為孫立人案為"有意之陰謀，恐有宮廷關係之存在"，暗指該案為蔣經國所製造。《每日新聞》屬於霍華德系統，是一向親蔣的報紙，蔣介石覺得很意外。[1]

十、陳誠等九人調查委員會開脫孫立人和"叛變陰謀"的關係，但認為"並非全無所知"

以陳誠為首的九人委員會於8月26日舉行第一次會議，共開會9次，其工作方式為聽取"參謀總長"彭孟緝關於本案的報告，研閱郭廷亮、江雲錦等人的自白書、訊問筆錄等"全部案情文件"，分組進行調查訪問。預定：王雲五於9月10日上下午，分別訊問郭廷亮、王善從，11日訊問田祥鴻；黃少谷於9月10日上下午分別訊問江雲錦、劉凱英，11日訊問陳良壎。各次訊問均錄音並記錄。

郭廷亮的口供是在酷刑和誘騙下取得的。7月5日，毛人鳳手諭特勤室主任毛惕園稱："郭廷亮《自首書》從頭到尾都是避重就輕，替孫說好話，太不坦白。此人極狡猾，應再嚴訊，令其詳供實情；尤其對渠被俘，受'匪'命來台進行兵運工作一層，務須多方設法誘訊，打實口供。""以期早向領袖提出偵訊終結之報告。"函稱："此案不宜再延，務須轉囑有關問案同志，加緊詳研，漏夜趕辦。"[2] 14日，郭廷亮隨毛惕園往見"毛人鳳"。[3]"毛人鳳"要求郭扮演"假匪諜自首"，"將本案變為共產黨的背景"，聲稱這樣做，"不僅政府方面可以對輿論及社會有所交代，而且對孫將軍來說，也就可將其所受的壓力減

1 《蔣介石日記》（手稿本），1955年8月24日、26日；呂芳上主編：《蔣中正先生年譜長編》第10冊，第490頁。

2 《毛人鳳箋毛惕園》，《孫郭案調查報告》（第二案），附件18，第58頁。

3 據谷正文稱，當時毛人鳳所患肺癌已到晚期，毛惕園"趁著毛人鳳赴美就醫的機會，找了一個人頭，假扮成毛人鳳"。見谷文正口述《白色恐怖秘密檔案》，台北獨家出版社1995年版，第187頁。

輕。”“毛”並稱：“為使自首日期在法律上有效。”“必須寫你被送到本局來的那天，也就是四十四年六月六日。”[1]“毛”還講了一通“大道理”——“為了‘黨國’利益，上級需要我們扮演任何角色，或採取任何行動時，就要把個人的榮辱得失完全置之度外，毫無遲疑地遵照上級的指示去做。”“毛”應允“僅在政府內部辦個手續”，“以政治方式解決”，保證郭的軍籍、軍職和事業前途，立即釋放郭的被捕家屬。[2]自此，郭的所有的自首書和口供筆錄，都是以當時的案情發展需要，由毛惕園杜撰編造。郭廷亮承認：“1948年11月在瀋陽時，接受中共任務，來台從事兵運，長期潛伏，製造軍中變亂，在中共攻台時陣前起義。”7月20日，郭廷亮致函毛人鳳，表示堅定立場，“遵從鈞座之指示，終身保密”[3]。

為了確保郭廷亮在任何情況下都不會翻案，在王雲五和郭廷亮談話前一天，“毛人鳳”親到偵防組，恭維郭廷亮說：“作為一個革命軍人和忠貞的國民黨員，絕不可在無黨派人士的面前，說出有損‘黨國’利益之言論。之所以要你這樣做，完全是執行上級政策，不能因本案之處理不當，不利於政府，影響中美合作關係，導致軍中意見分歧，損及部隊團結。”“毛”要求郭站在“黨國”立場，以大智、大仁、大勇的犧牲精神，將案件擔當起來，保證郭未來的事業前途將更光明、更遠大。他要郭必須“根據我們為你所編的資料去回答”，“以免引起不良的後果”。[4]

有了“毛人鳳”的提前招呼，訊問當日，記錄者即是此前審訊時的相關人員，因此，郭廷亮只能照前供復述，不敢改變。江雲錦、陳良壎等在8月18日即被蔣經國召見，獲得每人每日優待費10元，眷屬安家費每月500元的待遇，自然不會更改原供。有的涉案人員，本人並未被允許出席，而是由官方另行找人冒名頂替，如王善從。《調查報告》記述9月14日曾由王雲五面談，但王善從後來9次陳情，5次上訴，聲明從未被“調查詢問”。[5]

---

1 《郭廷亮最後陳情書》，《中國時報》，1991年11月25日；參見李炳南等4人：《監察院調查報告》（第一案），第232—236頁。

2 郭廷亮：《陳情書》，李敖編：《孫案研究》，第257—260頁；風雲叢書：《孫立人自述生平》，第16—17頁。

3 《郭廷亮致毛（人鳳）先生》，《孫郭案調查報告》（第二案），附件18，第64頁。

4 郭廷亮：《陳情書》，第261—262頁。郭廷亮與毛談話的時間為9月9日，郭誤記為13日。

5 王善從：《報告》，1990年5月12日，《“總統府”檔案》，011-100200-0004-016-019。

9月13日，蔣介石約陳誠等調查委員會委員聚餐，得知要犯6人都未翻案，認為可以免除調查委員會委員們的疑問，感到安心。17日，黃伯度與孫立人談話，孫仍然拒絕承認擔負“知情不報”的責任。

9月19日，全體在台調查委員直接訊問孫立人。孫稱“確不知郭為匪諜”，“整個的計劃，我是不曉得”，“有什麼其他的發動，這個我是不曉得”[1]。孫承認，從1953年起，曾先後指示江雲錦、郭廷亮等在第四軍官訓練班學生中進行聯絡活動，並有少量錢款資助。這些聯絡活動在孫立人調離“陸軍總部”，改任“參軍長”後仍在繼續。調查委員們認為，孫立人在軍事上與“國防部”和若干同僚持有不同見解，沒有採取合法合理辦法提出，而是對外間流露其不滿情緒，也曾發表批評指責上級與同僚的言論。其聯絡活動，意在“結成一種力量，以為實行其意見之支持”。孫稱：有許多軍人對他“坦白談話”，“許多事情，他叫他們不要做”，“以為只要他們不做這個事情，就沒有事情”、“消弭於無形”了。調查委員們據此認為“可見其並非全無所知”。[2]

據稱，當九人小組和孫立人談話，孫曾提到，當年美國人要他執掌台灣軍事，拒絕蔣介石來台。孫稱：“我如果真有私心，當時就可以做了，何必等到當參軍長時沒有一兵一卒才亂搞？這連三歲小孩也懂。”孫曾脫掉上衣，露出彈孔累累的身體給大家看，一時王寵惠、王雲五、許世英都很感動。[3]

10月8日，九人委員會《報告書》完成。何應欽在日本治療眼疾，歸國後避居在外，未簽字，其他八人都簽了字。該報告的結論認為：1. 郭廷亮為“匪諜”，並利用其與孫立人將軍之關係執行“匪諜”任務，陰謀製造變亂。2. 孫立人“對於郭廷亮信任甚深，不僅未察覺其為匪諜”，“且因孫將軍企圖利用郭廷亮在軍隊中建立個人力量，乃至墮入郭廷亮匪諜活動之陰謀而不自覺”。[4]這份調查報告在郭廷亮是“匪諜”這一點上承襲了“國防部”政工系統的看法，基調未變，但是，這份報告在孫立人企圖在軍中“建立個人力量”的動機和目的上，並未深文周納，曲意構陷。

---

1 《九人小組的調查報告》，風雲叢書：《孫立人自述生平》，第250—251頁。

2 《九人小組的調查報告》，風雲叢書：《孫立人自述生平》，第251頁。

3 朱浤源主編：《孫立人上將專案追蹤訪談錄》，台北學生書局2012年版，第85頁。

4 《孫立人將軍因匪諜郭廷亮事件自請查處案調查委員會報告書》，風雲叢書：《孫立人自述生平》，第254頁。

調查報告批評孫立人的做法“逾越法軌”，給了郭廷亮以可乘之機，“不自覺”地“墮入陰謀”，這就將孫立人從“叛亂陰謀”中剝離了出來。調查報告建議蔣介石“於執行法紀之中，兼寓寬宥愛護之意”。[1]

10月4日，蔣介石審閱九人委員會報告，認為“大體尚可”，但認為對孫的“主謀叛亂部分”未能徹底查清，“處處都在避重就輕，為孫脫罪”。不過，他認為“唯有如此而已，故亦不願深究”。[2] 7日，蔣介石以一個早晨的時間“審核指正”調查報告，同時考慮處置辦法。他覺得如處置太輕，一般將領未能心服，如依法懲治，就應該對孫免官判刑，那樣做國際輿論必不佳，一時難以決斷。12日，蔣介石決定派人轉告孫立人，詳盡無遺地舉報促成此案、預謀此案的可疑“匪諜人員”，顯示報效誠意，以便減免其罪情。[3]

10月19日，蔣介石與張群、蔣經國討論，最後核定調查委員會的報告。20日，蔣介石在日記中寫下對孫立人的方針：1. 蔣自承教導無方。2. 要求孫立人做到：徹底自反往日譭謗政府與領袖的言論，承認並自白過錯。3. 從速提供策劃蠱惑的“無形匪諜”與“陰謀賣國”的人員。蔣介石認為，以上二事為孫立人“報效國家之急務”，也是其悔改誠意之表示。

當日，蔣介石召集陳誠、張群、俞大維、黃鎮球等斟酌調查報告與命令文字，同日，發佈“國防部”命令，聲稱據調查委員會徹查結果，“該上將不知郭廷亮為匪諜，尚屬事實，但對本案有其應負之重大咎責，姑念該上將久歷戎行，抗戰有功，且於該案發覺之後，即能一再肫切陳述，自認咎責，深切痛悔，茲特准予自新，毋庸另行議處，由國防部隨時查考，以觀後效。”[4]

10月21日晨，原定由孫立人會見記者。屆時，孫稱病不出。張群告訴蔣介石，黃伯度見孫，孫“腹瀉甚烈，實有病”云。[5]

10月31日，蔣介石日記云：“孫案調查報告書與第二命令發表後，輿論

1 《孫立人將軍因匪諜郭廷亮事件自請查處案調查委員會報告書》，風雲叢書：《孫立人自述生平》，第244—246、254—256頁。
2 《蔣介石日記》（手稿本），1955年10月4日；呂芳上主編：《蔣中正先生年譜長編》第10冊，第503頁。
3 《蔣介石日記》（手稿本），1955年10月12日；呂芳上主編：《蔣中正先生年譜長編》第10冊，第503頁。
4 李敖編：《孫案研究》，第170頁。
5 《蔣介石日記》（手稿本），1955年10月21日。

翕服矣。”[1] 所謂“第二命令”，即指上述“國防部”命令。所謂“輿論翕服”，應是蔣介石的自我感覺。12 月 23 日，蔣介石召見孫立人，批評孫“無政治腦袋”，聲稱“今後應專心研究中國學問，不可再做政治活動，如此尚有再用之望也”。[2] 這是蔣介石與孫立人的最後一面。

十一、監察委員曹啟文等五人小組調查報告與蔣介石的壓制、封鎖

在以陳誠為首的九人小組外，“監察院”另有以曹啟文為首的五人小組。該組成立於 9 月 21 日，成員為曹啟文、蕭一山、王枕華、陶百川、余俊賢 5 人，由曹擔任召集人。該組自 10 月 20 日開始至 11 月 5 日，審閱卷宗。11 月 2 日，約談孫立人。在設法單獨見到孫立人的時候，孫以哭泣發抖的聲音說：“我的部下和我都是冤枉的，求求你們救救我們。”其間，該組共舉行小組會議 15 次，歷時 58 天，本擬繼續約郭廷亮、王善從、王學斌、江雲錦等 8 人，但因“格於事實”，只能放棄計劃。11 月 21 日，該組提出《監察院對孫立人將軍與南部陰謀事件關係調查報告書》，否定“國防部”軍法局的意見，認為：1.“本案尚未具備叛亂罪之要件，郭廷亮等雖有刑責，然殊難以叛亂罪相繩。2. 關於促成南部陰謀事件之各種遠因或主因，本小組認為主管當局亟應加以檢討、改革或疏導，庶幾惡因可期根除，後患不致潛滋。3. 同意陳誠等九人委員會結論，“孫將軍對於此次陰謀事件並非全不知情”，但據郭廷亮供稱，孫將軍曾面加阻止，此亦堪以徵信。5 人委員會認為孫立人平日對郭廷亮等疏於管束，自屬咎有應得，但孫既已向“總統”引咎辭職，“總統”已飭令“國防部”隨時考察，以觀後效，可以不再深究、議處。調查組對此次未能對郭廷亮等主要嫌疑人犯親加訊問，表示極大遺憾。[3]

---

1 《本月反省錄》，《蔣介石日記》（手稿本），1955 年 10 月 31 日；呂芳上主編：《蔣中正先生年譜長編》第 10 冊，第 511 頁。

2 《蔣介石日記》（手稿本），1955 年 12 月 23 日。

3 《孫立人將軍因匪諜郭廷亮事件自請查處案調查委員會報告書》，風雲叢書：《孫立人自述生平》，第 260—261、281—282 頁。該報告亦見於李敖編：《孫案研究》。

報告完成後，“監察院”列為最機密文件，封箱加鎖，不允許任何人借閱。直到1988年蔣經國去世，“監院”才於當年3月30日公佈了這份調查報告。

儘管調查報告不能公佈，但調查小組的召集人曹啟文卻於1955年11月21日上書蔣介石，說明：所謂郭廷亮“南部事件”不過是“欲上一軍事改革的建議書”；審訊內容，經歷了從“勾結美國人”到勾結“共匪”的轉變；郭的招供，除因酷刑外，還經過“毛先生”（毛人鳳）的“勸誘”。曹啟文指責“國防部”深文周納，欺蒙上呈，“擇心之毒，影響之大，較之明季之殺熊廷弼、袁崇煥，殆尤過焉”。這一段話，無比鮮明地指出，孫立人案是冤案。函末，曹啟文有針對性地寫了一段話：“今社會上率因此案結束，謂已循政治途徑解決，為維持政府聲譽、總統德望，即犧牲少數幹部之名譽生命，抑何足惜！”針對這種心理，曹啟文向蔣介石呼籲：“鈞座平生德業，在傳孔孟之道，誦陽明之學，豈可信此種近似權術之理由，自亂根塵，昧厥良知，犧牲其不應犧牲之患難袍澤乎？”他引古人所云“君子之過有如日月之蝕”一語，要求蔣介石勇於揭示自己的錯誤，“對於此案加以徹底澄清”，其結果，“對於國內外之影響，以及士氣人心之爭取”，較之掩飾錯誤的“政治解決”將超過千百倍。曹自述：“理應本我職責，對國防部主事諸人提案彈劾，用白真情於天下。”但想到這樣做，自己雖“博直名於一身，而遺鈞座歷史令譽之污點，實覺於心不安，且亦非盡愚忠以報恩之道也”。[1]這一段話，實際上在鼓勵蔣介石承認錯誤，平反冤案。

曹啟文，甘肅海源人，畢業於中央政治學校大學部，曾任甘肅第七區（酒泉）行政督察專員、甘肅省臨時參議會副議長，制憲國民大會代表，函末，曹啟文自稱“門生”，“個人以師生之誼瀆陳，與監察院及調查小組毫無關係”。24日，蔣介石閱讀曹啟文來函，覺得非常“傷心與苦痛”，連讀四遍，都讀不下去。曹在酒泉任專員時有過被蔣撤職的經歷，因此蔣認為曹此函是在藉“孫案”以圖報復，自稱“門人”是意圖勒索，對孫、郭叛逆案吹毛求疵，心理變態、神經病，文字“卑鄙荒唐，只可忍耐，觀望其今後如何行動”。[2] 29日，蔣介石將曹函交給國民黨中央委員會秘書長張厲生，表示不能接受曹啟文的“侮

1 曹啟文：《上校長書》，台北“監察院”李炳南等4人：《孫郭案調查報告》（第一案），第44—46頁。
2 《蔣介石日記》（手稿本），1955年11月29日。

辱之言行”。[1]

1955 年 12 月，台灣當局準備將郭廷亮等人的案件移交“軍法局”處理。26 日，“毛人鳳”再次召見郭廷亮，聲稱“無論軍法局如何判決，那都只是一個形式而已”，“手續辦完，我將完全恢復你的自由，並給你調更好軍職”。他說：“明天我就去向領袖提出詳盡報告。”[2] 12 月 29 日，“國防部”宣佈偵查終結，對郭廷亮等 35 人提起公訴。公訴狀所稱各人罪狀，完全靠嚴刑之下的逼供與特務們的編造。據朱浤源多年後的調查，沈承基稱，在鳳山關了四五天，被銬送台北保安處，“要我們照抄口供，不照抄就用刑，每天一個花樣”，“我們的自白書，都寫了一百多次，照著他們寫的抄，只要抄錯一個字，就被抓出去打，打完後再重抄。”[3]

1956 年 9 月 7 日，“國防部”軍法局判決：郭廷亮意圖以非法之方法顛覆“政府”，而著手實行，處死刑，褫奪公權終身。江雲錦、王善從、田祥鴻、孫光炎、劉凱英 5 人，意圖以非法之方法顛覆政府，而著手實行，各處有期徒刑 15 年，褫奪公權 10 年。王學斌，有期徒刑 12 年，褫奪公權 10 年。鄧光忠等 6 人有期徒刑 10 年，褫奪公權 5 年。陳良壎，有期徒刑 8 年，褫奪公權 4 年。于新民等 17 人有期徒刑 3 年。張熊飛等 3 人有期徒刑 3 年 2 個月。

“軍法局”的判詞仍然認定，郭廷亮“深得總司令孫立人信任，因孫立人不滿現狀及其少數學生對孫未能升任參謀總長，心懷怨憤，遂由孫立人派其赴各部隊秘密聯絡集會，從事不法活動”，“配合‘匪幫’攻台陰謀”：認定江雲錦曾在台北向孫立人報告，孫即明告其行動時就用第 49、51 兩師，假藉隨赴南部共同行動，以“總統”名義拿出文告等叛亂計劃，並囑舉事時隨赴南部共同行動；認定王善從曾受孫立人之命，準備包圍陽明山官邸，曾實地偵察地形。[4]

1989 年 7 月 19 日，同案人王霖對“中研院”近史所研究員陳存恭說，他在出獄後曾問江雲錦，孫立人是否說過，“將來行動時，要動用 51 師、49

---

1 《蔣介石日記》（手稿本），1955 年 6 月 19 日。
2 郭廷亮：《陳情書》，李敖編：《孫立人研究》，第 263 頁。
3 朱浤源主編：《孫立人上將專案追蹤訪談錄》，第 268、277 頁。
4 《國防部判決》，李敖編：《孫案研究》，第 227—234 頁。

師？”江答：“哎呀！你怎麼會相信呢！在那種環境下，你有什麼辦法？”[1]

十二、孫立人被“軟禁”與郭廷亮被謀殺

1956 年 6 月，孫立人自台北移居台中自購的向上路 1 段 18 號住宅。四周圍牆高築，有多名實為監視者的“副官”陪侍。住宅右後方，即為情治人員駐台中的辦公室。自此，對孫立人不殺、不審、不問、不判、不抓、不關、不放，軟禁長達 33 年。孫立人在事實上失去自由，連長女孫中平在高雄清華大學的畢業禮，都未獲准參加；蔣介石去世，孫立人要求去靈堂行禮，也不准。

孫立人被軟禁的最初兩年，連薪水都沒有。有一段時期，孫立人只能靠自己種水果和夫人賣水果補貼家用。在軟禁中，孫立人有時會憤慨地和別人說：“他們憑空捏造欺騙人的事，就叫我打落牙齒和血吞。”[2] 有時則高聲朗誦屈原詩“世溷濁而不清”、“黃鐘毀棄，瓦釜雷鳴”，用以泄憤。[3] 有時，則直斥當局的陰謀：“為了要整我，先編造‘兵變’陷害不成，再來個‘匪諜案’。”[4] 其間，孫立人命秘書擬過四次辭職書，均被退回，硬要孫承認某些責任。[5] 孫的家人曾勸孫想法離開台灣，到美國謀生，為孫立人拒絕。他在筆記本上寫道：

> 生為中國人，
> 死為中國魂。
> 化為中國灰，
> 誰能奈我何！[6]

孫立人自信：“生平未做虧心事，半夜不怕鬼敲門。”

1987 年 7 月 15 日，蔣經國下令，解除實施 38 年的戒嚴。不到一個月，孫立人舊部組織“印緬遠征軍聯誼會”，要求公佈“監院”調查報告。1988 年 1

---

1 《孫立人案相關人物訪問記錄》，台北“中央研究院”近代史研究所 2010 年版，第 45 頁。
2 朱浤源主編：《孫立人上將專案追蹤訪談錄》，第 76—77 頁。
3 朱浤源主編：《孫立人上將專案追蹤訪談錄》，第 79 頁。
4 朱浤源主編：《孫立人上將專案追蹤訪談錄》，第 80 頁。
5 朱浤源主編：《孫立人上將專案追蹤訪談錄》，第 83—84 頁。
6 揭鈞著：《孫立人將軍側記：小兵之父》，第 395 頁。

月 13 日，蔣經國去世。3 月 20 日，“國防部”部長鄭為元訪問孫府，宣稱孫立人有行動和言論的充分自由。22 日，孫立人親自致函“行政院”副院長黃少谷，要求公佈“監察院”五人小組調查報告。3 月 31 日，由其義子揭鈞代筆，向外界發表書面談話。表示“三十三年，各界沒有把我忘掉，尤其是我的袍澤們，在極困難的環境中為“還我清白而奔走”。對此，孫“致十二萬分之謝忱”。他聲稱這並不是“翻案”，亦絕非一種“反對政府”的行動，而是盼望政府“了結一件歷時三十多年的懸案”。[1] 4 月 8 日，警衛人員撤離。1990 年 11 月 19 日，孫立人在台中病逝。彌留之際，抓住台中榮民總醫院醫生沈瑞隆的手說：“我是冤枉的。”

郭廷亮於 1956 年 9 月 29 日被判死刑，同日，蔣介石下令特赦，減為無期徒刑。監禁 20 年後，於 1975 年 7 月 14 日出獄，被送到警備總司令部管理的綠島隔離，令其擔任養鹿中心主任和圖書館主任，每月待遇自 2 萬元增至 4 萬元，每月放假 7 天。[2] 其間，警備總司令部、安全局、軍事情報局、總政治部等多單位的代表多次討論，警總上校組長蕭桃庵訪問原保密局特勤室主任毛惕園，毛稱：蔣公對他的事情做了寬大處理，他家人的生活要給予照顧。蕭即親到綠島，送給郭新台幣 60 萬元作為補償。[3] 後來，郭家用這筆錢在桃園買了房子。[4] 1983 年 3 月 16 日，郭廷亮寫作呈交九人委員會和張群、蔣經國的《陳情書》，說明當初被刑求和被誘供的經過。至 1988 年 3 月 22 日，其子郭志忠未經其父同意，將《陳情書》交台北《自立晚報》刊出。[5] 30 日，“監察院”公佈《五人小組報告》。台灣社會隨之掀起“翻案”運動。郭廷亮積極參與這一運動，但其行動仍受監視和盯梢。[6] 據說，警備總司令部曾加以勸阻，郭不聽。[7] 1991 年 11 月 16 日，郭廷亮從台北乘火車南下，擬赴台中孫宅，祭悼孫立人逝世一週

1 朱浤源主編：《孫立人上將專案追蹤訪談錄》，第 70 頁。

2 朱浤源主編：《孫立人上將專案追蹤訪談錄》，第 742—743，747 頁。李瞻著：《孫立人將軍與郭廷亮少校冤案真相》，《傳記文學》，2013 年 11 月。

3 朱浤源主編：《孫立人上將專案追蹤訪談錄》，第 701、706 頁。

4 朱浤源主編：《孫立人上將專案追蹤訪談錄》，第 730、735、738 頁。

5 《郭志忠談陳情書幕後的心酸》，引自李敖編：《孫案研究》，第 267—290 頁。

6 朱浤源主編：《孫立人上將專案追蹤訪談錄》，第 243 頁。

7 朱浤源主編：《孫立人上將專案追蹤訪談錄》，第 741 頁。

年，先回內壢家中拿西裝，[1] 車過中壢，郭廷亮“跳車”，送醫時發現眼窩淤血，腦部有血塊，頸椎三四節歪曲脫節，已呈“腦死”狀態。台北長期研究“孫案”的學者朱浤源教授經過調查，並經醫生判斷，認為郭係在車廂內被人重擊，暈死後被丟到月台上。[2] 此說 2012 年為知情人、原駐印軍印緬抗日戰友協會理事長楊一立所證實。[3]

2014 年，台灣“監察院”因發現郭廷亮 1955 年 6 月 14 日所寫《自白書》有若干疑點，有厘清之必要，重啟對郭廷亮、陳誠等九人調查委員會和孫、郭案有關人員歷年監管情形等三個問題的調查。同年 7 月，李炳南、馬秀如、余騰芳、趙榮耀完成並公佈對第一案和第二案的調查。2015 年 8 月，陳小紅完成並公佈對第三案的調查。

十三、孫立人的思想變遷軌跡及其“苦諫”策略

如前所述，孫立人“兵變”案是冤案，但是，“軍法局”的判詞說他“不滿現狀”卻並沒有說錯。

孫立人的基本思想和特質是愛國。軍中訓練時，他常常自述 9 歲那年，在青島海濱被德國人打耳光的故事，聲稱“從小立下一個志願，就是一定要使下一代中國人不再受外國人的欺侮”。[4] 這一思想貫穿他的一生。

作為軍事將領，孫立人自然從國民黨在大陸的失敗中得出了自己的教訓，期望到台灣後能改弦易轍，因此，他在致麥克阿瑟函中設想將台灣建設為“自由省”，進行軍事、政治事務以至心理上的“重大變革”。此後，孫立人做過一些力所能及的工作。據國民黨軍隊老將劉安祺回憶：“他連北伐時期就開始使用

---

1 朱浤源主編：《孫立人上將專案追蹤訪談錄》，第 279 頁。

2 朱浤源主編：《孫立人上將專案追蹤訪談錄》，第 3 頁，第 777 頁。據原新一軍排長楊一立說，郭是被三個人聯手打暈才丟下車的。其中一人為湖北人，姓孫，曾奉命殺了楊杰。見朱浤源主編：《孫立人上將專案追蹤訪談錄》，第 243—244 頁。

3 朱浤源主編：《孫立人上將專案追蹤訪談錄》，第 243—244 頁。

4 《對軍士教導團訓詞》，1950 年 4 月 19 日。引自朱浤源主編《孫立人言論選集》，台北“中央研究院”近代史研究所 2000 年版，第 120 頁。

的臂章和帽花都更換，又把鳳山閱兵台的黨徽換成一個火把。”[1] 其他人也回憶：“他把軍人的三大目標‘國家、責任、榮譽’明令標榜在各部隊營區中，不提‘主義、領袖’。”[2]

1949 年 6 月，孫立人告訴美國駐台北領事艾嘉說：“此間局勢已發展到人心思變的地步。”他說：“如果新的執政當局強大，而且以國家利益為前提，則任何破壞皆不足成事。”他批評李宗仁“迄未採取斷然措施”，彭孟緝、陳誠及其親信“本位主義、盲從，起碼落後時代五十年”，不能寄以希望。[3] 同月 24 日，蔣介石抵達台北，設立總裁辦公室，孫立人原來就忠於蔣介石，自然希望蔣能總結經驗，接受教訓，奮發振作，不過，他也清醒地認識到：“若是當權者不能及時醒悟，而硬要挺身繼續走向絕路，恐怕復興基地——寶島也無以為濟。”[4] 正因為如此，他支持國民黨內部以雷震等人為代表的自由派和改革派。1949 年 11 月 20 日，《自由中國》在台北創刊，孫立人於 12 月 14 日即致函雷震，稱讚刊物“內容豐富，立論精闢，在今日宣傳鬥爭中，為有力之利器”。他決定“通飭所屬單位認訂，以便官兵閱讀”。[5]

蔣介石抵台後，確曾有過棄舊圖新、重起爐灶的打算，但是，孫立人很快就發現，國民黨極權依舊，實行高壓統治依舊，因此，必然對這個政權強烈不滿。1953 年 3 月，美國民主黨領袖史蒂文生（Adlai E. Stevenson）訪問台灣。21 日晚，在蔣介石設宴招待之後，孫立人於深夜到台北賓館訪問史蒂文生，兩人晤談約 1 小時。據史蒂文生記載：孫立人顯得不大自在，聲音壓得很低，擔心房間裝有竊聽器。談話中，孫立人稱讚史迪威第二次世界大戰期間的在華表現，認為馬歇爾 1946 年調處國共糾紛時，批評國民政府貪污腐化，沒有效率，未獲全民支持，“絕對正確”。談到台灣現狀時，孫立人稱，秘密警察仍在台灣嚴厲控制思想，蔣介石父子不擇手段地鎮壓反對他們的人。他說：“國府軍隊不

---

1 張玉法、陳存恭訪問，黃銘明記錄：《劉安祺先生訪問記錄》，台北“中央研究院”近代史研究所 1991 年版，第 21 頁。

2 郭廷亮等 22 人：《向李登輝先生陳情書》，《“總統府”檔案》，台北“國史館”藏，011-100200-0001-053。

3 《駐台北領事（艾嘉）致國務卿電報》（1949 年 6 月 12 日），台北《新新聞》第 515 期，1988 年 3 月 28 日—4 月 3 日。另見《美國國務院機密檔案中對“孫案”的記載》，《中國軍魂》，台北學生書局 1992 年版，第 34 頁。

4 《孫立人回憶錄》第 7 冊（未刊稿），台北“中央研究院”近代史研究所圖書館藏，第 35 頁。

5 《雷震秘藏書信選》，傅正主編：《雷震全集》第 30 冊，台北桂冠圖書股份有限公司 1989 年版，第 59 頁。

錯，亦有希望反攻大陸，但目前的領導不行，國府仍是一個充斥個人權力的老政權。”[1]

史蒂文生是美國時任總統艾森豪威爾競選時的對手和失敗者，在美國政府中並無職務，來台也並無任務，可以說，孫立人夜訪史蒂文生只是發發牢騷，並無要求任何支持的意思。[2] 這次夜訪，國民黨的特務機關當時就掌握了，只是不知道“密談”內容。後來，孫立人反思國民黨在大陸的失敗時，曾將“家族主義作祟”列為原因之一，認為其危害在於“公私不分，是非不明，還談什麼政治清明，法治民主化呢？國如何不亂呢？民如何不怨呢？”[3] 孫立人在和史蒂文生談話時特別提到“蔣氏父子”，應與他對國民黨統治整個大陸時期“家族主義作祟”的反思有關。

孫立人這種對國民黨和蔣介石父子的不滿，也常常流露於外。據劉安祺回憶，孫立人“一講話，就罵政工，罵黨，罵陳誠，甚至傷害到蔣經國”。[4] 劉安祺是黃埔軍校三期畢業生，國民黨軍隊的老將，他曾被孫立人當作“小兵”一樣，“穿著短袖，戴著草帽，坐小板凳”受訓。其回憶應是真實可靠的。美國檔案稱，孫立人有過類似“採取劇烈的行動以挽回狂瀾”，“將台灣擦拭乾淨”一類想法，或許部分反映了孫的實際思想。

蔣介石機要室主任周宏濤推測，1950 年鳳山練兵期間，孫除擔任“陸軍副總司令”外，還自兼第四軍官訓練班班主任。同年 3 月，蔣介石決定將第四軍官訓練班所在的陸軍訓練部改組為陸軍軍官學校，孫立人要求自兼校長，態度堅決，蔣介石卻堅決不同意，於 5 月 3 日批令暫緩成立。周由此判斷，這可能使孫“起了兵變的想法”。[5] 周宏濤的這一推測力圖和官方保持一致，卻違背孫立人的實際。美國在朝鮮戰爭爆發後改變了原來的棄蔣政策，此後，蔣介石父子在台灣的統治日益鞏固，孫立人失去美國的奧援，即使閃過反蔣動念，但衡諸

1 Walter Johnson ed., The Papers of Adlai E. Stevenson, p.66. Boston: Little, Brown & Company, 1974.

2 谷文正口述：《白色恐怖秘密檔案》，台北獨家出版社 1995 年版，第 183 頁。

3 《孫立人回憶錄》第 7 冊（未刊稿），台北“中央研究院”近代史研究所圖書館藏，第 35 頁。

4 張玉法、陳存恭訪問，黃銘明記錄：《劉安祺先生訪問記錄》，台北“中央研究院”近代史研究所 1991 年版，第 20 頁。

5 周宏濤口述，汪士淳撰寫：《蔣公與我：見證中華民國關鍵變局》，台北天下遠見出版股份有限公司 2003 年版，第 405 頁。

現實條件，也只能寄希望於這一政權的自我改革。

孫立人在"陸軍總司令"期滿後，本應出任"參謀總長"，但卻調任"參軍長"，失去兵權。繼任的"參謀總長"桂永清不久去世，蔣介石以彭孟緝代理。對於這一切，孫立人不滿、苦悶、牢騷滿腹，是必然的。江雲錦在回答黃少谷的調查詢問時說：孫立人曾對他說過一部分"牢騷的話"，如"部隊裏的政工制度有很大的妨害"、"軍訓班學生受到壓迫"等。又說，孫立人以前建立的入伍生總隊、女青年大隊、幼年兵總隊，"都編掉了"。同時，孫立人所寫"新軍歌"，總政治部又命令不准用，代替黨徽的火炬軍徽，總政治部也不准用。這些，都必然激起孫立人的反感。在孫立人看來，這都是"禁止他，限制他"，都是蔣主任（指蔣經國——筆者注）對他"有計劃的打擊"。[1] 這些敘述，都是事實，並非假供。

江雲錦在回答黃少谷時還曾談到，孫立人認為老蔣"以前確實很英明，現在受到小人的包圍，養成他愚昧自利"，"什麼人也靠不住，只有他兒子"。"今天不管是阿貓也好，阿狗也好，只有向蔣主任低頭，就有事做。高級長官的人事調動，都要蔣主任同意，他不同意就通不過。"[2] 這些話，和上述孫立人與史蒂文生的密談精神基本一致，可見也並非假供。

本文前已闡述，郭廷亮動員王霖起草《陳情書》，大家簽名，準備找個人遞給蔣介石，目的在於解決軍隊中政工等問題。王霖的這段回憶時在 1998 年，孫案諸人早已平反，孫立人八年前去世，郭廷亮七年前去世，王霖已經沒有各種現實利害考慮，因此，應該真實可信。

孫立人的軍中聯絡網之所以長期存在，孫立人本人並還多次解囊資助，顯然，其目的在於"人多力量大"，企圖利用這支力量，促進自己所企望的改革。1955 年 9 月 10 日，郭廷亮在回答王雲五的詢問時曾說：

> （1955 年）大概是三四月間，當時他（指孫立人）說，部隊沒有辦法，一天不如一天，部隊裏缺點太多，政工、待遇、訓練等等，都是必須向總統苦諫的，因為他只有一個人，沒有力量，所以想把軍訓班的同學聯絡起

1 《黃少谷、江雲錦談話筆錄》，台北"國史館"藏，《"總統府"檔案》，011-100200-0008-045-048。
2 《黃少谷、江雲錦談話筆錄》，台北"國史館"藏，《"總統府"檔案》，011-100200-0008-048。

來，形成一股力量，以作苦諫之用。[1]

郭廷亮的這段話，和前引王霖所述郭廷亮動員其起草《陳情書》時的說法一致，可見也是真話，並非假供。這一段話的價值在於，說明了"苦諫"之策出於孫立人，其執行者則是郭廷亮。

郭廷亮動員王霖起草《陳情書》的時候，曾經表示，簽了字，交給自己去辦。怎麼"辦"？5 月初，郭廷亮和軍訓班同學討論，提出過三種腹案：1. 5 月至 6 月間，親向"總統"呈遞。2. 按行政系統轉呈"總統"。3. 必要時，部隊遊行示威，上電"總統"。[2] 5 月 27 日，郭廷亮被訊問時，也曾表示"沒有謀刺總統的意思"，只想將"書面報告到屏東機場面遞總統，如果遞不到，再到高雄官邸面遞，再不然就到野外演習場面遞，如果再（遞）不到，就請余副師長（演習指揮官）面遞"。[3]"若親校均呈遞不上，或建議不被採納，即改在校慶時由在軍校服務之軍訓班同派代表呈遞"。[4] 可見，郭廷亮準備的是一項多次、多地點的和平請願計劃。6 月 5 日，郭廷亮在《自白書》中稱："行動目的實在是欲將下面情形反映給領袖，以期早日改進。"[5] 這是符合實際的。

就在郭廷亮等積極謀劃、眾議不一的過程中，郭廷亮被捕。審訊時，"苦諫"，以至"兵諫"、"兵變"，自然是台灣官方重點追查的內容，郭廷亮等 22 名受刑人在致李登輝的《陳情書》中說：

> 他們費了九牛二虎之力，偵查結果，發覺我們充其量有發泄不滿的事實，並無任何犯罪的意圖。
>
> 炮製"兵諫"雖然失敗，但他們已備妥另外一項計劃 —— 自導自演的計劃。他們稱之為"屏東兵變"，後來又稱之為"南部陰謀事件"。[6]

---

1 《王雲五、郭廷亮談話筆錄》、《黃少谷、江雲錦談話筆錄》，台北"國史館"藏，《"總統府"檔案》，011-100200-0008-037-039。

2 《郭廷亮自白書》（1955 年 6 月 15 日），《監察院調查報告》（第二案），附 18，第 18 頁。參見《孫立人將軍因匪諜郭廷亮事件自請查處案調查委員會報告書》（五人小組報告），風雲叢書：《孫立人自述生平》，第 264 頁。

3 《郭廷亮偵訊筆錄》（1955 年 5 月 27 日），《監察院調查報告》（第二案），附 18，第 24 頁。

4 《郭廷亮談話筆錄》（1955 年 5 月 28 日下午 2 時至 29 日上午 12 時），《監察院調查報告第二案》，附 18，第 26 頁。

5 《郭廷亮自白書》（1955 年 6 月 5 日晨 4 時），《監察院調查報告》（第二案），附 18，第 31 頁。

6 《郭廷亮等受刑人向李"總統"登輝先生陳情書》，《黃少谷、江雲錦談話筆錄》，台北"國史館"藏，《"總統府"檔案》，台北"國史館"藏，《"總統府"檔案》。011-100200-0001-057。

正像郭廷亮的“匪諜”身份出於台灣軍事情報機構的創造，所謂“南部陰謀事件”，所謂“兵諫”、“兵變”云云，也同樣如此。對郭廷亮審訊時，審訊人曾問及如通電無效，進一步的行動計劃，郭廷亮答道：“準備在台灣控制幾個要點，例如鳳山、台南等地。”這些應是刑訊逼供的成果。[1] 在醞釀“請願”的過程中，孫立人就曾規勸過部屬：“回去告訴他們，不要胡鬧，等我到屏東再說。”[2] 後來，作為九人調查委員會主任委員的陳誠審查郭廷亮、江雲錦、王善從、陳良壎、田祥鴻等人的供詞，在談及“兵諫”、“兵變”時，雖覺歷歷如繪，但仍不得不對孫立人說：“本會則尚未發現出自你本身而有關係為主謀的直接證據。”[3] 這些資料都說明，孫立人雖同意“苦諫”，卻並無“兵諫”、“兵變”一類內容。[4]

附記：本文寫作中，得到台北“中央研究院”近代史研究所朱浤源、自由撰稿人王豐、美國胡佛檔案館林孝庭等教授的大力幫助，謹致深深的謝意。

1 《郭廷亮偵訊筆錄》（1955 年 5 月 27 日），《黃少谷、江雲錦談話筆錄》，台北“國史館”藏，《“總統府”檔案》，“監察院”李炳南等 4 人：《監察院調查報告》（第二案），附 18，第 25 頁。

2 李炳南等 4 人：《監察院調查報告》（第一案），第 36 頁；又，第二案，第 133 頁。

3 《調查委員會對孫立人將軍調查筆錄》（1955 年 9 月 19 日下午 4 時），最機密第 15 號，《黃少谷、江雲錦談話筆錄》，《“總統府”檔案》，台北“國史館”藏，《“總統府”檔案》，011-100200-0008-023。後來九人委員會的正式報告在使用陳誠的上述語句時又補充了“或其他佐證”五個字，增強了判斷。見李敖編：《孫案研究》，第 155 頁。

4 2016 年 9 月 9 日完成於北京飛廈門的機艙中，10 月 17 日改，10 月 29 日再改。

雷震、胡適與《自由中國》半月刊*

* 本文錄自《找尋真實的蔣介石：蔣介石日記解讀》(4)，東方出版社 2018 年版；原載《中國文化》2018 年秋季號。

一、雷震其人與《自由中國》的創刊

雷震（1897—1979），字儆寰，祖籍河南羅山，出生於浙江長興。1912年進入湖州浙江省省立第三中學讀書，在校時，曾參加反對袁世凱與日本簽訂“二十一條”的愛國運動。1916年畢業，赴日留學。次年，經張繼和湖州同鄉戴季陶介紹，加入中華革命黨。1926年畢業於京都帝國大學法學部，一度入大學院研究憲法。同年冬歸國。1927年，任國民政府法制局編審。1930年兼任中央大學法學部教授。1931年當選為國民黨南京市黨部委員。1938年國民參政會成立，任議事組主任。1940年國民參政會成立憲政期成會，任助理，參與制憲工作。1946年，國民政府召開政治協商會議，任秘書長。他周旋於各種不同政見的派別之間，被取了一個綽號——各黨各派之友。

1949年4月，雷震任京滬杭警備司令部顧問，協助湯恩伯防守上海。8月初，蔣介石在台北設立總裁辦公室，雷震任設計委員會委員。1950年3月1日，蔣介石在台恢復“總統”職位。3月31日，雷震被聘為“國策顧問”。1951年，雷震被蔣介石委派赴香港，慰問從大陸逃亡到當地的反共人士。青年黨領袖左舜生表示願意到台灣協助“政府”工作，但國民黨必須廢除學校中的三民主義課程及軍隊黨部。3月2日，雷震返台報告。29日，蔣經國批評雷震

"受了共產黨的唆使，這是最反動的思想"。4月6日，蔣介石指責雷震"與匪諜漢奸無異，為一種寡廉鮮恥之行為"。[1] 兩次申斥使雷震既痛苦，又憤怒。

還在1949年1月，蔣介石引退下野，國民黨在大陸的統治處於危急存亡之際，雷震即與胡適、王世杰、杭立武等人在上海聚議，主張辦個刊物，宣傳自由與民主。胡適提議，仿照1940年戴高樂反對德國納粹，宣導"自由法國"運動之例，將刊物定名為《自由中國》。4月4日，雷震、王世杰等到溪口，向蔣介石報告《自由中國》社的組織經過及出版計劃，蔣介石贊成並表示願意資助。[2] 11月20日，該刊在台北創刊。發刊詞稱："這個刊物所發表的文字，本著思想自由的原則，意見不必盡同，但棄黑暗而趨光明，斥集權而信民主，求國家民族的自由，求世界的和平，則是大家共同的主張。"胡適認為："言論自由，只在憲法上提到那一條是不夠的。言論自由同別的自由一樣，還是要靠我們去爭取的，法律的賦予與憲法的保障是不夠的。"[3] 他將當年4月所寫《〈自由中國〉的宗旨》交給刊物發表，宣稱"我們要做的工作"第一就是"向全國國民宣傳自由與民主的真實價值，並且要督促政府（各級的政府），切實改革政治經濟，努力建立自由民主的社會"。[4] 該刊由雷震任社長，五四時期《新潮》創辦人、台灣大學教授毛子水任總編輯，前華北大學教授王聿修任副總編輯。胡適因在美國，擔任掛名的發行人。經理馬之驌，編委有夏道平、殷海光、聶華苓等16人。半月一期。至1960年9月1日，共刊出260期，存活10年9個月又10天。

《自由中國》的編委大體上屬於國民黨體制內的改革派，以"憲政民主"為追求目標。創辦初期，得到國民黨高層的鼓勵和資助。自1949年11月至1950年年底，得到"教育部"補助經費約新台幣3萬元"左右"。自1951年3月至1953年5月，吳國楨的省政府財政廳每年資助新台幣2萬元。美國國務院撥款的亞洲協會自1953年元旦起，每期購買1000本。自1954年元旦起，增購500

1 《雷震日記》，1950年3月29日、4月16日。引自傅正主編：《雷震全集》第33冊，第70、81頁。
2 《雷震日記》，1949年4月4日。引自傅正主編：《雷震全集》第31冊，第173—174頁。
3 《雷震回憶錄》，引自傅正主編：《雷震全集》第11冊，第28頁。
4 胡頌平編：《胡適之先生年譜長編初稿》（增補版）第6冊，第2083頁。

本，郵資另加，平均每年約資助 2000 美元。[1]

《自由中國》創刊時，每期印刷 3000 本，贈閱多於訂閱，屬於虧本辦刊。自 1952 年起，可以自給自足。至 1954 年起，開始盈利。1957 年至停刊，每期印刷 12000 本，成為台灣地區“名震遐邇”的著名政論刊物。

二、《自由中國》的多起事件

《自由中國》創刊後，多篇文章觸犯台灣國民黨當局。

（一）社論《政府不可誘民入罪》。

1951 年 6 月 1 日，《自由中國》發表編委夏道平所寫《政府不可誘民入罪》，批評保安司令部經濟檢查人員利用金融管制法令，釣魚執法，藉此獲取巨額獎金。社論呼籲“政府有關當局勇於檢討，勇於認過，勇於把這件事的真相明白公告出來，並給這次案件的設計者以嚴重的行政處分”。[2] 編者在《給讀者的報告》中特別說明，“這篇文章或許會激起某些人士的不滿與憤怒”，但“進忠言是輿論界的神聖使命”，“希望政府當局能有不以忠言為逆耳的雅量。”刊物出版後，保安司令部副司令彭孟緝認為該文“侮辱”了保安司令部，立即呈請省主席、保安司令吳國楨，抓捕編輯，同時遣派特務到編輯部門口站崗。因吳國楨反對，沒有抓人。彭堅持要《自由中國》道歉，經雷震與“總統府”秘書長王世杰、“行政院”秘書長黃少谷、國民黨第四組主任陶希聖等多人溝通，決定由《自由中國》另寫社論解釋。陶希聖認為新寫的社論是“強辯”，“用不得”，雷震即請陶本人修改。6 月 14 日，陶希聖修改後的社論《再論經濟管制的措施》發表，聲稱前文並沒有推論到“有關機關的工作人員之操守”，“不是對於任何人的操守有所指摘”。[3] 這就否認了前文所具有的任何批評內容。

此次事件，被雷震稱為《自由中國》的第一次言禍。[4]

（二）胡適來函。

---

1 陳世宏等編：《雷震案史料彙編：黃杰警總日記選輯》，台北“國史館”2003 年版，第 210 頁。

2 《自由中國》第 4 卷第 11 期，1951 年 6 月 1 日。

3 《自由中國》第 4 卷第 12 期。

4 《雷震回憶錄》，引自傅正主編：《雷震全集》第 12 冊，第 395 頁。

胡適曾認為《政府不可誘民入罪》一文"文字有事實，有膽氣，態度很嚴肅負責，用證據的方法也很細密"，是《自由中國》"出版以來數一數二的好文字"。他讀了陶希聖修改後的社論後，認為是"受了外力壓迫之後被逼寫出的賠罪道歉的文字"。8月11日，胡適致函雷震稱：

> 《自由中國》不能有言論自由，不能有用負責態度批評實際政治，這是台灣政治的最大恥辱。我正式辭去"發行人"的銜名，一來是表示我一百分贊成《不可誘民入罪》的社評，二來是表示我對於這種"軍事機關"干涉言論自由的抗議。

9月1日，胡適的來函在《自由中國》5卷4期刊出。

胡適來函的批評尖銳、嚴厲，蔣介石對《自由中國》刊發此函非常生氣。9月4日，國民黨改造委員會設計委員會主任委員蕭自誠召開會議，批評雷震發表胡適來函是"搗亂"，陶希聖責問雷震"為什麼要弄到胡適之和政府對立"，周宏濤責備雷震"不識大體"，彭孟緝則誣指雷震的香港之行"涉嫌套匯"。9月5日，保安司令部居然向雷震發出傳票，要雷在第二天出庭應訊。6日，國民黨改造委員會紀律委員會向雷震發出"代電"，聲稱雷震在《自由中國》刊登胡適私信，"有損我國在國際上的信譽"，"事先既未報告"，又復違反本黨改造後"一切透過組織"之原則，已經改造委員會核議，並經"總裁"指示，"違反黨紀部分交紀律委員會議處"。7日，雷震得知蔣介石認為自己不配做黨員，要開除黨籍，經陳誠等反對，改為警告。[1]

紀律委員會要雷震在十日內提出答辯，9月15日，雷震提出《答辯書》：

1. 胡適來函是對自由中國出版社全體同人說話，不得視為"私函"。

2.《自由中國》原有編輯委員11人，"代電"所稱"本黨黨員雷震所主編"，並非事實。

3. 函件是"胡先生決心要發表的"，本社同人只有遵辦。台灣"苟尚有發表言論之自由，則胡先生之負責的言論，自無不應發表之理"。

4. 胡先生並非不明了台灣的"實際情形"，倘胡先生真能明了本刊在社論發

1 《雷震日記》，1951年9月7日，引自傅正主編：《雷震全集》第33冊，第155頁。

表後所受威脅，其憤慨“恐尚不止此”。

5.“一個政府在國際的信譽之高低，端在於其實際的施政如何。”胡先生此函如合乎事實，政府許可發表，尊重言論自由，將可恢復國際信譽。

6.“一切透過組織”的原則，不知何所根據？遍查《改造綱要》，在“一元領導”下有“一切通過組織，組織決定一切”字樣，應有的解釋是“指領導而言”，不許本黨今後再有派系之分，並非“黨員之衣食住行及其他一切日常行動均須通過組織”。

《自由中國》發表《政府不可誘民入罪》社論後，改造委員會主辦的《政治通報》曾發表文章，不點名地批評《自由中國》“對執行機關加以過分的責難和批評”，“無異是替買賣金鈔者張目，使取締金鈔黑市辦法等於具文”。因此，雷震在《答辯書》第7條中詢問其理由，是否反對“誘民入罪”就一定導致這樣的結果，除“誘民入罪”手段之外，就再無其他方法？“如此掩蔽事實真相而又不加以矯正，則民主法治之基礎何以樹立，人民之福利及國家社會之進步何從而獲得？”

“代電”通知雷震，其“違反黨紀”部分“交紀律委員會議處”，雷震在《答辯書》中列舉《改造綱要》中關於《黨的紀律》的各項條文，說明改造委員會的決議“其本身實無所根據”。

（三）《再期望於國民黨者》與《監察院之將來》二文。

二文均為1953年《自由中國》第7卷第9期刊發。前文稱：“民主憲政經過了四十年的叫喊，現在已成濫調。濫調之所以成為濫調，在於了無實際內容，無內容的濫調是討人厭的。”後文提到《國歌》中有“吾黨所宗”一句，其中“吾黨”，明明是國民黨，偏偏要他黨黨人在唱國歌時改換黨籍，該是一件多麼傷害感情的事情。3月13日，國民黨中央委員會第四組致函雷震，認為前文“故意歪曲題解，武斷本黨無意實行七全大會宣言”，後文“以挑撥性的詞句，來破壞本黨與民、青兩黨的感情”。函末，第四組表示：“希今後對於此類文字，審慎刊用，以免引起黨內外人士之誤解。如對本黨有積極性之建議者，希以黨員身份，採小組建議方式，透過組織，層轉中央。”[1] 20 日，《自由中國》編委會會議，決定由雷震辨正。23 日，雷震致函第四組，說明前文的批評者“沒有抓住”要點，“沒有看清”層次。“濫調”云云，指的是四十年來過去的事實，全文無一言曾說到“七全大會宣言是濫調”，“而是期望國民黨照宣言所說的去做”。關於後文，雷震說明：國歌本為國民黨黨歌，據我們所知，友黨人士對於國歌，大半抱著憎惡的態度。這是事實的問題，應認定事實，以謀解決，不是言辭爭辯可以定其是非的。[2] 蔣介石讀到黨部送交的對《自由中國》的審查意見，本已大怒。24 日，下令免去雷震的“國策顧問”職務。

（四）批評“黨化教育”諸文。

國民黨在台灣繼續推行“黨化教育”，強制向學生灌輸國民黨的“黨義”。《自由中國》多次發文批評，也因此多次和國民黨台灣當局衝突。1952 年 5 月，徐復觀在《自由中國》發表《“計劃教育”質疑》，批評台灣當局的“計劃教育”，陳誠閱後“大怒”。9 月 6 日，7 卷 6 期發表《對於我們教育的展望》，提出“偏激的黨員”不能辦教育，軍中政治部即下令禁止閱讀《自由中國》。10 月 6 日，7 卷 8 期發表徐復觀所寫《青年反共救國團的健全發展的商榷》，批評“救國團”干涉學校教育，引起“團主任”蔣經國不滿，認為這是雷震、徐復觀“有意與他過不去”。在政治部會議上，蔣經國指責徐、雷“有幫助共產黨之嫌”，蔣介石甚至斷言：“《自由中國》社內有共產黨。”[3] 1954 年 12 月，《自由中國》11 卷 12 期刊登余燕人、黃松風、廣長白等三位家長來信，批評國民黨的“黨化教育”——“三民主義、總理遺教、總統訓詞、青年救國團發下來的必讀小冊子——等等，連篇累牘，念之不盡，讀之不竭”，國民黨六十週年紀念，竟然“要恭讀黨部發下來的國民黨六十週年專刊，要作《我對國民黨的認識》等類的論文”。

12 月 28 日，國民黨中央舉行宣傳會報，陶希聖批評《自由中國》竟敢反

---

1 《中國國民黨中央委員會第四組致雷震》，萬麗娟編注：《胡適雷震來往書信選集》，台北“中央研究院”近代史所 2001 年版，第 46—47 頁。

2 《雷震復中國國民黨中央委員會》，萬麗娟編注：《胡適雷震來往書信選集》，台北“中央研究院”近代史所 2001 年版，第 48—50 頁。

3 《雷震日記》，1952 年 11 月 5 日、9 日，引自傅正主編：《雷震全集》第 34 冊，第 151、153 頁。

對學生讀《總裁言論》，蔣介石以雷震“不守黨紀，影響國民黨名譽”為理由，要求開除雷震的黨籍。[1] 國民黨改造運動中，黨員重新登記，雷震的表格由會計劉子英代填，本人始終未領黨證。唐縱催領，雷震稱，“我總有一天會被你們開除的”，仍然不領黨證。國民黨中央有鑒於此，將開除改為“註銷黨籍”。[2]

（五）通訊《關於孫元錦之死》。

孫元錦，江蘇常州人，原為上海章華毛絨紡織廠職員。該廠的總經理為程年彭，董事長為外號“火柴大王”和“毛紡業大王”的劉鴻生。1948 年，章華廠的部分物資遷移台北，轉化為程的私人財產。1949 年，程與人合資，在台北成立台灣毛絨廠，以孫元錦為經理。由於當時劉鴻生已是大陸地區的華東軍政委員會和上海市人民政府的委員，在台灣即可視為“附匪”，其資本可以作為“逆產”沒收。1955 年 6 月，台灣保安司令部台北經濟組組長李基光威逼孫元錦，要他承認程的股本就是章華的股本，若不承認，即日扣押。14 日，孫服毒自殺，留書稱：“如此特務橫行，安善良民如何以堪？”“如此世界，實不願言，只求速死。”6 月 23 日，台北報紙發表了相關消息。9 月 2 日，讀者投書《自由中國》，題為《關於孫元錦之死》，編委夏道平再次寫作社論《從孫元錦之死想到的幾個問題》，矛頭直指台灣省保安司令部的職權、獎金制度等問題。刊物發行後幾小時，保安司令部立即命令警察通知所有書攤不准發售。出版的當日上午，“國民大會”秘書長洪蘭友緊急召見雷震，劈頭就說：“你好大膽啊！你又想坐牢嗎？”他聲稱：“保安司令部的事，連副總統和行政院長都不敢過問，你老兄倒要出來打抱不平！”他坦率地說：

> 國民黨宣傳的自由和民主，僅是一塊對外的招牌，你們也不察明真相，我看你們實在太糊塗了。你們如果這樣搞，終有一天，他們會來收拾你的，會把你關起來的。[3]

他要求雷震看在“老朋友”的面子上，刪去有關孫元錦的文章，改版發行。

---

1 《給蔣經國的抗議信》之二，引自傅正主編：《雷震全集》第 27 冊，第 166 頁。

2 傅正主編：《雷震全集》第 12 冊，第 377—381 頁；《雷震秘藏書信選》引自《雷震全集》第 30 冊，第 287 頁。

3 《雷震回憶》，引自傅正主編：《雷震全集》第 12 冊，第 301—303 頁。

雷震回到編輯部，召開緊急會議，討論應對辦法，保安司令部政治部主任王超凡突然到來，懇求刪文改版。雷震稱，事關言論自由，揭發"政府"壓迫人民的事，如不能直言無諱，不僅違反宗旨，也違反良心。王超凡表示願出改版費用，雷震仍然不允。王超凡無奈，下跪乞求。雷震表示考慮。結果，《自由中國》在報上刊登廣告，延期兩日出刊。

（六）蔣介石祝壽專號。

1956 年 10 月 31 日，蔣介石 70 大壽。蔣介石命令"總統府"秘書長張群函知各機關，不得發起祝壽活動，要求海內外同胞，就建設台灣成為三民主義模範省，增進經濟、政治、社會、文化等四大建設等方面"直率抒陳意見"，以便"虛心研討"，"採擇實施"。蔣介石特別要求對"中正個人平日言行以及個性等各種缺點，做具體的指點與規正"。有鑒於此，《自由中國》決定發行《祝壽專號》，雷震以《壽總統蔣公》為題，撰寫社論。

1946 年通過的"中華民國憲法"規定，"總統"、"副總統"任期 6 年，連選得連任一次。此際，蔣介石的第二任"總統"接近第三年。在"總統"任期和選拔繼任人才問題上，雷震執筆的《社論》認為："民主政治難免要發生爭奪，我們總要使此種最高權力的爭奪成為一場有規則的球賽，而不要成為一場無秩序的混戰。"據此，《社論》提出："今天正是設定規則的時候了。"在"確立責任內閣問題"上，《社論》認為："中華民國憲法""在精神上為一種責任內閣制，行政院長實為全國施政的最高首長"，但十年來，責任內閣徒有其名，"國家成了一個由蔣公獨柱擎天的局面"，希望在今後三年半的時間，"在蔣公親自的督促下"，為"有關百年大計的一切制度"，"打定基礎，為百世子孫示範"。在"實行軍隊國家化"問題上，《社論》認為，民國成立以後，幾乎從來就是把長官個人視為軍隊效忠的對象，而在民主政體之下，"不僅軍隊長官可以隨時更動，即連國家的執政者也可隨時更動"，"軍隊只知效忠於國家，受人民所選擇的政府之節制，不受個人的影響，亦不受黨派的影響"。《社論》稱："現在，蔣公可以代表國家，但國家究竟不是常能找出一個個人來代表。"因此，《自由中國》提出，"必須在今後三年半的時間內做一個徹底的部署與準備”。[1]

除發表社論之外，《自由中國》還發表了胡適、徐復觀、夏道平、陳啟天、劉博崑、蔣勻田等 15 個學者的專論。其中，胡適的《述艾森豪威爾總統的兩個故事給蔣總統祝壽》要求蔣介石“不可多管細事，不可躬親庶務”、“無智、無能，無為”，而能“禦眾智”、“禦眾勢”，“把個人主觀底意志，解消於政治的客觀法式之中”。其他文章則涉及建立“責任內閣”、扶植反對黨、軍隊“國家”化、司法獨立、建立自由教育、扶植民間報刊、樹立責任政治、改善地方選舉，縮小特務機關權力、改革經濟機構、召開“反共救國”會議等多方面的問題，其核心仍是反對國民黨的一黨專政和個人獨裁。出版之後，受到台灣社會的廣泛歡迎，第二天即搶購一空，一年之內，連續印刷 11 版，發行 3 萬餘冊。

台灣當局的嗅覺很靈，團方、軍方、國民黨方等立即群起圍攻。蔣經國主持的“國防部”總政治部發出“極機密”的第 99 號“特種指示”，“向毒素思想總攻擊”。該文件指稱《自由中國》社的編輯人員為“共匪同路人”，其言論為“共匪思想走私”、“假藉民主自由的招牌，與過去在大陸上的共匪、民盟，所謂民主、自由的濫調並無不同”。指示既下，“青年反共救國團”主辦的《幼獅》月刊首先開炮，發表社論《揭穿共匪戰術，防止思想走私》。“國防部”總政治部主辦的《國魂》發表《清除毒素思想》、《事實俱在，不容詭辯》繼之。這些文章聲稱“共匪發動和平攻勢，必同時加緊進行思想走私”，“共匪對我們所用的中立戰術、統戰戰術、孤立戰術，是沒有一樣不假藉民主自由之美名的”。[2] 同時聲稱：“我們從不反對民主自由，但是我們認為，真正的自由，不是個人自由高於國家自由，而是國家自由高於個人自由，而是要寓個人自由於國家自由之中。”[3] 國民黨機關報《中華日報》甚至發表《蛇口裏的玫瑰》，以美國《費城晨報》的往事為例，鼓勵人們砸報紙，揍主筆，聲稱對於這些“毒蛇、黃鼠狼必須迎頭痛擊”。[4] 對胡適，則以“有一知名學者”代指，批評其所寫“祝壽”

---

1 《自由中國》第 15 卷第 9 期。

2 《國魂》月刊 140 期（1956 年 12 月號）；《青年戰士報》，1956 年 12 月 20 日。以上均轉引自馬之驌著：《雷震與蔣介石》，台北自立晚報出版社 1993 年版，第 233 頁。

3 馬之驌：《雷震與蔣介石》，第 234 頁。

4 台北《中華日報》，1956 年 12 月 24 日。

文章，“製造人民與政府對立”、“為共匪、特務打前鋒”、“要總裁做一個無知、無能、無為的元首”、“荒謬絕倫”。[1] 1957 年 1 月 16 日，《自由中國》第 16 卷第 2 期發表社論辯護，認為國民黨當局諸報刊的文章不是批評與討論，而是誣衊和構陷，力辯《自由中國》的思想與意見“沒有一分一毫與共產主義有共同之點”。[2]

自此，《自由中國》的辦刊處境日益困難。首先是軍方停止訂閱，其次是特務經常下廠檢查、抽走發排稿，引起印刷廠拒印。雷震與“行政院”秘書長黃少谷交涉，黃提出不批評總統個人、不批評國民黨、態度友好三個條件，雷震接受一、三兩條，對“不批評國民黨”持保留態度，答應刊登有關言論時，詞句力求妥適，但要求對方不加“紅帽子”。後來雷震在致香港友人信中稱“自祝壽專號之後，政府敵視甚深”，“壓迫一天厲害一天”。[3] 11 年間，《自由中國》七次更換印廠，均與政治原因有關。

（七）讀者陳懷琪投書。

1959 年 1 月 16 日，《自由中國》刊出署名陳懷琪的“讀者投書”，題目是《革命軍人為何要以“狗”自居》，敘述參加國軍三民主義講習班聽課情形，該期講習班的宗旨是“堅定反攻復國信念，鞏固革命領導中心”。教官在講述中聲稱：“只有現在的領袖才能領導我們反攻大陸，光復河山。”陳懷琪提出質疑：“總統是一個人，凡人皆有死，這個‘只有’的‘總統’，如果有萬一的一天，我們的反攻大陸就真要完全無望了！”文中提到，班裏的訓導主任講話稱，以前有人罵戴笠是領袖的走狗，戴笠不但不怒，反而引以為榮。這位訓導主任說：“現在我們革命軍人也要以領袖的‘走狗’自居，如果有人攻擊我們的領袖，我們就毫不客氣地咬他一口。”文末，陳自稱，6 天的“訓”受完了，沒有學到新學問，我變成了一隻咬人的“狗”。

1 月 29 日，陳懷琪出面否認，致函《自由中國》，指責其“冒用本人姓名，杜撰假投書，以軍人詆毀軍人，以軍人毀壞軍譽”，要求“依法更正”。《自

1 《雷震回憶錄 —— 我的母親續篇》，第 144—145 頁，引自傅正主編：《雷震全集》第 11 冊，第 166 頁。
2 《我們的答辯》，《自由中國》第 16 卷第 2 期。
3 陳世宏等編：《雷震案史料彙編：黃杰警總日記選輯》，台北“國史館”2003 年版，第 112 頁。

由中國》經研究後，僅發表簡短聲明，說明“同姓同名，但並非一人”。2月18、19日，陳懷琪在台北各大報刊登啟事，指責《自由中國》未依法登載本人更正“原函”，“不特違反出版法，實屬觸犯刑章”，隨即向台北地方法院提出控告，罪名為“偽造文書”、“誹謗”、“有利於叛徒之宣傳”。

其實，投書的陳懷琪與出面否認的陳懷琪確係一人，其否認和出面告狀都是軍方政治部指使的結果。[1]

3月2日，雷震收到台北地方法院傳票。3月3日，雷震出庭應訊。庭外有一百多學生聚集聲援，有人送100元新台幣給雷震，幫助訴訟費。《自立晚報》社社長李玉階和青年黨領袖夏濤聲特意帶著機關公章，準備必要時出面作保。胡適在當日下午雷震到南港中研院寓所時，特別倒酒為之壓驚。3月5日，胡適致函《自由中國》編委會全體，批評編輯部沒有調查“陳懷琪”是真名、假名，就貿然刊出。他以當年創辦《獨立評論》和《現代評論》以及《新青年》《每週評論》的《隨感錄》為例，要求今後最好不用不記名的社論，停止短評。他說：“爭取言論自由必須用真姓名，才可以表示負言論的責任。”《自由中國》的編委認為此信“太窩囊”、“等於屈膝乞憐”，決定不發表。3月9日，胡適寫作《自由與容忍》一文，認為“容忍是一切自由的根本；沒有容忍，就沒有自由”。他說：“我們若想別人容忍諒解我們的見解，我們必須先養成能夠容忍諒解別人的見解的度量。”該文旋即發表於《自由中國》。

胡適為何要寫這一篇文章，雷震等認為目的在於化解陳懷琪的這場官司。胡適一面約雷震和夏道平談話，勸以“個人榮辱事小，國家前途事大，要多多忍耐，不要把中華民國在聯合國的席次搞垮了”，一面請早年的老師王雲五出面向蔣介石求情，請他寬大為懷，不予追究。4月18日，蔣介石召見“司法行政部”部長谷鳳翔，告以此案“應不作速決為宜”[2]。其後，法院不再傳訊雷震。[3]直到雷震被捕，此案遂併入雷案審理。

（八）《今日的問題》系列社論。

---

1 《雷震日記》，1959年4月14、30日，引自傅正主編：《雷震全集》40冊，第68、78頁。

2 《蔣介石日記》（手稿本），1959年4月18日。

3 《雷震回憶錄——我的母親續篇》，引自傅正主編：《雷震全集》11冊，第74頁。

1957年8月，《自由中國》自17卷3期開始，以“今日的問題”為總題目，對政府的施政不當之處，加以嚴正批評，提出建議。該社論的第一篇由殷海光打頭陣，題目名為《是什麼，就說什麼》，至1958年春，共發表社論17篇。其中，第二篇《反攻大陸問題》仍為殷海光執筆，提出在今後若干年內，反攻大陸的可能性不大，該政策“真是弊害叢生”，被台灣當局概括為“反攻無望論”。《反對蔣總統三連任》由被胡適稱為“闖禍先生”的夏道平執筆。《青年反共救國團》一文指責蔣經國操縱的該團等於各機關的“太上皇”，不成體統。《反對黨問題》是這一系列社論的最後一篇，再次強調反對黨“當然是一個忠誠於國家、忠誠於憲法的政治團體”，目的在“督促政府，使其能夠從事各種必要的改革”。

三、雷震組織反對黨，胡適建議稱為在野黨

1949年11月17日，台灣當局“駐聯合國代表”蔣廷黻在《紐約時報》公開組黨計劃。年底，他在美國舉行招待會，宣佈組織中國自由黨。次年1月，《自由中國》在2卷1期發表了其《組織綱要草案》，但是兩者之間並無關係。

雷震當時的興趣在於以胡適為領導，宣導“自由中國運動”。1957年6月，《自由中國》發表朱伴耘所作《反對黨！反對黨！反對黨！》，鼓吹“強大反對黨的存在是救國良藥”，自此，連續發表相關文章29篇。1958年5月，18卷第11期，胡適發表《從爭取言論自由談到反對黨》，認為“反對黨”一詞，有搗亂、顛覆政府的意味，最好不用，可否讓教育界、青年、知識份子出來組織一個不希望取得政權的“在野黨”。22卷第10期，雷震發表《我們為什麼迫切需要一個強有力的反對黨》，提出成立新黨，與“獨霸局面至三十年之久而今天仍以武力為靠山的國民黨從事競爭”。他特別強調“強有力”三字，因為自1946年以後，民社和青年兩黨始終追隨國民黨，但實際上只起附庸和點綴作用，並不能改變國民黨“一黨專政”的實質。這個時候，雷震等人已經決定成立“中國自由黨”，胡適認為蔣廷黻曾在美國發起同名政黨而未能成功，這是個倒了霉

的名字，既然組黨是為改善選舉，爭取民主，便定名為中國民主黨。[1]

1960 年 5 月 8 日，雷震、胡適、齊世英、吳三連等在台北李萬居的住宅集會，談韓國事件，繼而討論籌組反對黨問題。眾人邀請胡適出面領導，胡適表示，韓國問題不可與台灣並論，自己對政治不感興趣，不願參加籌組反對黨。[2]當時，地方自治選舉剛剛結束，暴露出國民黨操縱選舉的種種弊端。同月 18 日，台灣在野黨及無黨派人士舉行本屆地方選舉檢討會，名為"選舉改進座談會"，雷震、吳三連、李萬居、高玉樹等 7 人為輪值主席，宣稱將"團結海內外民主反共人士，並與民、青兩黨協商，立即籌組一個新的政黨，為真正的反共、真正的民主而奮鬥"，"務使一黨專政之局，永遠絕跡於中國"。[3]會議鑒於 6 月 18 日美國總統艾森豪威爾即將訪問台北，決議在此前發表聲明。[4] 6 月 15 日，雷震等 7 人向台灣各報及在台北的各國際通訊社發送《聲明》，指責國民黨當局"政風敗壞，剝奪人民權利自由"、"選舉違法舞弊，要求凡發生選舉訴訟地區，應一律重新驗票"，同時號召立即籌組新政黨，與政府抗衡。[5] 16 日，該聲明在李萬居的《公論報》發表。美國"駐台使節"莊來德、"參事"奧斯本（Osborn）都表示支持。《自由中國》第 3 卷第 1 期以後，葉時修、殷海光、朱伴耘、傅添榮等人陸續發文，提出國民黨退出軍隊、維護司法獨立、搶救基本人權、改進基層選舉等設想。

6 月 30 日，雷震與夏濤聲看望胡適，請求胡適支持他們的反對黨。胡適表示："我不贊成你們拿我來做武器，我也不牽涉裏面和人家鬥爭。如果你們將來組織成一個像樣的反對黨，我可以正式公開的贊成，但我決不參加你們的組織，更不給你們做領導。"[6]當時，胡適即將赴美出席"中美學術合作會議"。7 月 2 日晚，雷震、夏濤聲和"選舉改進座談會"召集人為胡適餞行，談起反對黨，胡適再次表示，他個人贊成組織在野黨，並且希望在野黨強大，能夠發展制衡作用，以和平的方法爭取選民的支持，使政治發生新陳代謝。他並說：

---

1 傅正主編：《雷震全集》12 冊，第 349 頁。

2 陳世宏等編：《雷震案史料彙編：黃杰警總日記選輯》，第 47 頁。

3 《選舉改進座談會的聲明》，《自由中國》第 22 卷第 12 期。

4 陳世宏等編：《雷震案史料彙編：黃杰警總日記選輯》，第 56 頁。

5 陳世宏等編：《雷震案史料彙編：黃杰警總日記選輯》，第 56 頁。

6 胡頌平編：《胡適之先生年譜長編初稿》增補版，第 3305—3306 頁。

"在野黨要有容忍的精神和嚴正的態度，要有長遠的眼光、長遠的計劃，做長期努力，使我們能夠看到民主政治與政黨政治走上正軌，發生交替與監督作用。"胡適表示，自己老了，"朽木不可雕"，希望新黨培養領導人物。[1]

7月31日，雷震等70餘人在高雄召開選舉改進座談會。會場原定在該市第一飯店，因高雄警備分區指示，第一飯店拒絕借用，改在楊金虎的住宅舉行。會上，雷震提出組黨的三條原則：1. 新黨包括民（社）、青（年）兩黨，是全國性政黨。2. 在台灣以改進選舉、"收復大陸"為宗旨，"反攻復國"為目標。3. 採用合法和平手段，反對用暴動方式。雷震表示，新黨最遲將在9月底完成。他並稱："國民黨一黨專政，軍隊黨化，司法不能獨立。警備總部到處阻擾開會，所恃之法寶為戒嚴法，但台灣執行該法已12年，世界民主自由國家從無此例，回到台北後當提出抗議。"[2]

台灣國民黨當局自然明白，《自由中國》和雷震等人宣導組織"新黨"，矛頭是指向自己。官方報紙發文，聲稱中共"利用新黨陰謀活動，進行顛覆陰謀"。9月1日，籌組新黨發言人李萬居、雷震、高玉樹以"選舉改進座談會"的名義在《自由中國》第23卷5期發表《緊急聲明》，說明"我們組織新黨，係基於愛國心切，不能坐視因國民黨的一黨專制，過分集中政治權力而誤人誤國"，聲稱"民主政治的優點，是執政黨和在野黨的相互制衡，使執政黨也不敢靠政治權力去侵犯人權，或在選舉中違法舞弊，或採取其他可能失去士氣民心的種種不良措施"。

《自由中國》的言論，使台灣國民黨當局日益不滿，雷震等人的組黨活動更使台灣當局日益不安。

四、國民黨決定抓捕雷震

雷震等人，標榜自由、民主，反共、反蘇、反極權，這是符合蔣介石等人的胃口的，然而，《自由中國》辦起來之後，其鋒芒所指，卻是蔣介石、蔣經

1 胡頌平編：《胡適之先生年譜長編初稿》增補版，第3309頁。
2 陳世宏等編：《雷震案史料彙編：黃杰警總日記選輯》，第78—79頁。

國等人在台灣已經建立，並且正積極圖謀加以鞏固的統治，因而被認為擾亂人心、士氣，由不喜、不耐、憎厭、限制、防範而監控、鎮壓。自 1956 年起，雷震即被列為"首要注檢對象"[1]。

1957 年 3 月，蔣介石為《自由中國》事訓示蔣經國，要戒慎自持，不可為文人包圍利用。[2] 同年 8 月 23 日，蔣介石到革命實踐研究院主持會談，討論《自由中國》"破壞國策之罪案"，因為大陸正在反擊"右派"、"圍剿鳴放"，蔣介石認為不是處理《自由中國》的適當時候，決定"慎重將事"，待其今後發展再定。[3] 會後，蔣介石多次召見美國駐台"大使"蘭金，質問美國亞洲協會資助《自由中國》一事。[4] 1958 年 1 月，台灣胡秋原、成舍我、高玉樹，香港左舜生等紛紛發表言論，批判蔣介石和台灣當局，使蔣介石憤怒至極，日記云："台灣人心浮蕩，風習澆薄，社會不安之象日增，最應注重如何使之消弭。"其列出的分別處理對象有宣傳輿論界、民意代表、教育界、工商界以及反動組織等，在"反動組織"四字下，蔣介石特別加注"《自由中國》等"五字。[5]

蔣介石憎惡《自由中國》，自然憎惡雷震。5 月 21 日，台灣"大陸災胞救濟總會"改選理監事，雷震當選，蔣介石非常"駭異"。當日，國民黨召開中常會，蔣介石和陳誠、張厲生一起批評該會理事長谷正綱，"憤激不已"，居然放棄主持，離會而回。日記云："近日不良黨員囂張已極，對黨務深為痛心。"[6]

當時，台灣報紙批評國民黨當局的言論與日俱增，為了加強管控，台灣當局"行政院"提出《出版法修正案》，交"立法院"審議。4 月 16 日，蔣介石在國民黨中常會提出，為維護民心士氣，安定社會秩序，防止中共滲透，不能放任"黃色新聞"長此充斥，阻礙"反共國策"實施，必須修訂原有的出版法。[7] 蔣介石的意見遭到新聞界的強烈反對。19 日，蔣介石得知胡適到《自由中國》參加編輯會議，對《出版法修正案》表示異議。20 日，蔣介石即考慮對新

---

1 陳世宏等編：《雷震案史料彙編：黃杰警總日記選輯》，第 277—278 頁。
2 《蔣介石日記》（手稿本），1957 年 3 月 1 日。
3 《蔣介石日記》（手稿本），1957 年 8 月 13 日。
4 《蔣介石日記》（手稿本），1957 年 8 月 27 日、31 日、1958 年 4 月 2 日。
5 《蔣介石日記》（手稿本），1958 年 1 月 31 日。
6 《蔣介石日記》（手稿本），1958 年 5 月 21 日。
7 《國民黨中常會第 44 次會議記錄》，台北中國國民黨黨史館藏。

聞界表態，“寧負限制出版自由之惡評”，也必須修正出版法，保障台灣基地的安定。[1] 當時，“立法院”中的反對力量很強大，經過兩個多月的爭吵，《出版法修正案》於 6 月 21 日通過。該《修正案》規定，行政機關可以不經司法機關判決，徑行取締出版品，擁有限制登記、發行，甚至使之停刊的裁量權與處分權。《自由中國》認為這是“鉗制言論自由”，發表社論，批評“這是立法史上可恥的一頁”。[2] 蔣介石則視之為“革命成敗的重大關鍵”，也是對“立法院”、“監察院”中的“反黨份子”和“民主投機份子”的“重大打擊”，並開始考慮對胡適、雷震、民營報紙以及《自由中國》的“處理方針”。[3]

10 月 18 日，蔣經國與“警備總司令部總司令”黃杰談話，認為《自由中國》的言論，對民心士氣均有不良影響，可否託與雷震較接近的友人勸其向“政府”提出有建設性的言論，“政府”必欣然接納，有所改進，不必經常惡意攻訐，甚或無的放矢，此時此地，殊非所宜。蔣經國稱，“民主國家言論固然自由，但為法律範圍內之自由，有出版法範疇之。倘言論違反國策，則自非法律之所許也”。此時《自由中國》出版已近 9 年。蔣經國的這段談話表現出他雖對《自由中國》不滿，但還想通過友人勸導方式，改變其辦刊方針，不發“惡意攻訐”的批評文字，多提“建設性的建言”。不過，在此後的一段時間內，台灣當局或主張“依法取締”，或主張觀察等待，方針未定。

11 月 2 日，“警備總司令部”第二處報告 1957 年來的“文化檢肅”工作成績，認為經過努力，台灣文化已由“混亂囂張”轉變為“大體正常”，現在僅《自由中國》一種尚在繼續發表“反動荒謬言論”，成為“國內分歧輿論的根源”。11 月 28 日，“行政院”秘書長陳雪屏致電黃杰，認為《自由中國》的言論“違反國策，對社會人心、三軍士氣均有不良影響”，要求書刊審查組依法取締。12 月 1 日，黃杰與“副總統”陳誠同車赴陽明山途中，黃杰向陳誠提出，《自由中國》第 19 卷第 11 期所載文章，對司法機關攻擊甚烈，言論偏激，似有取締必要。黃並稱，已檢扣該期雜誌 4600 份。陳誠指示，本期可予放行，俟查明其

1 《蔣介石日記》（手稿本），1958 年 4 月 20 日。

2 《國民黨當局應負的責任與我們應有的努力》，《自由中國》第 19 卷第 1 期。

3 《上星期反省錄》，《蔣介石日記》（手稿本），1958 年 6 月 21 日。

違法罪證再予懲辦。其後，黃杰與陳雪屏、黃少谷等商量，決定"慎重將事"，本期仍任其出版，擬發動輿論界一致抨擊，觀其反應，決定下一次行動。

1959 年 1 月 20 日，蔣介石主持宣傳會談，提出國民黨中央宣傳指導委員會今後工作重點在台灣，不在"海外"，要從輿論上安定人心，安定台灣，各報社論均應著重於台灣治安之維護。凡是破壞反共抗俄基本國策者均不許發行。他特別提出，《自由中國》言論偏激，不能任其存在，其思想毒素尤不能任其蔓延。對參加《自由中國》的成員，蔣介石主張分別處理：能轉移其傾向者繼續努力，使之轉移；頑梗不化者收集資料，選擇時間，採取行動，予以取締；對雷震，其個人資料，如確有"匪"的關係，即應以匪諜論處。會議中，蔣介石特別向黃杰詢問《自由中國》的發行情形及承印廠商狀況。[1]

蔣介石在宣傳會談的講話一錘定音。他要求研究雷震與"匪"的關係，情治部門自然按照這一方向，加意搜尋。《自由中國》的會計劉子英 1949 年自香港經雷震保證來台，經常通過香港親友與大陸家人通函，首先成為懷疑對象。4 月 4 日，警備總司令部、"國家安全局"、司法行政部調查局等部門人員會商，將劉列為"重要涉嫌份子"，要求繼續搜集資料，俟時機成熟，採取行動。13 日，"國家安全局"行文警備總司令部，要求"協助調查局積極進行，以竟事功"[2]。1960 年 1 月 24 日，"國家安全局"再次行文警備總司令部，提出劉子英"抗戰時曾在國民參政會工作，與邵力子關係密切，卅七年轉任監察院秘書，大陸時留守匪區，辦理移交"等情況，聲稱劉"實為重要涉嫌份子"，要求"密查其動態見告"。[3]

國民黨敗退台灣後，曾於 1954 年 2 月至 3 月，召開第一屆"國民大會"第二次會議，選舉蔣介石為"總統"，陳誠為"副總統"。至 1960 年，"總統"的 6 年任期已滿。台灣當局擬於當年 3 月 20 日召開"國民大會"一屆三次會議，繼續選舉蔣介石為"總統"。當時，胡適、雷震等人普遍不希望出現"三連任"現象。《自由中國》自 1959 年 1 月 1 日起，至 1960 年 4 月 1 日止，共發表社

---

1 陳世宏等編：《雷震案史料彙編：黃杰警總日記選輯》，第 11 頁。
2 陳世宏等編：《雷震案史料彙編：黃杰警總日記選輯》，第 23 頁。
3 陳世宏等編：《雷震案史料彙編：黃杰警總日記選輯》，第 37 頁。

論21篇，專論20篇，通訊7篇，反對蔣介石連任。“國安局”等六個單位為了保證蔣的當選，成立騰輝專案。3月9日，騰輝專案協調聯席會第9次會議提出，以“民（社）、青（年）兩黨及雷（震）、胡（適）陰謀，為今後情報搜集重點”。16日，騰輝專案第10次會議，“國家安全局”陳大慶局長報告，“今後工作重點仍在對付雷震主持之《自由中國》反動言論”。黃杰做結論時提出，《自由中國》的稿件，除軍中問題，社會方面的荒謬稿件可以少加檢扣，任其刊登，造成其罪大惡極。他提出，在“國民大會”閉幕後，騰輝專案仍可每月召開，交換意見，集中力量，研究對雷震主持的反動刊物的處理。

在騰輝專案之外，國民黨當局又設立酉陽黨團小組，討論如何保證“總統”、“副總統”以最光榮的票數當選，防止反動派、搗亂派操縱國大會等問題。黃杰提出，“總統”選舉，要保證最少有1400票；“副總統”選舉，要注意疏導，使代表認識到擁護“副總統”即為服從“總統”意旨的具體表現。從會議記錄可以看出，酉陽小組對如何控制會場，防止搗亂份子做了細緻、周到的研究和安排，甚至提出，在“總統”、“副總統”選出後，“做適時之熱烈歡呼，造成“舉國”一致之慶祝”。關於雷震問題，會議決定，俟大會閉幕後再做處理。

3月17日，“特檢處”從郵檢中獲知，雷震致函胡適，建議選舉“總統”當日，胡適“千萬不可出席”。[1] 20日，胡適出席開幕典禮，接受記者訪問時表示：“我僅有一句話，就是堅決反對‘總統’連任。”[2] 雷震則以“不感興趣”為理由，拒絕到會。[3] 儘管如此，蔣介石仍於21日被選舉為“總統”，次日，陳誠被選舉為“副總統”。

4月19日，韓國學生示威，迫使總統李承晚下台。土耳其武裝部隊總參謀長發動政變，出任總統、總理兼國防部長。6月1日，《自由中國》發表社論，認為韓國的政局演變“亟應為一切真誠反共並反一黨奴役的亞洲人民共同深切體認”，文稱“人民長期在一黨高壓之下反共”、“做反共的奴隸”，“真是人生

---

1 陳世宏等編：《雷震案史料彙編：黃杰警總日記選輯》，第45頁。
2 台北《公論報》，1960年3月21日。
3 台北《公論報》，1960年2月21日。

最大的不幸”。文章承認，李承晚政權傾倒之後，韓國政局有若干動盪，但是，緊接著就表示：“動盪並不一定就是壞事。僵化才是壞事，把僵化看作穩定，更是觀念的錯誤。僵化是死亡的前奏；合理的動盪則是新生的前奏。”[1] 6 月 10 日，國民黨特種第八黨部召開委員會議，警備總司令部副總司令李立柏報告，《自由中國》“內容偏激，其向學生及軍中散播反動論調，勢將慢慢形成力量”。甚至指責該刊“公然鼓動軍隊推翻本黨政權，此實為嚴重之問題”，“必須注意其今後之發展動向”，“以黨的力量、堅強的意志，密切注意，研究分析，除消極的防止外，並須積極的搏鬥”。[2] 黃杰提示，《自由中國》言論反動，各級組織應隨時注意，反映上級。組織即是鬥爭，各個黨員之勇氣，即是力量。上級對此，已有決定對策。本部應即建議上級，發動黨員予以反擊。6 月 12 日，陳誠召見黃杰，下定決心處理《自由中國》，他說：“我下命令，由我負責，你來執行。輿論越攻擊這件事，讓他們攻擊我，絕對不要涉及總統。”不過，也有人向黃杰建言：“民主政治，以言論自由為第一要義”，取締《自由中國》必須“審慎將事”，最好由“內政部”或省市政府，依“出版法”執行，而不由警備總司令部出面，以免引起不必要的紛擾。

7 月 13 日，國民黨中常會開會，對《自由中國》原則上決定處理。[3] 7 月 22 日，台灣當局召開第九次“國家安全會報”，蔣經國講話，認為《自由中國》的雷震，糾合一般分歧份子喊叫組織反對黨，“不可過於緊張”，“也不要大意，不要馬虎”，“必須以政治方法來解決此一政治問題”，“小事放鬆，大事抓緊。小問題即刻處理，大問題從長商榷”。他說：“別人看我們糊塗，我們不糊塗；別人看到我們沒有力量，我們有力量。”29 日，李立柏到警備總司令部進行會議，黃杰等都主張“依新出版法處理”。

為了逮捕、偵訊、起訴雷震等人，早在 1959 年 1 月，警備總司令部即進行“假想作業”，搜集資料，整理研究，由警備總司令部所屬的政治部、保安處、軍法處分別進行，最後由保安處加以彙整。該項作業，將“雷”字拆開，稱為

---

1 《韓政演變的光明啟示》，《自由中國》第 22 卷第 11 期。

2 陳世宏等編：《雷震案史料彙編：黃杰警總日記選輯》，第 51 頁。

3 陳世宏等編：《雷震案史料彙編：黃杰警總日記選輯》，第 64 頁。

"田雨專案"。1960年6月，軍法處呈報《田雨專案起訴書假作業》，擬以"傳播不實消息，搖動人心，及為有利於叛徒之宣傳"、"有觸犯懲治叛亂條例重大罪嫌"為理由，將雷震等提起公訴，但同時說明"證據部分，擬請保安處進行搜集，以資充實"。可見，連軍法處都自感理由不足。其間，總政治部、情報局、調查局、"國家安全局"等單位陸續抽調人員，組成專業幕僚小組，分工合作。7月2日，各專業幕僚小組召開聯席會議，將專案改名為"七二專案"，分思想戰鬥、聯戰運用、法律研究、安全調查四組，制訂為期三個月的工作計劃。這一切充分顯示，當時國民黨情治單位的工作重心已放在偵辦雷震案上。同月20日，《蔣介石日記》云："本月對《自由中國》的反動刊物必欲有所處置，否則，台省基地與人民皆將為其煽動生亂矣。"[1] 23日再記云："如不速即處置，即將噬臍莫及，不能不做最後決心矣。"[2]

蔣介石雖下定"最後決心"，但仍然有所猶豫。7月25日日記云："《自由中國》半月刊之處治辦法應再加考慮乎？"26日，他決定警告和雷震一起籌組新黨的李萬居、高玉樹等"反動文人"——"甲、民主自由之基礎在守法與愛國。乙、不得煽動民心，擾亂社會秩序。丙、不得違法亂紀，造謠惑眾，動搖反共基地。丁、不得抄襲匪共故伎，破壞政府復國反共措施、法令，而為匪共侵台鋪路，不得挑撥全體同胞團結精神情感，假藉效尤共匪民主，實行顛覆政府之故伎。"在寫下了上述一系列"不得"之後，蔣介石寫了一句："其他皆可以民主精神，尊重其一切自由權利。"[3]

五、蔣介石七次召見警總司令黃杰，研究抓捕

1960年8月3日，警備總部簽呈要求逮捕雷震和傅正，保安處要求增加捕拿馬之驌和劉子英。8月8日，李立柏向黃杰報告，軍法處已擬就起訴書及

---

1 《蔣介石日記》（手稿本），1860年7月20日。
2 《蔣介石日記》（手稿本），1960年7月23日。
3 《蔣介石日記》（手稿本），1960年7月26日。又，8月27日日記云："只要依循合法的行動，中央決不妨礙言論、結社之自由。"

向外發佈的新聞稿。[1] 8 月 13 日，蔣介石向黃杰詢問“田雨專案”的準備情形，黃杰答稱，一切均已準備完成，只等命令行動。他提出，雷震可能已經獲知消息，預備逃亡，建議在機場、港口加以注意。他並提醒蔣介石：拖延時間太長，恐有泄密之虞。15 日，蔣介石再次召見黃杰，詢問“田雨專案”有新資料否。他特別提出，雷震的秘書傅正當係“‘共匪’之職業學生”，對本案有關人員，均應特別注意其行動和來往人物、信件，以期發現新線索、新資料。至於執行時間，可能不必等待至月底，有提前處理可能。[2]

8 月 20 日下午 1 時，蔣介石第三次召見黃杰，告以雷震已經得知政府對其個人已有處理決心，“如此亦好，使其明白政府無意再予縱容。”黃杰稱：對雷震及其最親近的黨羽均在嚴密監視之中，一俟命令下達，即可行動。蔣介石答以“仍予監視，靜候命令”。同日下午 4 時，蔣介石第四次召見黃杰，告以下星期即擬採取行動。他詢問黃杰，是先逮捕雷震，還是先逮捕傅正，或同時逮捕雷、傅二人，表示如先逮捕傅正，或能從其供詞中獲得較多資料，但雷震必然通過所辦刊物，甚或煽惑其他反動報紙，大肆攻擊政府，應詳加研討如何應付此一局勢。

8 月 24 日，蔣介石主持國民黨中常會，第四次召見黃杰，詢問先行逮捕傅正，其利弊如何。黃杰答稱，弊多利少，雷震等可能更加囂張，或將促使反對黨早日成立。

8 月 27 日，蔣介石第五次召見黃杰，詢問“田雨專案”的行動計劃是否已準備妥善。他說：雷震乃一極狡猾之徒，不可不做最周密之部署。接著，蔣介石詢問：“預備禁閉於何處？軍法官已指派否？”他特別強調，必須指定頭腦清晰、學識經驗均稱豐富之幹練人員擔當此一非常之任務。[3]

9 月 2 日，蔣介石第 6 次召見黃杰。在會見蔣介石之前，黃杰與唐縱先去見了在陽明山休養的陳誠，陳誠表示：“本案我可以處理。如需由行政院下令，余雖臥病多日，仍可即刻下山。”在會見蔣介石時，唐縱提議，處理本案，要

1　陳世宏等編：《雷震案史料彙編：黃杰警總日記選輯》，第 82 頁。

2　陳世宏等編：《雷震案史料彙編：黃杰警總日記選輯》，第 88—89 頁。

3　陳世宏等編：《雷震案史料彙編：黃杰警總日記選輯》，第 93 頁。

與反對黨截然分開，以免分歧份子因惶恐而釀成其他事端。蔣介石指示：1. 本案不必由"行政院"負責。2. 本案行動以後，可由唐縱告知李萬居、高玉樹等人，此次行動，是處理《自由中國》半月刊舊案，與反對黨毫無關聯，同時請陳誠電告胡適，加以說明。蔣介石問："起訴後，判刑最高或最低各係多久？"黃杰答："最高可判有期徒刑 15 年或無期徒刑，最少亦將判 7 年。"張群批評國民黨的宣傳工作實在"做得太差"。他說："分歧份子到處寫文章攻擊政府，從未見本黨有文章予以有力之駁斥，今後要爭取主動，要做有計劃之宣傳準備。"黃杰請示行動時間，蔣介石表示他本人將親自電話指定。

9 月 3 日，蔣介石第 7 次召見黃杰，詢問擬逮捕的四人，除雷、傅二人外，馬之驌、劉子英係何種身份。在黃杰回答後，蔣介石當即指示："本案即依擬訂之行動計劃執行，時間定為 9 月 4 日上午 3 時開始行動。"

在連續 7 次召見黃杰，佈置逮捕雷震等人期間，蔣介石仍在不斷思考處理方針。8 月 27 日日記稱："以寬容與不得已的態度出之，非此，不能保證反共基地的秩序、安定。"為此，他親自撰文，反復修改，準備發表公告，安定人心，甚至考慮到了胡適如果出面干涉，或在美公開發表反對政府言論時的應對措施。日記云："雷震逮捕之考慮，不厭其詳。"[1] 蔣介石之所以如此，一是自感逮捕雷震等人的理由並不充分，二是擔心此舉將會激起各界、各方的強烈反應。

9 月 4 日當日，馬之驌、雷震、傅正、劉子英先後被捕，《自由中國》編輯部、雷震住宅都被搜查。所有文件、若干書籍，中國民主黨黨綱、政綱等均被搜刮捆載而去。事後，李立柏向黃杰彙報，雷震已經預做安排，寓所中，公事包內，均未搜出任何有關或不利於他的文件。9 時 40 分，蔣介石親自打電話詢問逮捕情形。9 時 50 分，雷震被送到軍法處拘押。他不吃飯，不喝水，一言不發，也不回答提出的問題。為了摸底，軍法處特別安排案犯洪國式和雷震同處，專做雷震工作，故意接近、套話。[2]

當日晚，陶希聖率同中央黨部第四組主任曹盛芬、"行政院新"聞界局長

1 《上星期反省錄》，《蔣介石日記》（手稿本），1960 年 8 月 31 日。

2 陳世宏等編：《雷震案史料彙編：黃杰警總日記選輯》，第 192 頁。參見《雷震日記》傅正所作注釋，見傅正主編：《雷震全集》第 36 冊，第 143—144 頁。

沈錡宴請各報社負責人，散發《自由中國半月刊違法言論摘要》，引用該刊自1957年8月1日起所發42篇文章，列舉“宣導反攻無望”、“主張美國干涉我國內政”、“煽動軍人憤恨政府”、“為共匪做統戰宣傳”、“挑撥本省人與大陸來台同胞間感情”、“鼓動人民反抗政府流血革命”等6大罪狀，加以分析研判，列出所觸犯的法條，聲稱該刊言論“實逾越乎合法自由範圍”，“自應依法予以制裁”。[1]

9月5日晨7時，蔣介石打電話給黃杰，詢問四人被捕後，有無新資料發現，如有，立即送閱。當日，在威脅、利誘之下，劉子英供稱，1949年中共佔領南京後，通過邵力子之妻傅學文到南京市委，市委人員要求劉到台灣策動于右任、雷震及其他長官同事，立功贖罪，雙方約定通信辦法。其後，南京市委發給旅費及通行證，先到香港，致函“監察院”要求來台，未准，後致函雷震，雷震寄來入境證，於1950年5月12日來台。來台後，住雷家中，入《自由中國》任會計。第5天，將傅學文要其來台為中共工作事報告雷震，雷震表示：你不能做。李立柏據此向黃杰報告：“劉子英接受匪方任務來台工作，並將為匪情形明告雷震，雷震反將其留居家中，並一直介紹工作，顯有包庇叛徒嫌疑。”黃杰立即向蔣介石報告，劉子英“確係匪諜”。

據雷震回憶，劉子英的供詞和稍後的《自白書》曾六易其稿，直到當局滿意，其條件是供養劉子英一生及其大陸家屬。劉生長北京，喜吃麵食，在獄時，警備總司令部每兩個月送一袋麵粉、幾百元零用錢。出獄後，每月給予新台幣1500元，後來增加到4000多元。[2]

警備總司令部獲得劉子英的供詞後，可謂得其所欲。蔣介石認為這一發現甚為重要，雷震的“通匪之罪”可以確立。他指示唐縱說：“雷案主要問題，因轉移於劉子英匪諜，與雷有重大關係方面，而以其社論涉嫌為次要矣。”[3] 此後，這一情節遂成為雷震案的重磅定性資料，使國民黨摧殘、迫害言論自由的行為

1 《雷案始末》，引自傅正主編：《雷震全集》第3冊，第55頁。

2 《雷案回憶》，引自傅正主編：《雷震全集》第12冊，第319—320頁。據黃杰記載，“過去在刑偵時為求其吐實，曾有代監執行之諾言”。參見陳世宏等編：《雷震案史料彙編：黃杰警總日記選輯》，第281、282頁。

3 《蔣介石日記》（手稿本），1960年9月6日、7日、10日。

有了堂皇的理由。9月5日，國民黨中央委員會秘書長唐縱約見新黨籌備人李萬居，即稱“雷震案係其個人問題：擔保匪諜劉子英入境而又知情不報。”9月6日，張群指示，將劉子英資料報送陳誠，以便函復胡適。9月13日，蔣介石接見專為採訪雷案來台的美國西海岸記者14人時說：已有匪諜在《自由中國》幕後活動，“逮捕雷震當然是有法律根據的”。[1] 一直到1961年8月，黃杰在和美國國務院中國科官員談話時，還特別聲明，逮捕雷震，由於“保證匪諜入境所應負之刑責，而非言論偏激”。[2]

六、各方的呼籲與抗議

雷震被捕，第一個出面營救的是雷震夫人、時任“監察院”監察委員宋英。1960年9月5日中午12時，宋英向台北地方法院提出《聲請狀》，指責警備總司令部並不是司法、警察機關，未受法院委託，濫施逮捕，實屬蹂躪人權，蔑視自由，要求追究其逮捕非現役軍人、自行審判的責任。她同時要求台北地方法院提審雷震，如發現雷確有內亂或外患嫌疑，請轉台灣高等法院審問。按照台灣國民黨當局遵循的《中華民國憲法》規定，雷震等應在24小時內移送法院審問，否則即為“違憲”，“違憲”的審問無效。宋英的目的在於，將雷震等人自軍法機關移至司法機關審判，是一種司法抗爭手段。同日，台北地方法院認為雷震所犯係“叛亂罪”，駁回宋英的聲請。8日，宋英提出抗告。同日，在《自由中國》雜誌社舉行記者招待會，宣讀雷震來信，信稱：“初來三日，我未吃東西。”“老骨頭實在無法和它反抗”。9月17日，宋英的抗告被駁回，合議庭裁定，不得再次抗告。26日，宋英公開發表《我的抗議與呼籲》，要求軍事審判獨立，她說：“只要軍事法官能不受干涉，全憑證據認定事實，那我相信我的丈夫雷震先生是不會有罪的。”[3]

雷震被捕之後，台灣《公論報》、《聯合報》，香港《工商日報》、《徵信新

---

1 《雷震回憶》，引自傅正主編：《雷震全集》第11冊，第7頁。

2 陳世宏等編：《雷震案史料彙編：黃杰警總日記選輯》，第296頁。

3 《雷案始末》，引自傅正主編：《雷震全集》第3冊，第237頁。

聞報》、《中華日報》、《新生報》迅速、相繼發表社論，評論此事，一時成為輿論關注中心。“立法委員”成舍我、胡秋原著文稱：“此例一開，言論自由、出版自由、講學自由及新聞自由自必遭受嚴重之損害，其流弊有不可勝言者。”[1]他們認為：“有權在手之當局，對書生愛國熱忱、評論時政，更應恢宏大度，相容並包。”而不應鉗制、鎮壓。《公論報》因為連續刊登望天所寫《雷案剖視》和《捫心問雷案——讓我們跪在歷史之前做證》，受到警告處分，最後並被“奪產”。[2]

陳誠和胡適關係不錯，雷震被捕當日，陳誠致電台灣“駐美大使館”，請其譯轉胡適，內稱：“《自由中國》雜誌最近公然否認政府，煽動叛亂，經警備總司令部依據懲治叛亂條例，將雷震等予以傳訊，自當遵循法律途徑，妥慎處理，知注特聞。”胡適收到電報後，立即復電說明，已從此間早晨的新聞廣播中得知消息，且消息說明雷震是“主持反對黨運動的人”，胡適就此評論說：“鄙意此舉政府不甚明智，可預言：一則國內外輿論必認為雷震等被捕表示政府畏懼並摧殘反對黨運動。二則此次雷等四人被捕，《自由中國》雜誌當然停刊，政府必將蒙摧殘言論之惡名。三則在西方人士心目中，批評政府與謀成立反對黨與叛亂罪名絕對無關。”胡適稱：“雷儆寰愛國反共，適所深知，一旦加以叛亂罪名，恐將騰笑世界。今日唯一挽救方式，似只有尊電所謂‘遵循法律途徑’一語，即將此案交司法審判，一切偵審及審判皆予以公開，乞公垂意。”[3]

陳誠這時候已獲知劉子英的招供內容，於9月6日再電胡適，說明“有叛亂罪嫌者歸軍法審判合法，現被拘四人中，已有一人承認受匪指使來台活動，雷震至少有知情包庇之嫌。”胡適復電稱：“近年政府正要使世人相信台灣是安定中求進步之樂土，似不可因雷案而昭告世人全島仍是戒嚴區，而影響觀光與投資。”“果如尊電所云，拘捕四人中已有一人自認匪諜，則此案更應立即移交司法審判。否則，世人絕不相信，徒然使政府蒙濫用紅帽子陷人之嫌而已。”胡適表示，雷震辦《自由中國》11年，“定有許多不謹慎的言語足夠成罪嫌，

1 （香港）《徵信新聞報》，1960年9月14日。

2 參見傅正主編：《雷震全集》第36冊，第11—12、43—44頁，傅正所作注釋。

3 胡頌平編：《胡適之先生年譜長編初稿》增補版，第3334—3335頁。

萬望我公戒軍法機關不得用刑審，不得妄造更大罪名，以毀壞政府的名譽”。電末，胡適稱，毛子水是忠厚長者，從不妄語，建議由陳雪萍出面，邀請毛子水與陳誠一談《自由中國》社的史事，當有補益。[1]

雷震被捕之後，在華盛頓的美聯社記者電話採訪在紐約的胡適。胡適拒談雷震與新黨運動的關係，聲稱以叛亂罪名逮捕雷震是一件“最不尋常的事”，“他是一位最愛國的人士”，十年來，《自由中國》雜誌一直是“台灣新聞自由的象徵”，“我對這件事的發生很感遺憾”。[2] 胡適的態度迅速為蔣介石所知。9月8日，蔣介石日記云：“此種真正的胡說，本不足道，但有此胡說，對政府民主體制亦有其補益，否則不能表明其政治為民主矣，故仍予以容忍。但此人有個人而無國家，外徒恃勢而無國法，只有自私而無道義、無人格，等於野犬之狂吠。余昔認為可友者，今後對察人擇交，更不知其將如何審慎矣。”[3] 胡適一生對蔣介石常有批評，有些批評還很嚴厲，但蔣介石始終“容忍”，其所以如此，蔣介石的這一頁日記透露了秘密，目的在於“表明其政治為民主”。

9月21日，胡適再次接見記者李曼諾說：“雷震為爭取言論自由而付出的犧牲精神，實在可佩可嘉。”“為了維持《自由中國》半月刊的精神，他不但嘔心瀝血，還曾不惜當賣過私人的財物。”對於外界批評《自由中國》“言論過激一點”，胡適表示，“各人的觀點是不同的”，“美國總統競選中，兩黨互相批評的言辭”“不知激烈多少倍”，“我個人也沒有覺得它有什麼激烈的地方”。“事到如今，我仍舊覺得在反共愛國這一點上，他並沒有做錯什麼。”

胡適的抗爭言辭溫和，其他人就並不如此了。9月6日，美國舊金山市中文《世界日報》發行人李大明直接致電蔣介石，批評逮捕雷震“其愚昧已達於新高潮”，是“赤裸裸地壓制出版自由”，“徒足玷辱中華民國之名聲”，“將無疑地是在歷史上記載為閣下事業重大錯誤之一”。[4] 9月8日，民社黨領袖張君勱致電蔣介石，認為雷震三年前所刊論述“反攻大陸不易”一文，屬於“政策討論”，“其無危害國家行動，為世共見”，至於“奔走新黨，則結社自由，明載

1 胡頌平編：《胡適之先生年譜長編初稿》增補版，第3335—3336頁。
2 胡頌平編：《胡適之先生年譜長編初稿》增補版，第3336頁。
3 《蔣介石日記》（手稿本），1960年9月8日。
4 陳世宏等編：《雷震案史料彙編：黃杰警總日記選輯》，第113頁。

憲法，何得因此構罪”。張稱：“大難當前，反共為第一義，其他內治爭執，可憑眾意從容討論”。他要求蔣介石立即釋放雷震。[1]

9 月 9 日，左舜生、李璜等在香港舉行記者招待會。10 月 5 日，左舜生、李璜等 15 人以香港文化界名義致函聯合國人權委員會，指責台灣當局斷章取義，故入人罪，迫害言論出版自由，是對於聯合國人權宣言的公然蔑視。[2]

9 月 11 日，李萬居、高玉樹、夏濤聲、黃玉嬌等 11 人在《自由中國》雜誌社舉行會議，決定以“選舉改進座談會”名義上書，請求移交司法審判。[3] 12 日，眾人到警備總司令部軍法處探視雷震，未准。高玉樹對同去探視的記者表示，選舉改進座談會已於昨日改為“中國民主黨籌備委員會”。13 日，李萬居、高玉樹等發表《救雷宣言》，抗議台灣當局以“莫須有”的罪名逮捕雷震，“實屬違背憲法，侵害人權”，要求立即釋放；退一萬步言，即使真有罪嫌，亦應速交司法機關公開審理。[4]

除呼籲之外，有少數人計議採取更激烈的方式。9 月 13 日，台灣大學法學院學生伍國華等十餘人集會，擬發動遊行，聲援雷震。[5]《公論報》更有人發表文章，建議萬人簽名遊行。9 月 25 日，台灣大學法學院等處發現標語：

> 國民黨當權派，你瞧李承晚的下場。
> 我們要革蔣家的命。
> 戰士們的刀槍，對準獨裁者蔣〇〇。
> 消滅貪污無能的國民黨。[6]
> 趕快釋放雷震，不然我們要進攻了。

這些標語，反映的是更為強烈的革命情緒。

除台北外，美國國務院對台灣駐美“大使”也提出警告，美國《時代》雜誌、《紐約時報》、《華府郵報》，英國《泰晤士報》等紛紛發表“惡評”，抨擊

---

1 陳世宏等編：《雷震案史料彙編：黃杰警總日記選輯》，第 121 頁。
2 《香港文化界向聯合國緊急呼籲》，引自傅正主編：《雷震全集》第 3 冊，第 421—422 頁。
3 陳世宏等編：《雷震案史料彙編：黃杰警總日記選輯》，第 128 頁。
4 《蔣介石日記》（手稿本），1960 年 9 月 13 日，第 130、133 頁。
5 陳世宏等編：《雷震案史料彙編：黃杰警總日記選輯》，第 135 頁。
6 陳世宏等編：《雷震案史料彙編：黃杰警總日記選輯》，第 165 頁。

台灣當局。[1]

七、雷震的判刑與胡適的“大失望”

1960年9月26日，台灣警備總司令部宣告偵查終結，對雷震、劉子英、馬之驌三人提起公訴，對傅正提出交付感化。同月30日，《自由中國》編委殷海光執筆，與夏道平、宋文明共同發表聲明，承認自己的立言和台灣十幾年來“官方千篇一律的頒製品”有所不同，但都是對自己的知識、良心和讀者負責。聲明質疑台灣國民黨當局的思想專制，聲稱：“以人類思路之廣，以中國人才之眾，以反共救國大業蘊義之富，我們實在想不出任何理由必須把我們的言論強迫納入官方織就的緊身衣以內，我們更想不出任何理由必欲將言論亦步亦趨地依照官方模型的鑄造才算不違背‘國策’。”三人表示，他們是撰稿人，從來沒有打算規避自己應負的言論責任，但起訴書中摘錄的《自由中國》的言論“盡是斷章取義、東拼西湊，張冠李戴和改頭換面之詞”，“與我們的文章原義完全不符”。三人決定將起訴書指控的文字，搜集起來，印成專冊，由讀者公評。但是，國民黨的特務通知所有印刷廠不准承印。[2]

10月1日，台灣國民黨當局宣告於10月3日對雷震等進行審判。至日，軍法法庭高等審判庭開庭。自上午至下午，歷時8小時30分。庭訊中，雷震否認所控各罪。辯護律師梁肅戎事前遭到國民黨中央的全力阻止，立委黨部的全體委員到梁家，要梁肅戎退出辯護，有人甚至寄子彈威脅其全家性命。[3]但是，梁肅戎仍然出庭為雷震作了無罪辯護。他認為：《自由中國》所發社論，係根據“憲法”，批評政府措施，朝野立場不同，觀點可能有異，但雷震本人並無叛亂意思；至於劉子英的自白，別無其他積極證據，不足採信。[4]10月5日，張群召集會議，主張雷案“量刑宜輕，以表示政府之寬大，而免激起反對黨方面之反感，甚至形成政治上之風波”。谷鳳翔、陶希聖反對，認為對雷震的量刑“宜

1 《蔣介石日記》（手稿本），1960年8月17日。參見《雷案震驚海內外》，傅正主編：《雷震全集》第6冊。
2 《雷震回憶錄》，引自傅正主編：《雷震全集》第12冊，第215頁。
3 梁肅戎口述，何智霖紀錄整理，劉鳳翰訪問：《梁肅戎先生訪談錄》，台北“國史館”1995年版，第133頁。
4 陳世宏等編：《雷震案史料彙編：黃杰警總日記選輯》，第187頁。

加重，而不應從寬”。[1]

10月6日，黃杰召開警備總司令部部務會報，強調《自由中國》“言論之偏激，已至喪心病狂之程度”。同日，蔣介石召見黃杰、谷鳳翔、“國防部”軍法覆判局局長汪道淵等研究雷案，指示稱，辦案猶如作戰，參謀人員至少須提出兩個腹案。黃杰稱，辦理本案很困難，各方壓力很大，不可再有變動，以免遭受攻訐。谷鳳翔稱，雷震“知匪不報”一事，證據薄弱，恐貽文字獄之譏。會後，依據條例不同，形成甲、乙、丙三個方案。甲、乙兩個方案均定雷震十年徒刑，丙案則為徒刑十二年，除酌留家屬生活費外，沒收全部財產。8日上午，蔣介石親自主持會議，裁決採用乙案。下午，軍事法庭即按乙案宣判。其判決書主文稱：“雷震明知為匪諜而不告密檢舉，連續以文字為有利於叛徒之宣傳，合併判處徒刑十年。劉子英處刑十二年，馬之驌處刑五年，傅正交付感化三年。”[2]

宣判後，宋英立即表示：“我要為我的丈夫雷震申請復判。”她說：“輿論界及法律權威們對我丈夫的案子會有公平的裁判，歷史也會有公平的裁判。”她當場散發傳單《公道自在人心》，提出何以採信劉子英的供詞而不採信雷震的申辯，為什麼不准梁肅戎與劉子英會晤，為何不使雷、劉對質等五點疑問。17日，中國民主黨籌備委員會李萬居、高玉樹發表聲明，提出強烈抗議，聲稱雷案是“政治事件”，使正義之人受罪，是要對歷史負責的。

胡適原定10月16日返台，蔣經國於14日約談黃杰，聲稱新黨份子可能利用機會製造越軌行動，導致社會不安，應該妥加防範。[3] 憲兵司令部等舉行治安高階層座談會，研究增派部隊到機場維持秩序。19日，胡適到達日本東京。毛子水也趕到東京，向胡適報告雷震案發生後的台灣情形。當晚，胡適從東京打電話給陳雪萍探詢，陳勸告胡適，目前不宜返國，以免受人包圍，影響其超然立場。胡適決定將行期改到21日，表示將不通知台北友人。

10月22日晚，胡適化名悄悄回台。當夜11時，在南港寓所接見記者，聲

---

1 陳世宏等編：《雷震案史料彙編：黃杰警總日記選輯》，第193—194頁。
2 《雷案始末》，引自傅正主編：《雷震全集》第3冊，第241—252頁。
3 陳世宏等編：《雷震案史料彙編：黃杰警總日記選輯》，第213頁。

稱世界上的"法治國家",有所謂"品格證人","我和雷先生相識多年","夠資格證明雷震是個愛國反共的人"。當記者詢問胡適,"軍法覆判局"傳喚證人時,願不願去做證,胡適明確回答:"我願意出庭做證。"當記者詢問對雷震被判十年徒刑的感想時,胡適表示:"我不願對這件事做正式評論。但個人的看法,則認為十年的刑期未免太重。"他說:"雷震一生為國家服務,十一年來主持《自由中國》,已經替中華民國做了不少面子,而且是光榮的面子。""《自由中國》已經成為自由中國言論自由的象徵,現在不料換來的是十年牢監,這是很不公平的。"記者詢問《自由中國》復刊問題時,胡適回答,香港曾有兩批人要用《自由中國》的名義出版雜誌,但只有《自由中國》的發行人和編輯委員才有權決定。如果決定不出,一個雜誌為了爭取言論自由而停刊,也不失為光榮的下場;如果決定繼續出,則應該仍然在台北。

中國民主黨籌備會發言人李萬居、高玉樹曾於10月17日發表聲明:"新黨運動絕不會因此停止"、"中國民主黨已領回組黨文件,我們決定不久宣告成立"。[1] 胡適回台之後,新黨發言人李萬居、高玉樹等5人立即探視胡適,因為客多,胡適約26日晚面談。26日上午,胡適先見陳誠,告以晚上要和李萬居等談話的內容:看看雷案的發展,看看世界形勢,展緩時間,不可急於組黨。第一,對政府黨,採取和平態度,不可敵對。第二,切不可變成台灣人的黨,必須和民社、青年兩黨以及無黨派的大陸同胞合作。第三,爭取政府的諒解——同情的諒解。胡適對陳誠說:"十年前總統曾說,如果我組織一個政黨,他不反對,並且可以支持。總統大概知道我是不會組黨的,但他的雅量,我至今不會忘記。"

胡適一面勸李萬居等人暫緩成立新黨時間,一面通過張群兩次要求會見蔣介石,保證不談雷案。11月18日,蔣介石召見,但最後胡適還是忍不住地說:"三個月來,政府在這件事上的措施實在在國外發生了狠〔很〕不好的反響。"蔣介石辯稱:"我對雷震能十分容忍。如果他的背後沒有匪諜,我決不會辦他。""我也曉得這個案子會在國外發生不利的影響,但一個國家有他的

---

1 傅正主編:《雷震全集》第4冊,第529—530頁。

自由，有他的自主權，我們不能不照法律辦。”胡適接著批評雷案量刑過重，審判匆忙：“被告律師只有一天半的時間可以查卷，可以調查事實材料。這樣重大的案子，只開了八個半鐘頭的庭，就宣告終結了。這是什麼審判？”胡適自述：“我在國外，實在見不得人，實在抬不起頭來。”“雙十節這天，自己不敢到任何酒會去，只能躲到普林斯頓。”

一段時期來，蔣介石已經將胡適視為“卑劣政客”、“無恥之徒”、“最不願見的無賴”，因此，不願與之辯論。[1] 他有意岔開話題，聲稱：“胡先生同我向來是感情很好的。但是這兩年來，胡先生好像只相信儆寰，不相信我們政府。”胡適連忙表示：“這話太重了，我當不起。”1949 年 4 月，蔣介石派胡適到美國，船抵舊金山市時，胡適曾對訪員說：“我願意用我道義力量來支持蔣介石先生的政府。”胡適向蔣介石表態說：“我在十一年前說的這句話，至今沒有改變。”話至此，胡適覺得時間不早了，在復述 26 日和陳誠的談話後表示，他今天盼望的是“總統和國民黨的其他領袖能不能把十年前對我的雅量分一點來對待今日要組織一個新黨的人”。[2]

對胡適的要求，蔣介石沒有表態，只說：“下午要到南部去，改日再長談。”這一天，蔣介石日記云：“召見胡適，約談三刻時。彼最後提到雷震案與美國對雷案輿論。余簡答其雷關匪諜案，凡破壞反共復國者，無論其人為誰，皆必依本國法律處理，不能例外，不能受任何輿論之影響。”可見，胡適一番苦口婆心的談話沒有發生任何作用。

按台灣當局規定，軍事法庭審判後，可以申請覆判。10 月 30 日，雷震申請覆判，辯護律師梁肅戎也具狀說明，原判“過於草率，未能究明事實真相，未盡職權調查之能事”。[3]

11 月 23 日，“軍法覆判局”宣佈，雷震、劉子英維持原判，馬之驌改為感化三年。晚上，胡適接到雷震夫人來電，得知雷震仍處徒刑十年。胡適想說一句安慰的話，想了再想，就是想不出。記者們叩門來訪，胡適說“現在叫我還

1 《蔣介石日記》（手稿本），1958 年 11 月 22 日，1959 年 1 月 29 日、11 月 19 日。
2 《胡適日記》，台北遠流出版公司 1990 年版，1960 年 6 月 30 日。
3 《軍法辯護意旨書狀》、《雷案始末》，引自傅正主編：《雷震全集》第 4 冊，第 558 頁。

有什麼話說。我原來想，覆判過程中有著較長的時間，也許會有改變。現在我只能說，大失望，大失望。"[1] 11 月 24 日，中廣公司的記者詢問是不是去看雷震，胡適答："我就不去了。我相信他會知道我在想念他。" 這一天，胡適感歎說："這對國家的損失很大。"[2] 11 月 24 日，雷震、劉子英遷入監獄服刑，蔣介石認為這是"台灣基地反動份子之變亂與安定之唯一關鍵"。日記云："胡適投機政客，賣空與挾制政府，未能達其目的，只可以'很失望'三字了之。" 27 日，他自省一週情況，覺得對雷震與劉子英二人的覆判決定能如期宣佈，國際並無多大輿論，自己能夠"不憂不懼"、"不愧不怍"、"不為任何壓迫所搖惑或猶豫"，是"決心與定力"比之前進步的表現，因此，心中很得意。[3]

雷案初審判決後，"監察院"司法委員會成立雷案調查小組，成員為陶百川、劉永濟、金越光、黃寶實、陳慶華五人，以陶百川為召集人。覆判決定宣佈後，調查小組要求面晤雷震等四人，國民黨當局答以"沒有蔣總統之指示，不敢做主"，調查小組堅持面晤。但蔣介石核定，只准會見劉、馬、傅三人，不准會晤雷震。[4] 12 月 31 日，雷震申請舉行"非常審判"，撤銷原判，改判無罪。[5] 1961 年 1 月 3 日，蔣介石召見張群等，下令駁復。同月 11 日，"國防部"遵令宣稱："原判並無違背法令之情形。其申請為無理由，應毋庸議。"[6] 2 月 10 日，"監察院"《雷案調查小組報告》發表，認為警備總部等機關在處理雷案過程中，"頗多不合或失當之處"，但辦案人員"或因懍於治安之重要，或因狃於積習之難返，不免操之過急，但用心則非無可原，故擬免予糾彈"[7]。文字寫得相當技巧，雷震和傅正認為，在當時的氣氛和環境下，不這樣寫，"監察院"就無法通過。其間，胡適、李濟、蔣匀田等 46 人曾於 2 月 4 日上書，要求蔣介石"體念雷震過去對'國家'的貢獻"，予以特赦，旋被蔣介石否定。[8]

1　胡頌平編：《胡適之先生年譜長編初稿》增補版，第 3384 頁。
2　胡頌平編：《胡適之先生年譜長編初稿》增補版，第 3384—3385 頁。
3　《上星期反省錄》，《蔣介石日記》（手稿本），1960 年 11 月 26 日。
4　陳世宏等編：《雷震案史料彙編：黃杰警總日記選輯》，第 272 頁。
5　《聲請非常判決理由書狀》，引自傅正主編：《雷震全集》第 5 冊，第 775—783 頁。
6　陳世宏等編：《雷震案史料彙編：黃杰警總日記選輯》，第 267、270 頁。
7　《監察院雷案調查小組報告》，《雷震全集》第 12 冊，第 345 頁；《黃杰警總日記選輯》，第 280 頁。
8　《雷震全集》第 28 冊，第 324 頁；第 36 冊，第 41 頁；《蔣介石日記》（手稿本），1961 年 3 月 8 日、23 日。上書文字見《雷震全集》第 36 冊，第 14—15 頁。參見傅正所作注釋，傅正主編：《雷震全集》第 36 冊，第 107—108 頁。

八、雷震的獄中生活與出獄、平反

雷震初入看守所時，三天未吃東西，以絕食為抗議。9月6日深夜，雷震秘密致函宋英，內稱："我的事情是政治問題，要用政治解決。""法律解決必判罪，中國人不相信，外國人更不相信，對政府是不大好看。你想他以《自由中國》之言論來課罪，當然是羅織。"他要宋英找張群、王雲五、王世杰三人商量，以不參加反對黨、《自由中國》社改組、言論緩和為條件換取釋放，"脫離現實，過一點寫作生活"。[1]

第四天，雷震經勸告，開始進食。十餘天後，突然受到優待。表現在：1. 住單間，安紗門，晝夜不上鎖，雷震可以隨意到院中散步。獄中床鋪短，雷震身高，監獄特為接長床板。2. 伙食比一般囚犯加一個菜，還經常買活鯉魚給雷震吃，甚至到獄外飯舖買"元盅雞湯"給雷震喝。3. 天天給予洗澡機會。4. 為了幫雷震解除寂寞，看守所所長張某、政工官員賀某經常到牢房談天說地。之所以如此，看守所長解釋，其原因是蔣"總統"和"政府"受到外界抨擊，感到尷尬之至，關照給予"特別優待"的結果。[2] 後來，雷震轉入軍人監獄，從上到下，對雷震都特別關照，一度可以攜帶冰箱和電扇，受到蔣經國批評，黃杰認為如此優待，"豈非天下奇談"。[3]

1960年1月4日，蔣介石召見黃杰，詢問雷震申請"非常審判"及宋英探監後對記者發表消息等事，蔣介石指示，通知軍事監獄，不許家屬探視。此指示來自"最高"，監獄方面本應無條件執行，但已決犯人在一週內可接見家屬一兩次係"立法院"通過的法律，於是，由軍事監獄方面面告雷震，接見時不得談論政治，事後宋英不得在報端發表談話。不過，雷震並未遵令。1961年6月3日，宋英攜女兒等到監探視，雷震仍然憤憤不平地說："一個社會要有正義，我就是正義。一個社會沒有正義，是要完的。"[4]

雷震被捕後，《自由中國》社同人曾決定由夏道平出面變更登記，重新出

---

1 陳世宏等編：《雷震案史料彙編：黃杰警總日記選輯》，第115頁。

2 《雷案回憶》，引自傅正主編：《雷震全集》第12冊，第372頁。

3 陳世宏等編：《雷震案史料彙編：黃杰警總日記選輯》，第286、300頁。

4 陳世宏等編：《雷震案史料彙編：黃杰警總日記選輯》，第284頁。

版，也曾考慮由胡適或雷震夫人宋英出面擔任發行人，均未成功。1960 年 12 月 20 日，《自由中國》在台北各民營報紙發佈啟事，宣佈遭遇“不可抗力”，“無法出刊”。雷震囑咐家人，千萬對讀者負責，凡訂閱《自由中國》而未到期的訂戶均須在計算清楚後退還錢款。[1] 次年 2 月，李萬居等決定“慢慢走”，籌備多時的“新黨”胎死腹中。[2]

雷震在獄中常給胡適寫信。1961 年 7 月 3 日函云：“數十年來，始終沒有養成客觀而坦白講話的習慣。”“我們有鑒於民主政治需要公開而坦白的討論，故十年來極力這樣做。”[3]

次年 7 月，雷震在監獄中度過 65 歲生日，胡適親筆抄寫南宋詩人楊萬里的《桂源鋪》絕句送給雷震：“萬山不許一溪奔，攔得溪聲日夜喧。到得前頭山腳盡，堂堂溪水出前村。”胡適特別說明，此詩“我最愛讀”，“今寫給儆寰老弟”。

同年 9 月 5 日，颱風大起，雷震的牢房浸水。9 日天晴，雷震將書籍文稿、衣履被服，以至碗櫥炊具、壇壇罐罐，搬到室外暴曬，又搬回室內，忙了一天。入睡後，迷迷糊糊，夢到胡適的《容忍與自由》一文，成詩一首，醒來後記錄、潤色：

> 無分敵友，和氣致祥。多聽意見，少出主張。容忍他人，克制自己。自由乃見，民主是張。批評責難，攻錯之則。虛心接納，改勉是從。不怨天，不尤人，不文過，不飾非。不說大話，不自誇張。少說多做，功成不居。毋揭他人短，毋揚自己長。毋追懷既往，毋幻想將來。忠於信守，悉力以赴；只顧耕耘，莫問收穫。虛心無愧，毀譽由人。當仁不讓，視死如歸。做人和處世，皆賴之以進；治國平天下，更非此莫成。

雷震特別說明，所說“無分敵友”之“敵”，“係指政治上意見不同之人”，“如執政黨和在野黨之間”。該詩 1963 年 4 月在齊世英所辦《時與潮》雜誌發表，有人向蔣介石進言，本詩有諷刺之意。蔣介石大怒，將《時與潮》停刊一年，軍人監獄的保防官記過一次，又設立雷震監視班，停止接見家屬。後經雷

---

1 《自由中國》社啟事，引自傅正主編：《雷震全集》第 5 冊，第 764—765 頁。
2 傅正主編：《雷震全集》5 冊，第 762—764 頁。
3 《雷震書信集》，引自傅正主編：《雷震全集》第 30 冊，第 444 頁。

震抗議，准每月接見一次。[1]

1961 年是胡適 70 壽辰，雷震特意寫了幾首白話詩為賀，其 12 月 17 日所寫云：

> 你無須乎叫人來擁護，
> 你更不會要人來效忠，
> 世人自會跟著你向前進，
> 世人自會踏著你的步伐往前行，
> 因為你所宣導的活文字和你所創造的語體文學，
> 都是福世利人的事情，
> 也正是他們寤寐企求和朝夕需要的東西。[2]

雷震不會寫詩。這首詩可謂全無詩意，但它表現出雷震對胡適提倡白話文這一功績的充分肯定，也表現出他對時代潮流和人心歸向的看法。

1964 年 4 月，無黨籍人士、和雷震共同籌組中國民主黨的高玉樹連續當選台北市長，國民黨推薦的周百煉落選。蔣介石視之為國民黨遷台以來“最大之打擊”[3]，台北市民則拍掌狂歡，街上人聲鼎沸，慶祝“狗民黨失敗”。雷震問清緣由，“不料成天自吹自擂的國民黨在老百姓的心目中，竟是一個畜類東西”。他想起“自作孽不可活”的古語，作為曾經的國民黨黨員，心中難過之至。[4]

1968 年 3 月 7 日，聯合國人權保障委員會的“赦免委員會”致函台灣當局，要求赦免雷震剩餘的三分之一刑期，蔣介石置之不理。[5]

歲月如流，雷震的十年刑期轉瞬將滿。1970 年 7 月 23 日，獄方突然強行收走雷震的稿件、日記等物，雷震憤而多次致函蔣經國、蔣介石及監獄長抗議，其 8 月 18 日致監獄長函云：

> 我這一次所爭者為法律，為人權，並非坐牢而不安分守己。蔣總統一再訓示要‘守法’，而軍監又是一個執法機關，一切自應依法辦事。我們擁

---

1 《雷案回憶》，引自傅正主編：《雷震全集》第 12 冊，第 403—404 頁。
2 傅正主編：《雷震全集》第 30 冊，第 464 頁。
3 《蔣介石日記》（手稿本），1964 年 4 月 28 日。
4 《雷案回憶》，引自傅正主編：《雷震全集》第 12 冊，第 381 頁。
5 《雷案回憶》，引自傅正主編：《雷震全集》第 12 冊，第 354 頁。

護領袖，就必須依照他所訓示的‘守法’等等切實去做，僅僅喊喊口號、貼貼標語是算不得擁護的。[1]

他要求獄方交還“不依法而強取”的稿件和日記等物，否則就不出獄。

出獄前，軍人監獄要求雷震有親人和政界雙重保人，同時填寫《誓書》，雷震認為違反《監獄行刑法》，一再拒絕。雷震的妻子和女兒到監獄勸說，甚至跪求，雷震卻寧可坐牢至死，不肯填寫。宋英無法，請來和雷共過患難的谷正綱，谷拿出警總負責人寫就的稿子要雷震照抄，其中有“我出獄後不得有不利於國家之言論和行動”等語，在旁的妻女淚眼汪汪，雷震遂同意照寫。兩三天後，王雲五、陳啟天、谷正綱三人到軍人監獄，也勸說雷震出具《誓書》，雷震發現底稿中的“國家”二字已改為“政府”，認為民主政治允許人民反對政府，不肯照寫，但因王雲五年過八十，遠道而來，雷震便含淚照抄。[2] 1970 年 9 月 4 日，雷震出獄。

雷震雖出獄，繼續處於警備總司令部專案小組的跟蹤監視中，但他不改往日風格。1972 年 1 月 10 日，雷震上書蔣介石、蔣經國等五人，提出《救亡圖存獻議》，要求國民黨放棄事實上的“一黨專政”，實行真正的民主政治。[3] 1975 年 12 月 14 日，致函香港《明報》，明確表示“我絕對反對搞台灣獨立”，“今日在台的大陸人和原居的台灣人，都是炎黃子孫，都是中華民族，都是由方塊字培養出來的人。”他特別勸告國民黨：“說話要言行一致，才能取信於人，既說要徹底實行民主，就要根據憲法，實行民主。”“既然宣稱‘人民有言論自由’，台灣警備總司令部就不該用兩部汽車在街上把《台灣政論》總編輯張俊宏架到該部盤查了三小時。”[4]

1976 年秋，雷震自感因坐牢健康受到摧殘，來日無多，便自費購地，預建墓園，命名為自由墓園，將亡兒及已故《自由中國》的編委羅鴻昭、殷海光的骨灰遷葬園中。1979 年 3 月 7 日，雷震去世，終年 83 歲。

1988 年 4 月，宋英、傅正發起雷案平反運動。4 月 22 日，“監察院”司法

---

1 傅正主編：《雷震全集》第 27 冊，第 221 頁。
2 《雷案回憶》，引自傅正主編：《雷震全集》第 12 冊，第 269、274 頁。
3 《給蔣氏父子的建議與抗議》，引自傅正主編：《雷震全集》第 27 冊，第 73—121 頁。
4 《給香港明報函》，引自傅正主編：《雷震全集》第 27 冊，第 123 頁。

委員會指派國民黨籍“監察委員”謝崑山調查。29日，監獄召開監務會議，認為雷震攻訐三民主義、詆毀國父、污衊“先總統蔣公”、醜化政府的文稿全部焚毀。7月21日，謝崑山到監獄調查，認為監獄長等人“對當事人權益未能重視，辦事粗魯，處置不當”，提案彈劾，隨即成立後援會，要求發還雷震獄中所寫四百萬字的回憶錄及日記，同時要求“監察院”徹底重查雷案。

同年8月，劉子英赴大陸定居，行前致函雷震夫人，自稱“當年為軍方威勢脅迫，我自私地只顧個人安危，居然愚蠢得捏造謊言，誣陷儆公，這是我忘恩負義失德之行。”[1]

2002年9月4日是雷震被捕42週年紀念日，台灣當局為雷震平反，陳世宏等編《雷震案史料彙編》叢書第1冊《國防部檔案選輯》出版。2006年3月7日，公益信託雷震民主人權基金會成立。2012年3月7日，雷震去世33週年，雷震紀念館暨雷震研究中心在台北政治大學成立。當時的國民黨主席到會揭牌。他用深度鞠躬向雷震家屬與所有曾為自由、民主奮鬥的人士致歉並致敬，並說：“歷史可以原諒，但是不可以遺忘。”

1　馬之驌著：《雷震與蔣介石》，台北自立晚報出版社1993年版，第439頁。

蔣介石父子招撫台獨大統領廖文毅始末*

* 本文錄自《找尋真實的蔣介石：蔣介石日記解讀》(4)，東方出版社2018年版。

廖文毅是"台灣獨立運動"的倡始者。他認為"台灣人"是原住民、西班牙人、葡萄牙人、荷蘭人、日本人的"混血"，是介於西方與東方人之間的"獨立的種族"，主張"集中遣返"抗戰勝利後抵達台灣的"中國人"。曾先後組織"台灣再解放聯盟"和"台灣民主獨立黨"。1956 年在日本東京成立"台灣共和國臨時政府"，任"大統領"。

蔣介石、蔣經國堅決反對台灣獨立運動。在島內，逮捕其招兵買馬、密謀騷亂的成員；在島外，積極向日、美政府交涉，封堵其國際活動；主要精力則集中於分化、策反、招撫其在日本的組織和成員。1965 年，廖文毅和台灣當局達成協議，放棄台獨活動，回到台灣。1965 年出任曾文水庫興建委員會副主任，做了一件有益於台灣人民的好事。其間，曾檢舉繼續從事台獨活動的人員，表明確有悔改之意。

蔣介石主張中國統一，長期反對台灣獨立運動。早在抗日戰爭勝利之初，原日軍參謀少佐中宮悟郎與牧澤義夫不甘心失敗，即串聯少數台灣人士，謀劃台灣獨立。1945 年 11 月，蔣介石致電台灣省行政公署主任陳儀，要他注意僑居台灣的日本人"策動台灣獨立運動"的企圖，指出其方式為"宣傳中國政治腐敗，使台民對祖國印象改觀"。[1] 1950 年，廖文毅的"台灣再解放聯盟"由香港遷移日本，成立"台灣民主獨立黨"。1956 年 1 月，蔣介石警告日本："容納

1 《蔣中正電陳儀》(1945 年 11 月 20 日)，《蔣中正"總統"文物》，台北"國史館"藏，002-090106-00002-205。

亂台叛徒廖文毅等之組織，實為不友義之舉。”[1] 同年，蔣介石得知台灣原抗日運動領袖林獻堂曾一度在日本致書美國國務卿杜勒斯，“主張台灣由台人自治與獨立”，“反對國民黨與共產黨統治”，非常憤怒，斥之為“奴隸成性，唯利是求，絕無國家觀念”，決心“設法防制”。[2] 這以後，蔣介石、蔣經國父子一直將反對台灣獨立運動視為國民黨的一項重要工作，其中，招撫“台灣共和國”所謂“大統領”廖文毅是成功之舉。

在台灣，廖文毅被視為台獨運動的老祖宗，有幾本相關著作。一類屬於口述史、回憶錄。如：台獨運動成員黃紀男的《台獨黃紀男泣血夢回錄》[3]，是個人回憶；張炎憲等編《台灣獨立運動的先聲——台灣共和國》[4] 是對廖史豪、廖菊香、林奉恩等相關人員的採訪；李世傑原係國民黨台灣當局偵察台獨運動的情報人員，其所著《“台灣共和國臨時政府大統領”廖文毅投降始末》[5] 是對於自身工作的追述。另一類屬於研究著作，其重要者，論文有陳正茂《戰後台獨運動先驅——廖文毅與“台灣再解放聯盟”初探》[6]，專著如陳慶立《廖文毅的理想國》[7] 等。在大陸，有涉及相關內容的著作或論文，至於專著或專題論文，似尚未見。

一、廖文毅其人與“台灣再解放聯盟”

廖文毅（Thomas W. I. Liao），台灣雲林縣西螺鎮人。祖籍福建漳州。生於1910年3月22日，大地主出身，有土地“數千甲”，年收租幾百萬擔，是“台南州數一數二的富人”。[8] 其父廖承丕，日本統治台灣時期，任西螺區區長。廖文毅是家中老三，於1923年進入淡水中學讀書。1925年進入日本京都同志社中

1 《蔣介石日記》（手稿本），1956年1月14日。
2 《蔣介石日記》（手稿本），1956年3月17日。
3 黃紀男口述，黃玲珠執筆：《老牌台獨黃紀男泣血夢回錄》，台北獨家出版社1991年版。
4 張炎憲等編：《台灣獨立運動的先聲——台灣共和國》，台北財團法人吳三連台灣史料基金會2000年版。
5 李世傑著：《“台灣共和國臨時政府大統領”廖文毅投降始末》，台北自由時代出版社1998年版。
6 《台北城市大學學報》第35期。
7 陳慶立著：《廖文毅的理想國》，台北玉山出版社2014版。
8 張炎憲、胡慧玲訪談：《廖史豪訪談錄》，引自張炎憲等編：《台灣獨立運動的先聲——台灣共和國》，台北財團法人吳三連台灣史料基金會2000年版，第17頁；張炎憲、曾秋美訪談：《林奉恩訪談錄》，引自張炎憲等編：《台灣獨立運動的先聲——台灣共和國》，第299頁。

學部。兩年後，進入南京金陵大學工學院機械系。1932 年赴美留學，先後進入密歇根大學、俄亥俄大學，獲工學博士學位，是製糖專家。1935 年歸國，任浙江大學工學院教授兼主任。盧溝橋事變爆發，一度任國民政府軍政部兵工署上校技正。

1945 年抗戰勝利，台灣光復，廖文毅任台灣省行政長官公署工務處技正，兼台北市工務局長、工礦處接受委員。他創立“台灣民族精神振興會”、“台灣憲政會”，自任會長。10 月 25 日，創辦綜合性刊物《前鋒》雜誌，發表《告我台灣同胞》，歡呼台灣“回到祖國”，主張“我們不可忘記，我們是遺傳著大陸民族的血統”，期望“台灣和大陸融合變成一體”。[1] 1946 年，廖文毅改任台北市公共事業管理處處長。8 月間，參加國民參政員競選，廖得 13 票，因其中一票“廖”字弄髒，在抽籤中落選。[2] 11 月，參加國民大會代表選舉，再次落選。這使廖文毅對國民黨的統治滋生不滿。

1947 年 1 月 1 日，國民政府通過《中華民國憲法》，廖氏隨之成立“自治法研究會”。他批評這部“憲法”“中央集權化 —— 將來必須爭取更民主化”。他鼓吹“台人治台”、“聯省自治”，成立“中國聯邦”。[3] 2 月 24 日，廖文毅與其兄廖文奎到上海，準備成立《前鋒》雜誌上海分社。到上海後三天，台灣爆發“二二八”事件。廖文毅於 3 月 4 日代表“台灣革新協會”等六個同鄉團體組成“台灣‘二二八’慘案後援會”，發表《告全國同胞書》。3 月 9 日，赴南京向國民政府請願，提出“立即允許台灣地方自治，省縣市長一律民選”以及“懲罰陳儀”、“反對派遣軍隊鎮壓”等 5 項要求。4 月 18 日，廖氏兄弟被陳儀列入 30 人的《“二二八”事變首謀叛亂在逃主犯》名冊，受到台灣高等法院檢察處和上海警備司令部的通緝。[4] 自此，廖文毅迅速走上“台獨”道路。

1947 年 6 月，廖氏兄弟等 5 人在上海籌組“台灣再解放聯盟”。廖文奎以“聯盟”名義投書上海英文刊物 *China Weekly Review*，批評繼任的台灣省主席魏

---

1 《告我台灣同胞》，《前鋒》創刊號，1945 年 10 月 25 日。
2 參見李世傑：《“台灣共和國臨時政府大統領”廖文毅投降始末》，第 50 頁。
3 《新人、新年與新政》，《前鋒》第 11 期，1947 年 1 月 1 日。
4 《保密局呈蔣中正台獨活動》，《蔣中正“總統”文物》，台北“國史館”藏，002-080200-00335-029。

道明的貪污政治。[1] 7月，廖文毅會見美國派到中國來的特使魏德邁，提交《處理台灣問題意見書》，要求台灣派代表參加對日和約會議，同時要求將台灣暫置於聯合國的託管之下，以2至3年為限，舉行公民投票，決定台灣屬於中國、脫離中國或完全獨立。10月，廖文毅和新自台灣到滬的嘉義人黃紀男等，在上海舉行外國記者招待會，黃以英文演說，宣揚台獨主張。11月初，廖文奎和黃紀男一起到南京，會見美國駐華大使司徒雷登，要求司徒雷登轉請美國政府，向聯合國提案，由聯合國在台辦理"公民投票"，決定台灣前途。司徒表示："台灣獨立是一條漫長艱苦的道路，但值得去奮鬥。" [2]

廖文毅在受到通緝後即逃亡香港。1948年1月，黃紀男到香港與廖文毅會合，二人發生爭辯。黃主張台灣獨立，廖主張聯省自治，結果廖為黃說服。[3] 不久，"二二八"事件週年紀念，廖文毅與黃紀男等24人在香港九龍半島酒店集會，正式成立"台灣再解放聯盟"。據黃紀男稱，其意為：國民黨由日人手中接受了台灣，但因其貪污腐敗，所以台灣人必須自己再解放一次。[4] 該聯盟由廖任主席，黃任秘書長，下設總務、宣傳、文化、經濟、組織、服務等6組。組長分別為石霜湖、廖文毅、蘇新、陳梧桐、蕭來福、陳長觀。其中，石、蘇、蕭均為台灣共產黨黨員。不過，他們很快就和"聯盟"分道揚鑣，各自走路。[5]

"台灣再解放聯盟"成立後，一面著手在島內建立地下組織，一面計劃遊說聯合國。黃紀男自香港回到高雄，擔任"台灣再解放聯盟台灣支部長"，以廖文毅的姪子廖史豪為副。其主要任務是遊說台灣省籍名流，鼓吹台灣獨立，發展成員。後來則進一步發展為"台灣民主獨立黨"台灣地下工作委員會。

廖文毅的主要活動為多次向聯合國上書。

1948年9月1日，廖文毅自稱為了台灣650萬人的利益，代表"台灣再解

---

1 《廖史豪訪談錄》，引自張炎憲等編：《台灣獨立運動的先聲 —— 台灣共和國》，第34頁。
2 李世傑：《"台灣共和國臨時政府大統領"廖文毅投降始末》，第57頁。
3 黃紀男：《老牌台獨黃紀男泣血夢回錄》，第188—189頁。
4 《黃紀男訪談錄》，引自張炎憲等編：《台灣獨立運動的先聲 —— 台灣共和國》，第95頁。
5 據蘇新《憤怒的台灣》稱：同年4月至5月，廖文毅還曾組織"台灣民眾聯盟"，出版小冊子《台灣的出路》，其基本綱領為："推翻蔣政權在台的反動統治，建立代表台灣各階層人民利益的民主獨立政府，待整個中國政治確已走上民主軌道之時，依人民投票，以聯邦之一單位加入中國民主聯邦。"（香港）智源書局1949年版，第160—161頁，轉引自施正鋒編：《台灣民族主義》，台北前衛出版公司1995年版，第198頁。是否有此組織，待考。

放聯盟”和“台灣獨立同盟”、“台灣青年同盟”等 9 個團體，致函聯合國及主要會員國，提出 5 項要求，其前 3 項為：1. 為準備公民投票計，由聯合國指派一支非中國人的治安武裝，在 1948 年年底前，開始佔領台灣及澎湖各島。2. 由聯合國督導，成立一個由台灣人組成的台灣臨時政府執政，自 1948 年年底開始，為期一年。3. 在 1945 年 8 月 15 日以後抵達台灣的中國人，不論職業為何，應一律集中遣返。[1]

其後，廖文毅以“台灣再解放聯盟”等團體的名義，陸續發佈三份聲明書：

> 1. 致巴黎聯合國大會（1948 年 11 月 7 日），聲稱“台灣目前僅僅只是由中國暫時託管，而不是中國領土”。
>
> 2. 向全世界的抗議書（1948 年 12 月 10 日），反對“中國國民政府遷往台灣，將台灣變成他的內戰基地”。
>
> 3. 致聯合國大會（1949 年 3 月 20 日），要求次年 4 月，在（台灣）成功湖召開聯合國大會，提出台灣問題案，並在聯合國嚴格監督下，舉行公民投票。[2]

廖文毅一面向聯合國呼籲，一面則將活動目標設定於菲律賓、新加坡、日本和在日本的盟軍總部。

1948 年春，廖文毅赴菲律賓，會見總統季里諾（Quirino），要求准許其在菲居住，從事台灣獨立活動，同時籲請菲律賓向聯合國提案，討論台灣問題，季里諾當即告誡廖文毅不得在菲律賓從事任何政治活動，避免發表任何反對台灣當局的言論。[3]

1948 年 7 月 1 日，廖文毅派黃紀男等人偷渡赴日，會見日本首相蘆田均。當時，日本正處於盟軍佔領之下。蘆田均表示無法相助，要黃直接會見盟軍統帥麥克阿瑟。黃紀男繼而會見合眾社日本支社社長，將《台灣獨立宣言》交其發表。8 月 23 日，合眾社以美國駐台灣記者名義發表關於台灣獨立運動的報

---

1 *Formosa Speaks*，台北“中央研究院”歐美研究所藏縮微膠捲：Kesaris, Paul ed., 1985, Confidential, U.S. State Department Central Files：Formosa, 1945-1949, 890A.00/6-249。該文件經黃文範譯為《台灣的聲音》，有打字本，上引內容，見第 1863 頁。

2 黃文範譯：《台灣的聲音》打字本，第 1873、1976、1883 頁。

3 《偽黨在其他地區活動情形》，見《偽“台灣獨立黨”案交涉經過說帖》，台北“中央研究院”近代史研究所檔案館藏，“廖文毅案”，819/0030。

導，聲稱其總部設在日本，其目的在爭取國際支持，出席對日和會，要求聯合國舉行公民投票，決定台灣前途。報導並稱：處理台灣，應與處理朝鮮相同，台灣應成為“獨立國”；台灣人民係混血種，與其任何“鄰近國家”並無自然關係。9 月 22 日，合眾社再次發表報導：“活動於日本之台灣地下組織，正準備致聯合國一請願書，請求聯合國軍隊佔領台灣，以待舉行公民投票，決定台灣將來之命運。”[1] 此外，黃紀男還會見盟軍統帥麥克阿瑟，遞交《請願書》。麥克阿瑟告訴黃紀男，國民黨已經派特務到東京，準備實施逮捕，自己也已經答應。東京有中國代表團，特務人員多，建議黃到京都、大阪、神戶、九州和日本東北等地，向旅日台灣同鄉遊說。[2]

二、《台灣的聲音》——廖文毅進行台獨活動的理論基礎

1949 年 5 月，中華人民共和國政府即將在北京成立，美國國務院向 12 個國家徵詢意見，建議召開會議，就是否承認問題進行評估，制訂對紅色中國的一致政策。同月 30 日，廖文毅向美國國務卿艾奇遜致送備忘錄，要求“各民主國家必須立即採取聯合行動，以防中共對台灣的滲透，挽救島民免於國民黨的暴政與掠奪”，同時要求在未來的國際會議中，邀請“台灣再解放聯盟”的代表參加。[3] 廖文毅隨函附寄其在香港印成的英文小冊子《台灣的聲音》（*Formosa Speaks*），全面提出其台獨主張。

在《台灣的聲音》這本小冊子的《引言》中，廖文毅表示將“儘可能發出台灣人悲慘和絕望的聲音，希望見到的人，會意識到一個新國家，正在升起的途徑中”。通過該書，廖文毅全面提出了自己的台獨理論，聲稱台灣人的理想“既不是中國國民政府所轄的殖民地地位，也不是共產主義下的極權政權，二者

---

1 薛岳編：《台灣獨立運動與國際陰謀》（1948 年 11 月 14 日），《蔣中正“總統”文物》，台北“國史館”藏，002-080200-00335-029。

2 《黃紀男訪談錄》，引自張炎憲等編：《台灣獨立運動的先聲 —— 台灣共和國》，第 101—102 頁。

3 《香港美國總領事館致南京大使館文》附件一《廖文毅致謝偉思》，又，附件二《廖文毅致艾契遜國務卿備忘錄》，見黃文範譯：《台灣的聲音》中文打字本，第 1809—1812 頁。

都不受台灣人的歡迎”。

《台灣的聲音》企圖區別“台灣人”與“中國人”，聲稱“台灣人”不是“中國人”，“台灣人的血統已經與中國人的血統脫離”，是一個“已經成長得與中國人不同的種族”，其“意願、觀念以及生活方式上已經發展得與中國人大異其趣”。廖文毅甚至說，台灣人是“混血”，是原住民、西班牙人、葡萄牙人、荷蘭人、日本人的“充分融合”，是一個“已與中國人相隔很遠”、“介乎西方人與東方人之間”的“獨立的種族”。[1] 他說：

> 台灣人的血統並不像中國人所想的那麼純粹、那麼簡單，事實上在自福建與廣東的移民中，混合了原住民，1590 年首先發現台灣、稱這裏為“美麗島”的葡萄牙人，1624 年佔領台灣南部的荷蘭人，1626 年佔領台灣北部的西班牙人，1895 年征服全島統治直到 1945 年的日本人的血統。[2]

眾所周知，除原住民外，台灣地區居民的大部分來自福建、廣東等地。其間，雖有人和外國人通婚，但屬於個例。廖文毅誇大事實，將“台灣人”視為多國、多民族的“混血”種，完全是荒唐的虛構。

廖文毅在虛構出混血的“台灣人種”之後，將“台灣人”和“中國人”區別，逐一攻擊“中國人”的所謂“劣根性”，例如“無能”、“懶惰”、“專制”、“貪污”、“欺騙”等等，企圖以此煽動“台灣人”對“中國人”的仇恨。該小冊子說：“台灣人當然痛恨中國人，當成可恨的仇敵。他們一直把外省人叫成‘阿山’，或者‘豬’，全部巴不得把所有外省人都從這個海島趕出去，也留心這種機會的到來。”[3] 小冊子中，廖文毅甚至否認中國人民英勇的抗日戰爭和戰後光復台灣之間的關係，聲稱：“將台灣自日本帝國分離，中國在直接方面，一點功勞都沒有。如果不是美國軍力的支援，中國打赤腳、想要用陽傘當降落傘的兵，怎麼能平平安安佔領台灣這個海島？”

在小冊子的《引言》中，廖文毅稱：“西太平洋顯然變成了西方民主的前線，如果這一線要固守，就必須防衛台灣。”他要求創造一個“台灣人的民主

1 黃文範譯：《台灣的聲音》，中文打字本，第 1827、1864、1944 頁。
2 黃文範譯：《台灣的聲音》，中文打字本，第 1833 頁，另見 1822、1834、1947 頁，不一一引證。
3 黃文範譯：《台灣的聲音》，中文打字本，第 1860 頁。

共和國”，成立包括菲律賓、澳大利亞、印尼、“南韓”在內的“西太平洋聯盟”，防止“赤色帝國主義”入侵台灣。他甚至要求，由聯合國派出一支“治安武力佔領台灣，將台灣人從中國人的秕政及壓迫下解放出來”。[1]

在小冊子中，廖文毅吹噓，在台灣和海外，“台灣再解放聯盟”已有會員30萬人，而實際上，連200人都不到。

廖文毅將該小冊子寄給美國人，本意是藉美方之力，在美國境內出版。但美國只將之收入中央檔案機密文件（Confidential U.S. State Department Central Files）儲存起來。一直到1957年夏，廖文毅在日本將之修改，由楊逸舟翻譯為日文，定名為《台灣民本主義》，由台灣民報社出版。

三、廖文毅在日成立“台灣共和國”，台灣當局一再要求日方禁止

僑居香港的台灣人較少，加之香港當局多次通令，禁止僑民從事政治活動。1948年年底，“台灣再解放聯盟”只剩下可憐的5個成員，而當時在日本的台籍僑民約在25000人以上。1950年2月，廖文毅將“聯盟”由香港偷偷地遷往日本，謀求更大發展。同月28日，廖文毅在東京成立“台灣民主獨立黨”，廖當選主席，擬於3月18日公開演講。但是，廖以假名非法入境，3月16日，當時中國駐日代表團團長朱世明訪問盟軍總部，要求取締。17日，盟軍總部逮捕廖文毅，處刑6個月，關押於東京巢鴨監獄。[2] 4月11日，蔣介石致電朱世明，要求相機與美方交涉，“該逆將來期滿遣返手續，應歸我駐日代表團僑務處辦理。”[3] 不過，美國正設法接觸在未來可能成為台灣領袖的本土人士，因此拒絕中國政府要求，在將廖文毅關了差不多7個月之後，於10月12日以“政治亡命者”的身份將其釋放。經日本政府特許，廖文毅遂居留日本。

1952年，“世界聯邦”在日本廣島召開所謂“第一次亞細亞會議”。1954

1 黃文範譯：《台灣的聲音》，中文打字本，第1819—1821頁。

2 《廖文毅非法入境》，台北《中央日報》，1940年3月15日；《廖文毅處刑六月》，台北《中央日報》，1950年3月23日。

3 《蔣中正致朱世明》，《蔣中正“總統”文物》，台北“國史館”藏，002-090103-00007-072。

年 11 月 1 日，又在東京召開第二次會議。兩次會議，廖文毅均率團參加，要求聯合國早日討論台灣問題。1955 年 4 月 18 日，亞非會議在印尼萬隆開會，廖文毅致函大會，指責蔣政權"非法"佔領台灣，實行獨裁統治，認為只有台灣獨立，亞洲才能和平。該函曾在大會上由印尼首相宣讀。7 月 18 日，艾森豪威爾、布爾加寧、艾登和富爾等四巨頭在日內瓦舉行"最高級"會議，"台灣民主獨立黨"向會議提出台灣永久中立的主張。[1]

1955 年 9 月 1 日，廖文毅在東京散發傳單，宣佈成立"台灣臨時國民議會"。議員 24 人。以廖文毅為名譽主席，郭泰成為議長，鄭萬福為副議長，林澄水為事務總長，陳哲民為"外交"委員長，蔡錦霞為財務委員長。事前，台灣當局曾飭令其駐日"大使館"向日本外務省提出《節略》，要求設法阻止。《節略》內稱："此輩份子不但對中國政府所持寬容之立場未加理會，抑且以日本作為基地，進行其推翻中華民國政府之非法活動，倘再任其演變，不但妨害中華民國政府之威信，亦有害於中日兩國之友好關係。"9 月 1 日，台灣當局"外交部"召見日本公使宮崎章，除要求設法制止外，並要求日方"監視偽黨集會活動，向我提供情報"。[2] 日本外務省答稱："根據日本現行法令，除非發生暴力行為而直接有礙治安者外，無法禁止室內集會。"[3]

同年 11 月，"臨時國民議會"通過"台灣共和國臨時政府組織條例"。12 月，廖文毅被選為"大統領"，吳振南為"副大統領"，簡文介為秘書長。下設"外務省"、"內政省"、"財政省"、"文教省"、"僑務省"、"秘密情報部"、"銓衡委員會"等部門。

1956 年 1 月，台灣當局駐日"大使館"奉命數次派人向日本外務省交涉，外務省僅應允口頭勸阻。日本警視廳則託詞"格於法令"，不採取行動。1 月 26 日，台灣當局"外交部"召見日本"公使"宮崎，告以廖文毅將在日成立"臨時政府"，"我方對此極為重視"，"如日方再予縱容，對我殊欠友好"，要求宮

1 《廖文毅、台灣共和國與島內活動》，引自張炎憲等編：《台灣獨立運動的先聲 —— 台灣共和國》，第 1—18 頁。

2 《偽黨在日活動與我方對日交涉經過》，台北"中央研究院"近代史研究所檔案館藏，"廖文毅案"，819/0030。

3 參見《駐日大使館呈外交部》(1955 年 8 月 30 日)，台北"檔案管理局"藏，《"外交部"檔案》，A30300 0000B/0044/006.3/003/1/013。

崎致電外務省“協助制止”。

2月7日，台灣當局“總統府”秘書長張群奉蔣介石指示，致函台灣當局“外交部”稱：

> 此事應切實與日方交涉，可告以若放任此種具體之叛亂組織在日本活動，則無異證實外間謠傳日本對台灣仍具野心，望其切實予以取締，禁止此輩活動。[1]

2月10日，台灣當局“外交部”部長葉公超約見日本“駐華大使”堀內謙介，要求禁止廖文毅在日本從事政治活動。葉稱：

> 廖在日本並無正當職業，其居留在日顯純為推行以中國政府為目標之叛亂組織，日政府如繼續准其在日居留，似應以其不做任何政治活動為條件。

葉並稱：“台灣過去曾受日本統治，現日政府倘不能制止此種活動，不明真相者或竟因而揣測造謠，中傷中日兩國感情。”葉要求堀內轉報日本政府，對廖文毅“在日本從事反中國活動，予以有效的制止”。

2月21日，台灣當局新任“駐日大使”拜會日本外務省次官門脅，遞交備忘錄，重申台灣當局立場，要求日本政府採取與香港政府同樣的辦法，勒令“台灣民主獨立黨”停止活動。2月27日，台灣駐日“使館”再次派員會晤日本外務省主管，敦促日本政府依照入國管理令及刑法有關妨害國交罪的有關條款，嚴予取締。

儘管台灣當局一再向日本外交當局交涉，但都沒有產生效果。1956年2月28日，廖文毅在東京舉行“二二八”事件第九週年紀念會，同時舉行“台灣共和國臨時政府”成立酒會。參加者約120人，其中，日本人有約10個，有三四個日、美記者。會上，宣讀“脫離異民族”的所謂《獨立宣言》，內稱：

> 我們台灣民族為愛好和平自由的民族，求自由，祈願和平，謀繁榮之

---

1 《偽黨在日活動與我方對日交涉經過》，台北“中央研究院”近代史研究所檔案館藏，“廖文毅案”，819/0030。

路，以自由、獨立為基礎。根據此認識，基於必然之要求，我民族代代為脫離異民族之支配而奮鬥。台灣歷史就是台灣民族對異民族支配勢力鬥爭的鬥爭史。

該宣言聲稱："我們對內實行台灣民本主義，對外協調國聯，以貢獻人類文化，增進世界和平，為我們'台灣共和國'之權利、義務、使命。"[1]

《宣言》所稱"台灣民本主義"係廖文毅同年所著書名，被台獨成員稱為"建國藍圖"，其中聲稱台灣人是所謂的"混血的民族"最早見於"台灣再解放聯盟"的英文刊物《台灣論壇報》，而被廖文毅所著英文小冊子《台灣的聲音》所大肆宣揚。

會後，廖文毅照會日本外務省和各國駐日大使館，重彈由聯合國舉行公民投票的舊調。不久，原"臨時國民議會"改稱"台灣共和國臨時國民議會"。9月1日，公佈14章、101條的《臨時憲法》，決定以"青地白色日月之和平旗"為"國旗"。自此，廖文毅領導的台灣獨立運動就政黨、議會、政府、憲法、國旗五者齊備，像模像樣了。

"臨時政府"的機關刊物是《台灣民報》（旬刊），發行的其他刊物、小冊子則有《台灣公平報》（月報）、《台灣公論》（月刊）、《自由台灣》《台灣青年》，並以"台灣通訊社"名義發佈英文《新聞簡報》等，投寄日本外務省、各國駐日使館、各報館、通訊社等處。

廖文毅的"台灣共和國"成立於日本，因此，台灣當局繼續與日本政府交涉，表明強烈反對的立場。1957年1月14日台灣當局"外交部"次長沈昌煥邀晤日本堀內大使，鄭重表明：

> 日本放任偽黨在日活動，充分反映日本對中華民國之不友好與欠缺誠意。中國方面並不要求日方將廖文毅等逮捕送台，亦未請日方將彼等驅逐出境，中國政府僅要求日政府制止此輩在日本領土內之顛覆中華民國政府之活動，而日本政府始終藉口依法無從取締，未採取任何行動。日方人士每表示感激我總統與政府對日寬大，而事實上竟對誹謗中國總統，企圖顛

1 《台灣共和國獨立宣言》，《台灣民報》號外，1956年2月28日。

覆中國政府之廖逆組織，坐視不問，寧非日本對華外交上之一大諷刺！

面對沈昌煥的質問，堀內默然無語，只稱將轉報政府。

同年 9 月初，台灣當局獲悉“台灣民主獨立黨”在日本發行債券，當即飭令駐日“使館”向日方交涉制止。日方答稱：在日募集公債違反日本法律，如屬實，自當依法處理，但不久，日本大藏省表示，台灣駐日“使館”提供的“債券”寫明“借用”二字，並非公債，不能治罪。駐日“使館”雖據理反駁，日方則堅持無法治罪，僅允加以警告。關於廖文毅等在日發行不定期刊物一事，台灣駐日“使館”也屢次交涉，日方均稱：戰後日本言論、思想、出版極端自由，無法取締。

1958 年，台灣當局“外交部”獲悉：有台籍僑民販毒資助民主獨立黨，其“臨時政府”的“政務委員”、“財政部長”曾炳南本人則因販毒被捕。台灣當局“外交部”再次飭令駐日“使館”嚴重交涉。日方僅表示，正在審理中，尚不能確定有罪與否，將嚴重警告該黨“自行約束”。

同年 1958 年 9 月 5 日，“台灣民主獨立黨”在東京新橋舉辦講演會。台灣駐日“使館”向日方致送《節略》，聲稱室內集會，法律無法阻止；現在公然在室外集會，理應迅予取締，但日方迄無書面答復。1959 年 2 月 27 日，“民主獨立黨”在東京新橋車站廣場舉行“‘二二八革命’十二週年暨台灣臨時政府成立三週年紀念大會”。次日，又在東京舉行酒會。同時，廖文毅等在名古屋、神戶、大阪等地舉行紀念會，台灣駐日“使館”派員分別向日本外務省及警視廳要求阻止。日方仍僅答應勸告及監視，不肯出面禁止。

“台灣民主獨立黨”成立時，僅十幾個人，到 1958 年，也不過才發展到三十餘人。1960 年 1 月 2 日，廖文毅成立“台灣獨立統一戰線”，通過《組織憲章大綱》，參加者不限國籍。選舉廖文毅為“總裁”，吳振南、張春興、童一中等人為“最高委員”。

1961 年馬來亞獨立運動領袖拉曼（Rahman）訪問日本，廖文毅曾訪問拉曼，提議聯手合作。不過，馬來亞獨立是要求從英國殖民主義者統治下求解放，台灣已經從日本的殖民統治下解放出來，回歸中國，兩者根本不是一回事。因此拉曼和廖文毅未能達成一致。廖提出，如果台灣先行獨立，將請拉曼出席觀禮；如果馬來亞先行獨立，希望參加獨立盛典。1963 年 9 月 16 日，原馬來亞聯邦、新加坡、沙撈越、北婆羅洲四區，合併組成馬來西亞聯邦，正式宣告獨立，廖文毅出席典禮。事前，蔣介石得知消息，曾指示“外交部”電令“駐日大使”張厲生照會日本外務省，要求日本政府拒發廖的出入境簽證，並將其驅逐出境。台灣當局“外交部長”葉公超也在台北召見日本“大使”芳澤謙吉，提出抗議。不過，這些都未能阻止廖文毅的吉隆坡之行。

四、國民黨堅決鎮壓島內的台獨活動

自 1948 年廖文毅在香港組織“台灣再解放聯盟”起，蔣介石、蔣經國父子就高度關注廖文毅及其台獨活動，命令各情報、治安機關，特別是“內政部”調查局收集資料，制定對策。當時的中國政府駐日代表團鑒於台獨活動在日本逐漸發展，於同年 9 月 28 日非正式地通知在東京的盟軍總部，聲稱“在佔領下之日本境內，實不能容忍任何有損害盟國之活動存在”。1951 年，國民黨台灣當局在東京成立“日本工作組”，圖謀遏制。

黃紀男、廖史豪等回台後，即處於國民黨情報人員的嚴密監視之中。蔣介石和“總統府”機要室資料組主任蔣經國召集黨、政、軍、警、特五方高層會議，研判對策。蔣介石等關心：1. 台灣獨立運動背後，究竟有無外國力量介入？2. 對於台灣人民的感染性如何？3. 如何截止？關於第一個問題，參會的台灣當局“外交部”及保密局判斷，“台灣再解放聯盟”極可能有美國人幕後支持。蔣介石指示，責令各情報機構儘量搜集資料，在有確實證據時，研擬因應對策。關於第二個問題，會議決定嚴禁台獨消息外泄。青年黨人李萬居在台北創辦《公論報》，因採用合眾社稿件，發表《台灣獨立宣言》，被處分停刊 5 日。關於第三個問題，“外交部長”葉公超、台灣省主席吳國楨都認為，逮捕法辦自無不可，但因美國朝野一直批評台灣是警察“國家”，要估計美國方面可能的反應；台灣保安司令部副司令彭孟緝、保密局局長毛人鳳則堅持以“叛國罪”

斷然處置，送交軍法審判。會議決定“依法辦理”。[1]

廖史豪自香港回台後，於 1949 年 10 月提出組織“台灣人家鄉防禦軍”，其目標為要求在台灣的“國民政府”引退，代之以“台獨政府”。軍事組組長鍾謙順則認為，台灣青年大都受過日本軍事訓練，易於成為“台獨建國”的武力。[2] 1950 年 5 月 14 日，黃紀男被捕，“台灣再解放聯盟”台灣支部被破獲。接著，廖史豪等 6 人入獄。至此，“台灣再解放聯盟”的在台力量“已破獲殆盡，縱橫線索無可盡展”。[3] 不久，台灣保安司令部判處黃紀男徒刑 12 年，廖史豪等三人各 7 年，許朝卿等三人各 6 年。至 1953 年，保安處接到“自首者”檢舉，廖史豪曾領導另一個名為“台灣民主同盟”的組織，因此，重新起訴，將廖史豪的 7 年徒刑加判為無期徒刑。

廖文毅在日本成立“台灣民主獨立黨”後，蔣經國立即召集各情報、治安機關首長，包括“外交部”情報司、國民黨中央海外部等有關人員會商，蔣經國做了 5 點結論：

1. 廖文毅是失意政客，由於政治欲望未達到，致萌異志。

2. 目前情報過於貧乏，不足以了解整個“台灣民主獨立黨”的動向，更談不上掌握，應設法深入搜集廖黨組成份子的各人資料，以建立情報研判的基礎檔案。

3. 廖文毅係美國留學生，可能有美國政府的秘密援助。各情報單位應設法查探，究竟有沒有美國官方透過民間幕後支持其活動，特別是有沒有提供其“叛亂經費”？

4. 日本雖為戰敗國，但對台灣存在“幻想”者仍頗有人在。“台灣民主獨立黨”與日本人有無何種關聯？廖文毅有沒有勾結日本失意政客的跡象？

5. 此後各機關呈送“台灣民主獨立黨”情報，其機密區分等級，一律列為“極機密”。各單位均指定專人負責處理，以防泄密。負責處理“台

1 李世傑：《“台灣共和國臨時政府大統領”廖文毅投降始末》，第 66—68 頁。

2 參見陳正茂：《戰後台獨運動先驅 —— 廖文毅與“台灣再解放聯盟”初探》，《台北城市大學學報》第 35 期，2012 年 5 月，第 368 頁。

3 參見《為辦理台灣再解放聯盟份子案情請鑒核由》，《蔣經國“總統”文物》，台北“國史館”藏，005-010100-00050-012。

獨案”人員，應專案報備。

在以上5條中，蔣經國特別重視三、四兩點，指示要“密切注意”。[1]

1955年9月1日，廖文毅在東京成立“台灣臨時國民議會”，蔣經國急令各情報治安機關：迅即研擬確實有效辦法，搜集“台灣民主獨立黨”在日本及其他地區之動靜態資料，嚴密防止該黨在台灣發展組織，積極佈置偵查，務必全力予以撲滅，以防蔓延。

1958年，“台灣共和國”臨時政府的“外交部長”陳哲民歸順。8月20日，台灣當局釋放黃紀男與廖史豪。1959年，黃紀男主動與在日本的廖文毅聯繫，在台灣成立“台灣民主獨立黨”台灣地下工作委員會。廖文毅通過日本外務省，利用外交郵袋將自己的著作《台灣民本主義》等台獨文件寄交日本駐台北“使館”，再由“使館”交日本《每日新聞》台北特派員轉交廖史豪。1960年5月，台灣“國家安全局”局長鄭介民報請蔣介石批准，恢復黃紀男的公權，出任華南銀行專員。不過，台獨的地下工作委員會仍在繼續活動，廖史豪、黃紀男、廖文毅的弟弟廖溫進以及彰化人鍾謙順等分別在台北、台中、台南、高雄等地招兵買馬，密謀購買武器，搶劫運鈔車輛，甚至企圖暗殺蔣經國。[2] 1962年1月26日，台獨地下工作委員會被偵破，黃紀男第二次被捕，全案牽連達一百多人。

五、分化、策反、招撫島外的台獨力量，封堵其國際活動空間

1951年，台灣調查局在東京設立日本工作組，其工作重點為對中共鬥爭。1956年2月，廖文毅在日本成立“流亡政府”。調查局負責人季原溥於3、4月之間召集會議，指令日本工作組設法搜集“台灣民主獨立黨”在日本的活動情報，彙總研析。當時，蔣介石每週主持“情報會談”，出席者有“五院”院長，

1 李世傑：《“台灣共和國臨時政府大統領”廖文毅投降始末》，第77—78頁。
2 《廖史豪口述史》，引自張炎憲等編：《台灣獨立運動的先聲——台灣共和國》，第63頁。

“內政”、“國防”、“司法”等部長，國民黨中央第二（敵後）、第三（“海外”）、第六（反統戰）各組主任，以及各情報、治安機關的負責人等。廖文毅的“台灣民主獨立黨”的動態逐漸成為會議的討論內容。蔣介石擔心廖文毅得到“國際野心份子”的支持，嚴令調查局設計佈建、打入拉出，瓦解“台灣民主獨立黨”的組織，因此，對流亡在日本的“台灣民主獨立黨”成員進行分化、策反、招撫就成為國民黨特務機構的主要工作。

1956 年 6 月，“台灣民主獨立黨”中央委員、“臨時國民議會”議員、“外交委員長”陳哲民脫黨返台。陳是廖文毅的親家廖史豪的岳父，早年畢業於廈門大學。回台後，在北投開設雅敘園旅社。同年 12 月，“台灣民主獨立黨”中央委員、“臨時國民議會”事務總長林澄水“輸誠”。他中、英、日文都有較高水準，回台後被任命為華南銀行專員，只拿錢，不上班。

鑒於陳哲民、林澄水二人先後脫黨，廖文毅便對“台灣民主獨立黨”進行改組，脫卸黨魁職務，以“大統領”身份親自統率“黨、政、議會”三個機構。改組後的“台灣民主獨立黨”以吳振南為主席，陳春祐（芳生）為副。不過陳春祐就任副主席剛剛一個月，便於 1957 年 2 月 26 日“反正來歸”，回到台北，後來被任命為台灣省政府參議。

當年 2 月 28 日，“台灣民主獨立黨”循例在東京舉行“二二八”事件追悼會，到會者每人都收到一份陳春祐的脫黨聲明。緊接著，關西支部長林排、中央委員江來發也於 1957 年 8 月先後發表聲明，脫離廖文毅的領導。1958 年，鄭萬福、陳金泉、曾炳南、鮑瑞生等四名“中央委員”另組“台灣民政黨”。到 1959 年，“台灣民主獨立黨”愈加鬆垮，關西支部、香港支部煙消雲散。主席吳振南已在暗中和台灣調查局接觸，談判“反正”條件，其他經過調查局策動，公開脫黨或潛伏內部從事反間活動者，已達 18 人之多，佔該黨總人數的百分之五十以上。台灣當局的特務人員笑稱：幾乎成為國民黨的東京支部了。[1]

同時，台灣當局則堅決封堵台獨份子的“國際活動”空間，反對廖文毅“訪問”美國。

---

1 李世傑：《“台灣共和國臨時政府大統領”廖文毅投降始末》，第 92 頁。

1957年8月30日，廖文毅應馬來亞聯邦首揆拉曼之邀，赴新加坡參加獨立慶典。攜帶大量宣傳台灣獨立的傳單，因違反馬來亞海關條例，未准攜入。廖與拉曼有舊識，他要求拉曼代向亞非會議召集委員會提出申請，結果被邀以觀察員身份列席。其後廖文毅派“外交部長”簡文介參加在埃及召開的會議，於抵達開羅時被警方拘禁。直至1958年元旦，才由埃警押上飛機，遣返日本。

1958年年初，“臨時政府”任命印尼台僑陳智雄為“駐東南亞特使”，向南洋一帶華僑鼓吹“台灣獨立”，被印尼政府以間諜罪逮捕，拘禁一年後釋放，驅逐出境。日本、菲律賓、泰國、瑞士皆拒絕陳入境。陳再赴日本，被以非法入境罪扣押。台灣當局一面要求日本遣返，一面勸說陳反正。12月，陳在抵達台北時發表聲明，悔悟前非。[1]

台灣獨立運動的根據地最初在日本。1956年，在美國的台灣留學生中開始發展。林榮勳、陳以德、李天福三人聯絡少數幾個人，成立“台灣人的自由台灣”，成為在美洲的第一個台灣獨立運動團體。該組織於1957年年底解散，1958年1月改組，成立“台灣獨立聯盟”。

1957年，陳哲民、林澄水、陳春䄔相繼歸順國民黨，在日本的“台灣民主獨立黨”進入前所未有的困難窘迫時期。廖文毅為了打開局面，籌劃到美國活動。先後投書《華盛頓郵報》及《芝加哥日報》，宣揚台獨理念。[2]台灣調查局向蔣介石報告有關消息，蔣指示保密局局長毛人鳳詢問美方代表梅樂斯少將，廖文毅與美國中央情報局有無關係。梅樂斯堅稱絕無關係，保證美國只支持台灣的國民黨政府。1958年5月，廖文毅的追隨者繼續在美國費城等地活動，散發台獨宣傳品。10月7日，少數台獨份子在美國《基督教科學箴言報》發表聲明，指責《開羅宣言》是“武斷行動”，聲稱“中華民族血統或中國語言並不能使我們就成為‘中國人’”。他們要求美國政府支持“一個獨立的台灣”。[3]

鑒於台獨份子在美日益活躍。1958年6月，台灣“外交”部門約見美國駐

---

1 《偽黨在其他地區活動情形》，台北“中央研究院”近代史研究所檔案館藏，“廖文毅案”，819/0030。

2 Formosa Referendum, The Washing Post and Herald, April 7, 1957; Plea from Formosans in Exile, Chicago Daily News, May 17, 1957.

3 《匿名台灣人在美散佈宣言》，央秘參（47）第1595號，台北“中央研究院”近代史研究所檔案館藏，“廖文毅案”，819/0030。

台"使館"參事奧斯本（Osborn），向其提出："此等活動究係何方予以支持，實有請美政府有關方面設法注意調查之必要是。"[1] 1959年7月29日，廖文毅取得日本的"再入國許可"，啟程赴歐，企圖轉赴美國活動。台灣當局"外交部"聞訊，電飭駐日、駐美"使館"向日、美交涉阻止。8月6日，蔣介石批示，要求"外交部"非正式與美國方面商談處置辦法。[2] 9月，廖文毅致函美國參議院外交委員會主席傅爾布萊特（J. William Fulbright）請求協助。同月，美國國務院通知台灣當局，已通令駐外使館拒絕發給廖文毅簽證，但廖文毅則得到國務卿魯斯克（Rusk）的通知，下次准簽。

1961年，廖文毅再次萌生到美國活動的打算。為此，蔣介石批示：

> 1. 著"外交部"照會日本大使館，抗議日本政府容許廖文毅以政治難民身份在日本活動。
>
> 2. 指示"外交部"照會駐美"大使"向美國國務院提出同樣照會，要求拒發廖文毅的入境或過境簽證。[3]

6月13日，美國國務院決定，給予廖文毅6個月的一次入境遊客簽證。[4] 19日，台灣當局"外交部"部長葉公超接見美國駐台灣"大使"莊萊德，指出美國國務院的這一決定"在目前國際氣氛之下"，"使人懷疑有人欲利用廖某製造兩個中國之安排"。葉要求莊萊德立即致電美國國務院，停止執行這一決定。他暗示，台灣當局將向美國政府提出正式抗議。[5]

6月20日，蔣介石與宋美齡接見莊萊德，提出嚴重警告，聲稱"廖文毅乃中國之叛徒，多年來匿居日本，鼓吹台灣獨立"，"中國政府對於國務院此一舉措認為極端嚴重"。他聯繫美國與外蒙古建交等事件，批評美國政府"不講原

---

1 《許紹昌報告》（1958年6月16日），台北"中央研究院"近代史研究所檔案館藏，"廖文毅案"，819/0030。

2 《偽黨在日活動與我方對日交涉經過》，台北"中央研究院"近代史研究所檔案館藏，"廖文毅案"，819/0030。

3 李世傑著：《"台灣共和國臨時政府大統領"廖文毅投降始末》，台北自由時代出版社1998年版，第270—271頁。

4 《葉公超致台北外交部次長電》（1961年6月13日），台北"中央研究院"近代史研究所檔案館藏，"廖文毅案"，819/0030。

5 《外交部致駐美大使館電》（1961年6月19日），台北"中央研究院"近代史研究所檔案館藏，"廖文毅案"，819/0030。

則，不顧情誼，不負責任”，警告說，“吾人亦準備於萬不得已時退出聯合國。”[1] 6月21日，蔣介石與蔣經國談話，批評美國此舉“最不友義”。當時，美國國務院正準備邀請蔣經國訪美，蔣介石命其表示拒絕。[2] 22日，蔣介石責備美國“不守信約，不尊重我‘主權’，不平等待我，視我為殖民地政府之不如”，要求“行政院”通知美方，蔣經國將不能如期訪美。[3]

6月28日，廖文毅宣稱，接到美國國務卿魯斯克函，邀請其赴美討論台灣問題，同時接到美國參議院外交委員會主席傅爾布萊特函，聲稱美國政界已制訂三種台灣政策：1. 魯斯克提案，由在台灣的“中華民國”政府與“台獨”合作，建立“台灣共和國”。2. 史蒂文生提案，由聯合國管理台灣，再由現住民投票決定歸屬。3. 傅爾布萊特提案，承認“台獨流亡政府”，建立“台灣共和國”。[4] 8月4日，陳誠代表蔣介石訪美，在美國的台灣獨立聯盟曾組織少數人到聯合國大廈附近舉牌抗議。當時，美國總統肯尼迪企圖推行一中一台，參議院外交委員會委員長傅爾布萊特邀請台灣反對黨領袖到聯合國演講，經人介紹，邀請廖文毅赴美。台灣當局當即表示“嚴重關切”，交涉結果，美國國務院通令各駐外使館不得發給廖文毅入境簽證。9月，廖文毅經香港飛瑞士等待簽證，仍遭拒簽。結果，廖文毅經美國移民局安排，僅在紐約機場附近的旅館住宿一夜，即離開紐約，轉飛洛杉磯，在當地移民局人員監視下，換乘飛機，飛返日本。[5]

蔣介石始終對日本和美國支持台灣獨立運動保持警惕。廖文毅自美返日後，蔣介石於1962年致電駐日“大使”張厲生，要他“密切注意，盡力防制”，加強對留學生的教育。電云：

> 據報，廖逆文毅已由美返日，偽黨將於“二二八”有所蠢動，為免混

1 《總統與夫人接見莊萊德大使談話要點》（1961年6月20日），《蔣經國“總統”文物》，台北“國史館”藏，005-010205-00085-003；參見《蔣介石日記》（手稿本），1961年6月20日。

2 《蔣介石日記》（手稿本），1961年6月21日。

3 《蔣介石日記》（手稿本），1961年6月22、23日。

4 《傅爾布萊特致廖文毅函》，轉引自《外交部致駐聯合國常任代表蔣廷黻電》（1961年7月1日），台北“中央研究院”近代史研究所檔案館藏，“廖文毅案”，819/0030。

5 《部長接見日本駐華大使井口貞夫談話記錄節要》（1962年2月17日），台北“中央研究院”近代史研究所檔案館藏，“廖文毅案”，819/0030；陳銘誠：《海外台獨運動40年》，台北自立晚報社文化出版部1992年版，第9—10頁。

淆國際視聽，務希密切注意，盡力防制，並向日政府交涉，對留日台籍學生尤應積極加強組織輔導，免為叛徒所利用，希負責督導有關同志，加強組織，展開對留學生之組訓與服務工作，並由中央遴派適當同志，赴日商承進行，即希察照。中正。[1]

1964 年 2 月，日本首相吉田茂訪問台灣，蔣介石在日記中書寫“注意各點”，其中的一條是“日政府對我稱為台灣政府之侮辱”，另一條是“日本培植台灣獨立國”。[2]

在美、日之間，這一時期，蔣介石更注意美國。11 月 8 日，蔣介石在日記中提醒自己，應注重美國“對台灣人之鼓動與台灣人之台灣的獨立運動之謀略與行動，加以嚴防”。蔣介石原有親自訪美的計劃，至此，決定取消。其 12 月《反省錄》稱：“（美）國務院對我徹底消滅與獨立台灣之狂妄陰謀，必須時刻戒備，且早做準備，方不為其所乘也。”

六、蔣經國佈置招撫廖文毅

自 1956 年起，調查局及保安司令部即開始從事廖文毅的策反、招撫工作。初時，請廖文毅 80 歲的母親廖陳明鏡給兒子寄相片、寫信，繼之，請從廖集團分化出來的第一人陳哲民給廖文毅寫信，均無效。其間（1958 年之後），廖文毅的老友、商人劉傳能經過調查局同意，到東京會見廖文毅，試著詢問他：“你是博士，是有學問、有才能的人，假使有機會讓你回台灣去，為我們台灣人做一些實際的貢獻，你是不是可以放棄台灣獨立的主張？”廖答：“問題沒那麼簡單。”[3] 調查局據此判斷，廖文毅已經動心。1962 年 1 月，“台灣民主獨立黨”台灣地下工作委員會被破獲。1964 年 6 月 2 日，沈之岳出任調查局局長。10 月 29 日，台灣警備總部軍法處宣佈判處黃紀男、廖史豪二人死刑，廖文毅的嫂嫂廖蔡綉鸞等二人有期徒刑 15 年，弟弟廖溫進等 8 人有期徒刑 12 年，其他人則

1 《蔣中正致張厲生電》（1962 年 2 月 26 日），台北“中央研究院”近代史研究所檔案館藏，“廖文毅案”，819/0030。

2 《蔣介石日記》（手稿本），1964 年 2 月 22 日。

3 李世傑：《“台灣共和國臨時政府大統領”廖文毅投降始末》，台北自由時代出版社 1998 年版，第 237 頁。

分別判處 6 年、5 年徒刑不等。在復判定案之前，蔣經國親自召見台灣“行政院”政務委員蔡培火、台灣省議會議長黃朝琴、中央黨部副秘書長徐慶鍾，以及丘念台等人，命他們赴日會晤廖文毅，勸其以拯救黃紀男、廖史豪的性命和繫獄重病的嫂嫂廖蔡繡鸞為重，放棄台獨，回到台灣。事後，調查局又動員廖史豪的四妹廖菊香到東京傳話。廖菊香要求先行保釋其嫂廖蔡繡鸞。1965 年 5 月初，廖文毅回話，願意談判。

廖文毅既願意談判，調查局局長沈之岳遂決定派第三處處長毛鍾新赴日。毛帶了廖文毅母親的錄音帶，內稱：“趕快回來吧，我眼睛看不見了。”[1] 此外，毛鍾新還帶了蔣經國的三項保證：

1. 無條件釋放所有與台獨有關係的政治犯。
2. 歸還被沒收的財產。
3. 政府給予相當地位，如省府重要職務，或台糖董事長。[2]

毛鍾新到達東京後，得到廖菊香的妹婿、在日本三菱電氣公司任職的陳長秀的幫助，陳勸廖文毅回台看看，說是“如今台灣很進步了，白色恐怖結束了，變很多了”。[3] 毛並稱：“這是給廖先生最後抉擇的機會。如果廖先生不接受，我只好回去報告蔣部長，對廖史豪、黃紀男一案，公事公辦。”所謂“公事公辦”，其含義廖文毅當然明白，他幾乎沒有多大猶豫就全部接受。他要求得到某種保證，毛通過駐日“大使”張厲生向台北請示，蔣經國答應由毛與廖簽署協議書，交由廖所同意的政壇要人保管。據說，此項文件後由張厲生交日本政要岸信介保管。

協議既成，一方面廖文毅接連三個晚上與郭泰成、簡文介密商後事，一方面沈之岳立即向蔣經國報告，蔣經國立即向蔣介石報告。

1965 年 5 月 14 日，廖文毅隨毛鍾新自東京飛返台北。起飛後發表簡短書面聲明，聲稱“邇來烽火日亟，世變日殷”，“決心放棄台灣獨立組織活動，回

1 《廖菊香訪談錄》，張炎憲等編：《台灣獨立運動的先聲 —— 台灣共和國》，第 401 頁。
2 《廖史豪訪談錄》，引自張炎憲等編：《台灣獨立運動的先聲 —— 台灣共和國》，第 71 頁。
3 《廖菊香訪談錄》，張炎憲等編：《台灣獨立運動的先聲 —— 台灣共和國》，第 403、407 頁。

應蔣總統反共建國聯盟號召，劍及履及，離日返台，貢獻所有力量”。[1] 此聲明由廖本人起草，經毛鍾新、張厲生等人審定。

據廖史豪說，當時岸信介和美國人傅爾布萊特都勸廖文毅回台，他們說：“不要緊，你回去，只要回去，不需要做任何事。只要你人在台灣，將來若情勢有變化，台灣獨立就可以發生作用。”[2] 廖史豪所說，似乎有意在為廖文毅的回台辯解。一個日本人，一個美國人，同時對廖文毅如此表態，可能性不大。

七、廖文毅放棄台獨，返回台北

廖文毅於 5 月 14 日晚 9 點到達台北松山機場，沈之岳、亞盟中國總會理事長谷正綱、國民黨中央黨部副秘書長徐慶鍾、前台灣省議會議長黃朝琴等到場歡迎。廖文毅在機場首先表示感謝蔣介石允許他歸來的“美意”，聲稱“過去的那種愚昧主張，已隨著他的歸來告一結束，今後，將在總統的領導下，為反共復國貢獻他的力量”。[3] 他自我批判其台灣人是“混血民族”的錯誤理論，聲稱：“台人本是中華民族的一部分，同屬炎黃後裔，台省同胞都自中原而來，有千百年系統可考。”[4] 5 月 15 日，《中央日報》發表社論，表揚廖文毅的歸來“勘破了一個幻想——兩個中國的幻想；糾正了一個錯誤——台獨運動的錯誤”。社論號召“以團結對分化”，聲稱“台海同胞是炎黃華冑的嫡親兒女，並且是民族思想的重要策源。任何人不能分化我們的骨肉，任何方法亦沒有分化我們的效用。”[5] 一時之間，台灣島內、香港，以至美洲的各華文報紙紛紛發表社論，評述此事。《新生報》稱：“中華民族是不可分的”，“炎黃子孫終是炎黃子孫，中華民族終是中華民族。”[6]《公論報》稱：“所有黃帝子孫的生死、榮辱、休戚是一體的，”“一個民族分裂為兩個以上的國家無害的理論是絕對錯誤的。”[7]《星

---

1 李世傑著：《“台灣共和國臨時政府大統領”廖文毅投降始末》，第 299 頁。
2 《廖史豪訪談錄》，引自張炎憲等編：《台灣獨立運動的先聲——台灣共和國》，第 78—79 頁。
3 《廖文毅昨自日來台》，台北《中央日報》，1965 年 5 月 15 日。
4 《廖文毅覺醒來歸的意義——事實證明台灣獨立只是海市蜃樓的幻景》，《工商日報》，1965 年 5 月 18 日。
5 《歡迎廖文毅博士歸來》，台北《中央日報》，1965 年 5 月 15 日。
6 《人性和理性的呼喚——論台獨運動及其組織的自生自滅》，《新生報》，1965 年 5 月 22 日。
7 《迷途者的榜樣——論海外台獨份子相繼反正》，《公論報》，1965 年 5 月 20 日。

島日報》更直接指出："許多日本政客及其他人士，仍存覬覦之心，他們不敢明目張膽地主張侵略或吞併台灣，於是便想培植一些傀儡爪牙。""間接進行對台灣再佔領的陰謀。"[1]

5月16日，廖文毅回到雲林西螺鎮故里。其母已年過九十，兩眼失明，長期臥病。為了等候分離18年的幼子歸來，這天特別挪到客廳前的躺椅上。據報導，廖文毅入門後，立即奔向中堂，跪到母親面前，叫了一聲："阿母，我回來了。"其母也只說了一句話："阿志，你終於回來了。"見過母親之後，廖文毅又到位於西螺郊區的祖墳前祭掃，獻花、祈禱。當日，遵沈之岳之命，返回台北。[2]

5月17日，蔣經國在"國防部"月會上訓話，聲稱"台灣民主獨立黨"是台灣獨立運動的中心，"最近廖文毅悔悟歸來，這是政治上很大的事情"，但僅僅"解決了一部分"，"思想與組織還未能徹底的根絕"，要號召其餘的台獨份子都回來。[3] 18日，蔣經國接見廖文毅，告以廖史豪、黃紀男、廖溫進已呈報蔣介石，依法赦免，並予復權，廖蔡綉鸞原處沒收財產，免予執行。[4] 19日，國民黨中央第六組召開會議，擬具《廖文毅反正歸來後在心戰工作上應有之運用要點》，提請核議。[5]

7月2日，蔣介石接見廖文毅。廖表示，台灣進步很大，"遠東第一，比日本還好。我們的工業也欣欣向榮，水力發電和道路橋樑的建設，都為工業的發展奠定了很好的基礎"。當蔣介石聽說廖文毅才56歲時，便鼓勵說："那你還有很多時間為建設台灣、反攻大陸做很多事情。"[6] 次日，蔣介石親自致函廖文毅，表示慰勉。[7]

---

1 《廖文毅迷途知返》，《星島日報》，1965年5月18日。

2 《廖文毅昨返鄉省親》，台北《中央日報》，1965年5月17日。

3 《部長主持國防部擴大紀念週訓話記錄》，《蔣經國"總統"文物》，台北"國史館"藏，005-010503-00036-002。

4 《蔣部長接見廖文毅》，《蔣經國"總統"文物》，台北"國史館"藏，005-010401-00021-012。據李世傑著：《"台灣共和國臨時政府大統領"廖文毅投降始末》第317頁載，12月9日，蔣介石才下令釋放廖文毅。

5 《廖文毅反正歸來後我在心戰、聯戰工作上應有之運用要點》，《蔣經國"總統"文物》，台北"國史館"藏，005-010100-00091-002。

6 《我唯有感激——廖文毅談晉見總統》，台北《中央日報》，1965年7月4日。

7 《勉廖文毅博士函》，函未見，此據《論著年表》，參見秦孝儀編：《"總統"蔣公思想言論總集》2卷，台北中國國民黨中央黨史委員會1984年版，第208頁。

廖文毅回到台灣之後，即陷入各種歡迎、接待和參觀中。當時，台灣正處在經濟起飛初期階段，對現狀，廖文毅是滿意的。他表示："短短的二十年中，有這樣輝煌的建設成果，實是令人驚異，也是可以與歐美最先進的國家媲美的，這種趨勢繼續保持下去，台灣一定可以很快地成為中華民國一個最現代化的模範省。"[1]

廖文毅的回歸給台灣獨立運動以沉重打擊。5 月 18 日，"台灣共和國臨時政府港澳辦事處"宣佈解散。1966 年 4 月 12 日，僅有 4 個成員、離開台灣 25 年的台灣民政黨委員長鄭萬福回到台北，廖文毅前往接機，為之設宴洗塵，並稱，背棄祖國，"去搞什麼台灣獨立，毫無前途可言，他緊跟著我回來，可以說是醒悟及時"。[2] 其後，"台灣共和國"的"副大統領"、黨主席、評議會議長吳振南也接著回到台灣，在蔣經國的陪同下會見蔣介石。

八、台灣當局任命廖文毅為曾文水庫興建委員會副主任

1965 年 10 月 31 日，台灣嘉義、台南交界處的曾文水庫開工。12 月，台灣當局任命廖文毅為曾文水庫興建委員會副主任委員。主任委員則由台灣省政府主席兼任。廖文毅雖是幾位副主委之一，但負實際責任。他覺得能有機會為家鄉父老效力，非常興奮。[3] 同月 13 日，廖文毅到台灣省政府報到。次年 1 月 15 日，廖文毅到工地上任。該水庫是當時台灣第一大的水利工程庫，總預算 61 億，計劃六年完成。屆時，面積將達 17 平方公里，蓄水量 7.08 億萬立方米，對於嘉義及台南地區具有灌溉、防洪、發電、旅遊等多項效益。其第一導水隧道長 1250 米，第二導水隧道長 1083 米，開挖直徑均為 15 米。在兩條導水隧道之間興建的地下水力發電廠，每年可發電 2.18 億萬度，供水量可從 5.4 萬噸增加至近 23 萬噸。自此，廖文毅除外出接洽公務，在台北水庫建設委員會辦公室辦公，回台北士林住宅休息外，每月在工地 18 天，連故鄉西螺都很少有時間回

1 《廖文毅認為台省經建成果輝煌》，台北《中央日報》，1965 年 10 月 24 日。
2 《搞台獨太愚昧》，台北《中央日報》，1966 年 4 月 13 日。
3 《曾文水庫籌委會副主委內定由廖文毅擔任》，台北《中央日報》，1965 年 12 月 4 日。

去看看。

1969 年 1 月 19 日，蔣介石視察曾文水庫，未見廖文毅。2 月 7 日，蔣介石特別在台北接見廖文毅，詢問水庫建設、地方工業及民間生活。當日下午，廖文毅即乘機南下，趕往工地，接待“立法院”委員參觀。

廖文毅對當時的台灣社會狀況和自己的新工作都比較滿意，聲稱台灣社會安定，治安情況良好，是“世界許多國家與地區所趕不上的”。[1] 他自稱“得到了人間的溫暖”[2]。1970 年，水庫首期工程完成，廖文毅表示：“現在已深深地喜歡上曾文水庫這個地方。”還表示，目睹上下蓬勃奮發的氣象，“無形中也感到自己年輕了許多”，“回憶以前在國外的灰暗歲月，實在與在祖國的生活情況有天淵之別”。[3]

從廖文毅進入曾文水庫興建委員會起，調查局就派第三處科長施子純擔任安全室主任，監視廖文毅的言行。1967 年 6 月，沈之岳報請蔣經國批准，以黃紀男為水庫興建委員會額外專員，其任務也是監視廖文毅，報告其言行。某日，“台獨”重要成員彭明敏與黃紀男聚會。彭對黃說：“你叫廖文毅辭職，什麼副主任委員，一點權力都沒有！”其後，黃紀男向廖文毅轉述，廖文毅則向調查局沈之岳報告，由此引發黃紀男的第三次被捕。[4] 1972 年，黃紀男以陰謀暗殺蔣經國罪被起訴，判處 15 年徒刑。

廖文毅為了避免和當時台灣正在興起的黨外運動人士接觸，他甚至賣掉在台北的房子，搬到台中居住。他向沈之岳報告彭明敏的言論，說明這時確已和台灣獨立運動脫離關係。自此，黃紀男認為廖文毅“出賣同志”，非常痛恨他。

曾文水庫位於台灣關子嶺地震中心，施工難度較大。至 1973 年 4 月 28 日，第二號隧道封口蓄水，蔣經國親臨現場觀看。至此，水庫已施工 5 年 6 個月，完成計劃的 96%，預計整個工程將在 10 月底完工，超出預定進度一年，還可結餘工程款 2 億多元。廖文毅認為該水庫的建設，不論在技術施工、品質管

---

1 《曾文庫首期工程完成》，台北《中央日報》，1970 年 6 月 9 日。

2 《回國四年的廖文毅》，台北《中央日報》，1969 年 5 月 15 日。

3 《廖文毅如願以償》，台北《中央日報》，1969 年 12 月 3 日。

4 李世傑著：《“台灣共和國臨時政府大統領”廖文毅投降始末》，台北自由時代出版社 1998 年版，第 334—335 頁。

制和預算執行等方面，“均屬世界第一流的水準”。[1]

廖文毅自日本返台，脫離“台獨”後，沒有參加蔣介石、蔣經國所鼓吹的“反共復國大業”，而是參加曾文水庫的建設，做了一件有益於台灣人民的好事。

曾文水庫完工後，廖文毅調任台中港籌建委員會副主任委員。他一再向蔣經國表示，對台中港的工作無興趣，被任命為華南銀行常駐監察人。他還曾被張其昀聘為“中國文化大學”化工研究所所長，並曾準備捐資新台幣 30 萬元。

廖文毅晚年，與台灣原住民泰雅族的一位女子同居，此女被懷疑為台灣當局調查局所派。此後，廖文毅的健康日益惡化，首先失明，繼而中風。1986 年 5 月 9 日，因肺炎病逝世於台北。有人懷疑為特務所毒，但缺乏有力證據。

附記：本文寫作中，承台北“中央研究院”朱浤源教授、楊欽堯博士惠贈黃文範譯《台灣的聲音》打字本，承林弘毅先生複印賜贈日文本《台灣民本主義》，謹此致謝。

---

1 《廖文毅讚水庫工程》，台北《中央日報》，1973 年 4 月 29 日。

蔣介石聯合蘇聯，謀劃反攻大陸始末*

* 本文錄自《找尋真實的蔣介石：還原 13 個歷史真相》，九州出版社 2014 年版。

蔣介石退守台灣後，長期寄希望於在美國的支持下反攻大陸，但是，卻一直受到美國的束縛，終於痛苦地得出結論，美國實際上只想使國民黨成為其在西太平洋的看門狗。正在此時，蘇聯由於和中共交惡，表現出逐漸和台灣國民黨當局接近的趨向，雙方在上一世紀60年代末期至70年代初，曾經通過多條渠道進行談判。一條渠道在台灣當局駐墨西哥“大使”陳質平和蘇聯在當地的外交使節之間，另一條渠道在蘇聯籍英國記者路易斯和台灣新聞局局長魏景蒙之間。1968年10月，路易斯進入台灣，會見蔣經國。其後，魏景蒙與路易斯轉到歐洲繼續談判。討論涉及到摧毀中共在新疆的核基地以及蘇聯給予國民黨經濟、軍事援助以及提供蘇聯在中國邊境的基地、共同推倒毛澤東等多方面的問題。其間，蘇共內部鷹派、鴿派意見不一，蔣介石既擔心蘇聯藉機侵略中國，不願重蹈明末吳三桂、洪承疇的覆轍，也不願貿然聯蘇，得罪美國。蔣介石的企圖是，在美、蘇共同支持下反攻大陸。然而，美國、蘇聯都不願打仗，中共雖然強烈批判蘇共為修正主義和社會帝國主義，也不願和蘇聯開戰。自然，在這種情況下，蔣介石反攻大陸的計劃只能是一種空想。

一、蘇聯主動示好，與台灣當局駐墨西哥“大使”陳質平秘密聯繫

中共在20世紀60年代初與蘇共交惡之後，蘇聯即有意推動中共推倒毛澤東。1964年，蘇聯十月革命節，周恩來率團訪蘇。蘇聯國防部長馬利諾夫斯基在周恩來面前說：“我們俄國人搞掉了赫魯曉夫，你們也要搞掉毛澤東。”[1]第二天，周恩來提出抗議。其後，蘇聯逐漸與台灣國民黨當局的外交“使節”聯繫。1965年2月，王叔銘在紐約擔任駐聯合國安理會軍事參謀委員會代表團“團長”期間；蘇聯人員約王談話，蔣介石由此判斷蘇共企圖與台灣聯繫。[2]同年，蘇聯駐日外交官邀請台灣國民黨當局駐日“代表”參加蘇聯使館的招待會。[3]1966年10月，蘇聯外交部通過倫敦書商訂閱《中央日報》，直寄次長，蔣介石相應命“外交部”訂閱《真理報》，也直寄次長。[4]1967年，雙方的秘密接觸在駐墨西哥的外交使節之間開始。蔣介石向其駐墨西哥“大使”陳質平指示“對俄方接洽之要旨”，要求陳讓蘇方了解“美國決不助我”。[5]但是，蘇方不肯對台灣當局表露對中共政策的意見，蔣介石只能決定靜觀其變。[6]同年3月，蘇共突然對台灣國民黨當局有“修好之表示”。[7]7月，陳質平自墨西哥回台，向蔣介石報告喜訊，蔣介石認為“並無特殊重大問題”，批評陳“大驚小怪”。[8]不過，蘇聯確實表現出新的動向。7月21日，蔣介石召陳質平到陽明山，“指示其對某交涉之方法與目的”。[9]9月18日，蔣介石從陳質平來電中發現蘇方的幾項重大動向：

> 甲、俄共明言新疆核子基地為俄所不能放任者。乙、俄共必須於短期內設計倒毛。丙、如毛逼俄，再加壓迫，則俄先斷絕對毛貿易協定，繼之以廢棄同盟條約，最後則不惜採取相當行動。[10]

1 金沖及主編：《周恩來傳》，中央文獻出版社1998年版，第1788頁。
2 《蔣介石日記》，1964年2月24日。
3 Michael Share, *Where Empires Collided: Russian and Soviet Relations With Hong Kong, Taiwan, and Macao*, Hong Kong: Chinese University Press, p. 208.
4 《蔣介石日記》，1966年10月11日。
5 《蔣介石日記》，1987年1月21日。
6 《蔣介石日記》，1967年2月11日。
7 《本月大事預定表》，《蔣介石日記》，1967年4月。
8 《蔣介石日記》，1967年7月11日。
9 《蔣介石日記》，1967年7月21日。
10 《蔣介石日記》，1967年9月18日。

這些地方表明，由於中共強烈批判蘇共的修正主義，中蘇關係已嚴重惡化，蘇共不僅準備打擊中國在新疆的核基地，而且準備“倒毛”，停止兩國貿易，廢除《中蘇友好同盟互助條約》，以至對華動武。蔣介石還發現，在中共的內部鬥爭中，蘇共寄希望於劉少奇等人的“勝利”。[1]

蔣介石撤退到台灣後，每逢大陸發生重大事件，就企圖反攻大陸，如 1957 年反右運動，1960 年至 1962 年的三年困難時期，均是如此。1966 年毛澤東發動“文革”，蔣介石視之為反攻大陸的最好機會，蘇聯對台灣國民黨當局態度的改變也增加了蔣介石反共大陸的信心。不過，蔣介石擔心此時反攻，“無異拯救”劉少奇、鄧小平等被毛澤東“整肅”的中共領導人，也擔心“反為俄共所利用，使俄乘機入侵，製造第二中共”。[2]

二、蘇聯武裝入侵捷克，積極聯絡台灣，蔣介石加派朱新民參加談判

1968 年 8 月，蘇聯軍隊入侵捷克，在 6 個小時內佔領捷克，蔣介石估計蘇聯將會對中共採取行動。26 日日記云：“俄共對捷成功，則其必先解決共匪，以免東顧之憂。”他在思考台灣“今後對俄共之政策如何”，認為應“早作研究決定”。[3] 不久，蔣介石即派遣精通俄語的“新聞局”副局長朱新民赴墨西哥參加談判。9 月 2 日，蔣介石從蘇方與朱的談話中得知，蘇方急於利用國民黨在台灣的力量以反攻大陸，推倒毛澤東，其目的則在於：“培植其新的中共，以重溫其控制大陸之迷夢，而其最大關鍵仍在排美以獨佔我大陸也。”[4] 同月，蔣介石從朱新民、陳質平的報告中看出，蘇聯佔領捷克以後，聯繫台灣變得更加積極，對美國、德國、日本戒心加深，急於解決中共問題，而解決中共問題，則必須利用台灣的“力量與地位”。蔣介石認為，蘇聯雖然“不懷好意”，但仍應加以利用，日記云：

1 《上星期反省錄》，《蔣介石日記》，1967 年 9 月 22 日。
2 《蔣介石日記》，1968 年 7 月 3 日。
3 《蔣介石日記》，1968 年 8 月 26 日。
4 《蔣介石日記》，1968 年 9 月 2 日。

我反攻復國政策，亦只有利用俄共此一轉機，方能開闢此一反攻復國之門徑，否則如專賴美國，只有凍結我在台灣為其家犬，決無光復大陸之望。此為國家存亡、民族盛衰之最大關鍵，不得不有此決定，但必以十分慎重出之。[1]

蔣介石退到台灣後，多次要求美國政府支持其反攻大陸，美國政府均持反對態度，蔣介石認為，美國雖支持台灣，提供援助，但只是將國民黨"凍結"在台灣，成為其看守台灣和西太平洋的"家犬"。因此，不能不利用蘇共的"轉機"。9月11日，蔣介石召見朱新民。12日，蔣介石思考對蘇政策，確定其原則為：

第一，不干涉內政：甲、中共問題為內政問題。乙、不再製造第二個（中共）來替代毛共。丙、新疆與東北的行政主權必須完整。第二、中國大陸完全為實行三民主義之中華民國：甲、試問其對華政策，仍將造成為共產主義國家乎？乙、邊疆鄰省不吸引外資與其他國家合作，但以其不扶植共黨為條件。第三，恢復孫總理時代之合作精神。第四，聯盟問題，以主權、領土與行政不受侵犯為條件。第五、外蒙獨立問題。（試問中蘇聯盟如何）（此問題應待光復後再提，此時太早不宜提出）[2]

蔣介石自認一生和蘇聯打交道吃虧嚴重，因此特別提出"不干涉內政"以及"主權、領土與行政不受侵犯"等原則，以防止蘇聯藉機控制中國；同時，蔣介石也擔心蘇聯製造一個聽話的中共來取代不聽話的"毛共"，因此特別提出中國大陸"完全實行三民主義"、"不扶植共黨"等條件。蔣介石認為，在此情況下，可以和蘇聯重新結為"同盟"。

美國長期企圖製造"兩個中國"，即允許中華人民共和國進入聯合國，同時保留"中華民國"在聯合國的席位。9月12日，美國前駐聯合國代表高德柏在《華盛頓郵報》發表文章，敦促美國政府在秋天即將召開的聯合國大會中採取"兩個中國"的政策，不反對"北平政府"派代表出席聯大，擁有安理會席位，同時確保台灣國民黨當局在本屆聯大及聯合國的席位。高德柏的文章使蔣

1 《上星期反省錄》，《蔣介石日記》，1968年9月7日。
2 《蔣介石日記》，1968年9月12日。

介石警覺："美國出賣我中華民國之陰謀方興未艾。"[1] 9月19日，蔣介石認為：解鈴還須繫鈴人，中共因俄共支持而興，反對中共亦須得到蘇共的支持，他在日記中寫道："明知其不可為而為之，因美國愚昧怯弱，自私失道，不足為友也。"[2] 這說明，蔣介石對美國已惡感日深，雖擔心轉向蘇聯有危險，但"光復大陸"的誘惑力實在太大，仍然甘願冒險。

國民黨退台後，長期依賴美國的支持和保護，蔣介石關心台灣一旦和蘇聯建立關係，美國將如何反應。9月24日日記云："俄共如真願我光復大陸，則美之態度應將如何？"他決定"外弛內張"，即表面若無其事，以免刺激和得罪美國，而實際則加緊進行。9月28日，他在《上星期反省錄》中說："俄共對我態度比較積極，力圖與我接近。此一現象，應徹底研究與準備，似應外弛內張以應之。"月底，他在《上月反省錄》中寫道："俄共力謀與我接近，以本月更為積極，故對此深思熟慮亦以本月為甚。如其果有所就，以達我光復大陸目的，乃為否極泰來之機乎？"這時，蔣介石的聯蘇方針似乎確定了，但既往的經驗又使他不敢遽作決定。日記云："俄共陰詐，過去所受之經驗苦痛，又使人不寒而慄也。"[3]

聯美吧？美國堅決反對國民黨反攻大陸；聯蘇吧？蘇聯雖支持反攻大陸，但風險太多。蔣介石一時舉棋難定。就在這時候，美國的一項行動幫助蔣介石下了決心。原來，國民黨當局曾要求美國向台灣援助或出售18架F4C式戰鬥機，美國置之不理，卻於當月月底以訓練為名派出F4C式戰鬥機進駐台灣，蔣介石認為，這是美方監視台灣對大陸的軍事行動，下令拒不接受。他反復比較，認為美國比蘇聯更壞，日記說：

> 美國之無智與兇險，其與俄共相較實有過之，而其自私之作為，或更甚於俄共者也。[4]

這樣一比較，蔣介石就傾向於"聯蘇"了。

---

1 《上星期反省錄》，《蔣介石日記》，1968年9月14日。
2 《蔣介石日記》，1968年9月19日。
3 《上月反省錄》，《蔣介石日記》，1968年9月。
4 《上月反省錄》，《蔣介石日記》，1968年9月。

10 月 9 日，蔣介石研究朱新民與蘇聯駐墨西哥大使館秘書即將舉行的談話，決定其要點為：命蘇聯派代表來談，先談政策；如果蘇方代表"有商談與解決問題之地位"，台灣"自將接見面談"。[1] 15 日，蔣介石命朱新民到紐約與"外交部部長"魏道明及出席聯合國大會的陳質平商量，仍回墨西哥與蘇方接洽。他認為，與蘇方接洽，其地點應在墨西哥，不宜在紐約。10 月 16 日，他開始考慮接受蘇聯的物質援助及其運送路線，設想以空運直接來台或海運地點與航線。17 日，他與時在東京的魏道明通電話，指示與蘇聯接洽，應先由朱新民出面。18 日，他命朱新民主動與蘇方聯繫，不宜延緩。10 月 20 日晨，蔣介石在《上星期反省錄》中寫道：

> 若不再醒悟興起，痛下決心，則光復無望，終成為美國之門犬。……惟有自今日始，對美絕望，決另起爐灶。

這則日記表明，蔣介石為了實現其反攻大陸的夢想，決定聯蘇。

就在蔣介石命朱新民與蘇聯駐墨西哥大使館秘書晤談之際，蘇聯克格勃人員、英國記者路易斯深入台灣，開始與台灣當局的直接接觸。

三、蘇聯籍"記者"路易斯深入台灣，與蔣經國及其親信魏景蒙談判

1968 年 10 月，台灣當局駐日本"大使"陳之邁致電台灣"新聞局局長"魏景蒙，告以蘇聯人、《倫敦晚報》駐莫斯科記者維克多·路易斯正在東京訪問，希望訪問台灣，就各項問題交換意見。魏景蒙於 10 月中旬報告蔣經國，蔣經國請示蔣介石，得到批准。同月 22 日，路易斯抵台。

路易斯（Victor Louis, 1928—1992）出生於莫斯科。1949 年在莫斯科大學完成法學教育。曾被捕，囚禁於西伯利亞的集中營。1956 年釋放。先後在《展望》（*LOOK*）雜誌、*BBC*、《新聞週刊》《紐約郵報》等處工作。時為自由撰稿

---

1 《蔣介石日記》，1968 年 10 月 9 日。

人及《倫敦晚報》代表。他當過赫魯曉夫的英文翻譯。在赫魯曉夫訪問美國時，曾安排赫接受電視台訪問，並曾將赫魯曉夫的回憶錄走私到西方。他是蘇聯官方新聞界的神秘人物，人們普遍猜測，他是蘇聯國家安全委員會（克格勃）的海外工作人員。有人認為他受蘇聯共產黨國際部領導。[1] 台灣情報系統判斷，他作為克格勃可能位階不高，但與蘇共黨的高層有直接的渠道聯繫。西方世界則普遍認為他是蘇聯共產黨和國安會的傳聲筒，負責將消息傳給西方媒體。魏景蒙在接觸他以後表示，沒法知道他究竟是誰。後來，魏景蒙為他取了個化名："王平"。

據台灣當局"新聞局"駐日本新聞參事虞為及負責接待的聯絡室副主任羅啟報告，路易斯認為台灣應派代表到莫斯科，他可以幫忙，想知道台灣對中共，尤其是對打倒毛澤東的看法，並希望會見蔣介石和蔣經國。[2] 當日下午，魏景蒙與路易斯談話，路易斯表示：自己不是俄國政府派來的，但可以傳話，以便在適當地點，例如南美進行大使級的會談。路易斯建議台灣在莫斯科派駐貿易代表、記者，或者舉行文物展覽。他表示希望與蔣經國晤談幾分鐘，合拍幾張照片，以便在返回莫斯科時證明自己的權威。談話中，路易斯聲稱："當此俄國明確改變對北平的政策時，俄國與中華民國的良好相處是合理的。" [3]

10 月 23 日，魏景蒙向蔣經國彙報與路易斯談話情況，蔣經國立即向蔣介石報告，蔣介石判斷路易斯是"俄共所派之密探，作聯絡觀察之開端"。[4] 同日，路易斯會見台灣當局"經濟部部長"陶聲洋，要求台灣立即與莫斯科開展貿易，表示會立刻打電報回莫斯科。[5]

10 月 24 日，蔣介石研究路易斯談話，做了七個方面的分析：1. 表示俄共政策：只有國民黨可以統一中國，對毛共絕望。2. 對美、對日都有戒心，認為日本如侵略中國大陸，只能佔領一半；如國民黨聯日攻毛，俄將進佔華北。

1 Michael Share, *Where Empires Collided: Russian and Soviet Relations with Hong Kong, Taiwan , and Macao*, p. 210.

2 《魏景蒙日記》（英文），1968 年 10 月 22 日。原件藏胡佛檔案館，此據《蘇聯特務在台灣》，台北《聯合報》1995 年版，第 18—19 頁。

3 《魏景蒙日記》，1968 年 10 月 22 日，見《蘇聯特務在台灣》，第 20 頁。

4 《蔣介石日記》（手稿本），1968 年 10 月 23 日。

5 《魏景蒙日記》，1968 年 10 月 23 日，見《蘇聯特務在台灣》，第 22—23 頁。

3. 主要目的在與蔣經國聯繫。4. 實行大使級會談。5. 主張貿易通商。6. 觀察台灣實況，採訪“匪情”及國民黨在大陸力量。7. 主張台灣運送文物赴俄展覽，派記者赴俄。蔣介石在作了上述分析後，認為路易斯的來意是：“急於對我政府公開來往，不惜與毛匪決絕或威脅毛匪，離間中美關係。”[1]

10 月 25 日，路易斯和台灣當局“情報局”局長葉翔之談話，提出一系列問題：台灣與蘇聯之間能展開大使級的會談嗎？反攻大陸時，俄國保持中立有幫助嗎？反攻大陸之後，能容忍親莫斯科的共產黨員以政黨身份存在嗎？願意以哪個大使館與莫斯科接觸？他並提出，願意與台灣交換純屬中俄問題的情報。[2] 其後，路易斯即到台灣南部參觀訪問。

10 月 26 日，蔣經國與魏景蒙及葉翔之商量與路易斯的談話，預定其內容是：

1. 中俄關係歷史悠久，交惡錯在史達林。二戰使我們再度合作，但後來俄國支持毛，我們處於不利地位。

2. 蘇聯的威脅是毛澤東，並非歐洲和美國。

3. 由於內在和外在的關係，台灣做三百六十度的轉彎是很困難的，所以得悄悄進行。

4. 我們現在退守海島，來自中共的威脅十分嚴重。此事攸關我們的生死，因為我們都想看到毛澤東的覆亡，所以國民黨與蘇聯能夠談。

5. 美國這些年來一直與中共接觸。美國不希望國民黨反攻大陸，而希望我們與中共談判。你知道我們台灣的立場，因此，如果我們回到大陸，邊境問題不會成為俄國的問題。

6. 我們主張三民主義，不侵略他國。

7. 美國希望我們參加越戰，但我們拒絕。我們不想加入國際戰爭。

8. 中共是我們的內部問題，所以我們很關切。

9. 總統的三民主義與孫總理的相同，孫總理訂下的政策是中蘇關係有如美國和加拿大的關係。

三人決定，蔣經國以英文與路易斯作短暫會談，魏景蒙、葉翔之為路易

1 《蔣介石日記》（手稿本），1968 年 10 月 24 日。

2 《魏景蒙日記》，1968 年 10 月 25 日，見《蘇聯特務在台灣》，第 26 頁。

斯提供口頭傳譯。蔣經國將告訴路易斯：在未獲俄國諒解以前，總統不會反攻大陸；我們會像以往那樣與俄國合作；樂於直接接觸，但在何地接觸，可以討論。蔣經國將告訴路易斯，會談後，"將技巧地告知美國人"。[1]

蔣介石當日決定，要求蘇聯派負責人員來台，討論對"毛共"的共同計劃，其他皆屬次要。必須經過試測時期。"今後問題在於實質與雙方行動及是否需要而定，並視彼方行動如何"。[2] 稍後，他在《上星期反省錄》中寫下了 11 點思考：1. 在《中蘇友好同盟互助條約》未廢棄以前，台灣無法與俄公開往來與貿易。2.（台灣）空軍力量不足，無法登陸"討毛"，中共有中程飛彈與核子基地，台灣無法破壞。3. 美始終阻限台灣反攻討毛，不肯予我以有效空軍支援。4. 美國始終密圖與"毛匪"建交，凍結我在孤島，其用意如何？5. 我未佔領大陸據點以前，無法脫離美國海空軍之控制，亦無法與俄公開交易，以我地位在孤島之中，很容易被人封鎖，且易受中共空軍與飛彈毀滅。6. 問路易斯：毛去世後第二代中共有無與俄誠意合作之可能，至少不與俄爭霸？7. 中國為大陸國家，非與其鄰近大國和平相處不可。8. 我政府反攻，如不得俄國同情、諒解與合作就不易成功。9. 要其派員來台。10. 此時為倒毛最易之時，不應誤此機會，亦正為雙方合作之良機。27 日，他思考與中共的關係，決定"親蘇則無法容共，容共即無法親蘇"。[3]

10 月 28 日，路易斯告訴陪同的羅啟：蘇聯和毛澤東沒有希望復合。日本有能力採取行動，但日本不幹；美國不敢採取行動；中國內部的新勢力機會不大；"唯一能夠採取行動的是中華民國"。當日，路易斯自台灣南部返回台北。自中午始，與葉翔之談話。

10 月 29 日，路易斯與蔣經國見面。會見前後，蔣經國上下午都接見外籍記者，用以表示和路易斯的見面只是一次通常的會見。會見中，路易斯詢問，國民黨將如何對待蘇聯和部分中共黨員。蔣經國稱：當今中國大陸沒有人可以繼承毛，毛的接班人沒有一個可以不反蘇。他問路易斯：既然國民黨是社會主

---

1 《魏景蒙日記》，1968 年 10 月 26 日，見《蘇聯特務在台灣》，第 29—29 頁。
2 《蔣介石日記》（手稿本），1968 年 10 月 26 日。
3 《蔣介石日記》（手稿本），1968 年 10 月 27 日。

義黨，毛下台後，蘇聯幹嘛不和我們合作？

路易斯抵台後，蔣介石即關心他的一言一行。除了閱讀書面報告，還仔細地聽彙報，任何小處都不放過。同時，蔣介石不斷思考如何處理路易斯來訪後所出現的新情況、新問題，如：台蘇關係、對美關係，對中共關係、中蘇同盟條約，與蘇聯開展大使級會談，情報合作以及運用反對毛澤東的中共黨員等各種各樣的問題，並且指導蔣經國與路易斯談話。10 月 27 日，蔣介石再次向蔣經國指示其與路易斯談話要點。30 日，蔣經國向蔣介石彙報與路易斯談話經過，蔣介石則指示其應答要點。他反復考慮，其結論是，不能再走國共合作的"舊路"。[1]

10 月 31 日，路易斯離台赴港。和台灣當局的低調、保密相反，路易斯到處宣傳他到了台灣，並主動接見美國《華盛頓郵報》記者。其後，經金邊回莫斯科。

路易斯離台後，蔣介石反復思考與中共、蘇共的關係，認為 1949 年以來，人民受"荼毒與空前浩劫"，國共合作乃是"不可思議的幻想"。[2] 同時，他也決定，要對路易斯明言：俄共必須猛省當年對華政策的錯誤，擺脫斯大林的窠臼。這一個月，蔣介石一直在反復琢磨路易斯在台時的言論，沉溺於因路易斯訪台引起的幻想中。他決定不能讓蘇聯所希冀的"新中共"自組軍隊，建立政府；"新中共"必須向政府登記；如有宣傳活動，必須遵守政府法令。他認為國民黨已有 45 年經驗，可以允許"新中共"參加反毛陣線，自信可以戒慎防範，不會再受愚弄，重蹈舊日覆轍。[3] 11 月 29 日，他在日記中寫下一行字，路易斯"乃證明其為俄共之國際情報員無疑"。

路易斯來台之後，蘇聯陸軍副代表費德洛夫中校也在紐約加強了和台灣駐聯合國軍事代表團"團長"王淑銘的聯繫。11 月 25 日，王淑銘約費在紐約一家中餐館作無意中的臨時餐敘，費準時應約，"狀至沉著興奮"。王問："將來中俄間有無再行合作可能？"費答："我個人認為，這種可能性是有的。"[4]

---

1 《蔣介石日記》（手稿本），1986 年 10 月 30 日。
2 《上月反省錄》，《蔣介石日記》（手稿本）。1968 年 10 月。
3 《蔣介石日記》（手稿本），1968 年 11 月 20 日。
4 王淑銘：《上校長書》，台北"國史館"，005-010100-00049-019。

當年年底，蔣介石反思路易斯來訪一事，認為對國民黨的利害得失、成敗禍福雖皆不能預卜，但卻是二十年來蘇俄第一次敲開與國民黨關係的大門，“謀之於人，成之在天而已。”[1]

四、蔣介石提出與蘇聯合作五原則，魏景蒙與路易斯維也納會談

進入 1969 年，蔣介石繼續關心蘇聯與台灣國民黨的關係，研究各種蛛絲馬跡所傳遞的訊息。1 月 25 日，他在日記中寫道：“對蘇之接洽繼續不斷”。30 日，決定空軍學俄文。2 月 1 日，路易斯在莫斯科向美聯社記者發表談話，敘述 1968 年訪台情況，聲稱“中華民國是有他自己問題的一個國家”，“是一個親切愉快的地方 , 而不是一個軍營”。蔣介石猜測，“以上表示，或為蘇俄對我企圖繼續聯絡協商之事乎？”[2] 3 月 3 日，中、蘇邊防軍在珍寶島發生衝突，蔣介石認為尚應沉機待變，啟導策進。

4 月 13 日晨，蔣經國向蔣介石呈送路易斯的有關情報，蔣介石在日記中寫下與蘇共合作“討毛”的 4 條原則：1. 無條件的互惠互諒之下進行。2. 彼此不牽涉內政。3. 各黨派在我政府領導之下，接受我指揮與工作，在我政府統一命令下進行。4. 蘇聯只對中央政府援助，不得援助其他黨派。在第三條之下，蔣介石又寫了三條：1. 不得有任何方式之政府、軍隊之自行組織。2. 不得自由宣傳。3. 不得接受任何外國援助。[3] 次日，蔣介石研究來自蘇聯方面的五條情報，認為其中兩條旨在對蘇共黨內和共產集團說明為何要“聯合國民黨而反毛匪”，其第五條則在“挑撥中美關係”。[4] 4 月 22 日，蔣介石決定，向蘇方提出不能與“新中共”合作的五條理由。[5]

同年 5 月 1 日，路易斯自羅馬打電話給魏景蒙，要求通過台灣當局駐羅

---

1 《本年總反省錄》，《蔣介石日記》（手稿本），1968 年。
2 《上星期反省錄》，《蔣介石日記》（手稿本），1969 年 2 月 1 日。
3 《蔣介石日記》（手稿本），1969 年 4 月 13 日。
4 《蔣介石日記》（手稿本），1969 年 4 月 14 日。
5 《蔣介石日記》（手稿本），1969 年 4 月 22 日。

馬“大使館”取得來台北的簽證，魏景蒙認為台北到處是新聞記者，約他5月20日在曼谷見面。4日，路易斯通知魏景蒙，他已改住維也納，約魏在當地見面。5日，台灣當局從西德為台灣工作的情報人員處獲悉：蘇共少壯派謝里賓（Shilipen）與元老派謝列斯特貝里舍等人主張與在台灣的國民黨接近，近日會議中提出五個基本問題，獲得上級有條件的支持：1. 毛制度有崩潰可能，蘇聯與在台灣的國民黨的合作極有希望。2. 與在台灣的國民黨的合作基礎，可用條件或密約規定。雙方在毛澤東倒台後，國民黨與新成立的共產黨組織聯合政府。3. 新的中國國家制度須符合社會經濟進步的條件，在相當時期內，容許兩黨合作的“人民民主國家制度”。4. 國共聯合政府僅屬過渡性質。新的中共需要相當長時間才能在社會、政治方面發展成為具有力量的親俄黨派，因此蘇聯必須先與中國國民黨合作。5. 美國的遠東政策是蘇俄與台北接近的最大障礙。[1] 這五項意見表明，謝里賓等人計劃在中國培植一個反對毛澤東的新的中國共產黨，與反攻大陸的國民黨合作，組織聯合政府。

同日，蔣經國陪同魏景蒙見蔣介石，商定赴歐行程及細節。蔣介石要魏見到路易斯後，先問其要我來歐有何具體意見。他提出台灣與蘇聯合作五原則，據魏景蒙手寫記錄，其內容如下：

一、中國大陸毛政權的存在已經危害了雙方的基本利益，如再令其繼續發展，必成更惡劣的後果。

二、有關合作之辦法，首先應以如何雙方共同推翻毛政權，以及推翻後甲乙雙方應採取之政策為先決條件，故商討各種辦法之前，必先定政策。

三、甲方與乙方共同合作推翻毛政權，可得到國內朝野及大陸人民之諒解，但決不能採取在歷史上已經失敗，並因此而造成甲乙雙方極大的禍患，即所謂國共合作之政策。任何共產黨之名義不獨遭到中國人民之恐懼、痛恨和反對，就是毛共組織內之反毛份子亦將起而抵抗。當年乙方如能遵照中蘇友好條約支持蔣委員長領導之國民政府謀得統一，則決不致形成如今日對甲乙雙方共同之禍患。

四、甲方為吸收毛政權內各部門之反毛份子之政策，在政治上以中華

1 《魏景蒙日記》，1969年5月5日，見《蘇聯特務在台灣》，第49—50頁。

民國政府領導下之採取反毛救國聯合陣線，以其在全國各黨派中成員之一參加共同討毛復國之戰爭。

五、至於甲乙雙方之基本問題，如邊疆、經濟、外交等，應作為今後商談的主要課題。[1]

這五項原則表明蔣介石企圖組織“反毛救國聯合陣線”，容許中共政權中的反毛份子作為“全國各黨派中的成員之一”參加，但國民黨要掌握領導權和主動權，反對與親俄的“新中共”合作並組織政府。

5月14日，魏景蒙在維也納與路易斯相見，路易斯告訴魏，蘇聯內部有對中共的“姑息者”，與國民黨當局合作一事一再被擱置，只是在珍寶島事件發生，中蘇矛盾激化後才得以繼續進行。魏提出，未來的重要談判必須在台灣進行，要求蘇方派代表到台灣談判。路易斯表示，蘇聯“主持政策者”無法更名改姓，因此赴台談判有困難。路易斯提出莫斯科方面的保證：不論由台灣或任何中國之一部分發生任何形式爭論，“蘇聯認為純為中國之內政，與蘇聯無關，如形成內戰時，蘇聯決不支持毛澤東。”[2] 15日，魏景蒙以慢讀形式向路易斯傳達了上述五原則，路易斯作了記錄，答應密報莫斯科。路易斯再次要求台方開列需要的軍火清單及交貨地點，即刻開始交換中共軍隊佈置、中共第九次全國代表大會等情報，並稱魏可赴莫斯科一談。路易斯認為五原則“似嫌空洞”，“最好先提出如何解決毛為第一”，但魏堅持蔣介石的指示，必須先談政策，“走到哪裏算哪裏是不妥的”。[3]

五、蔣介石對維也納會談不滿，擔心蘇聯藉機侵華，引吳三桂、洪承疇為前車之鑒

路易斯不談合作政策，引起魏景蒙不滿。1969年5月25日，魏景蒙向蔣介石彙報蘇方態度，推測其內心傾向：1. 蘇聯“不惜借給我基地，以達成其侵

1 《魏景蒙日記》，原件，胡佛檔案館藏。
2 《魏景蒙日記》，1969年5月14日，見《蘇聯特務在台灣》，第54頁。
3 《魏景蒙日記》，1989年5月15日，見《蘇聯特務在台灣》，第55頁。

略新疆之願望”。2. 並不重視兩方今後“合作共存”之政策，“並無誠意”，“視我為玩物”。3. 其最後目的仍為製造“新中共”以統治中國。4. 以提供武器為引誘，但並無誠意接濟辦法。[1] 蔣介石也對路易斯的態度不滿，認為蘇方不重視整體與原則之談判，只空言推到毛澤東，任何事都可談，可見，蘇聯仍不將國民黨作為談判的基本對象。[2] 他由此得出結論，蘇方用意本來如此，不足為奇，所應研究的只是“彼此雙方互相利用之結果，於我方利害究竟如何而已”。[3] 6 月 12 日，蔣介石研究魏景蒙與路易斯的談話報告，深覺蘇共只是對國民黨利用一時，辦法可怕。

路易斯沒有察覺國民黨方面的不滿，要求國民黨迅速派定駐歐人員，聲稱一旦戰事爆發，就諸多不便。他不斷提出各種建議，如：要求國民黨提出軍援種類及數目清單，聲稱援助物資不必悉數運台，可在國民黨事實上需要時，將武器運送到登陸地點，節省周轉之功。又提出，國民黨應制訂包括利用蘇聯基地在內的精密的反攻大陸計劃。他表示，國民黨如有登陸行動，蘇聯即可製造邊境事件配合。路易斯的這些建議促使蔣介石不斷與蔣經國商談對蘇工作。6 月 26 日，蔣介石決定不要求蘇方提供陸軍傳統武器，而只提出海、空軍所需要項。不過，蔣介石這時對蘇聯仍存在嚴重戒心。7 月 15 日，蔣介石在日記中寫道：

> 恢復大陸領土主權問題，俄共如不能與我等先解決，或其陽為同意，而陰無誠意，則切不可與其合作，否則滿清入關，對於吳、洪之欺詐，應引為鑒也。

明末，滿洲貴族集團以甘言誘騙吳三桂、洪承疇，進入關內，佔領中原，建立大清帝國。蔣介石擔心與蘇聯合作，會重蹈吳、洪覆轍。不過，他認為當時“毛匪內亂，全民向我”，在台灣國民黨人能“自主反攻”，俄共不“阻梗”的條件下，未始不可與俄共合作，利用其“共同倒毛”。

蘇聯方面不斷給蔣介石灌米湯。7 月 23 日，蔣介石接到陳質平與蘇聯駐墨

1 《蔣介石日記》（手稿本），1969 年 5 月 25 日。
2 《蔣介石日記》（手稿本），1969 年 5 月 27 日。
3 《上月反省錄》，《蔣介石日記》（手稿本），1969 年 5 月。

西哥代辦的談話報告，該代辦聲稱，蘇聯"應以中華民國為中心"，實行"東亞和平共存"政策，蔣介石認為這是"俄國覺悟之語"，但他不能肯定是否出於誠意。[1] 與此同時，路易斯也一再通過魏景蒙向蔣介石表示，蘇共願與國民黨接近，倒毛非蔣莫屬，這些話蔣介石聽起來當然舒服，但蘇聯方面堅持，國民黨必須與蘇共扶植的"新中共"合作，這又使蔣介石擔心舊事重演，再陷失敗，認為"接近乃無可能，但彼來談，我亦不予拒絕"。[2]

中共與蘇共的關係惡化後，蘇聯即逐步在中蘇邊境增兵，達百萬之眾。周恩來提出："華北可能是敵人的主攻方向，華北要作為主戰場。"[3] 毛澤東也在和日共總書記宮本顯治的談話中提出："準備修正主義來打，打進滿洲、東三省，打進新疆，中央突破，從外蒙古打進北京。"[4] 此後，中、蘇邊界衝突逐漸升級。1969 年 3 月，蘇軍入侵黑龍江珍寶島，製造嚴重流血事件。4 月，毛澤東在中共九屆一中全會上提出，"要準備打仗。" 10 月 17 日，林彪作出加強戰備、防止敵人突然襲擊的指示，要求全軍進入緊急戰備狀態。次日，所謂"林副主席第一個號令"下達。蔣介石在台灣注意到這些情況，12 月 29 日日記云："我政府自當靜觀其內部變化，決不在此時反攻，以免俄共侵佔華北，來製造另一個中共之傀儡政權。"[5] 蔣介石雖然反共，但是，不願給蘇聯侵華提供機會。

六、雙方計劃在羅馬會談，路易斯卻因柯西金與周恩來的北京機場晤面爽約不至

蔣介石的態度轉入消極，路易斯的建議卻一度點燃蔣介石父子的熱情，1969 年 8 月 13 日，蘇軍突襲在新疆裕民縣巡邏的中國邊防部隊。同日，路易斯致電魏景蒙，要求約地相會。月底，蔣介石開始考慮與蘇聯"復交"問題，認為兩害相權，利多於害。[6] 蔣介石判斷，蘇共與國民黨合作的第一目的是摧毀

---

1 《蔣介石日記》（手稿本），1969 年 7 月 23 日。
2 《蔣介石日記》（手稿本），1959 年 7 月 28 日。
3 《周恩來年譜（1949—1976）》下卷，中央文獻出版社 1997 年版，第 21 頁。
4 《毛澤東與公本顯治等談話記錄》，1966 年 3 月 28 日。
5 《蔣介石日記》，1969 年 12 月 29 日。
6 《上星期反省錄》，《蔣介石日記》（手稿本），1969 年 8 月 30 日。

中共的核子設施，其次才是共同倒毛，成立國民黨與新中共的聯合政府，改善邦交等。他決定今後應“投其所好”，如蘇聯提出復交或改善外交關係，則必須先宣佈實施不擴散核子武器條約，以防中共首先發射核武器。[1]

9月16日，路易斯在倫敦《星期六晚郵報》發表文章，透露克里姆林宮的兩個動向：1. 蘇共正在討論轟炸中國羅布泊核子試驗場的可能性問題。2. 計劃建立一個能夠呼應莫斯科的新的中共領導機構。20日，蔣經國偕同魏景蒙到榮民醫院見蔣介石，蔣介石指示，見到路易斯時，先聽他如何說法，如路易斯態度友好，則不妨表示：1. 在目前情況下，雙方已經到了進一步增進雙邊關係的時候，如蘇方派員來台面商進行步驟，雙方即可切實合作，積極進行。2. 毛澤東擁有原子武器。甲乙雙方皆受其嚴重威脅，可以共商徹底消滅之方法。3. 不用武力，毛政權不會自行崩潰。台灣有足夠的有訓練的人力，但海空軍力量不足，需要蘇方供應適當的攻擊武器。如米格-23、遠程轟炸機、飛彈潛水艇等。4. 甲方、乙方應共同磋商，在適當條件下甲方可考慮正式承認外蒙古，並建立外交關係。

當日，蔣介石親書9條提示交魏：

> 1.“問他對我方所提五點有無意見。”
>
> 2.“我們始終遵循孫總理遺囑，願與以平等待我之民族共同奮鬥。總理遺教：三民主義即社會主義，民生主義即共產主義。他主張親蘇（容共）政策來實現三民主義的建國理想，但不能容忍害國害民之叛徒毛共。”
>
> 3.“反毛之中共黨員如其自願，皆可容納於國民黨之內，但其不能另有共黨的組織，亦不能跨黨。”
>
> 4.“中共在國內如另有組織，則與國內各政黨的組織同在國民黨領導之下。”
>
> 5.“如其問起要什麼武器，可答：待他們對我方所提五點有了確實答復後，由正式代表詳商。我方所缺者為海、空軍新式武器，陸軍武器可自給。”
>
> 6.“外蒙可承認其獨立，但新疆與東三省的主權與領土必須完整。”

1 《蔣介石日記》（手稿本），1969年9月6日。

7.“對毛具體計劃，由雙方組織參謀團共同實施。”

8.“討毛行動必須由中國政府單獨負責實施，不須外國參加。”

9.“對毛共核子武器，由蘇方供給武器，我方負責實施摧毀。”

在魏景蒙將以上 9 條譯為英文後，蔣經國又加了三條，強調不願因討毛戰爭引起世界紛爭，故不需外國參與其事；蘇聯只能支持國民黨推翻毛政權，不能扶持中共的一部分人起來討毛；國民黨領導全國從事討毛戰爭，容納一切反毛政治團體。[1]

10 月 1 日晨，蔣介石在《上月反省錄》中寫下和蘇聯的交往方針：甲、外交完全獨立，不受任何約束。乙、內政：領土完全獨立、自由與行政完整，不受任何干涉。丙、可對蘇方口頭說明：1. 光復大陸後，其領土決不允許任何國家為反蘇之基地。2. 決不與任何國家訂立反蘇盟約。3. 與蘇鄰接之省，經濟上與蘇作平等、互助之合作。4. 凡以平等待我之民族（只要其不干涉內政），則我當遵守本黨總理之遺囑，與其共同奮鬥。同時，蔣介石確定毀滅中共核武器的程序：1. 先毀滅長江以南之中近程飛彈基地。2. 其次毀滅北方與西北核子基地。關於與蘇聯復交問題，蔣介石確定，先復交而後運輸蘇聯贈送的武器，復交聲明將不擴散核子武器條約與保證無核子武器國家安全，不干涉其國內政治的原則作為附件。[2]

10 月 2 日，魏景蒙抵達羅馬，準備與路易斯會談，但路易斯爽約未到，魏景蒙只能返台。蔣經國判斷，這是蘇聯“政策性之轉變”。[3] 蔣介石既感到詫異，又感到一絲欣慰。10 月 10 日，蔣介石指示魏“按兵不動”。11 月 25 日，蔣介石召見陳質平，命其向蘇方詢問：1. 通過路易斯所提 5 項原則，蘇方知道否？2. 如何共同聯合討毛？3. 派學生學習海軍。4. 可否撥借海軍？[4] 後來，還曾一再命陳打聽有關情況。

同年 11 月 27 日，路易斯從緬甸致函魏景蒙，對羅馬未遇表示遺憾，聲稱

---

1 《魏景蒙日記》，1969 年 9 月 20 日，見《蘇聯特務在台灣》，第 65—69 頁。

2 《上月反省錄》，《蔣介石日記》（手稿本），1969 年 9 月。

3 《蔣介石日記》（手稿本），1969 年 10 月 10 日。

4 《蔣介石日記》（手稿本），1969 年 11 月 25 日。

在那裏，“那些人很活躍，如果你我見面消息見報後則極窘”。[1] 這當然是託辭，真正的原因是，當年 9 月 11 日，蘇聯總理柯西金在北京機場與中國總理周恩來進行會談，達成維持邊界現狀、防止武裝衝突等四項臨時協議。柯西金代表蘇聯政府請周恩來向毛澤轉達兩國關係正常化的願望。這樣，緊繃的中蘇關係就出現了緩和的趨向。不過，這一點，路易斯當時還不肯透露。他向魏景蒙表示，“期待機會再見面”。[2]

七、蘇共準備召開第 24 次代表大會，魏景蒙、路易斯維也納再次會談

羅馬會晤流產後，路易斯與魏景蒙的聯繫限於函電往來。1969 年 12 月 3 日，路易斯致函魏景蒙，有所提議，被蔣介石譏為“又一邪魔之戲劇”。[3] 12 月 6 日，蔣介石在日記中表示，蘇共想“聯我而除毛”，美國想“聯毛以制俄”，都想以國民黨為“芻狗”，國民黨只有“忍辱負重，自強自新，以沉機觀變”。[4] 1970 年 1 月，台灣中華新聞處記者宋風恩約蘇聯塔斯社記者羅吉的上級在柏林見面，屆時，託言“家中意見不一致，故暫緩其行”。[5] 其後，陳質平與蘇方在墨西哥的聯繫加強。3 月 8 日，陳質平向蔣介石報告，蘇聯將中共和美國都視為敵人，美國尤甚，蔣介石的反映是“於我何干，在我則惟自強而已。”

當月底或 4 月初，蘇聯新任駐墨西哥大使到任，與陳質平晤面。這是“大使級”會談了，蔣介石視之為蘇聯對中共政策已有決定的徵兆。此後的一段時期，蔣介石多次致函陳質平，指示策略。5 月 21 日，蔣介石日記云：“俄共如欲消滅共匪，非藉我軍之力，決不敢主動攻匪，但我軍決不能為其利用，使其得火中取栗。” 6 月中旬，蘇方通過陳質平表示，“以反對美國為中俄合作之惟一條件。” 蔣介石對此自然不感興趣。7 月 10 日，陳質平再次與蘇聯駐墨西

1 《魏景蒙日記》，1970 年 10 月 16 日，見《蘇聯特務在台灣》，第 77 頁。
2 《魏景蒙日記》，1970 年 10 月 16 日，見《蘇聯特務在台灣》。
3 《蔣介石日記》（手稿本），1969 年 12 月 3 日。
4 《蔣介石日記》（手稿本），1969 年 12 月 6 日。
5 宋鳳恩：《致景公（魏景蒙）函》，台北“國史館”，005-010100-00049-005。

哥大使談話。蔣介石讀到彙報後，認為美國企圖聯絡中共制俄，反而被中共所利用。

同年 8 月 22 日，路易斯致電魏景蒙，約其 9 月在日本大阪的世界博覽會上見面。魏復函，約路易斯 10 月或 11 月在羅馬見面。10 月 17 日，蔣經國指示將會面地點定為維也納。18 日，蔣經國向魏景蒙傳達蔣介石指示：聽路易斯說什麼，重要的是看路易斯"有多急"。如果路易斯詢問台灣需要何種裝備時，可答需要反攻武器，但不要主動提起；如果路易斯要台灣派人去莫斯科或在該處設辦事處則要小心；如果對方提到中美關係時，可表示台灣的外交有"獨立性"。蔣介石強調，雙方洽商應以此前提出的五項原則為基礎；如何達成共同的"倒毛"目標為雙方目前的迫切需要；將來國民黨返回大陸後，中國決不會成為反蘇基地；蒙古之外的邊疆經濟問題可"合作解決之"，東北、西北可作"兩國合作特區"。[1]

10 月 30 日，雙方在距離維也納的鄉村旅館 5 公里的一家餐館見面，只談了三十分鐘，路易斯解釋，羅馬之會爽約的真正原因是：莫斯科的鴿派覺得，如果晤面，會破壞柯西金與周恩來的"北平會談"，那將是很困窘的事。路易斯稱：鴿派的代表是柯西金，鷹派的代表是布里茲涅夫（勃列日涅夫）。魏景蒙問：此次要求見面的理由何在？路易斯答：1971 年 3 月將召開蘇共（第 24 次）代表大會。現在的情況是：鴿派認為，柯西金已與周恩來見面，建立了會談渠道，雙方並無戰事，情況已經很好，但鷹派認為，不能保證將來沒有戰爭，而且只會給毛澤東更多的時間來準備戰爭。路易斯又稱：蘇共代表大會將充分討論權力問題，這是鷹派表明觀點的重要時刻。路易斯要求台灣方面提供情報，證明毛澤東正在積極準備更大的戰爭，他就可以充分利用。他保證："蘇聯願和中華民國合作來消滅毛。"[2]

由於進餐館的人越來越多，二人乘坐路易斯租來的轎車離開，在車上繼續會談。路易斯問魏：台灣方面"有什麼'彈藥'可以給鷹派，好讓他們在大會裏提出可信的證據"。魏稱，這一定要在高層會談中討論。路易斯不同意，認

---

1 《魏景蒙日記》，1970 年 10 月 18 日，見《蘇聯特務在台灣》，第 80—81 頁。
2 《魏景蒙日記》，1970 年 10 月 30 日，見《蘇聯特務在台灣》，第 83—84 頁。

為高層會談之前“要先有橋，我們就是橋”。他不同意討論“承認外蒙”、共同發展西北或東北一類遙遠的問題，有興趣的是“台灣應如何在政治上及軍事上合作，以消滅毛澤東”。他表示：蘇聯當局已意識到“和毛澤東已毫無希望復合，而且毛之後也不會有親蘇派，因為毛幫非消滅不可”。他說：莫斯科當然不會派遣大批軍隊到大陸和毛作戰，不過，他們可以配合台灣行動，在台灣發動反攻時，先以飛彈摧毀中共的海防基地。路易斯並稱：很明顯，美國不會幫你們打反攻之戰，蘇聯是唯一“有興趣”的強大政權，美國已在和北京會談，加拿大已不承認你們。歐洲其他國家可能也不會站在你們這一邊。如果你們不能在未來兩三年之內反攻，就可能再也沒有機會消滅毛。路易斯強調，克里姆林宮正在積極準備3月的大會，希望得到資料，愈快愈好，最好在11月15日至20日之間。[1]

談話之中，路易斯將岳母的地址和電話留給了魏景蒙，告訴魏，他將在歐洲遊歷一陣子，大約到11月下旬，等魏的電話。

10月30日，魏景蒙與路易斯在亞士都旅館午餐。31日，二人乘車沿著開往維也納森林的公路兜風。魏稱：毛共與蘇聯不共戴天，毛共“赤化亞洲”的計劃已定，正積極推動。北京現利用和談，積極準備攻打蘇聯。路易斯要魏將這方面的有關情報提供給他。關於莫斯科支持國民黨反攻大陸一事，魏稱，需要召開高級幕僚會議討論，非他個人智慧所能及。路易斯則詢問，需要哪些裝備，要多少？需要何種政治支持？

路易斯擬了一份草案，如：台灣方面可以提出，在登陸前，蘇聯以飛彈摧毀台海對岸的海防武器；台方可以要求蘇聯提供轟炸機去摧毀羅布泊；讓台方飛行員使用西伯利亞或其他地方的空軍基地等等。路易斯表示：老美不會幫助台灣反攻大陸，只想要台灣和老毛保持和平，而蘇聯卻會幫助台灣光復大陸。路易斯要求台灣當局概略表示，原則上同意蘇方的軍事行動，說明台灣能做什麼？希望蘇聯做什麼？蘇聯何時協同行動？一旦這些構想被認為可行，蘇方會立刻與台灣將領會談。給魏景蒙的感覺是，路易斯要利用台灣提供的情報說服

1 《魏景蒙日記》，1970年10月30日，見《蘇聯特務在台灣》，第83—88頁。

克里姆林宮的領袖們。魏景蒙問路易斯：假使我們成功登陸了，而鴿派卻扯後腿，危及我們的計劃，怎麼辦？路易斯答稱："在社會主義世界，是容不下兩個領導人的，一旦兩人有衝突，其中之一必不擇手段幹掉另一個。在這種時候，寧可和非社會主義國家合作，也不能容許內部存在一個背叛的社會主義的領導人。"[1]

路易斯抱怨和台灣聯繫困難，希望在維也納、羅馬、吉隆坡、新加坡等地都能有一個聯繫人。魏景蒙問他柏林如何，路易斯搖頭："那個間諜窩一點也不好。"這時，朱新民已調任"新聞局"駐維也納參事，魏景蒙向路易斯提供了朱新民的電話，作為緊急聯絡渠道，路易斯則提供了岳母之外的另一個在布魯塞爾的聯絡人的地址和電話。

八、蔣介石、蔣經國同意路易斯的要求，雙方關係在邁向高峰時突然中斷

11 月 6 日，魏景蒙返台，在機場就接到羅啟轉來的朱新民電報："因急需，會議關心您的匯款日期，在 11 月 12 日日前回信。"[2] 同日，晚，魏景蒙向蔣經國彙報，7 日，再向蔣介石報告。關於這次見面情況，魏景蒙僅記：蔣問，路易斯的態度是否誠懇？魏答：是。但有時候擺出做掮客的樣子。蔣問：我們有沒有和新民通密碼？魏答，是經過外交部。蔣表示，會早一點做好決定。[3] 對於這一次見面，蔣介石日記比較詳細：首談"對方可疑之點"：甲、其急迫如此之理由，不甚充足。乙、為何不談及墨西哥相晤之經過。丙、對我所提重要原則之點，是否有確實回音？蔣介石決定答復路易斯的原則：

> 甲、原則同意，但投資細節則必須先由其公司代表作正式協商，再由雙方董事面決。乙、西半球已有接談之地點為宜。[4]

---

1 《魏景蒙日記》，1970 年 10 月 31 日，見《蘇聯特務在台灣》，第 88—91 頁。
2 《魏景蒙日記》，1970 年 11 月 6 日，見《蘇聯特務在台灣》，第 96 頁。
3 《魏景蒙日記》，1970 年 11 月 7 日，見《蘇聯特務在台灣》，第 97 頁。
4 《蔣介石日記》（手稿本），1970 年 11 月 7 日。

8 日，蔣介石在日記中寫下幾條：

> 1. 我們所需之武器必須送給我們。2. 根據學習武器使用之時間以定發動之時間，以二年至三年為度。3. 上海、南京、武漢、廣州半圈內皆有其近程飛彈之處。4. 上海、大樹島與湛江、青島皆有其潛艇根據地。5. 海、空軍武器性質須比他優良。[1]

當日，蔣介石與蔣經國車遊基隆，商討答復路易斯要旨與程序。9 日，繼續與蔣經國等商談復函方針。當日，蔣經國告訴魏景蒙，原則上同意路易斯提出的要求。至於細節，日後再談。11 月 10 日，蔣介石決定，魏景蒙復函應"親題假名"。[2] 當日，魏景蒙以英文致電朱新民，其譯文為："來電收悉。請轉告，匯款不久會到"，末署 JN。11 日，蔣介石與蔣經國等商量復函，蔣決定，"景蒙不妨簽字（其用語可稱共同組織新公司，依照你的董事所說之意，此間原則可以同意，但細則必須詳談後方得決定等）。"[3] 同日，魏景蒙致函路易斯的岳母，要她轉告路易斯："公司已原則同意，在我們討論細節後，就可以做決定。"該函用英文打字，魏景蒙親筆作了修改，末署 TANALIN，但未簽字。此函由羅啟帶到曼谷，13 日由曼谷寄出。[4] 12 月 5 日，蔣介石在《上星期反省錄》中寫道："對魯某（指路易斯）之答復：此事必須雙方董事商談。如你方董事有所決定，再行聯絡可也。"[5] 可見，蔣介石堅持，必須由在台灣的國民黨當局與蘇聯雙方會談，並且要求蘇方做出決定。信去，路易斯沒有回音。

路易斯與蘇聯的聯繫中斷，陳質平與蘇聯駐墨西哥大使的聯繫也沒有什麼進展。蔣介石 12 月 11 日日記云："與陳質平談話約一小時，亦甚消極也。"可見，談判不順利，連陳質平都"消極"起來了。12 月 18 日，蘇聯與中國就東北邊界、河流等問題簽訂議定書，表明蘇中關係緩和。蔣介石認為，"此為俄共對匪之讓步。"[6] 此前，路易斯曾要求與魏景蒙面晤，要求諒解，魏拒見。

---

1 《蔣介石日記》（手稿本），1970 年 11 月 8 日。
2 《蔣介石日記》（手稿本），1970 年 11 月 10 日。
3 《蔣介石日記》（手稿本），1970 年 11 月 11 日。
4 《魏景蒙日記》，1970 年 11 月 13 日，見《蘇聯特務在台灣》，第 98—99 頁。
5 《上星期反省錄》，《蔣介石日記》，1970 年 12 月 5 日。
6 《上星期反省錄》，《蔣介石日記》，1970 年 12 月 19 日。

進入 1971 年，雙方的聯繫若有若無。8 月 24 日，蔣介石日記云："俄共對我駐外人員各處急於聯絡。" 但是，這時候蔣介石對此已沒有多大興趣。9 月 22 日日記云："今日俄國欲誘我以對匪對美，切勿為其所動也。" 10 月 25 日，路易斯給魏景蒙打過電話，此後，不見記載。同年下半年，虞為調到維也納，據虞為回憶，和路易斯前後見過五次面，"雙方接觸已接近尾聲，再往後只有電話聯繫，國內外形勢也有了轉變，漸漸也就斷了。" [1] 11 月 17 日，蔣介石召見陳質平，"聽取其對俄聯絡之意見。" [2] 1972 年 3 月 30 日，蔣介石收到陳質平與蘇方"接談之函"，當日即與蔣經國討論。[3] 4 月 21 日，陳質平由美回台，向蔣彙報。6 月 2 日，蔣介石再次召見陳質平。[4] 這些記載表明台灣和蘇聯還保持著某種秘密聯繫。不過已經沒有什麼重大進展。在遷延了一段時日後，無果而終。

九、蘇、美、中共都不想打仗，蔣介石的反攻大陸自然只能是幻想

國民黨與蘇聯的關係以無果而終有其必然性。

就蘇聯方面說，蘇共領導人雖然因和中共關係惡化一度想制裁中國，甚至想聯合在台灣的國民黨人，支持其反攻大陸，推翻毛澤東，但是，蘇共領導人畢竟不想和中國走到決裂、開戰的境地；中共當時雖然強烈批判蘇共領導人為修正主義，在蘇軍入侵捷克後，又進一步批判蘇聯為社會帝國主義，但是，也不想和蘇聯決裂並開戰。以 1969 年 9 月柯西金、周恩來的北京機場會談為開端，中蘇關係逐步向緩和的方向發展。同年 9 月 18 日，周恩來密函柯西金，建議雙方都承擔互不使用武力，包括不使用核力量進攻對方的義務。26 日，柯西金復函周恩來，表示已指示邊防軍維持邊界現狀，避免使用武力，建議簽訂互不侵犯、互不使用武力的國家協定。10 月 1 日，毛澤東在會見朝鮮最高人民會議常任委員會委員長崔庸健時表示：中蘇分裂，美國高興，我們是不希望打

---

1 虞為口述，王震邦整理：《開場收場，我都在場》，見《蘇聯特務在台灣》，第 120 頁。
2 《蔣介石日記》，1971 年 11 月 17 日。
3 《蔣介石日記》，1972 年 3 月 30 日。
4 《蔣介石日記》，1972 年 6 月 2 日。

的。[1]自10月20日起，中蘇雙方在北京就邊界問題舉行副部長級談判。至1978年6月，雙方共進行15輪會談。雖未達成任何協議，但邊界再未發生任何衝突。在此期間，中國採取聯美抗蘇政策，中美關係有了很大發展，由對抗走向接近、和解。

蔣介石雖然想聯合蘇聯，實現其推倒毛澤東、反攻大陸的夢想，但是，蔣介石一方面對蘇聯存有戒心，擔心蘇聯扶植反對毛澤東的共產黨，也擔心蘇聯藉機侵略中國，自己成為吳三桂、洪承疇，另一方面，蔣介石也不想得罪美國，企圖維持台美關係，在美國和蘇聯的共同支持下反攻大陸。1970年12月31日，蔣介石日記云："美俄言好，聯合助我反攻大陸。"自然，這只能是幻想、夢想。

1 以上內容，參見沈志華主編：《中蘇關係史綱》，新華出版社2007年版，第394—396頁。

台灣時期蔣介石與美國政府的矛盾*

* 本文錄自《找尋真實的蔣介石：蔣介石日記解讀》(4)，東方出版社 2018 年版；原載台北《傳記文學》2017 年 10 月號、11 月號。

美國看中台灣的戰略地位，蔣介石大陸潰敗之後，美國政府一度企圖霸佔台灣，或扶植台獨力量，或製造"兩個中國"。蔣介石堅決反對台獨，堅決反對"兩個中國"，企圖依靠美國的保護和支持，反攻大陸；美國則不願與大陸作戰，力圖對蔣介石加以限制，雙方由此發生種種衝突和矛盾。蔣介石在表面上維持著和美國密切的"外交"關係，但在其私密日記中，則大罵美帝國主義，從杜魯門到尼克松，歷任美國五屆總統，均遭到蔣介石尖銳、嚴厲的批評和譴責。1949 年，蔣介石敗退台灣，乞求美國的保護、支持，同時亦對美國保持警戒，擔心美國吃掉自己，或製造"兩個中國"，或扶植台獨力量，更換代理人。雙方的矛盾尖銳、複雜。公開的場合，美蔣關係既親密，又熱絡，而在私密日記中，蔣介石卻多次嚴厲地指責"美帝國主義"。從杜魯門開始，艾森豪威爾、肯尼迪、約翰遜、尼克松等歷屆總統，無不受到蔣介石的尖銳、冷峻，甚至可以說是刻毒的指責。這種情況，何以如此？

綜合研究 1949 年以來的美蔣關係，是研究近現代中國對外關係的重要內容。1980 年，台灣《中華日報》社出版陳志奇教授所著《美國對華政策三十年》，是這方面的開創性著作。2004 年，大陸出版陶文釗教授所著《中美關係史》三卷，敘述自 1911 年至 2000 年的兩國歷史，全面、深入，多有精彩之見。本文將利用近年來開放的蔣介石日記和台灣的"外交"檔案，結合美國外交文件，對這一領域做新的補充和探索。

一、美國公佈白皮書棄蔣，蔣介石“死中求生”

抗戰期間，中美成為盟邦，蔣介石和美國總統羅斯福成為盟友。戰後，美國調停國共矛盾失敗，轉而採取扶蔣反共政策。內戰後期，美國對蔣介石日漸失望，企圖以李宗仁代替之。蔣介石敗退台灣之初，美國統治集團對蔣策略分歧，一派主張保蔣，一派主張棄蔣，在一段時期內，棄蔣意見上升。蔣介石擔心美國人阻撓其撤至台灣。1949年6月13日，蔣介石日記云：

> 十二時前回高雄，接閱妻函二封，為美國外交及台灣地位甚憂，以美國確有收回台灣與承認共匪之可能，國際信義與世態炎涼益難為懷矣。

這時，宋美齡正在美國訪問，蔣介石到達高雄還不到20天，不清楚美國對台灣的真實態度，也不清楚美國對中共的真實態度，因此，在接到宋美齡來信後，心中猶疑。

台灣原是中國領土，甲午戰爭失敗後，清政府將台灣割讓給日本。1943年美、英、中三國領袖在埃及開羅召開會議，明確決定將台灣和澎湖等地歸還中國。1945年7月，杜魯門、丘吉爾和蔣介石發表《中美英三國促令日本投降之波茨坦公告》，宣稱《開羅宣言》的條件必須實施。10月25日，中國國民政府在台北中山堂舉行受降典禮，接受日軍投降，中國政府正式光復台灣。但是，1949年春，蔣介石在大陸的失敗已成定局，中共所領導的解放軍跨海東征，進一步佔領台灣成為必然趨勢。在此情況下，美國統治集團中有人企圖乘機霸佔台灣。6月中旬，中國駐日本東京代表團團長朱世明電告蔣介石：盟軍總部中有人提出，將台灣移交盟軍或聯合國暫管。6月17日，蔣介石與王世杰討論“台灣地位與對美態度”。[1] 6月18日，蔣介石日記云：“對美應有堅決表示，余必死守台灣，確保領土，盡我國民天職，決不能交還盟國，如其願助我力量共同防衛，則不拒絕，並示歡迎之意，料其決不敢強力收回也。”[2] 20日，蔣介石復電朱世明，指示其與麥克阿瑟詳談，中國政府“絕對無法接受”盟軍總部中

1 《蔣介石日記》（手稿本），1949年6月17日。
2 《蔣介石日記》（手稿本），1949年6月18日。

的相關“擬議”，“此種辦法，違反中國國民心理，尤與中（正）本人自開羅會議爭回台、滿（東北）之一貫努力與立場，根本相反”。[1]

8月5日，美國國務院正式發表題為《美國與中國的關係》的白皮書，敘述從1844年美國脅迫中國簽訂《望廈條約》以來，直至1949年中共建政期間的中美關係，其中特別詳細地敘述了抗日戰爭末期至1949年5月，美國實行扶蔣反共政策，最後失敗的經過。《白皮書》中，美國政府毫不留情地指責國民黨及其政權“已經墮落腐敗”、“失掉了它的人民的信心”。蔣介石早就得悉美國政府有意發表這一文件，當日在日記中稱之為“抗戰後最大國恥”。此後幾天的日記，蔣介石或指責美國政府“強權無理”、“幼稚無知，自斷其臂”，或自我宣誓：“若不求自強，何以為人？何以立國？”[2] 其8月10日日記云：

> 馬歇爾、艾其生因為要掩護其對華擁護中共、遏制政府政策之錯誤與失敗，不惜對中美兩國國交之基本徹底毀滅，侮滅（污衊）中國，打倒蔣某，以快其心，而不知其國家信義與外交應有軌儀，亦被彼等掃地盡淨。馬、艾無知不德，全為其私情所蔽，不足為異，而其堂堂領導世界之美國總統杜魯門，竟准其發表此失信鮮恥之白皮書，為其美國歷史遺留莫大之污點。

馬歇爾（George Marshall）於1945至1947年奉美國總統杜魯門之命來華，調解國共軍事衝突，失敗後回美，擔任國務卿；艾奇遜（Dean Acheson，或譯艾其生）為馬歇爾的繼任人，奉杜魯門之命策劃、編纂美中關係白皮書。蔣介石一直認為馬歇爾在調停中袒護中共，故此頁日記集中火力指向馬歇爾、艾奇遜及杜魯門。8月11日，蔣介石召集會議，研討對策，蔣介石認為該文件“必有重要弱點與漏洞為我反攻之資料”，甚至可以“使其國務卿倒台”，主張“暫置不答，以待事實之證明”。

美國政策的反復無常使蔣介石感到不能完全“依賴外國”。8月13日，其日記再云：

---

1 《蔣中正致朱世明電》，《蔣中正“總統”文物》，台北“國史館”藏，002-020400-00029-005。
2 《蔣介石日記》（手稿本），1949年8月6日。

近日極思自立、自主之道，並使一般幹部能徹底掃除其倚賴外國之心理，而能從此發憤為雄，雪恥圖強，務使中華民國不再受異族之侮辱，永遠脫離次殖民地之悲慘境遇。

這裏，蔣介石的話講得似乎很有骨氣，然而，他在事實上又不能不有求於美國，因此，儘管他對美國政府已經極為憤恨、惱怒，但決定擱置爭論，將滿腔怨氣暫時悶在心裏。8 月 16 日，蔣介石以"外交部"名義答復美國政府稱：白皮書涉及的許多重要問題，"實有不能不持嚴重異議之處"，但為不影響"兩國傳統之友誼"，將在適當時期對所持觀點及有關事實"做詳切之聲明"。[1] 不過，台灣當局和蔣介石本人都再未對此表態。相反，中共方面則態度激昂。8 月 12 日，新華社發表社論《無可奈何的自供狀》，毛澤東親自撰寫了《丟掉幻想，準備鬥爭》、《別了，司徒雷登》、《為什麼要討論白皮書》、《友誼，還是侵略？》、《唯心歷史觀的破產》等五篇文章，駁斥美方讕言。整整兩個月，大陸各界紛紛譴責《白皮書》，學生們還舉行了示威遊行。

美國政府《白皮書》發表之後，美國在台外交人員加緊鼓吹台灣獨立，要求撤換受蔣介石指令出任台灣省主席的陳誠。9 月 24 日，蔣介石日記云：

美國在台灣之外交人員竭力慫恿台省民眾反對政府，並以武器引誘其投美，一面公開反對陳辭修主台，運用各種方法，間接之要求撤換辭修，就可以得美援；另一方面對余施用恫嚇，非撤換舊人，決不能得美援，而對各處用反宣傳，揚言美國決不助蔣，使我幹部與人民對余背叛之陰謀，無所不用其極。

"交還盟國"、"聯合國暫管"云云，其說均出自美國。台獨運動也是在美國人的鼓動和支持下發展起來的。美國海外戰略局成員、駐台灣"副領事"葛超智（George H.Kerr）和駐台灣"新聞處"處長卡度（Robert J. Cotto）等都曾是其中的積極人物。葛超智在其任內，就曾慫恿台灣民眾攻擊中國政府，承諾提供武器彈藥。

同年 11 月，美國海軍上將白吉爾邀請蔣介石政權的"國防部"次長鄭介民

1　秦孝儀編：《"總統"蔣公大事長編初稿》卷 7（上），台北中正文教基金會 1978 年版，總第 346 頁。

赴美談話，提出反對陳誠主持台灣省政，要求代之以吳國楨等條件，聲稱“美援來不來，乃以中國是否接受台政改革為前提”。[1] 蔣介石雖覺美國這種做法“可痛”，[2] 不過，他揣度美國之意在於要自己“低頭認錯，而後乃轉圜援助”，而且，吳國楨也是個可以接受的人物，便決定接受條件，任命吳國楨為省主席，藉以試探美國態度。日記云：“美國外交行動，無異幼童撒嬌，非得撫順善慰不可。”他根據以前和美國政府打交道的經驗，準備“再做一次之受欺與倒霉”。[3] 12月15日，蔣介石換下陳誠，以吳國楨繼。

吳國楨畢業於美國普林斯頓大學，獲政治學博士，長期親美，以吳代陳，美國人是滿意的，但是，蔣介石當時正在與陳誠商量“行政院”各部人選。吳國楨以擬議中的“財政部”部長不能與台灣省政府合作為理由，要求自兼“財政部”部長。蔣介石估計，吳國楨此舉多半受了美國在台“使館”人員的影響，便以名單已定，而且已經提報國民黨中常會，不能改動為理由回答吳國楨。吳仍一再要求，美國“使館”也“間接表示”支持吳國楨。蔣介石很不高興，決定不加理睬，“最後仍照原定名單提案通過，不管美國之態度如何也”。[4]

美國國務院拋出《白皮書》，其目的既在於為其對華政策失敗辯護，同時也在於為其“棄蔣”、“換馬”政策進行輿論準備。10月29日，蔣介石日記云：“台灣省府改組以後，美國務院氣焰高漲，其對我政府之侮辱情形更難忍受，而其中挑剔、刁難、壓迫、斥責備至。”不難看出，美蔣之間彼此都已互相厭棄，蔣介石之所以同意以吳國楨代替陳誠，本意在爭取美援，但是，美國政府當時方針未定，一時還不願意對蔣介石解開錢袋子。對此，蔣介石極為不滿。同日日記指責美國政府對“請求其援助之事”，不理不睬，“置若罔聞”。當時，美國國防部主管與國務院意見相反，主張援蔣，但蔣介石覺得似亦難以見效，表示“痛心盍極”！

在解放軍的強大攻勢下，以李宗仁為“代總統”的國民黨行政中樞初遷廣州，繼遷重慶，眼看重慶也難以保持，國民黨中有遷昆明或遷台北的兩種選

1 黃卓群口述，劉永昌整理：《吳國楨傳》（下冊），台北自由時報公司 1995 年版，第 431 頁。
2 《蔣介石日記》（手稿本），1949 年 12 月 3 日。
3 《蔣介石日記》（手稿本），1949 年 12 月 11 日。
4 《蔣介石日記》（手稿本），1950 年 3 月 11 日。

擇。對於遷台北，很多人擔心“美國干涉或反對，不承認台北為我國領土”，主張“慎重”。1949 年年底，還有人擔心“美將以武力佔台”，蔣介石認為“此則自卑自棄、不明事理之談”。他大言壯膽地聲稱：“余在台，政府遷台，美、英決不敢有異議。如其果用武力干涉或來侵台，則余必以武力抵抗，寧為玉碎，不為瓦全。以其背盟違理，曲在彼而直在我也。”[1]

12 月 8 日，蔣介石將國民黨的行政中樞遷移台北。

二、杜魯門拒絕軍援台灣，美國政府視蔣介石如同“難民”

1950 年 1 月 5 日，杜魯門舉行記者招待會，聲稱“美國對台灣和其他任何中國領土沒有掠奪性意向。美國目前無意在台灣獲取特別權利或特權，或建立軍事基地。美國亦無意使用武力干預現在局勢。美國政府將不遵循足以使之捲入中國內爭的方針。”[2] 杜魯門同時宣佈，美國政府將不向台灣的中國軍隊提供軍事援助或建議，只準備依據現有的法律授權，繼續實施經濟合作署的經濟援助計劃。當天下午，艾奇遜說明，所謂經濟援助，只涉及化肥、煉油、發電等有關專案。[3]

儘管杜魯門宣佈不對台灣提供軍事援助，但是，其中有對《開羅宣言》《波茨坦公告》原則的重申，以及美國和其他盟國接受“中國對該島的管轄”等語，這使蔣介石略感放心，認為“台灣倡議獨立、自治或託管之邪說者，可以熄滅矣。”[4] 不過，這只是蔣介石的單方感受，美國外交官員和台獨力量卻從中嗅出了疏遠以至拋棄蔣介石的氣息，便加緊活動，使台灣社會的“動搖與不安之現象”迅速發展。[5] 蔣介石非常痛恨美國外交政策的制訂者艾奇遜及其麾下的外交

1 《上月反省錄》，《蔣介石日記》（手稿本），1949 年 12 月 31 日。

2 《總統的記者招待會》，引自陶文釗主編：《美國對華政策文件集》第二卷（上），世界知識出版社 2005 年版，第 27 頁。

3 《艾奇遜國務卿的即興講話》，引自陶文釗主編：《美國對華政策文件集》第二卷（上），世界知識出版社 2005 年版，第 31 頁。

4 《上月反省錄》，《蔣介石日記》（手稿本），1949 年年末。從內容看，本《反省錄》應寫作於 1950 年 1 月 5 日杜魯門講話之後。

5 《蔣介石日記》（手稿本），1950 年 1 月 9 日。

官。如1950年年初各日日記：

1月9日：“各地使領館凡可動搖我社會與政府之陰謀與行為，無所不用其極。”

1月13日：“美國外交官對台灣，必欲使之速亂而早亡，其陰謀顯著。”

1月16日：“審閱情報，美國勾結台人叛離之陰謀與台人黨派之糾紛，不勝憂惶，不知究將如何處理？”

1月17日：“研究美國對台灣政治陰謀，多方煽動台人之脫離中央而獨立或自治，尤其代辦、領事外交官之態度更為可惡。”

從上述日記可見，美國外交人員利用台獨力量，企圖乘機霸佔台灣的倡狂情況。其中所稱“代辦、領事”，指當時美國“駐華使館”代辦斯特朗（Rober Strong）和駐台北總領事克倫茲（Kenneth Knetz），二人當時都積極在台灣推動倒蔣、反蔣。蔣介石得到的情報稱，斯特朗揚言，台灣的經濟在次年6月間必然崩潰，中共7月必將進攻台灣，蔣介石當局的命運“決不能延續到7月以後”。斯特朗又透露稱，艾奇遜的台灣政策內容為：1. 以李宗仁為牽制，使蔣介石當局分化癱瘓。2. 煽動台民獨立與自治。3. 由美國託管。4. 由聯合國共管。5. 聽由中共與蘇聯佔領。總之，只要能達到“毀蔣，消滅國民政府之唯一目的”，什麼都可以做。[1]

中華人民共和國成立後，蘇聯及東歐一批國家率先承認。西方國家中，英國率先承認，印度、印尼、瑞典、丹麥、緬甸、瑞士、芬蘭等國繼之。美國則早在1949年5、6月間就在南京和中共代表黃華進行試探。1950年1月27日，蔣介石慨歎道：“近時國際環境險惡已極，國家前途更覺渺茫，四方道路皆已斷絕，美、俄、英各國政府，皆以倒蔣扶共，滅亡中華民國為其不二政策也。”[2]

美國政府一方面繼續反共，拒絕承認新中國，維持和台灣當局的“外交”關係，但是，不能不在一定範圍內限制台灣當局的國際活動空間。自1950年

1 《三十九年工作自反錄》，《蔣介石日記》（手稿本），1950年卷首。
2 《蔣介石日記》（手稿本），1950年1月27日。

始，美國政府積極在東南亞地區活動，企圖組織反共聯盟，均將台灣當局排斥在外。當年 2 月中旬，美國在遠東和南亞的 14 處外事機構的代表於泰國曼谷集會，蔣介石估計該會目的在於“不顧利害，專作倒蔣、誘共之劣計”，決定採取“置之一笑”的態度。[1] 而實際上，該會的主題是討論美國應否採取行動，制止共產黨人向東南亞推進。3 月 12 日，蔣介石約見“外交部”部長葉公超，得悉菲律賓已向東南亞各國發出邀請，唯獨沒有邀請台灣，葉以為駭異，而蔣介石則認為，國際只講“勢利與現實”，並不值得奇怪，這使蔣介石感到，美國國務院正在力圖使台灣當局在國際上沒有地位。[2]

5 月 18 日，國務院顧問約翰・杜勒斯（John Foster Dulles）向國務院提交台灣“中立化”方案。5 月 30 日、6 月 9 日，助理國務卿魯斯克（Dean Rusk，或譯臘斯克）根據杜勒斯設想，向艾奇遜提交兩份備忘錄，認為台灣的陷落不可避免，蔣介石應主動向聯合國要求託管，由美國派遣第七艦隊在台灣海峽實行隔離。[3] 5 月 19 日，美國國務院批准美駐台領事館關於撤離美國僑民的建議。在台北的美國外交官們則一年多來，“一直坐在手提箱上，等候命令，隨時撤退”。[4]

蔣介石不了解或者不完全了解的是，美國政府除了利用台獨力量外，還在利用退到台灣的國民黨武裝殘餘發動政變。他們看中的是畢業於美國弗吉尼亞軍事學院、後來成為抗日名將的孫立人。當時，孫立人擔任“陸軍總司令”，兼“保安司令”，掌握台灣防衛大權。1949 年 12 月，斯特朗和克倫茲共同遊說孫立人反蔣，為孫所拒。其後，美國方面仍然對孫寄以希望，不斷派人做孫的工作。[5] 台獨組織“再解放聯盟”也積極謀劃，成立台灣臨時政府。

美國部分官員甚至已經決定，在 1950 年 6 月的最後一個週末，發動推翻蔣介石的政變。[6]

這一時期，流亡台灣的蔣介石政權已經風雨飄搖，朝不保夕。艾奇遜譏刺

---

1 《上星期反省錄》，《蔣介石日記》（手稿本），1950 年 2 月 18 日。
2 《蔣介石日記》（手稿本），1950 年 3 月 12 日。
3 資中筠、何迪編：《美台關係四十年》，人民出版社 1991 年版，第 267 頁。
4 〔美〕卡爾・洛特・蘭金著：《蘭金回憶錄》，上海人民出版社 1975 年版，第 52 頁。
5 參見本書《孫立人對蔣政權的不滿及其“兵變”冤案》一文。
6 參見本書《孫立人對蔣政權的不滿及其“兵變”冤案》一文。

蔣介石已經成了“離棄大陸、逃避海島之難民”。[1] 1953 年，蔣經國訪美，顧維鈞曾將一段親身經歷講給蔣經國聽。1950 年 2 月間，有個英國人準備了一艘價值 400 萬美元的華貴輪船，準備贈給蔣介石，供他漂泊海上之用。這位英國人並引導顧維鈞上船參觀，囑顧轉告蔣介石離開台灣，將政權交給他提名的二三個人。這位英國人還約顧維鈞和時任美國中央情報局副局長的艾倫・杜勒斯（Allen Welsh Dulles）一起吃飯，雖未再談贈船之事，但暗示與美國政府同謀的意圖很清楚。1815 年，拿破崙在比利時的滑鐵盧戰敗，被放逐到大西洋的一座孤島上，最後就死在那裏。這位英國人的背後應該是美國人在按照拿破崙模式，安排蔣介石的晚年生活了。

1949 年遷台至 1950 年朝鮮戰爭爆發，是蔣介石最困難的一段時期。他自述稱：“此時內外環境，實為最黑暗中之黑暗。”[2] 他已經做了最壞、最惡劣的準備，手擬《中國存亡與東方民族之自由獨立之成敗問題》一文，在其中聲稱，“如果革命失敗，台灣淪亡時必以身殉國”，“不必再另有遺囑”。[3] 他還在日記中表示：“唯有奮鬥不懈，自強不息，死中求生，獲得勝利基點，而後乃能言他；否則若有一點依賴之心，則國未亡而心已亡矣。萬事皆在死中求生，奮鬥出來，方是真本事，真成功也。”[4]

為了“死中求生”，蔣介石首先致力於防制台獨勢力。1950 年 1 月 17 日，他與王世杰研究“對台人勾結美國”的防制方案。[5] 其 1 月 31 日記云：“台灣為美利用之漢奸應防制之。”此後，防制台獨、打擊台獨成為蔣介石的堅定方針。

《白皮書》發表前後，蔣介石受夠了美國人的氣，知道美國人垂涎台灣，時刻準備拋棄自己，親自掌控或另覓代理人掌控，這使他強烈感到不能一味依賴美國、依賴美援，但是他要在台灣站穩腳跟，要反攻“復國”，又不能離開美國。這樣，就使他既要防範美國、警惕美國，又不敢得罪美國、離開美國。1950 年 1 月 16 日，美國無任所“大使”、《白皮書》的總編纂傑塞普（Philip

1 《蔣介石日記》（手稿本），1950 年 1 月 18 日。
2 《蔣介石日記》（手稿本），1950 年 1 月 18 日。
3 《蔣介石日記》（手稿本），1950 年 1 月 15 日。
4 《蔣介石日記》（手稿本），1950 年 1 月 18 日。
5 《蔣介石日記》（手稿本），1950 年 1 月 17 日。

C.Jessup）訪問台灣。蔣介石事先與張群、王世杰商量接待方針。蔣決定冷淡應對，不再要求美國援助，以免多被侮辱。[1]

為了鎮壓美國支持下的台獨活動和其他反對派，蔣介石一度考慮親自出任陸、海、空軍總司令，"以軍法治理台灣"。他知道，這樣做，一定會被"美國反蔣派"批評為"法西斯復活"，但他認為，這也不必顧及，所需要研究的只是"產生手續與方式"。時代不同了，赤裸裸的專制和獨裁不行了，蔣介石認為"最好由立法院選舉"，披上民意或民主的外衣。[2] 3 月 1 日，蔣介石幾經思考之後，決定"復行視事"、"繼續行使總統職權"，同時加強警察和特務力量，在台灣建立起民主其表而專制、獨裁其實的威權統治。

為了死中求生，蔣介石也懂得，單靠威權、單靠鎮壓和暴力不行，一定要爭取民心，收攏民心，因此，蔣介石決定效法中共，在台灣實行土地改革，同時，推行"全面革新"，發展經濟，提高人民的生活水準。

三、美國恢復對台灣的軍援，蔣介石對美國保持警戒

美國早就垂涎台灣。1950 年 5 月，美國國務院顧問杜勒斯向國務院提交台灣"中立化"方案。助理國務卿魯斯克根據此意，向艾奇遜提出，鑒於台灣不可避免的陷落，建議蔣介石主動向聯合國要求，對台灣實行託管。6 月 14 日，麥克阿瑟向國防部和參謀長聯席會議提出備忘錄，認為"台灣一旦落入共產黨的手中，就可以比作一艘不沉的航空母艦和潛艇的供應站"，"可以使蘇聯實現其攻擊戰略"。他說："毫無疑問，福摩薩的最終命運主要掌握在美國手中。"[3]

同年 6 月 25 日，朝鮮戰爭爆發。美國政府召開緊急會議，討論處置台灣的各種方案，決定派第七艦隊進駐台灣海峽。27 日，杜魯門發表聲明，其內容主要為兩點：一是聲稱已命令第七艦隊阻止對台灣的任何進攻，同時要求"台灣的中國政府停止對大陸的一切海空攻擊"，"第七艦隊將監督此事的實行"。這

1 《蔣介石日記》（手稿本），1950 年 1 月 16 日。
2 《蔣介石日記》（手稿本），1950 年 1 月 14 日、17 日，參見 1 月 31 日。
3 《麥克阿瑟備忘錄》，引自陶文釗主編：《美國對華政策文件集》卷 2（上），世界知識出版社 2005 年版，第 40、42 頁。

就是所謂台灣海峽“中立化”。二是“台灣未來地位決定，必須等待太平洋安全的恢復，對日和約的簽訂或經由聯合國的考慮。”這就是所謂台灣地位未定論。[1]

杜魯門聲明之後，美國政府隨即指示“駐華使館”代辦斯特朗向台灣當局遞交備忘錄，要求蔣介石配合美國，不出動海、空軍進攻中國大陸。28日，台灣“外交部長”葉公超發表聲明，接受美國要求，但聲稱，這只是“應變措施”，“對於中國政府統治台灣之地位及維持中國領土之完整均不產生影響”。7月19日，杜魯門致美國國會諮文，提出7點聲明，聲稱第七艦隊進駐台灣海峽是“針對台灣部隊及大陸部隊所謂的無偏袒的中立化的行動”，台灣的實際地位是一塊“由於盟軍在太平洋的勝利而從日本手裏接受過來的領土”，“它的法律地位在國際上採取行動決定它的前途之前是不能確定的”。杜魯門的這一段文字顯然是在為霸佔台灣製造輿論。7月28日，美國派遣蘭金（Karl L. Rankin）為駐台“公使”。31日，麥克阿瑟訪問台北，與蔣介石會談，決定設立美國駐台軍事聯絡組。

朝鮮戰爭爆發後，美國恢復了對台灣當局的軍援。2月22日，美國國務院、國防部批准給予台灣軍援5000萬美元。4月21日，美國國防部任命蔡斯（W.C.Chase）為軍事顧問團團長。22日，首批顧問團成員抵達台北。不過，美國對軍援仍持消極態度。1952年1月12日，蔣介石日記云：“美援新到之105重炮22門，其炮車與彈藥車皆未配備。美國允我軍援已有二十個月之久，而所到者僅此22門重炮為真實戰品，但其殘缺如此，可知其當局對我之用心之殘忍與惡毒，誠非言語所能形容。”[2] 6月14日，蔣介石召集軍事會談，得知美國1942年年度的軍援，僅到40%，而1952年年度的軍援則“一物未到”。[3]

蔣介石不僅對美國軍援遲遲不來感到失望，而且對美國仍然保持警戒，防止美國控制台灣，干涉台灣當局的“主權和內政”。

1950年6月29日，美國海軍飛機進入基隆東北方中國領空，蔣介石非常

---

1 《總統關於朝鮮局勢的聲明》，引自陶文釗主編：《美國對華政策文件集》卷2（上），第44、45頁。
2 《蔣介石日記》（手稿本），1952年1月12日。
3 《蔣介石日記》（手稿本），1952年6月14日。

不滿，日記云：“彼美海、空軍既到台灣領海與領空，而並不通知於我，毫未與我有所聯絡，美國之態度不僅視我為征服地，而且視我為敵人矣。”他命“外交部”對美國提出抗議。[1]

美國軍事顧問團到達台灣後，要求取消國民黨軍隊中的政治部，蔣介石堅決反對。其原因之一，即在孫立人為美國人所喜歡，蔣不願意孫既掌握軍隊指揮權和訓練權，又掌握政工權。其日記云：“美國對台灣控制之進行，日緊一日，對於普通與軍事預算已允其參加編審，仍未饜其所望乎？唯彼將要求撤銷政治部，以軍權全交孫立人之掌握，以供其驅使與徹底控制之一點，乃為我國存亡問題，決不接受，此外余皆可予之開誠協商，以求解決也。”蔣介石骨子裏還是害怕美國人通過孫立人掌握軍隊全權，推翻自己。[2]

1952 年 4 月，蔣介石擬下令將桂永清調離“海軍總司令”職務，桂戀棧，指使美國海軍武官致函蔣介石及宋美齡，聲明如桂調職，則美援不來。蔣介石對桂永清表示：寧使美援不來，決不願讓外國人干涉內政，隨即下令許桂辭職，以馬紀壯接任。美國國務卿艾奇遜聞訊，致電蘭金詢問，此事曾否讓美國顧問團團長預知，要蘭金通知台灣當局，凡高級將領調動，事先應有所商討。蔣介石得知，命葉公超立即通知蘭金：“此係干涉我內政，殊非美國之榮譽，我亦決不遷就。”[3]

同年 7 月，美國軍事顧問團企圖派人到台灣“保安司令部”工作，蔣介石與蔣經國、王世杰、葉公超談話，告以保安司令部屬內政機關，不在軍事國防範圍之內，“應堅決拒絕，免去其干涉內政之漸”。次日，又明確通知彭孟緝，勿接受美國顧問在保安部工作。

蔣介石膽戰心驚，時刻擔心美國消滅自己。同年 8 月，美國增派 50 人到台，蔣介石立即警惕，在日記中提問：“多為其中央情報局人員，其用意何在？應知美國政府及其陸軍馬（歇爾）派對毀蔣、滅華之心理仍繼續進行，能不為之戒懼乎？”[4]

---

1 《蔣介石日記》（手稿本），1950 年 6 月 29 日。
2 《蔣介石日記》（手稿本），1951 年 9 月 30 日。
3 《蔣介石日記》（手稿本），1952 年 4 月 2 日、3 日、5 日。
4 《蔣介石日記》（手稿本），1952 年 8 月 3 日。

1953 年 4 月，美國方面提出成立“中美聯合參謀機構”，蔣介石立即認為這是“意在控制我行動，而不在援助我聯合作戰”。[1] 4 月 20 日，更在日記中寫道：“美國現政府對華政策仍在積極培養第三勢力，以牽制我政府，並準備乘機取代。”他提醒自己：“彼計雖拙，當亦有實現可能之望，不可不為之戒懼也。”[2] 1955 年 6 月，台灣當局的情治系統製造孫立人“兵變”案，蔣介石的第一判斷就是美國中央情報局搞鬼。

蔣介石的這些表現，毛澤東稱之為“半獨立性”。

四、排斥台灣當局參加對日和會，蔣恨美之至，提出嚴重抗議

日本戰敗後，美國為了扶日反共，急於邀請戰勝國召開對日和平會議，簽訂和平條約。

1950 年 3 月 29 日，美國政府提出對日和約方案，其中規定“日本放棄對朝鮮、台灣和澎湖列島上的一切權利”，但是，沒有明確提出台灣、澎湖的歸屬問題。誰代表中國？英國認為，台灣當局已經喪失對大陸的控制權，而且業已承認中華人民共和國政府，自然主張由北京代表。美國堅決反對英國主張，但擔心英國和英聯邦國家可能會拒絕參加和會。6 月 14 日，英美達成妥協方案，決定中國不參加對日和會，不列入多邊的和平條約簽字國，而在多邊條約生效後，由日本政府選擇同北京或台北的兩政府之一簽訂雙邊和約。按照這一方案，海峽兩岸，即在北京的中國政府和在台北的蔣介石政權都將不能參加對日和議。6 月 15 日，美國國務院顧問約翰·杜勒斯和助理國務卿魯斯克將這一決定通知台灣當局。

蔣介石政權一向以正統的“中國政府”和日本的戰勝國自居。6 月 18 日，蔣介石發表《鄭重聲明》稱：“中國抗日最早，精神最堅定，犧牲最慘重，而其貢獻亦最大。對日和約，如無中國參加，不獨對中國為不公，且使對日和約喪

1 《蔣介石日記》（手稿本），1953 年 4 月 15 日。
2 《蔣介石日記》（手稿本），1953 年 4 月 20 日。

失其真實性。"《聲明》表示："中華民國參加對日和約之權，絕不容疑；中華民國政府僅能以平等地位參加對日和約，任何含有歧視性之簽約條件，均不接受。"[1] 7月9日，美國"駐華公使"蘭金向台灣當局"外交部"部長葉公超遞交美國所擬對日和約修正稿，重申美、英方案。7月11日，蔣介石指示葉公超復文抗議，聲稱："中日兩國以後不幸之後果，以及東亞今後之禍害，皆應由美國不允我參加對日和約之妄舉有以造成，當然美國應負其全責。"其當日日記云："憤激難止，美國乃無正義之國也。"次日日記稱此為"比奴隸、俘虜更難堪之大辱奇恥"，指責美國政府和杜魯門、馬歇爾、艾奇遜"卑劣"、"無恥與不道"。13日，台灣當局向美國政府提出嚴重抗議。

7月14日，美國政府派巡迴"大使"鮑萊（William Pawley）到台北，要求蔣介石自動宣言，不參加對日多邊和約，而願與日簽訂雙邊和約。蔣介石覺得美國人太不了解自己的性格，也太輕侮、欺弄中國，因此滿腔憤怒地責問道："你們美國領導訂約，不知美國歷史（將來）對此如何記載？余決不自動退出！"[2] 他決定在每天的報紙上刊登"國恥標語"，同時發動基層社會與民意機構，要求參加對日和約的簽訂。7月16日，蔣介石到軍訓團報告，講述被美國排除於對日和約之外的經過，一直講了兩個小時。本來，蔣介石準備發表這篇報告，用以警告美國，但轉念一想，發表作用不大，只能提供美國國務院口實，發生反作用，很不值得，因此決定不發表。這樣，蔣介石就將他對美國的滿腔怨氣都傾瀉到自己的日記中了。

7月31日日記稱："余四十年來之世界觀與民族觀，尤其對美國觀念根本變更，無異噩夢初醒，自覺識淺見短，貽誤國家與人民之大罪重孽，萬死莫贖，及今悔悟，或尚有濟乎！"

8月2日日記稱："對於美國外交之做法，深感人類之不幸，無窮浩劫必由此艾、馬所造成，始怪美國非中國之友人，而為中國之主人。""誰謂美國民族之重公理，尚自由耶？如我再不徹悟醒覺，自力更生，則世界黑暗，天地末

1 《為對日和約發表重要聲明》，引自秦孝儀編：《"總統"蔣公思想言論總集》卷32，台北中國國民黨中央黨史委員會1984年版，第306—307頁。

2 《蔣介石日記》（手稿本），1951年7月14日。

日，必在近期間到來。”

蔣介石對美國政府的憤恨已經到了口不擇言的程度。8月4日日記云：“每念美國幼稚孩氣之神態，荒唐背謬，只可視之為糊塗之渾蛋。”

這一時期，蔣介石還得知美國國務院發給其駐台軍事、經濟“官員”的密令：首先掌握台灣當局的“軍事、財政之統制權，再言其他”。這使蔣介石在怨恨美國的同時，又增加了警戒、防備心理，他在日記中寫道：“其用心之險，叵測至此。能不戰慄嚴防！”他向上帝呼籲：“天父乎！中正與中國危極矣，盍不速加拯救耶？”[1]

8月16日，蔣介石得悉，美國政府將在9月初簽訂對日和約的同時，與菲律賓、澳大利亞、新西蘭等國簽訂聯防公約，仍將台灣排除在外，感到又受一“最大之刺激”，日記云：“美杜對華之侮辱，至此其盡乎？”[2]

為了使台灣當局能參加對日和議，顧維鈞與美國國務院主持此事的顧問約翰·杜勒斯多次談判，蔣介石認為顧“卑躬遷就，不顧國家地位”，感到痛心。日記稱：“此事美必不欲我參加多邊和約，亦不願我與多邊和約同時簽訂，則我就速訂究有何益？不如暫置不理，以觀美之態度。”他曾萌生召顧回台的念頭。[3]

同月底，蔣介石研究美國對台政策，認為有三個方面值得警惕：1. 控制我軍事與財政。2. 分化我軍隊與政治。3. 培植大陸游擊隊與第三勢力，以為牽制我革命勢力之張本，並將以此為取我而代之之計。他覺得，美國的這些做法，“抑何可笑，亦甚可危也”。[4]

早在8月15日，中共當局外交部長周恩來就發表聲明，沒有中國政府參加的對日和約是非法的、無效的。9月3日，台灣當局“外交部”部長葉公超也發表聲明，舊金山市對日和會所簽條約沒有約束力。9月4日，對日和會在美國舊金山市開幕，蔣介石在日記中寫道：“此為我國之辱，而更為美國之恥。人類正義，世界公理，皆為美國此一舉而消滅殆盡。”又在《反省錄》中表示：“如我再不自力更生，則民族復能生存於世界乎？小子中正，其能贖罪負責乎？”9

---

1 《上月反省錄》，《蔣介石日記》（手稿本），1951年7月31日。
2 《蔣介石日記》（手稿本），1951年8月17日。
3 《蔣介石日記》（手稿本），1951年8月14日。
4 《上月反省錄》，《蔣介石日記》（手稿本），1951年8月31日。

月6日，他決定禁絕朝食，向抗戰犧牲的軍民致哀。9月8日，在海峽兩岸的中國人均被排除的情況下，四十八個戰勝國與戰敗國日本簽訂《對日和平條約》。次日，蔣介石將9月9日定為被國際"遺棄"的"雙重的國恥日子"。[1]在日記中重申"自力更生之計劃與實踐之行動，皆要由此開始"。

1952年2月15日，蔣介石任命葉公超為"日台和約"談判代表，與日本代表前大藏相河田烈開始會談。4月28日，"日台和約"在舊金山市和約生效前7小時在台北簽字。

五、艾森豪威爾"放蔣出籠"，但捆綁其反攻手腳

1952年11月4日，共和黨人艾森豪威爾在美國總統競選中獲勝，民主黨的杜魯門即將下台。蔣介石認為，杜魯門掌權以來，自己受污辱、誣陷，"歷盡人世未有之悲劇"已經九年，"余亦不自知竟能度此九年之煎熬，而仍有今日目睹此蒙昧之總統與愚蠢政府之倒台也。"[2]因此，他對艾森豪威爾的上台抱有希望。本來，蔣介石患有腿疾，艾森豪威爾勝選後，蔣介石的腿疾見好，蔣介石認為這是共和黨得勝後自己神經上的"一種欣慰"所致。[3]11月9日，蔣介石開始準備和艾森豪威爾見面時的談話要旨。他決定，今後對美政策，"應鎮定自重，事事立於主動地位，一以不倚不求出之"。同時，又幻想能得到美國對外軍援經費的20%，即可反攻大陸，配合韓國軍隊，夾擊共軍，以美國為領導中心，建立中、日、韓、菲的"東亞陣線"。[4]

朝鮮戰爭爆發時，蔣介石興致勃勃，曾在6月29日向美國政府遞交"備忘錄"，聲稱回應聯合國安理會號召，將派33000人赴朝參戰，遭美國拒絕。艾森豪威爾當選後，兌現競選時"到朝鮮去"的諾言，首先訪問韓國，並派蔡斯和蘭金向蔣介石通報會談情況。這就勾起了蔣介石出兵援韓的願望。他將選派

---

1 《"九月九日"的雙重國恥》，引自秦孝儀編：《"總統"蔣公思想言論總集》卷24，台北中國國民黨中央黨史委員會1984年版，第224頁。

2 《蔣介石日記》（手稿本），1952年11月8日；參見《上月反省錄》，《蔣介石日記》（手稿本），1952年7月31日。

3 《蔣介石日記》（手稿本），1952年11月5日、6日。

4 《本星期預定工作課目》，《蔣介石日記》（手稿本），1952年11月15日。

部隊和將領列入《預定工作課目》，同時向美方提出，派一大隊噴氣飛機到台充實空防。[1] 其設想是：1. 以三個軍的兵力投入韓戰，在敵後登陸，對韓戰作決定性的解決。2. 與美方討論援韓與反攻大陸的方略。3. 與美國簽訂《安全互助協定》。4. 簽訂台、日、韓、美共同公約等等。蔣介石也想到了向美國進出口銀行借貸 5 億美金，作為反攻大陸後發行鈔票的準備金，甚至還想到了中共軍隊退到西北後如何"徹底殲滅之"等問題。[2]

一方面，蔣介石大做其反攻美夢；一方面，艾森豪威爾也在為其夢想提供佐料。

1953 年 2 月 1 日，蘭金拜見蔣介石，通報稱：艾森豪威爾將宣佈，第七艦隊不再保護中共不受台灣的攻擊，同時表示，這並不意味著可以讓台灣採取行動"反攻大陸"，台灣在採取任何重要軍事行動前，必須徵詢蔡斯將軍的意見。2 月 2 日，艾森豪威爾向國會提交首次國情諮文，宣佈解除台灣海峽的"中立化"狀態，"不再使用第七艦隊來屏障共產黨中國"。[3] 2 月 5 日，他下令第七艦隊放棄在台灣海峽的"中立巡邏"。比起杜魯門 1950 年 6 月 27 日所發聲明，既"阻止對台灣的任何進攻"，也要求台灣"停止對大陸的一切空海攻擊"，似乎確實"中立"了。因此，人們將艾森豪威爾的這一決定稱為"放蔣出籠"。

對艾森豪威爾的新政策，蔣介石大為滿意，1953 年 2 月 3 日發表講話，聲稱這是"美國最合理而光明之舉"。他保證，台灣在"反攻大陸"時"絕不要求友邦以地面部隊來協助我作戰"。[4] 3 月 18 日，美國政府將蘭金由駐台"公使"升級為"大使"。

蔣介石一直希望和美國締結共同防禦條約。3 月 19 日，顧維鈞在和約翰·杜勒斯的會談中提出這一要求，為杜婉拒。6 月 7 日，蔣介石致函艾森豪威爾，建議在朝鮮戰爭停止後，仿北大西洋公約組織之例，適時協助建立"亞洲反共國家組織"。6 月 22 日，蔣介石再次致電艾森豪威爾，建議美國接受韓國政府要求，在停戰之前締結韓美"互助安全協定"。李承晚反對美國的停戰主

1 《蔣介石日記》（手稿本），1952 年 12 月 6 日、7 日。
2 《蔣介石日記》（手稿本），1952 年 12 月 10 日、11 日。
3 《美國對外關係文件集》（FRUS），1952-1954，Vol.14，P.140。
4 《蔣介石日記》（手稿本），1953 年 2 月 3 日。

張，聲稱將單獨作戰，韓美關係惡化。次日，蔣介石讀到李承晚所著《美國出賣韓國》一文，對李所敘“史實”感到“寒栗”，擔心自己也被美國“出賣”。日記云：“帝國主義之強權政治，無非一丘之貉，不過其程度有差別耳。吾為李危而更為己危，故不能不為之努力暗助，以救其危而促其成也。”[1] 在致電艾森豪威爾的同時，蔣介石曾致李承晚一電，企圖調解美韓矛盾。杜勒斯懷疑蔣電意在鼓勵李承晚反對停戰，於 6 月 26 日指示其“駐華臨時代辦”通知顧維鈞，聲稱美國政府命其說明：美軍由韓國撤退，韓國部隊單獨作戰，將陷入“軍事慘局”，屆時，美國將“重行考慮其自由中國之政策”。[2] 杜勒斯的這一做法，意在警告蔣介石，使蔣感到受到“侮辱”。[3]

對蔣介石建議“建立亞洲反共國家組織”的 6 月 7 日函，艾森豪威爾至 6 月 29 日才回函，僅稱鼓勵“亞洲所有自由國家”建立“共同安全措施”的努力，沒有實質性的肯定表態。這就等於是在蔣介石頭上潑了一盆涼水。他在《反省錄》中自述，要“徹底放棄以美援反攻復國之幻想”，並且自問：“即使其始能援助而終被遺棄，則將如何？即使其始終助我復國，則依人成事，其果能獨立自由乎？”[4]

這時候，蔣介石已對美國，也對艾森豪威爾政府很失望。7 月 11 日，美國情報局在大陳島的“西方公司”人員，沒有通知台灣當局就突然撤退，蔣介石很不滿意。12 日日記云：“該國之政策與謊言絕不能信賴，其幼稚衝動、反復無常之教訓，如果自無主張與實力，若與之合作，只有被其陷害與犧牲而已。吾甚佩李承晚之態度，彼實最認識美國之革命家也。”[5]

11 月 8 日，美國當選副總統尼克松訪台，與蔣討論改善台灣機場、“台韓”反共同盟、遠東反共情勢等問題，並給蔣介石帶來了艾森豪威爾的私人函件。尼克松給蔣介石留下了極好的印象，評之為“深靜專一，重理智而富情感”、

---

1 《蔣介石日記》（手稿本），1953 年 6 月 23 日。

2 《美駐華臨時代辦鍾華德報告》，引自呂芳上主編：《蔣中正先生年譜長編》第 10 冊，台北“國史館”2015 年版，第 208 頁。

3 《美駐華臨時代辦鍾華德報告》，引自呂芳上主編：《蔣中正先生年譜長編》第 10 冊，第 208 頁。

4 《上月反省錄》，《蔣介石日記》（手稿本），1953 年 6 月 30 日。

5 《蔣介石日記》（手稿本），1953 年 7 月 12 日。

"為美國民族性之政治家中所少見"。[1] 11 月 29 日，韓國總統李承晚訪問台北，蔣介石手擬《中韓聯合聲明》，其中原有"領導自由世界之美國"一語，李承晚堅決反對，蔣介石覺得沒有這一句，對於美國"好大喜功之優越感"將會發生"不良影響"，但覺得李承晚的見解"亦有道理"，所以沒有與李爭論。[2]

12 月 11 日，蔣介石覺得艾森豪威爾以"馬下兒"（蔣對馬歇爾的蔑稱）為祖師，"對國際，對政治毫無認識，其目光短拙、見識淺陋，並無有所作為或寄予任何之希望"。[3] 這頁日記表明，蔣介石對艾森豪威爾，已經從滿腔希望轉化為失望。26 日、27 日，蔣介石連續兩天，與來訪的美國參謀首長聯席會議主席雷德福（Arthur W. Radford）、助理國務卿饒伯森（W. S. Robertson，或譯勞勃森）會談，面交特別軍援計劃，除 13 億美元之外，另有經常軍援 3 億美元，雷德福二人聽後"忽現驚駭之色"，立刻表示，這份"特別軍援計劃"只能作為"私人非正式文件"接受，蔣介石覺得"又多得一教訓與恥辱矣"。[4]

年底了，蔣介石寫作《總反省錄》，覺得本年 2 月艾森豪威爾雖然取消了台灣"中立化"的禁令，但是，對於台灣當局襲擊大陸海岸和反攻大陸的限制卻"更為嚴格"，因此，寫下了"可痛"二字。[5]

六、第一次台海危機與美蔣《共同防禦條約》的簽訂

蔣介石一直渴望和美國締結雙邊的《共同安全條約》，將美國綁在自己的戰車上，但美國政府長期猶豫不定。

為了反擊國民黨軍隊對大陸的騷擾，從 1954 年 3 月起，解放軍華東軍區加強了在浙江地區的軍事行動。1954 年 7 月，中共中央要求華東軍區加緊準備攻打大陳島，以大規模炮擊金門顯示佔領台灣的決心和力量。9 月 3 日，解放軍福建部隊炮擊金門，連發六千餘彈，斃傷國民黨軍官兵五十餘人，擊斃美軍中

1 《蔣介石日記》（手稿本），1953 年 11 月 12 日。
2 《上星期反省錄》，《蔣介石日記》（手稿本），1953 年 11 月 28 日。
3 《蔣介石日記》（手稿本），1953 年 12 月 19 日。
4 《蔣介石日記》（手稿本），1953 年 12 月 28 日。
5 《本年總反省錄》，《蔣介石日記》（手稿本），1953 年 12 月 31 日。

校二名。國民黨軍立即還擊，並出動飛機、軍艦轟炸，射擊廈門周邊地區的解放軍炮兵陣地，連續三天，史稱“九三炮戰”，又稱“第一次台灣海峽危機”。9月25日，解放軍再次炮擊金門，連發三千餘彈。

杜勒斯在“九三炮戰”之前一天訪問菲律賓的馬尼拉，與英、法、澳大利亞、菲律賓等8國締結《東南亞集體防務條約》。9月9日，杜勒斯匆忙訪問台北，與蔣介石會談。蔣批評美國“沒有一項堅定的亞洲政策”，乘機要求締結美蔣《共同安全條約》，聲稱一旦有了這樣一項條約，中共在聯合國的席位、台灣可能交聯合國託管等問題都將不復存在。其後，美國軍方要求直接捲入台灣沿海島嶼的防禦，杜勒斯則主張將問題提交聯合國安理會討論，達成停火建議。12日，艾森豪威爾主持國家安全會議，否定軍方意見，支持杜勒斯主張。17日，杜勒斯與英國外相艾登（Anthony Eden）商量。艾登雖同意“保衛台灣”，但擔心美國因此而捲入一場大的戰爭，主張由亞太地區國家、安理會理事國的新西蘭出面提案，建議兩岸停火。杜勒斯的目的在於使台灣與大陸永久分離，英國與新西蘭的目的大體與美國相同。10月12日，饒伯森在未事前通知的情況下突然飛到台北，會見蔣介石，聲稱美國固然願意“中華民國”政府繼續保有金門等外島，但除非冒全面戰爭危險，恐怕難以成功扼守。他要求蔣同意新西蘭即將提出的停火方案。蔣介石不知道美、英、新西蘭三國秘密協商的情況及其目的，在和饒伯森會談時，再提“中美互助雙邊協定”，表示在這一協定的原則之下，“尋出一個相當辦法，不無磋商餘地”。[1] 15日，杜勒斯致電蔣介石，保證一定和台灣簽訂雙邊協定，但時間必須在新西蘭提案提出之後。

由於新西蘭所擬提案中有“中華人民共和國與中華民國之間在金門之武裝衝突”一語，蔣介石與張群商量，認為這將成為“兩個中國邪說之根據”，囑其致電顧維鈞和到美國談判的葉公超修改此語，不能默認。同時還必須美國首先發表台灣和美國之間締結雙邊協定的聲明，否則都必須反對新西蘭方案。[2]

11月2日，美蔣締約談判在華盛頓開始。12月3日晨，美蔣《共同防禦條約》簽訂。

1 《蔣中正與饒伯森等談話記錄》，《蔣經國總統文物》，台北“國史館”藏，005-010205-00077-001。
2 《蔣介石日記》（手稿本），1954年10月16日。

該約共十條，規定締約雙方“以自助或互助之方式”抵抗武裝攻擊及國外指揮的“共產顛覆活動”，蔣方給予美方在台灣、澎湖及其附近為其防衛需要而部署陸、海、空軍的權利。[1] 蔣介石認為，條約的締結使台灣的安全有了保障，這是“十年蒙恥忍辱，五年苦撐奮鬥之結果”。他致電葉公超，要葉代他向艾森豪威爾致意，但是艾森豪威爾沒有回電，這使蔣介石很掃興，認為艾“不僅不守國際之慣例，而其對本約之強勉或無視與不顧之心理甚明”，表示要“特加注意”，觀察“其今後之發展形勢如何”。[2]

12 月 8 日，周恩來外長發表聲明，指出美蔣《共同防禦條約》是“徹頭徹尾的侵略性的戰爭條約”，“美國政府企圖利用這個條約來使它武裝侵佔中國領土台灣的行為合法化，並以台灣為基地擴大對中國的侵略和準備新的戰爭”。聲明並稱：“一切關於所謂台灣‘獨立國’、台灣‘中立化’和‘託管’台灣的主張實際上都是割裂中國領土和干涉中國內政，都是中國人民絕對不能同意的。”[3]

同月，英國外相艾登表示贊成，英國在聯合國代表也聲明，如中共攻台，即認其為對聯合國之會員國作戰，英國將與美國協同作戰。蔣介石對英國的表態很奇怪，認為這是“兩個中國陰謀之伏筆”，“其用意仍在台灣託管與毀滅中華民國而已”。[4]

七、第二次台海危機與中共對蔣介石的爭取

艾森豪威爾力圖製造兩個中國。一方面允許國民黨人對大陸進行小規模襲擊騷擾，“放蔣出籠”，另一方面力圖勸說國民黨人放棄金門、馬祖，嚴密防範其進攻中國大陸。1955 年 3 月 3 日，杜勒斯訪問台北，代表美國在美蔣《共同防禦條約》上簽字。4 月 24 日，美國政府派參謀長聯席會議主席雷德福和助理

---

1 美蔣《共同防禦條約》全文，《中美關係資料選編》第 2 輯（下），世界知識出版社 1960 年版，第 2051—2053 頁。

2 《上月反省錄》，《蔣介石日記》（手稿本），1954 年 12 月 31 日。

3 《中美關係資料彙編》第 2 輯（下），第 2077—2081 頁。

4 《上月反省錄》，《蔣介石日記》（手稿本），1954 年 12 月 31 日。

國務卿饒伯森到台北，勸說蔣介石從金、馬撤軍，蔣聲稱無討論餘地，嚴詞拒絕。自7月起，蔣介石向金門增兵，彈丸般的幾個小島，駐兵居然達到10萬人之多。1956年4月16日，蔣介石致函艾森豪威爾，要求"破滅共禍"，"設法使中國大陸發生混亂不安"，"在適當時機以突擊方式戳穿中國大陸鐵幕"。[1] 5月17日，艾森豪威爾復函蔣介石，"反對採用武力手段解決共產黨控制的中國大陸這一棘手的問題"，認為它將可能使"世界重浴戰火，並一發而不可收拾"。[2] 1957年，匈牙利事件發生，蔣介石受到鼓舞，加緊宣傳"反攻大陸"，也加緊對大陸的騷擾活動。10月4日，美國國家安全委員會則發表聲明，採取一切必要的措施抵禦（中共）對台灣和澎湖列島的武裝攻擊，除非得到總統的批准，不同意中華民國政府對共產黨中國大陸採取進攻性行動。[3]

1958年8月23日下午6時30分，解放軍福建炮兵開始猛烈炮擊金門，兩小時內落彈達四萬餘發，當日落彈總數高達五萬七千餘發。由於正值晚餐時間，突發炮火造成死傷440餘人，國民黨金門防衛司令部副司令趙家驤、章傑當場死亡，另一位副司令吉星文重傷不治。司令胡璉、參謀長劉明奎與在金門視察的台灣當局"國防部"部長俞大維均負傷。第二天，解放軍持續攻擊金門的灘頭陣地、碼頭、機場及炮兵陣地。國民黨軍則針對解放軍炮兵陣地展開反擊。24日，解放軍海軍魚雷艇擊沉國民黨軍租用商船"台生號"，重創"中海號"戰車登陸艦。其後，解放軍的炮火稍有減少。9月7日-18日，再度恢復攻勢。目的在於阻止台灣當局的海、空運補工作，封鎖金門。

自8月23日開始的金門炮戰，斷斷續續，延續至同年10月5日，史稱第二次台海危機。其原因，一是為了打擊和懲罰台灣蔣介石政權。毛澤東在為國防部部長彭德懷所起草的《告台灣同胞書》中說："你們的領導者過去長時期內太倡狂了，命令飛機向大陸亂鑽，遠及雲、貴、川、康、青海，發傳單，丟特務，炸福州，擾江浙，是可忍，孰不可忍？因此，打一些炮，引起你們注意。"又說："我們是要懲罰蔣介石。這個教員哪，我們又要感謝他又要懲罰他，也給

1 《蔣中正致艾森豪》，《蔣經國"總統"文物》，台北"國史館"，005-010205-00037-001。
2 《艾森豪致蔣介石信函》，引自陶文釗主編：《美國對華政策文件集》卷2（下），第522頁。
3 《國家安全委員會關於"美國對台灣和中華民國政府政策"的聲明》，引自陶文釗主編：《美國對華政策文件集》卷2（下），第558—559頁。

他以批評嘛。”“就是用大炮批評他。”[1]二是為了打擊美國，牽制美國。中共領導人擔心美國“劃峽而治”，使台灣和大陸永久分離，製造兩個中國。1958年7月，美國出兵黎巴嫩。為了支持中東人民的反侵略鬥爭，中共中央決定炮擊金門。

8月27日，蔣介石致函艾森豪威爾求援，其主要內容為：建議以美台的聯合軍事力量阻止中共的行動，同意台灣方面立即轟炸金門對面的中共海、空軍或炮兵陣地，駐台美軍司令有權自行做出決定，不必事事請示華盛頓。同日，艾森豪威爾在記者招待會上宣稱，他準備介入台海危機。29日，美國決定對台灣供應金門、馬祖物資的船隻進行護航。9月4日，中華人民共和國政府宣佈，其領海寬度為12海里，美國國務院隨即聲明拒絕承認。同日，杜勒斯在和艾森豪威爾會晤後發表聲明，聲稱美國負有條約義務，保衛台灣不受武裝進攻，國會已有聯合決議授權總統，使用美國的武裝部隊保護金門、馬祖等陣地。9月7日，美艦開始為向金門、馬祖運送物資的國民黨海軍護航。中旬，美國為台灣軍隊配備威力強大的8英寸自行火炮，並將F-100戰鬥機及勝利女神地空導彈營，派駐台灣。同年，為配置在台南空軍基地的屠牛士導彈配置核彈頭。杜勒斯曾提出動用核子武器，為蔣介石拒絕。

9月28日，蔣介石在中外記者招待會上宣稱：金門戰爭若至緊要關頭，台灣決心獨立作戰，絕不因盟邦態度而瞻顧徘徊。[2]9月30日，杜勒斯舉行記者招待會，有記者問及如果大陸發生“叛亂或暴亂”時，其領導者們是否會要求蔣介石回去做“政府的領袖”。杜勒斯答稱：“這是假設性和無法預見的問題。”“進行猜測差不多是不明智的”。在問及金門駐軍問題時，杜勒斯答道，美國以前就認為，將為數眾多的部隊部署在金門、馬祖是相當愚蠢的。如果有了停火，繼續使部隊駐紮在那裏是不明智的，也是不謹慎的。[3]10月1日，蔣介石在高雄對美聯社記者發表談話，反對削減沿海島嶼駐軍，並且針鋒相對地駁斥說：“假定杜勒斯先生真的說了那句話，那亦只是片面的聲明，我國政府並無接受的義

---

1 《毛澤東外交文選》，中央文獻出版社、世界知識出版社1994年版，第357頁。

2 《金門保衛戰的勝利》，引自秦孝儀編：《“總統”蔣公思想言論總集》卷39，台北中國國民黨中央黨史委員會1984年版，第126頁。

3 《在記者招待會上的談話摘錄》，引自《杜勒斯言論選輯》，世界知識出版社1961年版，第447、451頁。

務。”[1] 杜勒斯對前一個問題的回答的含義，蔣介石沒有注意，但是在北京的毛澤東卻注意到了，很快就利用這一話題對蔣介石進行統戰。

中共領導人看出了美蔣之間的矛盾，也看出了蔣介石和美國“鬧點彆扭”，“反對託管”、“反對搞兩個中國”的民族主義立場，還了解美國想“把蔣介石搞掉”的謀劃，因此企圖利用矛盾，爭取蔣介石。[2] 10月6日，毛澤東以國防部長彭德懷的名義發表《告台灣同胞書》，提醒蔣介石和台灣國民黨人：“美國人總有一天肯定要拋棄你們的，你們不信嗎？歷史巨人會要出來做證明的。杜勒斯9月30日的談話，端倪已見。站在你們的地位，能不寒心？”函稱：“歸根結底，美帝國主義是我們的共同敵人”。“我們都是中國人。三十六計，和為上計。”“建議舉行談判，實行和平解決。”函件並稱：“我已命令福建前線，暫以七天為期，停止炮擊，你們可以充分地、自由地輸送供應品，但以沒有美國人護航為條件。如有護航，不在此例。”函件堅決要求美國人撤離台灣，聲稱“美國人總是要走的，不走是不行的，早走於美國有利。”[3]

10月13日，毛澤東在中南海接見蔣經國在贛南時的舊部、記者曹聚仁，對他說：“只要蔣氏父子能抵制美國，我們可以同他合作。”“只要不同美國搞在一起，台、澎、金、馬都可由蔣管，不管多少年。”[4] 此後，曹聚仁即在兩岸間傳遞消息，成為密使。蔣介石在日記中雖稱之為“曹諜”、“曹奸”或“匪諜曹某”，但長期默許其與蔣經國通信。[5] 在此前後，毛澤東還曾委託章士釗給蔣介石寫信，告以中共的“聯蔣抗美”之策，章欣然從命，信中有“溪口花草無恙，奉化之墓廬依然”之句。

10月21日，杜勒斯、饒伯森訪問台北，與蔣介石等人多次會談。22日會談時雙方矛盾嚴重。杜勒斯提出5項要求，蔣介石認為“無形中成為兩個中國之張本”。杜勒斯要蔣方主動聲明，“願為可靠停火之安排”，蔣認為這樣做，

1　《堅守金馬外島的決心》，引自秦孝儀編：《“總統”蔣公思想言論總集》卷39，台北中國國民黨中央黨史委員會1984年版，第133頁。
2　《接見首批特赦戰犯溥儀等11人的談話》，引自周恩來：《周恩來統一戰線文選》，人民出版社1984年版，第397頁。
3　中共中央文獻研究室編：《毛澤東年譜》卷3，中央文獻出版社2013年版，第458—459頁。
4　中共中央文獻研究室編：《毛澤東年譜》卷3，第464頁。
5　《蔣介石日記》（手稿本），1958年11月10日、28日、1959年4月30日。

"無異求和投降"。他心中痛憤，但忍而又忍，未對杜勒斯表露，只稱：此議暫作保留。[1] 23日，氣氛轉變，雙方發表公報。美方承認蔣方是"自由的中國"和"億萬中國人民之希望與意願之真正代表"；蔣方承諾，恢復大陸的主要途徑是實行孫中山先生的三民主義，"不是使用武力"。[2] 艾森豪威爾表示滿意，認為蔣放棄"攻勢性的武力"，"對他與我們均獲其利"。[3] 美國的《華盛頓郵報》立即發表消息，認為這是杜勒斯訪問台灣的"重要收穫"。[4] 但是，蔣介石則認為葉公超在修改《公報》時，將初稿"非憑藉武力"一語中的"憑藉"一詞改為"使用"，極為不悅，指責其是一種"欺主"行為，懷疑他別有用心，"無異賣國"。[5]

10月26日，毛澤東以國防部長彭德懷的名義發表《再告台灣同胞書》，進一步指出，美國的陰謀是："第一步，孤立台灣；第二步，託管台灣。如不遂意，最毒辣的手段，都可以拿出來。"他勸台灣的國民黨人"當心一點兒"，"不要過於依人籬下，讓人家把一切權柄都拿了去"。文件稱：逢雙日不打炮，金門等島的糧食、蔬菜、食油、燃料和軍事裝備，"如有不足，只要你們開口，我們可以供應。化敵為友，此其時矣"。函件又說："世界上只有一個中國，沒有兩個中國。這一點我們是一致的。美國人強迫製造兩個中國的伎倆，全中國人民，包括你們和海外僑胞，是絕對不容許其實現的。"函件最後說："我們只是希望你們不要屈服於美國人的壓力，隨人俯仰，最後走到存身無地，被人丟到大海裏去。"[6]

當時，正值蘇共二十大之後，艾森豪威爾決定緩和與蘇聯的關係。1959年，艾森豪威爾宣佈和赫魯曉夫之間實行兩國元首互訪，這使蔣介石對艾森豪威爾由失望發展為絕望。其8月8日日記云：

> 去年春季，對愛克之政治行為已由希望而失望，至今日愛克發表其與"黑里雪夫"互訪之公報以後，乃由失望而絕望矣！何其愚拙至此，此為最無骨格之所為也。

---

1 《蔣介石日記》（手稿本），1958年10月22日。

2 台北《中央日報》，1958年10月24日。

3 Dwight D. Eisenhower, *The white House years: Waging Peare, 1956-1961*, N.Y., Doubleday, 1965. pp. 303-304.

4 《央秘參（47）第1722號》，台北"中央研究院"近代史所檔案館藏，11-NAA-02719。

5 《蔣介石日記》（手稿本），1958年10月23日、24日。

6 中共中央文獻研究室編：《毛澤東年譜》卷3，第476—478頁。

中共的既定方針是反對美國侵略台灣。1960 年 6 月 18 日，艾森豪威爾訪問台北。中共中央軍委決定，在艾森豪威爾到達的 17 日，和離台的 19 日，第三次炮擊金門。17 日，福建前線司令部發表《告台澎金馬軍民同胞書》，宣稱："來者不善，善者不來。""美國人在你們那裏策動'台灣自治'，製造反對派，已經使你們傷透腦筋。事到緊急關頭，美國人不會對他的走狗講什麼義氣。"函件號召"一切有愛國心的中國人，都應當團結起來，同美國侵略者堅決鬥爭"。函件稱："為了表示偉大的中國人民對艾森豪威爾的蔑視和鄙視，我們決定：按照單日打炮的慣例，在 6 月 17 日艾森豪威爾到達台灣的前夕和 6 月 19 日艾森豪威爾離開台灣的時候，在金門前線舉行反美武裝示威，打炮'迎送'。"17、19 兩日，共發炮 17 萬顆。

1958 年，大陸人民公社化運動興起，蔣介石制訂以"解散公社，恢復家庭"為口號的"特種傘兵"作戰計劃，但美國政府始終不完全同意。此後，蔣介石將之修改為"天馬計劃"（海龍計劃）。艾森豪威爾訪台回美之後，迅速批准該項計劃，並且決定撥發 C-130B 遠程運輸機一架。蔣介石稱："此為數年來對我反攻計劃第一次態度之表示。"[1]

八、蔣介石急不可耐策劃反攻，美國暴露推動"兩個中國"的用心

就在蔣介石對艾森豪威爾感到絕望之後不久，民主黨人肯尼迪於 1961 年 1 月 20 日就任美國第 35 任總統。蔣介石認為肯尼迪"反共思想"堅定，有理想，有抱負，有作為，能夠控制民主黨議會，比艾森豪威爾和尼克松都強，因此，蔣介石希望能解除艾森豪威爾加在自己身上的繩索，對反攻計劃採取更為積極的態度。[2]

當時，中國大陸正處於嚴重經濟困難時期，糧食匱缺，口糧不足，許多地區普遍出現饑饉狀態，蔣介石幻想利用這一時機，"號召饑民團結一致，反共

1 《本月反省錄》，《蔣介石日記》（手稿本），1960 年 8 月 31 日。
2 《蔣介石日記》（手稿本），1961 年 1 月 10 日。

自救”。其反攻的方法和途徑有三：一是空投傘兵，蔣介石決定於當年 4-5 月開始實施“天馬計劃”；二是利用退入緬甸和老撾的國民黨軍李彌殘部，在緬北江拉和寮北孟信進行“反攻”，蔣介石稱之為“陸上反攻第一基地”；三是在華南地區掀起“反共抗暴”運動，同時登陸反攻。1961 年 4 月 1 日，蔣介石在台北縣三峽地區秘密成立“國光作業室”，以陸軍中將朱元琮為主任，擬訂反攻大陸計劃。第一階段計劃突襲廈門，第二階段在中國大陸擇地建立一處長期根據地。該作業室在 11 年時間內共制定了 26 種作戰計劃，如敵前登陸計劃、敵前襲擊計劃、敵後特戰計劃、應援作戰計劃、乘勢反攻計劃等。[1] 其他如“雙十計劃”（由韓國空投魯東）、“辛丑計劃”（閩浙與近海地區機場和港口的近程空投作戰）等，名目各異，騷擾、搗亂的目的則一。

美蔣之間的《共同防禦條約》及其附件對台灣當局的反攻行為有所限制，蔣介石一面考慮將其修訂，或者主動取消該條約，“不再受美控制”；一面研究如何向美國說明“反攻不能再延”的理由、採取軍事行動的時間，以及美國不同意時的對策。1961 年 2 月，蔣介石草擬致肯尼迪函，企圖向美國說明台灣的反攻政策。他幻想，在 12 年奮鬥之後，就可以“光復大陸”。但是，蔣介石很快就失望了。

2 月 7 日，美國駐台“大使”莊萊德（Everett F. Drumright）會見蔣介石，傳達美國國務院的電令和 7 項嚴重警告，要求蔣介石撤退在緬甸和老撾的遊擊隊，嚴厲聲稱非照辦不可。其後，緬甸擬向聯合國控訴台灣當局侵犯緬甸領土。2 月 25 日，蔣介石召集陳誠、張群、蔣經國等商量，決定將這些部隊撤回台灣。[2] 3 月 3 日，蔣介石日記云：“吾人唯有急起自立自救，以解救我大陸同胞之奴役與死亡之一途，不能復存國際同情援助之希望矣！”他決定實施新近制定的“辛丑計劃”，一面發動，一面報告肯尼迪。其日記云：“決心乃為乾坤一擲，決存亡，賭死生，無論以理以勢，志在必行，至於成敗利鈍，唯聽之天命而已。”[3]

---

1 DVD，《國光殘夢》，台北公共電視文化事業基金會發行。

2 《蔣介石日記》（手稿本），1961 年 2 月 25 日。

3 《本星期預定工作課目》，《蔣介石日記》（手稿本），1961 年 3 月 3 日。

3月20日，台灣當局“駐美大使”葉公超回台述職，向蔣介石彙報和美國國務卿魯斯克談話情況。蔣日記記載稱：

> 先要求我在聯合國演成兩個中國，然後再演台灣獨立國際化，而其明言我政府只能成為台灣地區之政權，放棄大陸之主權，為我保存聯合國席次之條件。可痛可恥，無以復加。

魯斯克與葉公超談話的最後一句是：“中國不能盼美國政策亦建立於貴國政府重返大陸或代表大陸理論之上。”

魯斯克和葉公超的談話暴露了美國政府“兩個中國”政策及其進行策略。21日，蔣介石決定對美答復：“中國不願強美國之所難，而亦不願人之強我所難，唯有各自為謀。”22日日記稱：“今美國政策既已根本改變，則中國更無對此稍加留戀矣！”這裏的“此”，指的就是聯合國。這說明，蔣介石已經決定退出聯合國。26日，陳誠與葉公超、張群、王世杰等多人討論，“外交部長”沈昌煥稱：若接受美方“兩個中國”安排，台灣問題國際化、“台灣共和國”等論調將紛至而來。陳誠當即表示，堅決反對。同日，蔣介石日記稱：“寧為玉碎，漢賊不兩立，為立國傳統之精神。”他決定通告美國，“中共席次通過之日，即我政府退出之日”。[1]隨後，他以三日時間草擬致肯尼迪函，對美國政府提出警告。其31日日記云：“本月在國際上對我最侮辱而應特記者：美國務卿強迫我接受兩個中國之卑污不可告人之政策，力加反擊。”

蔣介石的這封“力加反擊”的信於4月1日發出。[2]肯尼迪政府接到蔣函後，力圖加以安撫、彌縫。4月17日，肯尼迪致函蔣介石，保證“忠實遵守”美蔣《共同防禦條約》下所做“各項承諾”，聲稱“吾人在聯合國之主要目標之一，為維持中華民國在該組織之會員國地位”。函件教訓蔣介石稱：“自由世界對付共產主義挑戰之最佳辦法，厥為加強其民主制度，使其更能順應世界人民之期望。”[3]5月8日，肯尼迪再次致函，聲稱台灣當局“在美國運用經濟援助

1 《蔣介石日記》，1961年3月26日。
2 此函未留稿，台灣“外交部”的檔案目錄上寫明“缺”字。台北“中央研究院”近代史所檔案館藏，805/0137。
3 《美國肯尼迪總統本年4月17日致總統函》，台北“中央研究院”近代史所檔案館藏，805/0134。

的合作計劃中，應能獲得特別的關注”。[1] 同月 14 日，肯尼迪派其副總統約翰遜（Lyndon B. Johnson，或譯詹森）訪問台北，與蔣介石三次會談，力圖消弭蔣介石已經產生的對美國“兩個中國”政策的疑竇，但是對蔣所提“援助大陸人民反共革命”等問題，則避而不答。[2] 約翰遜所擬會談公報中原有“中華民國政府為中國唯一合法政府”一句，美國國務院反對，因而刪去。[3]

肯尼迪政府了解到蔣介石急於反攻大陸的情況，於 1962 年 2 月 23 日派國防部副助理部長彭岱（William Bundy）到台北，與蔣介石會晤。蔣介石做了精心準備，希望對彭岱有所影響，同時要求美國提供 C-130 運輸機三架。自同年 3 月起，美國陸續派出遠東助理國務卿哈里曼、副助理國務卿麥肯以及克萊恩等多人來台，勸止或力圖推遲蔣介石的冒險計劃。6 月 23 日，美國代表在華沙會談中正式通知中方，美國不同意台灣當局“反攻大陸”。9 月 6 日，美國駐台灣“大使”柯爾克（Alan G. Kirk）會見蔣介石，聲稱“美國之行動必須以和平與防禦為目標”，根據《共同防禦條約》，“任何一方未得其他一方同意，不得採取行動”。當時，台灣當局要求美國政府提供轟炸機與登陸艇，肯尼迪認為“此項裝備顯具攻擊性質，目前尚不宜提供”。蔣介石稱：“政府已徵收國防特別捐。”“如遇相當時期仍無行動，則人民對政府將失去信心。”他指責美國政府一面在日內瓦與華沙向中共代表表示友好，一面約束台灣不採取軍事行動，“令人有美國敵我不分的印象”。[4] 當日談話不歡而散。蔣介石在日記中稱此次談話為馬歇爾“侮辱中國以來，所未曾受過之外交使節對我最不友義之言辭”，決心甩開美國，“獨立反攻”。[5] 1963 年 5 月 22 日，肯尼迪在記者招待會上明確宣佈，台灣當局“反攻大陸”必須先與美國協商。凡此種種，加之肯尼迪將配置核彈頭的屠牛士導彈自台灣撤出，均使蔣介石對肯尼迪的對台政策嚴重不滿，稱之為“美國凍結中華民國於台灣之政策”。[6]

---

1 《肯尼迪致蔣中正函》，《蔣經國“總統”文物》，台北“國史館”，005-010205-00043-003。
2 《蔣介石日記》（手稿本），1961 年 5 月 16 日。
3 《上星期反省錄》，《蔣介石日記》（手稿本），1961 年 5 月 20 日。
4 《總統接見柯爾克談話記錄》（核定本，1962 年 9 月 6 日），台北“中央研究院”近代史所檔案館，805/0137。
5 《蔣介石日記》1962 年 9 月 6 日、7 日。
6 《總統接見美國國務卿羅吉斯談話記錄》（1969 年 8 月 3 日），台北“中央研究院”近代史所檔案館，412.4/0103。

1965 年 6 月，蔣介石決定開始行動。同月 17 日，在鳳山陸軍軍官學校召開幹部會議，與會 735 人，有類誓師。[1] 8 月 6 日，台灣海軍劍門、章江兩艘軍艦在東山島外被解放軍擊沉，死官兵 200 人。11 月 14 日，山海、臨淮兩艦又在與解放軍快艇作戰時受到重創。蔣介石這才認識到雙方軍力的巨大差距，逐漸收斂起反攻大陸的夢想。

九、外蒙古加入聯合國，蔣介石逼肯尼迪交換條件

當時，美國政府正在莫斯科與蒙古人民共和國的代表舉行建交談判，蔣介石認為這是美國"有意侮辱我政府"，命令"外交部"部長沈昌煥正式加以斥責。[2] 6 月 9 日，蔣介石起草致約翰遜函，沈昌煥等人認為"過於激烈"，於是，再由另人修改，並由蔣介石於 11 日親自改定。函件批評美國此舉是"原則上之重要撤退"，"終必在中美關係上投下可怖之陰影"。他將此事和美國推行"兩個中國"政策聯繫，認為這樣做，就是強使中國人民"出賣其國家之靈魂"，"其結果必將加速亞洲之全面赤化"。他要求美國政府"對此事予以審慎之考慮，免再造成不可補救之錯誤"。[3]

6 月 13 日，蔣介石得知美國邀請蔣經國赴美訪問。此際，美國政府批准台獨頭領廖文毅入境，事前未打招呼，事後才通知台灣駐美"使館"，蔣介石認為此事嚴重，必定出於美方的策劃與支持，決定就此事責備美國政府：第一，"不守信約，不尊我主權，不平等待我，視我為殖民地政府之不如"。第二，"盟國間不相為謀，採取片面行動，責我單獨片面守約，拘束我一切自由"，是"喪失盟誼的最不平等的行動"。20 日，蔣介石向莊萊德"大使"提出"嚴重警告"：首談廖事，次談與美國與外蒙古建交，認為美國"業已完全違反""一再提出支持我政府之保證"。第三，談聯合國代表權問題。蔣介石表示："屆時我如被逼，不得不退出聯合國，須知此乃美國'兩個中國'政策所造成，其責任全在

1 呂芳上總纂：《中華民國近六十年發展史》（上），台北"國史館"2012 年版，第 51 頁。
2 《蔣介石日記》（手稿本），1961 年 6 月 9 日。
3 蔣介石親筆修改本《總統復美國詹森副總統》，原《外交部檔案》，台北"中央研究院"近代史所檔案館，805/0134。

美國。”他嚴厲譴責說：“此不但違反信義，且係對我政府與人民之重大侮辱。”隨即藉口國際所傳，向莊萊德點明美國對華政策的三步：兩個中國、承認中共、台灣獨立。他認為廖文毅等三案均可作為事實證明，“均涉及中國基本問題，我政府決不能再有遷就忍讓之餘地”。[1]

蔣介石與莊萊德的談話空前嚴重，美國國務院立即召莊萊德回美述職。30日，蔣介石召集陳誠、張群、沈昌煥等人研究，決定婉謝蔣經國赴美之邀。肯尼迪感到事態嚴重，於7月14日邀請蔣介石“光臨面晤”，或本人“趨赴台北”。[2] 蔣介石不願意聽肯尼迪指揮，辭以“國務羈身”，派陳誠赴美。[3] 7月29日，陳誠飛美，與肯尼迪、魯斯克等會談。當時，非洲十餘個法語國家將蒙古入聯一案與台灣當局的投票情況掛鉤，魯斯克因此建議台灣當局採取“現實態度”，以免喪失非洲國家的支持，導致中共進入聯合國。8月15日，肯尼迪致函蔣介石，要求蔣重視“冷酷之事實”，在表決外蒙古加入聯合國時不使用否決權，美國則無限期地擱置與外蒙古的建交談判。[4] 8月26日，蔣介石復函肯尼迪，認為不應擔心非洲法語國家遷怒報復，使東亞反共國家失去對美國領導的信心，仍然堅持反對蒙古加入聯合國。9月7日，肯尼迪復函蔣介石，表示“甚感失望”，聲稱“吾人必須保留自由”。[5] 其間，葉公超在美聲稱，如不按照美國意見，否決外蒙古加入聯合國，美援將停止，蔣介石不為所動，命令台灣當局出席第16屆聯合國大會的沈昌煥、蔣廷黻，決策不變。他在復肯尼迪函中稱：

> 我國自第二次世界大戰以來，歷經強權政治之摧殘，其勢微弱，至今已極，不甘再忍受任何之重壓與剝削。

蔣介石對所寫這一段很滿意，自誇為“弱中見強”。[6]

不僅葉公超一人，張群、王雲五等也不贊成蔣介石的意見。10月初，蔣介石決定，在蒙古加入聯合國問題上，台灣可以不使用否決權，但美國必須在討

---

1 《蔣中正接見莊萊德談話記錄》，《蔣經國“總統”文物》，台北“國史館”，005-010205-00085-003。
2 《美國肯尼迪總統致總統函》，原《外交部檔案》，台北“中央研究院”近代史所檔案館，805/0127。
3 《總統致肯尼迪總統函》，台北“中央研究院”近代史所檔案館，805/0134。
4 《陳誠訪美專輯》，“陳誠副總統文物”，台北“國史館”，008-010109-00008-009。
5 《蔣介石日記》（手稿本），1961年9月7日。
6 《上星期反省錄》，《蔣介石日記》（手稿本），1961年9月16日。

論中共加入聯合國時，使用否決權，同時聲明，如中共加入，美國即退出聯合國。同月 6 日，蔣介石接見美國駐台“大使”莊萊德，聲稱“我如任令外蒙[1]入聯，全國軍民必認為我政府喪權辱國，將人民土地拱手讓人”，“除非美國肯尼迪總統提出具體保證，始可向全國軍民解釋並加說服”。10 月 12 日，蔣介石再次命令蔣經國，通過美國中央情報局在台主官克萊恩（Ray Steiner Cline），將有關要求報告肯尼迪。10 月 17 日，莊萊德奉肯尼迪之命，向蔣介石傳達一項“口頭且不公開之保證”：“在任何時間，如為阻止中共進入聯合國，而也有必要並能有效使用否決時，美國將使用該項否決。”[2] 10 月 19 日，肯尼迪經由白宮秘書發表聲明：“美國一貫認為中華民國政府是中國的合法代表，並一直對中華民國政府在聯合國的地位及一切權利全面支持。因此，美國政府堅決反對中共進入聯合國或聯合國的任何機構。”[3] 這樣，蔣介石的基本要求得到滿足。1961 年 10 月 26 日，聯合國大會討論蒙古入會，台灣當局代表聲明其為“俄共附庸”，“無獨立資格”，不參加表決。美國棄權。結果，安理會以 9 票對 0 票，通過接納蒙古加入聯合國。

十、約翰遜否定進攻北越接濟線的“巨光計劃”，蔣介石拒絕參加越戰

越南原是法國殖民地，“二戰”期間被日本佔領。“二戰”結束前後，胡志明領導的越南共產黨在北方的河內建立越南民主共和國，法國支持越南末代保大皇帝在南方西貢建國。1954 年，在中國的軍事援助下，北越在奠邊府戰役中贏得對法國國防軍的勝利，法國撤出越南。根據當年日內瓦會議的決議，以北緯 17 度線為分界，分為北越和南越。1955 年，吳庭豔在西貢發動政變，建立越南共和國。1959 年，越共中央決定武力統一全越，派遣大量軍事人員前往南越，支持反對吳庭豔的各派建立南方民族解放陣線，力量日益發展。美國已經

1 此處應為“外蒙古”，“外蒙”為引用《蔣介石日記》原文，後同。

2 《莊萊德大使致總統函譯文》，台北“中央研究院”近代史所檔案館藏，11-SCE-00394。

3 合眾國際社華府電，台北《中央日報》，1961 年 10 月 20 日第 1 版。

失去中國大陸，不願再失去南越。自1961年至1964年。肯尼迪政府出錢、出槍、派顧問，發動“特種戰爭”，以“游擊戰”將農村居民趕進“戰略村”。1963年，南越政權內訌加深，美國策劃軍事政變，推翻吳庭豔，楊文明、阮慶等軍人相繼執政。1963年11月12曰，肯尼迪遇刺身亡，約翰遜繼任。

約翰遜繼任總統後，國務卿魯斯克於1964年4月16日訪問台灣。一天之內，三次會談。魯斯克對蔣介石表示“現在中共仍保持強大軍力，中華民國難以單獨反攻”，“蘇俄將會考慮干預，因此可能牽涉到使用原子武器問題”。蔣介石當即表示：“本人根本不贊成原子戰爭，尤其反對用原子戰爭來解決中國問題。”魯斯克透露，美國不會從越南撤退，將“考慮採取其他步驟”，“可能傷害華南部分”，“使華南脫離中共而獨立”。蔣介石反對魯斯克的意見，聲稱“如美國採用轟炸華南的辦法，則中國人民遭殃”，“只有美國協助我們政府，支援我在大陸上現存反共之力量”。他建議，“向大陸空投遊擊隊”，“發動西南各省人民反共革命運動”，“截斷中共接濟越、寮、高（棉）、緬各共之路線”。蔣介石的這些想法，實際上是他正在制訂的“巨光”計劃。他並建議，在台灣當局、南越、韓國三個反共“國家”間“締結軍事互助協定”。談話中，魯斯克也透露了美國面臨的困難：“第二次大戰結束以來，美國傷亡約16萬人，大部分係在遠東而犧牲。如果還需要大量陸軍對北越或大陸作戰，美政府無法再要求美國人民做此重大犧牲，而美國人民亦不會支持此項政策。”[1] 1964年11月，約翰遜當選為美國第三十六任總統。他繼承肯尼迪的政策，將原來在越南的“特種戰爭”升級為“局部戰爭”，並對越南北方進行轟炸、襲擊。1965年3月，約翰遜直接派美國軍隊入越參戰。對約翰遜此舉，蔣介石讚美其“仗義救弱”，是“美國總統中傑出罕有之人物”。[2] 當時，蔣介石正期望約翰遜支持他在中國西南五省的“反攻”計劃——巨光計劃。該計劃發端於設在新店碧潭的“巨光計劃室”，由台灣當局與美國政府共同研究，初稿完成於1963年12月。它最初本是一項“假想”作業，目的在截斷自中國通往越南的後方接濟線，蔣介石

---

1 《總統與魯斯克國務卿談話記錄》（1964年4月16日下午4時至6時），台北“中央研究院”近代史所檔案館藏，805/0146。

2 《蔣介石日記》（手稿本），1966年1月29日。

認為這將配合美國解決越戰，雖不言“反攻”，卻是“有益之事”，“足資參考”[1]，於是，向美國政府提出付之實施。1966 年 1 月 24 日，美國駐台“代辦”恒安石（Arthur W Hummel）通知蔣經國，正式拒絕。[2]

約翰遜政府為了進攻越南南方民族解放陣線，要求有關反共國家出兵助戰。韓國自 1965 年起，向南越派遣青龍、白虎、猛虎等部隊。1966 年 2 月下旬，美國方面意欲台灣當局也派兵參加。蔣介石堅決反對。他想，如多派部隊，則將減弱台灣防務，分散將來反攻大陸時的作戰兵力，如派一師以下兵力，則不能發生作用，易於被消滅，因此“寧可美援斷絕，亦所不為”。[3] 3 月 1 日，蔣介石致函約翰遜，肯定他在越戰中不再“徘徊於和戰之間”，“採取徹底堅決之政策”。[4] 4 月 4 日，約翰遜復函蔣介石，保證“美國對越南之政策堅定”，但同時表示：“將繼續尋求導致光榮解決之各種途徑”。[5] 所謂“各種途徑”，包括和平談判在內。

為了說服台灣當局派軍隊入越，美國特派與蔣經國熟悉的克萊恩以“私人觀察”名義再到台灣。蔣介石則通過蔣經國婉拒克萊恩，要求克萊恩轉告美國政府：台灣派兵赴越參戰，對越南和美國有損無益。當時，美國社會中支持中國加入聯合國的力量日益發展，傅爾布萊特在參議院中召開聽證會，討論越戰與對華政策，有 180 名學界人士提出對中國“圍堵而不孤立”的新政策，呼籲允許中華人民共和國參加聯合國。蔣介石擔心“兩個中國”問題再度出現，特別向美國強調“台灣與大陸不可分離之民族性，決非任何人為與武力所能抵抗與強制”[6]。蔣介石父子想不通的是，美國為何熱衷支持南越，卻不肯支持台灣“反攻大陸”，既不肯提供遠程轟炸機，也不肯提供飛彈，置台灣的防空與防襲計劃於不顧。他決心“自強自立，不忘今日之侮辱”。[7] 7 月魯斯克到台北，蔣介石再次表示無意直接參加越戰。[8] 由於蔣介石一再拒絕參加越戰，同年 9 月，美

1 《蔣介石日記》（手稿本），1963 年 11 月 7 日，1965 年 3 月 5 日、11 月 1 日。
2 《本月反省錄》，《蔣介石日記》（手稿本），1966 年 2 月 26 日。
3 《蔣介石日記》（手稿本），1963 年 2 月 24 日、26 日。
4 《蔣中正致詹森函》，《蔣經國“總統”文物》，台北“國史館”，005-010205-00045-012。
5 《詹森致蔣中正函》，《蔣經國“總統”文物》，台北“國史館”，005-010205-00045-013。
6 《蔣介石日記》（手稿本），1966 年 4 月 2 日、3 日。
7 《蔣介石日記》（手稿本），1966 年 4 月 6 日。
8 《蔣介石日記》（手稿本），1967 年 1 月 16 日。

國宣佈召開馬尼拉七國元首會議，澳大利亞、新西蘭等相關國家都被邀參加，但台灣當局與日本被排斥在外。蔣介石此前曾派“政工團”和情報、通信人員赴越，並且以運輸機與登陸艇支援南越軍方，自認是越戰的關係國，因此，對被排斥參加馬尼拉會議極為不滿，在日記中指斥美國政府“使我在東亞孤立，以對共匪表示獻媚”。其日記稱：“此一污辱，乃為詹森之愚昧無知，孤意妄行，不僅將中美百年來之友誼與歷史毀棄之裂痕永難補救，而其欺善怕惡、媚共賣華之劣性乃完全暴露，而使我乃徹底覺悟美國之淺薄醜陋、不道無義之帝國主義者，絕不可再與切交也。”[1] 他回顧“二戰”以來的歷史，恨恨地寫道：“昔為其出賣，近被其侮辱，至此尚能望其為自由世界之領袖乎？”[2] 10月6日，約翰遜宣佈，將參加馬尼拉會議，訪問東南亞各國，但不訪問台灣，並稱已獲“充分諒解”，蔣介石認為是“有意侮辱，欲蓋彌彰”。[3] 11月2日，蔣介石指示蔣經國在會見美國助理國務卿彭岱時，“不可再提‘反攻大陸’及軍援問題”，“復國之道只在求己”，“切勿有美援助之希望”。他認為，中共與美國之間及中共與蘇聯之間必有一戰，“只要我能自固基地，日信又新，不但無求於人之處，而且人必有求我之一日”。這一週，蔣介石80歲初度，他稱之為遭受約翰遜“有意冷落與遺棄紀念的一日”。[4]

蔣介石認為：台灣當局在聯合國形同傀儡，只做美國工具，且受美國壓迫，而且每年須撥付大量會費，美國竟操縱加拿大提出“兩個中國”案，要求安理會席次改由中共接替，是可忍，孰不可忍？因此，決心退出聯合國。11月10日，蔣介石與嚴家淦、張群、黃少谷、魏道明等人討論，認為留在聯合國對台灣無一利，而退出聯合國則對美國有百害。美國既“以我為可欺，不惜使用其最卑劣之圈套，套入其陷阱。今亦已十分明白，美再無助我復國之事，既經絕望”，“則我何必再有所依戀於聯合國”。[5] 11月14日，台灣當局“外交部”部長魏道明赴紐約參加聯合國大會，蔣介石指示他不和美國談軍事與越戰有關

1 《本月反省錄》，《蔣介石日記》（手稿本），1966年9月30日。
2 《上星期反省錄》，《蔣介石日記》（手稿本），1966年10月29日。
3 《上星期反省錄》，《蔣介石日記》（手稿本），1966年10月15日。
4 《上星期反省錄》，《蔣介石日記》（手稿本），1966年11月5日。
5 《蔣介石日記》（手稿本），1966年11月10日、11日。

問題，切勿受美國各種威脅及其重大壓力而動搖。當時，意大利在聯合國提議組織中國代表權問題特種委員會，研究北京和台北誰代表中國。美國代表首先贊成前者，蔣介石認為這是“中美有史以來達到惡劣之冰點”，“其凍結我政府在台灣為其奴隸”，放任中共，“遺患亞洲之卑劣政策，至此已暴露無遺”。[1] 蔣介石指示魏道明“不惜任何犧牲，以阻止此案之成立”。[2] 11 月 16 日，蔣介石主持國民黨九屆 252 次中央常會，要求“行政院”轉知魏道明，在討論意大利提案時，“絕對不可有所謂研究‘兩個中國’之字樣，以保持我國家之尊嚴與民族之人格”。[3] 11 月 29 日晚，聯合國大會討論中國代表權問題，蔣介石指示“以退席而不退出聯合國之方針為基點”。[4] 11 月 30 日，投票揭曉：意大利提案以 36 票對 62 票被否決，聯合國將不討論誰代表中國，其他兩個有關中國代表權問題，也均有利於台灣當局。這一結果完全出乎蔣介石的意料。蔣介石不解的是，反對意大利提案的竟有蘇聯為首的“共產集團及其附庸”的 40 票。

由於美國政府長期限制台灣當局反攻大陸，蔣介石對美國政府怨憤日增。1968 年前後，蘇聯共產黨和中共交惡，蘇共少壯派謝里賓（Shilipen）等部分人士主張聯合國民黨台灣當局，共同進攻中國。雙方在台北、墨西哥、維也納等地多次會商。蔣介石也因此考慮改變“外交”政策，從聯美改為聯蘇。其 1968 年 9 月 8 日日記云：“我反攻復國政策，亦只有利用俄共此一轉機，方能開闢此一反攻復國之門徑，否則如專賴美國，只有凍結我在台灣，為其家犬，決無光復大陸之望。”“家犬”或“門犬”，這是蔣介石對台灣當局在美國人心目中的地位的感受。10 月 20 日日記再云：“唯有自今開始，對美絕望，決另起爐灶，以圖自救與自立。”不過，蔣介石擔心蘇聯乘機侵華，不願意成為明清之際的吳三桂和洪承疇，談判中斷。蔣介石對蘇聯不放心，也不敢得罪美國，希望“美俄言好”，共同幫助他反攻。[5] 這種情況，自然永遠不會出現。有關情況，筆者在《蔣介石聯合蘇聯，謀劃“反攻大陸”始末》有詳細論述。

---

1 《全年反省錄》，《蔣介石日記》（手稿本），1966 年 12 月 31 日。
2 《蔣介石日記》（手稿本），1966 年 11 月 19 日。
3 《中國國民黨第九屆中央委員會常務委員會第 252 次會議記錄》，台北中國國民黨黨史館，9.3/252。
4 《蔣介石日記》（手稿本），1966 年 11 月 29 日。
5 《全年反省錄》，《蔣介石日記》（手稿本），1970 年 12 月 31 日。

十一、尼克松打開中美關係，蔣介石退出聯合國

約翰遜政府的戰爭政策受到美國人民的強烈反對。為了擺脫困境，1968年3月，約翰遜政府被迫部分停止對北越的轟炸。5月14日，越、美巴黎談判開始。1968年8月9日，共和黨人尼克松當選美國第37任總統。11月，美國宣佈完全停止對越南北方的轟炸。尼克松計劃迅速改變美國的亞洲政策，主張"用越南人打越南人"，宣佈從南越逐步撤出美國部隊。1969年1月，美國、北越、南方民族解放陣線及西貢阮文紹政權舉行四方會談。同時，美國也在積極籌劃，大步改變對華政策。

尼克松原是美國政界的著名反共代表，曾大力鼓吹遏制中國。60年代中後期，逐漸發生變化。1967年4月，尼克松訪問台北，對蔣介石說，約翰遜在越戰之外，決不願再在亞洲開闢第二戰場。蔣問："如果國軍在美國大選以前主動反攻，美國態度如何？"尼答："必將反對。""即使中國不要美國後勤支援，美國擔心受到牽累，仍會反對。"[1] 尼克松當選總統後，變化繼續。1969年1月，尼克松發表就職演說，聲稱"我們正進入一個談判的時代"，"我們不能使每一個人成為我們的朋友，但我們能夠使得每一個人不是我們的敵人"，"對於那些願意加入我們行列的國家，我們歡迎做和平的競爭"。[2] 同年3月，尼克松訪問法國，向戴高樂坦承，正在尋求與中共建立較好的關係。戴高樂即命人將這一消息傳遞給周恩來。[3] 這一時期，中蘇關係急劇惡化，發生珍寶島戰鬥，中美之間逐漸形成共同的戰略利益，尼克松和他的國家安全事務助理基辛格力謀和中國接觸、對話。同年11月左右，中共中央決定調整對美關係，中美關係即將出現一個新的局面。

在競選過程中，台灣當局曾起了助選作用。[4] 蔣介石認為"此為較勝人意之事"，將為台灣"反攻大陸""除去其障礙"[5]。但是，蔣介石很快發現，尼克松並

---

1 《上星期反省錄》，《蔣介石日記》（手稿本），1967年4月15日。
2 《人民日報》，1969年1月28日。
3 Frank Van der Linden, Nixon's Quest for Peace, New York 1972. p.140.
4 《蔣介石日記》（手稿本），1968年11月16日："與令傑談。""吾人此次助尼當選，只為友誼，而非別有所求也。"
5 《蔣介石日記》（手稿本），1968年11月7日。

不如其所望。

11 月 13 日，蔣介石從在美國的孔令傑處得悉尼克松與即將卸任的總統約翰遜的談話，尼稱：“現在約翰遜政府對越南和談之政策，亦可代表其將來政府之政策。”蔣介石極為憤怒，在日記中大罵：“美國誠為帝國主義之不如矣，尚可信乎？美國政客毫無人格，絕不可靠之小人也。”次日，蔣介石警告孔令侃與孔令傑兩兄弟，防止美國民主黨左派“設法報復”，對尼克松“切勿太親熱”。11 月 15 日，尼克松要求蔣介石向越南政府轉達參加巴黎越美四方會談的條件，蔣婉言推託。

尼克松上台後，決定解決拖延已久的與蒙古建交問題，蔣介石自稱：“此為我所夢想不到之事，所謂國際友好乃如此也。”5 月 10 日，蔣介石召見美國駐台“大使”馬康衛（Walter McConaughy），做“絕對反對之抗議”與“最後忠告”，提出四點：“甲、（外蒙事）關係我國興亡，尤其目前，利害關係最大；乙、如尼尚有不遺棄我政府之意念，則不可與我國命脈做最後之一割；丙、對美有百害而無一利，不可為討俄共一時歡心而貽害亞洲，與美百年無窮之禍害；丁、如其決心不再與‘我國’做朋友，則我當無復他言矣。”[1] 此事，尼克松未與台灣當局商量，僅以“外交方式”通知，這也使蔣介石大為不滿，日記云：“美國政客既無道德，又無信義至此，誠所謂忘恩負義、小人得志之流。”其結論是：“美國為絕不可靠之國家，及其政府卑劣自私之所為如此，國家其能久乎！”

7 月 4 日，台灣海軍突襲閩江口的解放軍炮艇與運輸船三艘，美國駐台“大使”立即向台灣當局提出質問，蔣介石很反感，稱之為“大放〔肆〕叫嚷與恐怖”。[2]

基辛格為緩和與中華人民共和國政府的關係，於 10 月 10 日會見巴基斯坦空軍元帥謝爾，希望葉海亞總統能向中國政府傳達：美國將停止兩艘驅逐艦在台灣海峽的例行巡邏活動。其後，美國政府即通知台灣當局，將這兩艘軍艦從經常巡邏改為間歇性巡邏。11 月 11 日，蔣介石召見蔣經國等，表示不能同

---

1 《蔣介石日記》（手稿本），1969 年 5 月 9 日。
2 《蔣介石日記》（手稿本），1969 年 7 月 5 日、26 日。

意。14 日，蔣經國向蔣介石報告，"美國最高階層已經決策，將如期在 11 月 15 日實施，不能變更，並無須與我國商討"。蔣介石決定，直電尼克松，要求其首先取消停止巡邏命令，再商妥善替代辦法。周書楷電復稱，尼克松決定展期至 11 月 20 日為止。

7 月 21 日，蔣介石得悉美國國務卿羅傑斯（William P. Rogers，或譯羅吉斯）將訪問台北，開始設計談話內容，準備提問："（美國）對台灣政策是否決定放棄，否則為何必須我放棄金、馬？" 24 日，蔣介石覺得，與美國官員談話無異對牛彈琴，因此只準備提出兩個問題："你們斷定大陸人民絕無推倒中共可能，台灣亦無收復大陸希望，是否'認為中華民國總將一筆勾銷'？如果我們反攻大陸之幻想能於三年內開始實施，則對你美國政府之內政影響有利還是有害？"[1]

7 月 25 日，尼克松在關島發表談話，宣稱美國將採取新的亞洲政策，這時，蔣介石已經發現尼克松對中國大陸的態度日漸改變。日記云："尼克生對共匪力圖接近，以牽制蘇俄，對我則視為無物。" 也發現美國正在出賣其所支持的吳庭豔南越政權，批評尼克松"出賣本國於共產世界，而自毀其美國之信義"。8 月 2 日，蔣介石在日月潭接見羅傑斯。羅詢問台灣當局是否欲在現時進攻中國大陸，蔣答"吾人目前甚至尚無自衛之能力"，甚至表示："如果中共進犯，可能支持不逾三日。" 蔣介石這樣說，目的在於向美國要求飛機、飛彈、雷達等方面的援助。蔣介石希望這次談話的記錄能夠被尼克松"親閱"，但是，三個月過去了，沒有回音。蔣介石估計，美國國務院未將談話記錄上呈，命孔令傑直接面見尼克松詢問，予以"最後之警覺"，決心此後"再不對美說活"，不再存任何希望。[2] 10 月 28 日，蔣經國婉謝羅傑斯訪美之邀，蔣介石覺得"甚合余意"。[3]

1970 年 1 月 20 日，中斷兩年的華沙大使級會談恢復。美國政府首次表示，不妨礙海峽兩岸的中國人自己"達成任何和平解決"。2 月 18 日，尼克松

---

1 《蔣介石日記》（手稿本），1969 年 7 月 24 日。
2 《蔣介石日記》（手稿本），1969 年 10 月 27 日。
3 《蔣介石日記》（手稿本），1969 年 10 月 28 日。

向國會提出外交報告，宣稱美國不能“執行所有的決議與承擔全世界自由國家的防衛責任”。幾天後，更明確地宣佈“將採取步驟改進我們與北京的關係”，參加華沙會議的中國大陸代表雷陽發表聲明，接受美國派遣代表前往北京。

這一時期，蔣介石對尼克松的印象已經越來越壞，其 1 月 24 日的日記指責尼“投機取巧，刁詐、陰險”，“非他人所能識破”，是“貌實而內偽之政客小人”。[1] 3 月 14 日的日記指責尼克松政府是“最卑鄙惡劣之騙子政府，因欲其達成私利之目的，任何荒唐欺詐之手段無所不為”。

為了探究尼克松政府對北京的底牌，蔣經國於 1970 年 4 月訪問華盛頓。尼克松給了當時只是“行政院”副院長的蔣經國以“元首”般的“隆重禮遇”，這更使蔣介石“懷疑憂懼，對兩國有關合作前途，更難樂觀與精誠”。[2] 尼克松在他的橢圓形辦公室裏對蔣經國說，美國與北京的交談只是試探性質，不會影響與台灣的友誼，保證“美國不會拋棄她的盟國和友邦”。[3] 同月 22 日，基辛格親到接待“元首”級貴賓的布萊爾賓館與蔣經國會談。4 月 24 日，蔣經國到紐約，擬向東亞美國工商協進會發表演講，在飯店門口見到“台獨聯盟”留學生示威，進入大門時遭到康奈爾大學台籍留學生黃文雄的槍擊，未中。蔣介石稱黃為“台獨反動份子”，對於美國社會更感不滿，其日記云：“如此國家，所謂民主自由者，其禍患不知如何持久矣。”[4] 蔣經國離美不久，美軍大舉進攻柬埔寨，掃蕩北越遊擊基地，這使蔣介石對尼克松的評價又有所好轉，稱讚其為“明智之抉擇與果敢之行動”。[5] 5 月 31 日，日記批評尼克松“政治權術，無所不為”，列為“慎防”對象，但肯定尼“其內心對反共不致完全放棄，據此一點，尚可有希望”。

台獨份子彭明敏因於 1964 年起草《台灣自救運動宣言》，被國民黨當局判刑八年。1970 年 1 月逃至瑞典。同年 2 月，蔣經國向蔣介石報告，“由美國人為之”。此事使蔣介石警覺，美國利用台灣人成立“台灣獨立國，毀滅我政

1 《蔣介石日記》（手稿本），1970 年 1 月 24 日。
2 《蔣介石日記》（手稿本），1970 年 4 月 22 日。
3 〔美〕陶涵：《蔣經國傳》，華文出版社 2016 年版，第 325 頁。
4 《蔣介石日記》（手稿本），1970 年 4 月 24 日。
5 《蔣介石日記》（手稿本），1970 年 5 月 2 日。

府”的陰謀尚在進行中，於9月21日致電尼克松，要求制止其入境。[1]不料，尼克松竟假裝不知，不予答復，彭明敏通過美國駐瑞典大使館獲得簽證。蔣介石認為，這是美國政府“不斷的滲透、顛覆之又一明證”。[2]他由此估計，美國雖一時還不至於用武力在台灣製造傀儡，但自己的身體已經很不好，全年有病，5、6月之間尤為嚴重，去世以後，美國一定會在台灣製造糾紛。不過他相信，“我內部只要團結嚴密，獨立自主，彼已無奈我何也。”[3]這時，他已經感到，所謂“反攻復國”已經不可能，只有“自保自衛，以待時機”，因此，勉勵自己“忍耐自重”。[4]1971年1月，蔣介石腦中始終縈繞著所謂“尼克松主義”，認為比杜魯門更為“兇險毒辣”，而自己又不得不與之應付，感到非常痛苦。[5]

1971年4月，毛澤東決定邀請美國乒乓球隊訪華，用小球推動歷史，這就為中美關係的發展開闢了廣闊的前景。4月12日，台灣“駐美大使”周書楷即將回台，接任“外交部”部長。行前，向尼克松告辭，尼克松於接見時說了一通對“中華民國”友好，決心遵守條約義務等套話之後，要求周書楷轉達其對蔣介石的“敬意與友情”，並稱將派私人代表到北京商談聯合國代表權與釣魚島問題。蔣介石認為這只是“人情”的表示而已。7月，基辛格秘密訪問北京，與周恩來會談。28日，發表《上海公報》。8月，尼克松致函蔣介石，聲稱已派基辛格前往北平（京），事前不及商談，表示抱歉。[6]

9月15日，周書楷即將赴聯合國開會，羅傑斯約周16日在華盛頓商談。蔣介石特別以電話告周，如羅要求將安理會席次交給中共，則我應攤牌，以此為不守信義之行動，堅決反對，同時聲明這是“迫我退出聯合國”，“美國應負其一切責任”。[7]9月17日，尼克松舉行記者招待會宣佈，美國將贊成中華人民共和國進入聯合國，獲得安理會席位，同時將設法保持中華民國在聯合國的一個席位。他聲稱，訪問北平一事正在順利進行中。蔣介石認為這是“最重大的

1 《蔣介石日記》（手稿本），1970年2月4日。
2 《上月反省錄》，《蔣介石日記》（手稿本），1970年9月30日。
3 《蔣介石日記》（手稿本），1970年9月27日。
4 《上月反省錄》，《蔣介石日記》（手稿本），1970年9月30日。
5 《蔣介石日記》（手稿本），1971年1月23日。
6 《蔣介石日記》（手稿本），1971年8月27日補記。
7 《蔣介石日記》（手稿本），1971年9月16日。

打擊”，當日胃病復發。接連幾天，陷入長考，一面痛罵“尼丑”的“寡廉鮮恥”和“忘恩負義”，決定退出聯合國，以保“國家之尊嚴，不為世人所奴視”，一面則自稱：“今後年老力衰，民族危殆，再無退後餘地，只有與強權決一死戰而已。”他判斷，尼克松之所以如此，其原因必在於當年尼克松訪台，在慈湖相見，因視之為可厭政客，沒有應允其借款助選的要求，以致其“懷恨在心”。蔣介石估計，“尼丑”今後必有更大陰謀，現已在“扶植台獨”，將來必然“要殺害我父子生命，償其私願”。想到這裏，蔣介石覺得：“敵人皆是如此，平生所遭遇者不知凡幾，只要堅持其理到底，信賴上帝保佑，必能轉危為安，逢凶化吉。”[1]

這一次的聯合國大會也給蔣介石帶來一絲安慰，聯合國選舉副主席，台灣當局居然以 73 票當選副主席。9 月 26 日，加州州長雷根（Ronald Reagon）以尼克松私人代表的身份訪問台灣，祝賀蔣政權“國慶”，蔣介石想起了《荒漠甘泉》中的兩句話，“受了打擊的靈魂，心上帶著荊棘而歌唱”，認為這就是自己現在的環境。10 月 17 日，蔣介石起草退出聯合國宣言。次日，聯合國就中國代表權開始辯論，台灣當局出席聯合國大會代表致電蔣介石，勸其致電尼克松發言相助，蔣拒絕。10 月 26 日（紐約時間 10 月 25 日），台灣當局出席聯大代表團團長、“外交部”部長周書楷宣佈退出聯合國，隨即率代表走出會場。大會旋即以 76 票贊成，35 票反對，17 票棄權，通過阿爾巴尼亞和阿爾及利亞等 23 國的提案，決定恢復中華人民共和國在聯合國組織中的合法權利。當時，第二次來訪的基辛格正從北京釣魚台駛往機場的汽車上，他還未得到消息，對送行的葉劍英說：“今年你們還進不了聯合國。”不久，中國組團赴美出席聯合國大會，毛澤東很高興，對代表團的領導說，是非洲兄弟把我們抬進去的。我們再不去就脫離群眾了！

在台灣蔣政權的代表即將被聯合國“驅逐”之前，1950 年出現過的故事再次上演。有一個名叫“安德生”的人，向台灣當局提出合作赴澳大利亞購買農場，土地有 300 平方公里，價值約 600 萬美金，各出一半。蔣介石認為此人為

---

1 《蔣介石日記》（手稿本），1971 年 9 月 28、29 日。

尼克松所派，目的在於試探蔣介石有無亡命海外放棄台灣之意。當即鄭重命台灣當局通知此人，無此意思。[1]

1972 年 1 月 2 日，尼克松在全國電視訪問中表示："將繼續維持對中華民國的承諾，包括防衛協定在內。""駐守在台灣的美國部隊將不撤出，繼續信守協防台灣的條約義務。""到北京訪問，不會導致承認中共政權。"[2] 2 月 21 日，尼克松訪問北京，22 日，尼克松與基辛格一起會見毛澤東，蔣介石日記記載稱"情形冷落"、"形同偷訪"。29 日，中美在上海發表聯合公報，蔣介石則在日記中繼續大罵"尼丑之無恥極矣"。3 月 2 日，美國助理國務卿馬歇爾．格林奉命飛赴台北，向蔣介石遞送尼克松的親筆信，表示將遵守"協防台灣的承諾"。3 月 21 日，蔣介石被選為第五任"總統"，以蔣經國為"行政院"院長。7 月 20 日，制訂"反攻大陸"計劃的"國光作業室"裁撤。22 日，蔣介石心臟病發作，停寫日記。8 月 5 日，蔣介石轉入榮民總醫院治療。1973 年 12 月 22 日，蔣介石出院回士林官邸休養。1974 年 3 月 26 日，馬康衛"大使"任滿返美，蔣介石及宋美齡為之餞行。1975 年 4 月 5 日，蔣介石去世，美國總統福特派副總統洛克菲勒赴台弔喪。

十二、回顧與尾聲

自 1949 年蔣介石敗退台灣，至 1975 年病逝，蔣介石和美國繼續打了 26 年交道。

這 26 年中，蔣介石要維護其台灣政權，"反攻大陸"，必然要取得美國的保護和支持，但是，他又不願意完全受美國控制，力圖保持其半獨立地位。兩者之間，存在著控制和反控制的鬥爭。這是美蔣矛盾的一個方面。同時，美國曾經企圖拋棄蔣介石，另覓代理人，但是，從台灣的戰略地位等原因出發，朝鮮戰爭爆發後，美國雖仍不放棄"換馬"或支持"台獨"的企圖和努力，但已轉而採取主要支持蔣介石，迫使其適當變革的政策。既給予政治、經濟、軍事

1 《蔣介石日記》（手稿本），1971 年 10 月 22 日。

2 台北《經濟日報》，1972 年 1 月 4 日，第 2 版。

上的一定援助，又不願輕啟戰端，和中共開戰；既維護台灣，又捆綁其手腳。零星的、小型的騷擾、襲擊可以允許，但成規模的“反攻”必須禁止。在美國政府看來，決不能讓蔣介石這個“好戰”份子盲動、蠻幹、惹禍，引爆新的大戰，更不能因此而將美國拖入戰火，導致美國付出更大的犧牲，引起人民反對。一個要“反攻”，一個不敢對中共輕啟戰端，力圖使蔣介石成為馴服的、聽話的、看守西太平洋的“家犬”。於是，這就形成了美蔣矛盾的另一個方面。其結果是，在相當長的一段時間內，美國樂於採取“兩個中國”或“一中一台”政策。

蔣介石堅持“一個中國”，反對美國獨佔或託管台灣，反對美國支持台獨，或製造“兩個中國”，曲折地反映出其思想和性格中的民族主義因素。蔣介石曾表示：“保不住台灣，何以對國人？”[1] 保住台灣，和抗戰後期他保住新疆，反對“東突”，都是維護中國國家領土完整的行為，應該加以肯定。[2] 中共看到了蔣介石思想中的“抗美”，反對台獨，反對“兩個中國”這些方面，多次予以肯定，並且企圖以此為契機，爭取台灣回歸和國家統一，但是，蔣介石的思想和性格中又包含著堅決的反共理念和頑固的正統立場，這就使他對中共的召喚長期充耳不聞，故步於舊道。

美國敵視中共和中華人民共和國，最初採取封鎖、遏制、圍堵政策，但是，新中國日益穩固、發展、強大，在國際上朋友日多，美國政府在國內受到的朝野的壓力日增，並且，美國政府需要拉攏中國對付蘇聯，這樣，終於迫使美國政府不得不改變政策，承認新中國，與新中國建交，但是又不願意捨棄台灣，割斷牽連。

1978 年 12 月 16 日，中共中央主席、國務院總理華國鋒和美國總統卡特在各自的首都宣讀建交公報。公報稱，美國政府承認“中華人民共和國是中國的唯一合法政府。在此範圍內，美國人民將同台灣人民保持文化、商務和其他非官方關係”。公報還說，美國政府“承認中國的立場，即只有一個中國，台灣

---

1 參見本書《蔣介石日記中的“兩岸密使”》。
2 參閱拙作《蔣介石收復新疆主權的努力》，引自《找尋真實的蔣介石——還原 13 個歷史真相》，九州出版社 2014 年版。

是中國的一部分”。同月 31 日，台灣當局“外交部”宣佈和美國斷交。1979 年 1 月 1 日，美國與中華人民共和國建交。其後，美、台雙方協商，美國在台灣成立“美國在台協會”，台灣在美國成立“北美事務協調委員會”。同年 4 月 10 日，卡特總統簽署《與台灣關係法》，向台灣做出“安全承諾”，其內容踐踏中國主權，干涉中國內政，成為中美關係進一步發展的制約和障礙。

蔣介石日記中的「兩岸密使」*

* 本文錄自《找尋真實的蔣介石：蔣介石日記解讀》(4)，東方出版社 2018 年版；原載《同舟共進》2018 年第 9 期。

蔣介石敗退台灣後，兩岸對峙，但是雙仍有秘密往來。這些往來，既反映中共不念舊怨，渴望和平統一祖國的願望，也反映出蔣介石、蔣經國父子的複雜而矛盾的狀況：一面高喊反攻大陸，“不接觸、不談判、不妥協”，一面又試圖和中共接觸、談判，討論條件。其間曾經有過機會，幾乎接近成功，但由於各種複雜原因，和平的大門還是未能打開。

在蔣介石統治台灣時期，負有使命與台灣當局聯繫或在兩岸穿梭奔走的“密使”，自認為是“密使”的人，有過若干位，本文考察以蔣介石日記提及者為限。

一、張治中

1950 年 7 月 23 日，蔣介石日記云：

> 叛逆張治中對我各重要幹部來信，又提和平而實為誘降，劣污極矣。敬之交來未閱而令其攜回，此時來函，其必共匪侵台無法之所為也。

在國民黨的將領中，張治中長期和中共保持良好關係。人稱“和平將軍”。毛澤東曾稱，“他是三到延安的好朋友”，“真正希望和平的人”。蔣介石的這一頁日記表明，早在 1950 年，張治中就開始對退往台灣的舊日同僚進行工作。

"又提和平而實為誘降"，說明張治中函的主旨是勸說何應欽等拋棄反共立場，結束內戰狀態，實現兩岸的和平統一。張治中的機要秘書余湛邦回憶說："張將軍十分重視祖國統一工作，從1949年到1965年間，在毛主席、周總理直接領導下，對台灣做了大量的工作，付出了大量的時間精力。"他舉例說："在這些信件和廣播中，張將軍反復提出的重點是，美國將來必須要拋棄你們，千萬不要對別人存幻想。事實證明，艾奇遜《白皮書》的發表，已經清楚地表明美國決定拋棄你們。"《白皮書》發表於1949年8月5日，張治中1950年7月致何應欽等人函寫於其後，涉及《白皮書》及其以後美國艦隊進駐台灣海峽都是可能的。本頁日記表現了蔣介石對張治中深惡痛絕的態度。何應欽交給他，但蔣居然不屑一閱，也表現出蔣當時對和中共接觸、談判是鄙夷不屑的。

二、曹聚仁

擔任兩岸"密使"，曹聚仁時間最長，往來函件最多，但蔣介石日記的記載僅有寥寥4條：

> 一、1958年11月10日："據曹諜確報，毛匪在其二次停止炮擊偽令以前，一面革除其參謀總長粟裕（因反對停火令）之職，一面親飛廈門前線，強制停止炮擊後方能實現其停火偽令。"

曹聚仁此函，所報均誤。1958年9月3日，毛澤東決定自4日起，對金門停止炮擊3天。10月6日，毛澤東決定暫以7天為期，停止對金門的炮擊。所謂"二次停止炮擊"，當即指此。粟裕於1954年出任中國人民解放軍總參謀長。1958年5月開始在中共中央軍委擴大會議上受到錯誤批評，8月31日被解除總參謀長職務。曹聚仁所報粟裕"因反對停火令"而被革職，係誤傳。9月10日，毛澤東自北京赴漢口。16日到安徽。9月20日之後，到南京、上海、杭州等地，29日返回北京。10月13日，到天津，17日，回北京。10月31日，到保定。11月2日至10日之間，一直在鄭州主持中央工作會議，並無"親飛廈門前線"之事。

二、1958年11月28日："經兒報告，其又接匪諜曹某21日函，其意有不和則戰，最遲當在明年5月以前，匪軍對台必用飛彈炸平等恫嚇之詞，可笑之至！"

三、1959年4月30日："據報，曹奸又致經函。"

四、1971年9月2日："曹匪所來情報是半真半假的，季新吉與周匪所談的主題是騙美國為其安理會中國席次，其他所謂美軍撤出台灣與和平解放台灣等謊言，皆是常談，其用意要騙我與匪私自和談而已。"

曹聚仁（1900—1972），浙江浦江人。1921年畢業於浙江省第一師範。文史學家、記者。1940年定居江西贛州。1941年受蔣經國委託，創辦《正氣日報》，任總經理、總編輯。自此與蔣經國相熟。1958年，在上海出版《蔣經國論》。1950年移居香港，先後任《星島日報》主筆、新加坡《南洋商報》駐香港特派記者。

要理解曹聚仁擔任"密使"的經過，需要從1955年說起。據稱，1955年8月至12月間，曹聚仁曾寫了三封密函給蔣經國，邀請小蔣派人赴港，由曹簡要報告中共對台灣當局的和平政策。台灣當局視之為"統戰"，未予置理。1956年6月28日，周恩來在第一屆全國人民代表大會第三次會議上作《目前國際形勢、我們外交政策和解放台灣問題》的發言，其中談道："我代表政府正式表示：我們願意同台灣當局協商和平解決台灣的具體步驟和條件，並且希望台灣當局在他們認為的適當時機，派遣代表到北京或其他適當的地點，同我們開始這種商談。"又稱："我願意在這裏再一次宣佈，我們對於一切愛國的人們，不論他們參加愛國行列的先後，也不論他們過去犯了多大罪過，都本著'愛國一家'的原則，採取既往不咎的態度，歡迎他們為和平解放台灣建立功勳。"他宣稱："祖國的大門對於所有的愛國份子都是永遠敞開著的。任何一個中國人對於祖國統一的神聖事業都有權利和義務做出自己的貢獻。"28日晨，毛澤東審閱此稿時批道："此件很好。"[1]

周恩來的講話迅速引來了正在香港當記者的曹聚仁。

1 《目前國際形勢、我們外交政策和解放台灣問題》，引自中央文獻研究室編：《周恩來年譜（一九四九—一九七六）》上卷，中央文獻出版社1997年版，第589頁。

1956年7月13日、16日、19日，周恩來先後由邵力子、張治中、屈武陪同，三次接見曹聚仁。曹問：十幾天前，在全國人民代表大會上，談到"和平解放台灣"的票面裏有多少實際價值？周答：和平解放台灣的實際價值和票面價值完全相符。國民黨和共產黨合作有過兩次，第一次合作有國民革命軍北伐的成功，第二次合作有抗戰的勝利，這都是事實。為什麼不可以第三次合作呢？台灣是內政問題，愛國一家，為什麼不可以來合作建設呢？我們對台灣，絕不是招降，而是要彼此商談。只要政權統一，其他可以都坐下來共同商量安排的。中共說什麼，要怎麼做，從來不用什麼陰謀、玩什麼手法的。中共決不做挖牆腳一類的事。[1] 16日晚，周恩來在頤和園宴請曹聚仁，國務院副總理陳毅等作陪。8月14日，曹聚仁在香港《南洋商報》發表《頤和園一夕談——周恩來會見記》，敘述他的北上經過。

大概從此以後，曹聚仁就成了"兩岸密使"。1957年3月7日，曹聚仁致函台灣當局"行政院"副院長黃少谷，聲稱中共已同意下列條件：

1. 基於國共兩黨的對等地位，擇地商談。

2. 雙方停止軍事行動。

3. 台灣自治，台方黨軍政原盤不動，一切聽由蔣介石作主，如由蔣經國擔負台灣全責，則陳誠將前往北京任職。

4. 中共和美國可建立新的友好關係。

5. 國共雙方商談就緒後，台方派遣代表駐北京，並推選代表參加各種政治機構。

6. 北京方面擔負台灣軍政經費，如美援之額數。[2]

信中，曹聚仁建議，台灣先派人到大陸考察。函稱，北京已同意由黃少谷或蔣經國代表台灣與中共會談，但為了較不引人注目，建議改派前中央社秘書梁乃賢，以取道香港，前往北京與各地遊歷的名義進行。函末，曹聚仁要求黃少谷除蔣氏父子外，勿向任何人提及，並轉達他對邵力子與張治中的問候。

1　中央文獻研究室編：《周恩來年譜（一九四九——一九七六）》上卷，中央文獻出版社1997年版，第598頁。

2　CIA Intelligence Report, "Peking-Taipei Contact", pp.10-11。轉引自林孝庭：《台海、冷戰、蔣介石：解密檔案消失的台灣史（1948—1988）》，台北聯經出版事業有限公司2015年版，第179頁。

同年 5 月 5 日，曹聚仁夫婦再到北京。周總理接見後，二人離京，先上廬山，看了美廬等處，住了七天。接著，又在杭州住四日，往返於蕭山、紹興、奉化、寧波，凡兩日。在溪口，曹聚仁夫婦住進蔣介石故居豐鎬房，到蔣母的慈庵掃墓、祭拜，所至之處，都遵蔣經國之囑，拍攝照片。每式三張，寄給蔣經國。

曹聚仁此行，先後兩個半月，至 7 月 16 日回港，其間，大陸開展"反右運動"。曹聚仁擔心這一"運動"對台灣當局的影響，希望其巨大震盪不至於影響蔣氏父子和中共的談判決心。7 月 19 日，曹聚仁給蔣經國詳細報告稱：

> 這一段時期，有著這麼重大的政治變化，也不知尊處意向有什麼變動？我的報告是否還有必要？因此，我只寫了一封簡短的信，向鈞座報告我已經回就是了。
>
> 目前，國際形勢如此複雜，聚仁殊不願做任何方面的政治工具，我個人只是道義上替台從奔走其事。最高方面如無意走向這一解決國是的途徑，似乎也不必聚仁再來多事了。誦于右任先生讀史詩："無聊豫讓酬知己，多事嚴光認故人"之句，為之悵然！以聚仁這兩個多月在大陸所見所聞，一般情況比去年秋冬間所見更有進步，秩序已更安定些。聚仁所可奉告台座者，6 月 13 日我和朋友們同在漢口，晚間且在武昌看川劇演出，社會秩序一點也沒有混亂過。海外誤傳，萬不可信。聚仁期待台座早日派員和聚仁到大陸去廣泛遊歷一番，看看實情如何？千勿輕信香港馬路政客的欺世浮辭。
>
> 周氏再三囑聚仁轉告台座，尊處千萬勿因為有什麼風吹草動，就意志動搖，改變計劃。以聚仁所了解，最高方面千勿認為時間因素對台方有利，這一因素對雙方同樣有利，或許對大陸比台方更有利些。聚仁為了國家、民族才來奔走拉攏，既非替中共做緩兵之計，也不想替台方延長政治生命。說老實話，中共當局不獨以誠懇態度對我，也耐著性子等待你們的決定。希望最高方面，在〔再〕不必弄機謀，玩權術，要看得遠一點才是。
>
> 聚仁回港以後，看了最高方面所刊印的《蘇俄在中國》，實在有些不快意。這一類書，聚仁不相信會有什麼特殊的效果。但刊印的時期並不適當，北京方面的反應如何，我還不曾知道。為了彼此信賴的好基礎，似乎

應該把不必要的芥蒂消除掉。[1]

7月23日下午，曹聚仁接到蔣經國在贛南時期的親信王濟慈從台灣打來的電話，聲稱“G兄（指蔣經國）囑兄耐性，我即來港面談。”

7月27日，曹聚仁再次向蔣經國遞交報告，其中說：

> 依聚仁的推斷，台方軍事反攻大陸，中共軍事解放台灣，其結果是相同的，因為，訴之於軍事，台方軍防即全部解決，甚至消滅，乃是無疑的。這是實力問題，並非聚仁危言聳聽。只有和平解放台灣，台座才有政治新機，中共也可加強建設力量。此乃兩利之“自求多福”途徑，不可交臂失之。聚仁離京時經文白兄送之於車站，鄭重相囑“好自為之”！此語對聚仁沒有多大關係，最多放下手來，不再多事就是了，為台座著想，倒是一生成敗關頭，不可不留意的。[2]

報告次談廬山及溪口情況：

> 聚仁私見，認為廬山風景，與人民共用，也是天下為公之意。最高方面，當不至有介於懷？廬山內部，以海會寺為中心，連綴到白鹿洞、棲賢寺、歸宗寺，這一廣大地區，正可作老人遊憩山林、終老怡養之地。來日國賓住星子，出入可由鄱陽湖畔，軍艦或水上飛機停泊湖面。無論南往南昌，北歸湖口，東下金陵，都很便利。聚仁鄭重奉達，牯嶺已成為人民生活地區，台座應當為人民留一地步。台座由台歸省，仍可居美廬，又作別論。

同函又說：“美廬景物依然如故。前年宋慶齡先生上山休息，曾在廬中小住。近又在整理，蓋亦期待台從或有意於遊山，當局掃榻以待，此意亦當奉陳。”

曹聚仁寫這篇報告的時候，王濟慈已經到港。27、28兩日，二人長談，其中談到了當年5月24日因劉自然事件而引起的台北市民暴動，群眾衝進美國駐台“使館”的情況。據曹聚仁所作記錄：

---

1 曹景滇著：《拂去歷史的煙塵——讓真實的曹聚仁從後台走出來》，引自《新文學史料》，2000年第4期。

2 同上注。

美大使館保險庫爆炸後，獲得密電本及若干文件，惟 W 兄未見。他推測係蔡 ×× 所做，收穫不少。據先後所得側面資料，華盛頓方面對台灣方針，支持最高的權位至本屆總統任期終了為止。對老人（指蔣介石 —— 筆者注）無問題，防阻領導權落入 G 氏（指蔣經國）手中。杜勒斯密電駐台大使，注意台北與北京之接觸。

華盛頓方面正在支持在野政黨之聯合行動，以張君勱、蔣勻田、左舜生、丁文淵、雷震為中心，要他們聯成反對黨，美方屬意胡適做領袖，胡氏未同意。

美方密切注意台方軍隊之行動，切實防止反攻軍事行動之實際化。美軍事顧問團方面意見：台軍反攻大陸，即等於自殺。駐台美軍必須按撫台軍，使認識台灣本身之危機。美方將領視察金門、馬祖後，仍主張國軍撤離金、馬，確保台灣及澎湖島，老人堅決反對，認為金、馬與台灣問題應當同時解決。

美方關心台灣，正在加強軍事控制及經濟控制。依密件中所得消息，美方白宮與國務院對台灣問題，意見並不完全一致。白宮方面，似乎想在取得老人諒解時，對中共準備讓步。國務院方面仍趨向製造兩個中國，對美國有利。

W 兄（代指王濟慈）談，認為台方一般人士意向，對“反攻”固不感興趣，對“和談”也表示“懷疑”，因此造成了拖延遲疑氣氛。以此看來，台方意向並無多大變動。

王濟慈向曹聚仁傳達了蔣經國的六點意見：

1. 不論大陸今日局勢實際如何，海外人士總以為爆發了新的危機，應該坐待變化。此時，派遣訪問大陸的專人，定必增加困難，老人並無切斷聯絡線。老人囑聚仁多向大陸巡遊，增加彼此之了解。2. 目前情形複雜，他本人就難於來港，尤其在一段特殊時期。以後一切由 W 兄負責聯絡，絕無疏遠之意。3. 老人曾於閒談中提及，北京方面能否公開聲明於第三次世界戰爭中表示中立呢？4. 希望聚仁於反對黨成立時參加反對黨，多接近左舜生、張君勱。G 氏阻止國是會議的召開，一旦召集開會，反對黨可能聯合組成。他希望聚仁以社會賢達地位參加。5.《蘇俄在中國》乃兩年前寫成，已出版之書，老人面前有許多話也不便說，聽之可也。請寄語北京友人勿介意。6. 和談雖未成熟，希望依然很大。華盛頓方面對此事頗感頭痛，這就是代價。老人謂：華盛頓最怕國軍反攻大陸，我就喊得更響。

9月23日，王濟慈再次與曹聚仁談話，據曹聚仁記載：

一、W君談到台北朝野意見的分歧，不獨對戰爭沒有信心，對和平也沒有信心。在野的黨派，無形之中，有一種相互聯絡呼應的傾向，即是反蔣家獨佔政權的傾向。這是華盛頓方面從中分化的成果。G氏近來把意志更隱晦了，即是避免這一種逆風。G氏似乎有意要造成一個控制政黨的力量。聚仁問及G氏與陳氏（指陳誠）間的合作可能性，他認為要彼此相服是很難的，一山難藏兩虎。到了老人身後，這問題就很難了。所以和談要成功，最好在老人身前。台方一般人的看法，中共乃是G氏的政治資本。他們並不明白，中共對G氏與陳氏是一視同仁的。

二、在台的古物與寶物，G氏表示決不遷移。北京方面可以放心。聚仁問及古物的數量，W君說是比北京的故宮博物館多十倍，價值是無從估計。

三、倫敦方面和東京方面的人士，確有中、日、韓聯合組同盟的建議，倫敦人士認為中共是不可抗的，除非日本再起。日本要求是很高的，他們要美國交還沖繩島，聯合國把台灣託由日本代管，而以海南島為交換的條件。老人聞而歎息，說是當年美國人士也是這麼打算的，保不住台灣的話，何以對國人呢？看來這一股暗流是不會成功。

四、聚仁問及G氏能否派員到北京去試探呢？W君說人是一定要派的。不過老人還遲疑著，以為不要太露痕跡。他們也曾提到幾個人選，且慢慢地考慮一下。

五、若干問題，還待黨的最高會議中去決定，叫聚仁不要焦急。聚仁認為G氏要做精神上的準備，要經得起打擊。

王濟慈到香港後，向曹聚仁表示，蔣介石對曹有"獎惜之意"，也轉達了蔣介石提出的問題，9月23日，曹聚仁答復蔣介石如下：

聚仁私意，吾人今日所考慮所推尋的，不管義理居首，利害居次，或是專研究利害關係，不問義理，總得有一共同目標。今日解決台灣海峽問題，除了和平談判以外，是否還有其他途徑可尋？看來是不會有的了。美國方面明明表示無所愛於國民黨政權，一切只是為著美國利益而考慮，那就談不上什麼道義的了。中共方面，當然也無所愛於國民黨的政權，但在考慮中國的利益，就連帶考慮到國民黨的利益，兩害相權取其輕，這是和談的基礎。

聚仁這一年半來，也看明白許多枝枝節節問題是難於一一安排好的，只要台灣海峽問題一解決，其他就迎刃而解了。恕聚仁直言：G公的精神準備不夠，因此多所牽慮。固然中共當局把政治尺度放寬，來讓台方人士安了心，才可以減輕許多阻礙。一方面，我們也可以這麼說，台灣海峽問題明朗化了，中共可以安心去建設，就可以把政治尺度放得更寬了。

接著聚仁也想說點義理。聚仁認為革命乃是一時性的變態，社會政治的常態乃是建設，不是革命。孫總理說革命的目的在求中國之自由平等。這一點，中共所建立的政權，可說十足做到了。在這基礎上，談政治建設、經濟建設，才不至於受外來勢力的牽制。倫敦華盛頓方面的外交政策，就是不希望東方有強大的中國，這一點我們必須爭氣一點，不要做西方國家的工具。"求中國之自由平等"與"求個人之自由平等"本來是兩件事，國民革命的目標，並不是要求個人之自由平等的。

以上是曹聚仁向蔣介石講的大道理，接著曹回答蔣介石提出的大陸軍事、中共內部矛盾、人民意向等三個問題：

甲、聚仁三次訪問北京，從沒聽到任何人談到軍事，我也故意避免談及軍事，除了國慶日的閱兵，也沒看見過解放軍。因此海防情況如何，聚仁無從作答。當年指揮東南戰區的陳毅將軍，目前在北京負責文化藝術工作，也絕口不談軍事。只有一回談到朝鮮戰爭的經驗，今日解放軍的假想敵乃是美軍，以國軍的軍事裝備與解放軍相較或許太差了一格。中共當局也曾問及國軍的軍力問題，聚仁做較高估計，說是有四十五萬戰鬥兵。依現代作戰常例，一個戰鬥兵在前線作戰，後方得有七個人來供應，因此在運輸供應上，依存於第七艦隊的成分更深。聚仁從旁冷觀，中共雖未疏於海防，但也不一定把國軍的反攻當作嚴重的因素來考慮的。中共不一定把第七艦隊的力量估計得很高，當然也不會估計得很低，聚仁當然是不知兵的，但有這麼一個印象：國軍有可以作戰的下級官佐，卻沒有可以作戰的士兵，解放軍的士兵教育是成功的，又有一個輔助官佐作戰的政治組織。至於統帥指揮作戰的技術，聚仁不想做什麼批評。作戰是綜合的藝術，三分是天才，七分是對現代科學知識的了解與運用。解放軍隨時可以解放台灣，而不輕易用兵，這便是一種政治技術。

乙、關於中共的內部矛盾的解釋或許和老人所得的情報大有出入。聚仁肯定地說，在大陸，有組織的叛變是不存在的。中共本身是一個有力量的組織，同時所有惡勢力的組織都已摧毀了，事實上，中共已扶植了若干善良勢力的組織，"所謂"積極份子是也。國民革命的過程中，從同盟會到北伐軍，都是與惡勢力為緣的，而今，惡勢力不存在了，有組織的叛變不可能了。中共今日已無內顧之憂，所考慮的只是世界性的流行性感冒，那是"外感"，不是"叛變"。所謂內部矛盾，我看台北比北京更多些。例如："中美"乃是比肩作戰的戰友，事實上是同床異夢的。台灣的朝野間的矛盾與國際間矛盾，也時常是表面化的。中共當局希望內部團結起來，與香港人士希望中共內部分裂，這也是明顯的對比。聚仁希望老人不要把東歐的糾紛和中共內部矛盾混為一談，在共產集團中，中共乃是一個安定的力量，並不是促成糾紛的因素。老人總以為中共聽命於莫斯科，這是一種錯覺，今日的中共乃是遠東的盟主。美國有如戰國時代的齊國，蘇聯則如當年的秦穆公，中共則是當年的晉文公。我們希望太平洋上的盟主轉到中國手中來，中共的成功也就是老人的成功，我們對歷史該有新的交代。

丙、老人或關心大陸人民的意向，這也是中了香港政客們的宣傳之毒害。民意測驗是一件不容易做的工作，我並未在大陸各地做過測驗。我所見聞的，當然是各色人等的隨感錄，但比海外人士的幻想實際一點。不過，大陸人民不希望再有戰爭，也不希望再改變目前的政治秩序，則是普遍的共同的心理。老百姓所看見的只是從手到口目前的事，說他們會有遠見，那是不可能的。他們聽到台灣問題可以和平解放，的確是高興的。就在私下談話中，沒有人相信國軍會反攻大陸的。這幾年的社會教育，解放軍的抗日英勇故事，以及朝鮮作戰的傳奇，代替了《三國演義》和《水滸傳》的傳說，試問國軍再厲害，能比得上日軍和美國嗎？聚仁在這兒應該說實話，請老人聽了勿失望。我們今日所要努力爭取的乃是和平。

12 月 11 日，曹聚仁與王濟慈繼續談話。曹表示希望知道蔣經國新意向和蔣介石的"決意"。王稱：蔣經國的情緒"近來還不錯，不過，他的心境，這些年都是這麼沉鬱，沒像先前那麼開朗的"。至於蔣介石的用心，王稱："一向是多角形的，我也看不出有什麼大變動。"

12 月 11 日，曹聚仁再次回答蔣介石提出的問題。曹稱：今日最大的秘密，還是和談的真正進度，真所謂"草色遙看近卻無"也。曹的回答共四點：1. 指出台方所得情報"都缺少全面的與社會的觀察力，不免人云亦云，所以落空了"。2. 說明"主政的政黨，在社會建設時期，便等於總工程師，其他政黨便等於各部門的工程師"，"和談成功之後，並不等於國民黨勢力的消滅，而是由國民黨來擔任台灣方面的建設工程。至於五十、一百年以後的事，浪淘沙去，江山代有人才出，我們也不必考慮得太多"。3. 說明反右情況，民主政團人士不會懷有"推翻目前政權"的"愚笨"目的。4. 說明"我們應該面對現實，承認中共擔當建國的總工程師"，"斷了'再革命的念頭'"，"幫著消弭海外那些存著'彼可取而代之'的野心家"。"我們不要期待國際間大變動的局面，就算世界大戰不能避免，我們也要爭取一個與民休息的建設機會。"最後，曹聚仁表示"中共的成功，就是我們的成功。我們可以幫助中共求進步的"。

從蔣介石提出的上述問題看，蔣介石的思想有所鬆動。

1958 年 1 月，蔣經國囑咐王濟慈再到香港，向曹聚仁傳達幾項重要建議，赴北京取得諒解。王於 14 日到港，對曹稱：今後一年中，海峽問題將有決定性的改變。所舉事證之一，嚴家淦赴美接洽增加經濟援助，沒有結果。美國當局受朝野輿論壓迫，非承認中共不可。事證之二是，蘭金"大使"離台前，曾與蔣介石密談三次，以友誼地位表示，台灣對美國的依賴心不可過深。蘭氏稱，兩個中國如不能實現，美國只能放棄台灣。王傳達蔣經國的意見道："大方向在這樣的國際形勢下是不會變的，囑曹聚仁轉陳京中友人，盡可放心。"

當年 8 月 23 日，解放軍福建前線部隊向金門、馬祖的國民黨軍進行警告性炮擊。事前，毛澤東召見曹聚仁，要他將這一消息通知台方。9 月 8 日，周恩來接見曹聚仁。分析美國目前是虛張聲勢，金門、馬祖的蔣介石軍隊有三條路可走：一是與金門、馬祖共存亡。二是全師而還。金、馬駐軍佔國民黨軍的三分之一。這個數字，我們不在乎，對蔣介石有作用，可以作為對美國講話的資本。三是被美國逼迫撤退。這條路是很不光彩的。[1] 9 月 11 日，曹聚仁即將

1 中央文獻研究室編：《周恩來年譜（一九四九——一九七六）》上卷。

返港。10 日，周恩來再次接見曹聚仁，託曹以最快辦法轉告台灣方面：為了寬大，給蔣介石面子，我們準備以 7 天的期限，准其在此期間，以軍艦向金門、馬祖運送糧食、彈藥和藥品。前提是絕不能由美國的飛機和軍艦護航，否則我們一定要向蔣軍艦隻開炮。內政問題應該自己來談判解決。可以告訴台方，學學西哈努克的做法。美國可以公開和我們談，為什麼國共兩黨不能再來一次公開談判呢？[1] 9 月 22 日，周恩來致函毛澤東，認為“在目前形勢下，對金門作戰方針，仍以打而不登，斷而不死，使敵晝夜驚慌、不得安寧為妥。”“我實施對金門轟炸更不相宜，因這樣做，恰好給蔣介石空軍以轟炸我大陸的機會。”

自 9 月 25 日起，曹聚仁分別致函蔣經國、“國防部”部長俞大維、已經轉任“外交部”部長的黃少谷等人，轉達北京方面的相關訊息，建議台方盡速組織私人訪問團，到大陸考察，決定大計。曹轉達的和談 5 個步驟是：

1. 台方軍政大計，仍由蔣介石全權決定，中共當局希望陳誠與蔣經國能密切合作，共同建設台灣。

2. 計劃江西廬山以南及鄱陽湖地區為蔣介石休息林園，毛主席專電歡迎國民黨總裁歸廬山，並將奉為國賓。

3. 台方如同意國共和談公開化，曹聚仁將向北京當局建議，華沙會談將移會日內瓦，台灣則派葉公超或謝壽康（時任“中華民國”駐教廷大使）參加，屆時曹聚仁亦將陪同出席。

4. 金門、馬祖的駐軍撤退後，金門將闢為國共雙方經濟交流市場，中共當局將同意人民幣與新台幣兌換率為一對八，並自和約簽訂日起，擔負台方的軍政經濟，以美援額度為準。而台北、基隆、高雄與上海、福州、廈門、汕頭之間也將正式通航。

5. 台灣將依照新疆、西藏之前例，在商定期限內劃為自由區，台方派代表團駐北京，並參加政治協商會議及人民代表大會，中共當局將同意國民黨為台灣獨立政黨，不與中共“控制”的“中國國民黨革命委員會”合流。

曹聚仁建議，由北京派代表團到台北，由宋慶齡任團長，成員可包括張治

---

1 中央文獻研究室編：《周恩來年譜（一九四九——一九七六）》上卷，1958 年 9 月 10 日。

中、邵力子、屈武等，台灣駐大陸代表團可包括梁乃賢、張愷等蔣介石父子信任人士。曹聚仁希望黃少谷復電上書“可”字，曹即據此向北京報告。[1]

10月3日、4日，中共中央政治局常委會議指出：“美國想趁目前這個機會製造兩個中國，要我們承擔不用武力解放台灣的義務。”“美國可能要台灣放棄所謂‘反攻大陸’的計劃，並從金門、馬祖撤退。”毛提出：“打也不是天天打，更不是每次都打幾萬發炮彈，可以打打停停，一時大打，一時小打，一天只零零落落地打幾百發。”10月5日，毛澤東下令暫停打炮兩天。10月6日，毛澤東以國防部長彭德懷名義發表《告台灣同胞書》，提出“三十六計，和為上計”，建議台方與大陸舉行談判，和平解決國共之間的戰爭，同時以沒有美國人護航為條件，7天為期，停止炮擊金門。

金門炮戰與中共的談判呼籲迅速招來了曹聚仁。10月11日，毛澤東致周恩來函，表示：“曹聚仁到，冷他幾天，不要立即談。我是否見他，待酌。”[2] 10月12日，毛澤東決定以彭德懷名義再次下令，再次繼續停止炮擊兩星期。10月13日，毛澤東接見曹聚仁。陪同接見的有周恩來、李濟深、程潛、張治中、章士釗、童小鵬等人。毛與曹之間問答如下：

> 毛：“看了曹先生寫的幾個東西。你寫給蔣介石他們的信是真的還是假的？”
>
> 曹：“是真的。”
>
> 毛：“如果是真的，那就不能那樣寫，先寫我們好的，他們會聽不進的。你還是當自由主義者好。只要蔣氏父子能抵制美國，我們可以同他合作。我們贊成蔣介石保住金（門）、馬（祖）的方針，如果蔣介石撤退金、馬，大勢已去，人心動搖，很可能垮。只要不同美國搞到一起，台、澎、金、馬都可由蔣管，可管多少年，但要讓通航，不要來大陸搞特務。
>
> “台、澎、金、馬要整個回來，金、馬部隊不要起義。沒有吃的時候，我們就不打炮，讓他備足糧彈。但以後還有可能打一點，只不讓它損失太大，不打蔣介石也是不好辦的。

---

1 CIA Intelligence Report，“Peking-Taipei Contact”，pp.10-11. 轉引自林孝庭：《台海、冷戰、蔣介石：解密檔案中消失的台灣史（1948—1988）》，台北聯經出版事業有限公司 2015 年版，第 179 頁。

2 中共中央文獻研究室編：《毛澤東年譜》卷 3，中央文獻出版社 2005 年版，第 461 頁。

"'在天願作比翼鳥，在地願為連理枝'，台灣的小枝再同美國的大枝連，總要被壓斷的，將來要變成殖民地或被託管的。"

曹問："台灣有人問，（將來）生活方式怎麼樣？"

毛答："照他們自己的方式生活。水裏的魚都有地區性的。毛兒蓋的魚到別的地方就不行。但是美國不要他時，蔣可以來大陸，來了就是大貢獻，就是美國的失敗。吳佩孚失敗後不出國，不住租界，就是好的。

"我們的方針是孤立美國。它只有走路一條，不走只有被動。以後華沙會談可以改為一星期一次，兩星期一次，甚至一個月一次。要告訴台灣，我們在華沙根本上不談台灣問題。美國代表沒有台灣的證書，又沒有介紹信。"

當時，蔣介石的"總統"任期已將屆滿。毛澤東說：

"蔣介石為什麼不再做總統？我們都是'擁蔣派'，問題是美國要整他。我們不同美國談台灣、澎湖，只談要美國人走路。蔣不要怕我們同美國人一起整他。大陸這麼大，台、澎、金、馬只是一大點點幾小點點，讓他們在那裏搞他的三民主義、五權憲法，天天吹反共，我們也天天吹收復，商量好。他們同美國的連理枝解散，同大陸連起來。枝連起來，根還是你的，可以活下去，可以搞你那一套。一不要整風，二不要反右，不同美國搞在一起，就是偉大勝利。"

毛澤東講到這裏時，周恩來插話道："美國企圖以金門、馬祖換台灣、澎湖，我們根本不同他談。台灣抗美就是立功。希望台灣的小三角團結起來，最好是一個當'總統'，一個當'行政院長'，一個將來當'副院長'。"[1]

章士釗這時插話道："如果這樣，美國對台灣的援助會斷絕。"

毛澤東覺得章士釗所說完全是小問題，說：

我們全部供應，那有幾個大錢？他的軍隊可以保存。我們不壓迫他們裁兵，不要他簡政，讓他搞三民主義。要等到美國踢開他們的時候，才有可能同我們結合。現在公開談判也不利，只能嚇唬美國人，說些'你們可以談判，我自己不會談判'這樣的話。暫時美國大整台灣也不可能。幾年

1 中央文獻研究室編：《周恩來年譜（一九四九——一九七六）》中卷，第181—182頁。

後氣候會變的，空氣是不利於他們的。美國現在是空前孤立，無論在中東問題和遠東問題上。

“……蔣怕我們瓦解他的軍心士氣，其實我們不會。一、金、馬的物資糧食可以滿足；二、我們同美國不會談台、澎、金、馬問題。

“我們鬆一點對台灣好，打厲害了美國就會壓它。準備他十年、二十年吧。美國要壓蔣，要以金、馬換台、澎，我們不幹，讓蔣委員長多守幾年。”

曹聚仁：“台灣方面要組織回國觀政團。”

毛：“他們來，我們歡迎。”

談話最後，毛又對曹說：“你還是做個自由主義者好，不要紅了，要有點保護色。”[1]

這次會見以後，周恩來於10月15日先後接見曹聚仁和正準備赴港與台方聯繫的章士釗。10月17日，周恩來單獨約見曹聚仁。19日，台方在金門海域引進美艦護航，這是北京不能允許的。20日中午，新華社播發國防部恢復炮擊的命令稿。21日，毛澤東在中南海頤年堂召開會議，批評《人民日報》本日發表的社論《咎由自取》。他說：“這篇社論對於中央的方針理解片面，搖搖擺擺，不適當地強調了美蔣一致。這次杜勒斯跑到台灣去，是要蔣介石從金、馬撤兵，以換取我承諾不解放台灣，讓美國把台灣完全掌握在自己手中。蔣介石不答應，反而要美國承擔‘共同防禦’金、馬的義務。兩人吵了起來，結果各說各的，不歡而散。這完全不是唱雙簧戲。美蔣關係存在著矛盾。美國人力圖把蔣介石的‘中華民國’變成附庸國甚至託管地，蔣介石拚死也要保持自己的半獨立性，這就發生矛盾。這次杜勒斯同蔣介石吵了一頓，說明我們可以在一定意義上聯蔣抗美。我們不登陸金門，但又不答應美國人的所謂‘停火’，這更可以使美蔣吵起架來。我們的方針現在還是打而不登，斷而不死，更可以寬一些，以利於支持蔣介石抗美。我們索性宣佈，只是單日打炮，雙日不打炮。這是政治仗，政治仗就得這樣打。”[2]

曹聚仁受到毛澤東和周恩來的接見後，於10月23日致函黃少谷，轉達毛

---

1 中共中央文獻研究室編：《毛澤東年譜》卷2，中央文獻出版社2013年版，第464—466頁。
2 中共中央文獻研究室編：《毛澤東年譜》卷2，中央文獻出版社2013年版，第464—466頁。

澤東的意見：中共恢復對金門的炮擊，蔣介石盡可對美方表示強硬態度，藉此需索美方的軍事、經濟援助。毛澤東並提出金門停火之後，推動兩岸關係發展的三個實施步驟。曹函稱：

1. 國共雙方停止炮戰，金、馬、台、澎仍有（由）蔣介石領導政權，國民政府名義仍舊，迄蔣總統任期滿為止。如蔣總統精神健實，願繼任三任總統（羅斯福也曾三任總統，非無前例），台方可修改憲法，再行推選蔣繼任總統。如蔣總統意在傳賢，則陳院長自可當仁不讓。雙方停戰，結束三十年內戰。中共建設大陸中國，台方建設台澎及離島地區。雙方在建國大道上爭先。闢金、馬為雙方物資交換地區，人民自由往來，金、馬駐軍是否留守，或撤退，完全由蔣總統決定，中共不予干涉。假定第一步為一年，雙方除停止軍事攻擊外，並停止政治性攻擊，重建新的友誼。

2. 蔣總統如認為中共政權尚未穩定，內部會有叛亂情事，台方可先派軍事代表團，由聚仁陪同前往考察，待該團做報告後，再做一切決定。如蔣總統認為中共的建議不合理想，台方自可另提方案，以三民主義為根據，在台灣做試驗，中共當局決不加以干涉。

3. 休戰一年後，雙方彼此諒解，再進行改善國際外交步驟，一切放在圓桌上去研究。[1]

曹聚仁此函發出後，北京決定派章士釗赴港，準備與來自台灣方面的代表會談。10 月 21 日，章士釗抵港。一直住到第二年 4 月 12 日，久候國民黨代表不來，這才返回北京。

台灣和北京暗中來往的消息為美方所知，美方向國民黨高層施加壓力，蔣經國說出和曹聚仁近年來的接觸，將曹的多封來函交給美國人過目，並稱蔣介石將“寧為玉碎，不為瓦全”，不會與對岸謀和。[2]

1959 年 4 月 25 日，曹聚仁致函蔣經國，聲稱未來十個月內，中共對台灣絕對不會有任何軍事動作，台海地區如此相對和平之局面，將可作為蔣經國從容安排之機會。明年情況如何，沒有把握，願意盡一切可能相助。曹在信中提

1　CIA Intelligence Report, “Peking-Taipei Contact”, pp.17-18. 轉引自林孝庭：《台海、冷戰、蔣介石：解密檔案中消失的台灣史（1948—1988）》，第 187 頁。

2　CIA Intelligence Report, “Peking-Taipei Contact”, pp.10-11. 轉引自林孝庭：《台海、冷戰、蔣介石：解密檔案中消失的台灣史（1948—1988）》，第 188 頁。

醒蔣經國，美國方面對於他出面主持台政不曾同意，但北京方面則堅持非小蔣與陳誠同台主政不可。[1]

1960 年 3 月，蔣介石連任“總統”成功。4 月底，曹聚仁再次致函蔣經國，要他寬心，保證北京在近期內，絕不會對金門或澎湖發起軍事行動，聲稱 1959 年夏，自己在北京待了四個多月，得知中共中央對台灣問題議決了大原則，執行的張治中、邵力子、屈武、羅青長、童小鵬等人都不主張對台用兵。[2]

1960 年之後，大陸陷入經濟困難時期，蔣介石認為反攻時機已到，加緊推動“國光計劃”。但是美國政府並不支持，自 1962 年春起，連續派員到台北勸阻，甚至在華沙的大使級會談中向北京透露，美國無意支持蔣介石反攻。1962 年 7 月中旬，曹聚仁致函蔣經國，認為“國際間有利害而無信義”，保證北京對台灣的和平政策不變，敦促小蔣派員到大陸考察。11 月 26 日，曹聚仁再次致函蔣經國，鼓勵他處理好內部事務，致力於緩和台海情勢，將金門與廈門打造成為遠東地區的經貿新樞紐，以便日後取香港、新加坡而代之。[3]

1965 年 7 月 18 日，時任“國防部”部長的蔣經國親自乘船到香港附近水域，與曹聚仁會面，將曹接到台灣。7 月 20 日，蔣介石與曹聚仁在日月潭的涵碧樓會晤。曹出示中共中央信函，內附毛澤東寫給蔣介石的《臨江仙》（寄友）詞，詞云：

柳綠花紅鶯燕舞，京都料峭風微。菊香書屋奏琴徽。依然明月在，何日彩雲歸？

地覆天翻君亦老，東征北伐聲威。草山薄霧拂單衣。我今尋老友，把手話心扉。[4]

會晤結果，達成《六項協議》：

1　CIA Intelligence Report, “Peking-Taipei Contact”, pp.20-21. 轉引自林孝庭：《台海、冷戰、蔣介石：解密檔案中消失的台灣史（1948—1988）》，第 190 頁。

2　CIA Intelligence Report, “Peking-Taipei Contact”, p.23. 轉引自林孝庭：《台海、冷戰、蔣介石：解密檔案中消失的台灣史（1948—1988）》，第 191 頁。

3　CIA Intelligence Report, “Peking-Taipei Contact”, pp.27-28. 轉引自林孝庭：《台海、冷戰、蔣介石：解密檔案中消失的台灣史（1948—1988）》，第 194 頁。

4　盛巽昌：《和葉永烈談曹聚仁談傳遞毛澤東〈臨江仙〉》，《世紀》，2020 年第 5 期。

1. 蔣介石偕舊部回到中國大陸，可以居住在浙江以外任何一個省區，仍任國民黨總裁，中共將撥出江西廬山地區作為蔣居住與辦公的湯沐邑（封地）。

2. 蔣經國任台灣省長，除軍事與外交權外，其他政務由台灣省政府全權處理。

3. 台灣不得接受美國軍事、經濟援助，若台灣財政有困難，北京將根據美國支援數額照撥補助。

4. 台灣海、空軍併入北京控制，陸軍縮編為四個師，其中三個師駐守台灣本島，一個師駐守金門與廈門地區。

5. 金門與廈門合併為一自由市，作為台北與北京之間的緩衝聯絡地區。該市市長由台北徵求北京同意後任命。

6. 台灣現任文武百官官階與待遇照舊不變，人民生活水準只可提高，不能降低。[1]

六條協議既然議妥，只待簽字，然而，此後即無下文。

現存曹聚仁晚年的幾封家書說明，此後海峽兩岸，特別是北京，還需要曹聚仁。未署年，僅署 12 月 1 日的一封函件說："此事體大，北京和那邊都不讓我放手。" 11 月 20 日的函件說："世局變化太大了，所以北京不讓我離開香港。"1970 年 1 月 7 日函說："這兩年京中為了那件事，非叫我留在香港不可。"這些信，加上本文所引蔣介石 1971 年 9 月 2 日日記，說明到那時候，曹聚仁還在兩岸間溝通、聯繫。

為什麼久久無功呢？曹聚仁在 1972 年 1 月 12 日致《大公報》社長費彝民函也許可以得到部分解釋。函云：

弟老病遷延，已經五個半月，每天到了酸痛不可耐時，非吞兩粒鎮痛片不可，因此，仍不敢樂觀。酸痛正在五年前開刀結合處，如痛楚轉劇，那就得重新開刀了。醫生說，再開刀便是一件嚴重的事，希望不至於如此。在弟的職責上，有如海外哨兵，義無反顧，決不做個人打算，總希望在生前能完成這件不大不小的事。弟在蔣家只能算是親而不信的人。在老人眼中，弟只是他的子姪輩，肯和我暢談，已經是紆尊了。弟要想為張岳

1　鄭義著：《國共香江諜戰》，香港文化藝術出版社 2009 年版，第 154—157 頁。

軍，已經不可能了。老人目前已經表示在他生前，要他做李後主是不可能的了。且看最近這一幕如何演下去。

昨晨，弟聽得陳仲宏（指陳毅）先生逝世的電訊，惘然久之。因為，弟第一回返京，和陳先生談得最久最多。當時，預定方案是讓經國和陳先生在福州口外川石島做初步接觸的。於今陳先生已逝世，經國身體也不好，弟又這麼病廢。一切當然會有別人來挑肩仔，在弟總覺得有些歉然的！叨在知己，略盡所懷。即頌年祺！

弟曹聚仁頓首

1月12日

李後主，指南唐國君李煜，961—975年在位，彭城（今江蘇徐州）人。南唐元宗李璟第六子，於宋建隆二年（961）繼位，史稱李後主。公元976年，肉袒降宋，被俘到汴京，封違命侯。據宋代王銍的《默記》記載，李煜最後因寫《虞美人》而被宋太宗用牽機毒殺。牽機藥一說是中藥馬錢子，服後破壞中樞神經系統，全身抽搐，頭腳縮在一起，狀極痛苦。蔣介石說"要他做李後主是不可能的了"，這說明，這也許是他不願意回歸的原因之一吧！

半年之後的7月23日，曹聚仁在澳門病逝。彌留之際，曹夫人在側，曹聚仁反復說要交代一些重要的事情，要見毛主席，但已經說不清也寫不出了。

曹聚仁在致費彝民函中寄希望於"別人來挑肩仔"。這個人很快就出現了，就是本文附錄所敘述的沈誠。他取得了比曹聚仁更大的進步。

三、黃逖非

蔣介石1958年11月《上月反省錄》云："匪諜在9月26日致少谷函，稱匪擬於十月六日停止炮擊，而以國軍不要美國護艦為惟一希望，我乃置之不理，而匪果於6日自動如期停火矣！"這裏僅稱"匪諜"，而未言其姓名。

據美國中央情報局解密文件，此人為台灣當局"行政院"副院長黃少谷的胞弟黃逖非，時為天津市政協副秘書長。該函邀請國民黨派員到大陸考察、交流，透露說：曹聚仁只是北京的一個工作對象，層級並非最高。毛澤東當時對台灣的整體戰略目標，實際上已經超過曹聚仁的規格與層次。[1]

蔣介石稱黃逖非為"匪諜"，稱曹聚仁為"曹諜"、"曹匪"、"曹奸"、"匪諜曹某"，說明他雖然有時需要通過他們了解部分情況，但總體上是敵視的。至於章士釗、宋宜山、許崇智等人，蔣介石日記則一字也不肯落筆。相比起來，蔣經國的態度要積極得多。

1 CIA Intelligence Report, "Peking-Taipei Contact", pp.7-9. 轉引自林孝庭著：《台海、冷戰、蔣介石：解密檔案中消失的台灣史（1948—1988）》，第176頁。

我所知道的沈誠兩岸之行*

* 原題為《功敗垂成的沈誠兩岸之行》，載《世紀》2018 年第 4 期。

一、引子

有一年，台灣學者陳鵬仁教授到北京，專程到近代史研究所來看我。陳教授是台灣著名的民國史專家，擅長民國時期的中日關係，著作一長串，總有幾十種、百來種吧。他長期擔任國民黨黨史委員會主任。據說，這一頭銜是可以列席國民黨中常會的。我多年研究民國史和國民黨黨史，因此和陳教授相熟，不僅是老同行，而且是老朋友。

陳教授這次來看我，有兩位同行。一位是沈誠先生，一位是王女士。陳教授給我帶來了一個好消息，說是要創辦一份報紙，在台北編輯，在香港出版，向大陸發行。沈誠先生，就是香港方面的負責人。王女士，則是出資人。這自然是兩岸關係和緩、改善的好消息。我問："'上面'同意嗎？"答稱："同意。"在大陸辦此類報紙，上面"同意"最重要。這一關通過了，其他自然好辦。我敏感地意識到，這是好事，大好事，預估此報的銷路將會大好。接著，似乎還開了個座談會，約請部分學者座談，大家也都贊成。具體情節、過程，記不清了。

陳教授等三人當時住釣魚台，他們約我晚上到賓館再聊聊。屆時，我應約前往，又聊了一晚上，還一起吃了頓飯。沈誠先生送了我一本他的著作《兩岸密使秘聞錄》，並稱，這是簡本，還有“詳本”，篇幅更大。我這才知道，他和蔣經國相熟，曾受派擔任“兩岸密使”，完成了最重要的任務，幾乎促成了兩岸統一。蔣經國的老部下、民革中央榮譽副主席賈亦斌先生也和沈先生相熟，沈先生來大陸時，亦斌先生曾參加接待。他也和我談過沈誠先生的情況。

二、沈誠其人

沈誠（1921—2006），字則明，浙江湖州人，黃埔軍校第 17 期學生。畢業後到陝西胡宗南部隊工作，後投效蔣經國的青年軍，曾在重慶參加青年軍總監部舉辦的“幹部訓練班”受訓，歷任青年軍要職，與蔣經國的關係日益密切。1945 年 9 月，隨陸軍總部先遣隊返回南京，駐蘇州。1946 年，國防部成立預備幹部訓練局，任中校隨從參謀，未到差即調上海，隨蔣經國“打虎”。1949 年 3 月，奉命組織“青年反共救國軍”江南縱隊。1950 年外派泰國北部的金三角。1953 年調香港，在南方指揮部做情報工作，直屬蔣經國所領導的“總統府”資料室。曾被蔣經國任命負責雷震專案小組，收集“雷震通共”資料，因無成績，“專案小組”被撤銷，沈誠受行政處分。其後解甲歸商，在香港開設酒類公司。

三、充當密使，為楊尚昆傳信蔣經國

沈誠於 1981 年 8 月應邀赴大陸參加辛亥革命 70 週年紀念大會，為香港 5 位受邀人之一。行前，沈誠赴台北，向蔣經國請示，蔣要沈誠“報備”，北行後順便去溪口望望。同年 9 月 30 日，葉劍英提出“葉 9 條”，主張兩黨對等談判，實行第三次國共合作。10 月 3 日，葉劍英單約沈誠在人民大會堂談話，要沈誠代向蔣經國傳話：“兄弟之間沒有不可以談的，過去恩怨一筆勾銷。”1981 年 10 月 12 日，葉劍英安排沈誠赴溪口訪問。在溪口，沈誠做了一天“旋風”般的巡禮。1982 年 10 月 6 日，會見當時的全國政協主席鄧穎超。

1986 年 8 月，沈誠陪次子到北京處理商務，會見中共中央對台辦公室主任楊斯德。此後，沈誠寫作約數千字的《國是建議備忘錄》，共 6 條：第一條分析兩岸、兩黨對當前“國是”在觀點上的異同。第二條分析雙方對意識形態的差距和互相執著。第三條分析雙方經濟制度、社會結構的分歧。第四條談如何在“國家至上，民族第一”的大目標下，共同為和平共存國家統一而努力奮鬥。第五條談國家一定統一，手段必須和平。第六條談實行國共兩黨第三次合作。[1] 沈誠將這一份建議書，分送兩岸領導人：北京鄧小平，台北蔣經國。蔣經國接到此函後在極端保密的情況下約沈誠面談，求證這份備忘錄是否已送到北京，北京有何反應。不久，北京的全國政協邀請沈誠前往北京。

1987 年 6 月中旬，沈誠再度進京。次日，沈誠到中共中央軍事委員會會見軍委常務副主席楊尚昆。楊稱：“你的《國是建議備忘錄》我看過了。我們中央領導都覺得十分平實而具體。”又稱：“大家都是同胞兄弟，國共兩黨在歷史上看，合則雙利，國家興旺；分則兩敗俱傷，國家衰敗。經國先生秉承蔣老先生之民族大義，堅定一個中國政策，我們十分欽佩，希望國共能第三次合作，共創光明的前途。”6 月 23 日，賈亦斌在民革中央會見沈誠。

1987 年 10 月中，沈誠再度進京。某日，在人民大會堂再次受到楊尚昆接見。楊稱：“恩恩怨怨幾十年也應該了結了。”他稱讚“沈誠的見解很好”，表示“希望大家避開黨派立場，純粹以國家、民族為主體，共同奮鬥。”

1987 年 3 月 14 日下午，沈誠由楊斯德、楊拯民陪同，第三次去中共中央軍事委員會會見楊尚昆。楊稱：“我們黨中央對於你提出的建議十分重視，並且領導們也決定了一些具體步驟，所以請你來談談。”接著，楊提出談判的基本原則：第一，雙方談判主體，是中國共產黨對中國國民黨。第二，談判主題，先談合作，後談統一。當晚，沈誠和台北聯絡，向蔣經國報告，兩天後，台北同意以“兩黨對等，中央層次”為談判模式。

3 月 27 日上午，沈誠收到楊尚昆派人送來的《致蔣經國函》：

> 經國先生大鑒：
>
> 近聞先生身體健朗，不勝欣慰！沈君數次來訪，道及先生於國家統一

1　沈誠：《兩岸密使秘聞錄》，台北商周文化事業股份有限公司 1995 年版，第 92 頁。

之設想，我等印象良深。祖國之統一，民族振興，誠我中華民族之崇高願望，亦歷史賦予國共兩黨之神聖使命。對此，我黨主張通過兩黨平等談判而謀其實現。今自沈君得悉先生高瞻遠矚，吾人深為讚歎！唯願能早日付諸實現，使統一大業能在你我這一代人手中完成。

為早日實現雙方領導人的直接談判，我謹代表中共中央邀請貴黨派出負責代表進行初步協商，望早日決斷。書不盡意，臨穎神馳，佇候佳音。

小平、紫陽、穎超囑向老夫人、閣下，並緯國將軍

致意即頌

時祺

楊尚昆

一九八七年三月廿五日[1]

據沈誠描述：此函裝在暗黃色牛皮紙大公文袋中，印有“中國共產黨中央辦公廳”機關銜名，內用“中共中央辦公廳”的白色信箋四張，以毛筆行書書寫，書法純熟，似乎出自名家。

3 月 28 日晚，在釣魚台國賓館 18 號樓為沈誠設宴餞行。出席作陪的有楊斯德、楊拯民。據說原有座位留給趙紫陽，因事未到。沈誠表示：“可惜經國先生限於現實環境，不能親自來。”楊尚昆說：“如果他健康不允許來，我也可以去台北，只要他歡迎的話。”

四、蔣經國臨終之前

3 月 29 日，沈誠由北京飛返香港。30 日清晨，飛抵台北，直駛“七海別墅”。向官邸侍從聲稱“大先生召見”。蔣經國剛剛做了白內障手術，左眼還蒙著紗布。沈誠將密函交給蔣經國。

4 月 4 日，蔣經國通知沈誠到慈湖，告訴沈誠，宋美齡明天到慈湖“謁靈”，要沈一起向宋報告。5 月 5 日，蔣經國再次約沈誠談話。這一次談話讓沈“深深感動”。1987 年 6 月，沈誠再次到北京，向楊尚昆提出“台胞旅遊探親問

1　沈誠：《兩岸密使秘聞錄》，插頁。

題”，楊尚昆當即拍胸保證。6月底，沈誠回到台北，向蔣經國報告此事。10月15日，“行政院”內政部部長吳伯雄宣佈，台灣地區民眾可以探視三等親名義前往大陸。不久，開放“老兵返鄉”。

1987年9月中，沈誠再到台北，探視蔣經國病情。此前，蔣經國剛剛因糖尿病引發腳部潰爛，在榮民醫院切除左腳兩個腳趾。他說：“你來得正合時，我正在研究他們來的那封信的處理問題。信已經給老夫人看過了，她表示好好研究一下再做決策。我也正想問問你。他們（中共）的誠意，我有同感，不過像這樣大事，多少要設想周全一些才行。你的看法如何？”沈誠答道：“首先禮尚往來，可否也給他捎一個回信。然後再做具體規劃。”9月17日，沈誠再次奉命會見蔣經國，討論選派赴大陸的代表人選。蔣稱：“我預備第一波（代表）去北平的時間，定在明年2月底至4月初這一段時期。因為我也可能在明年三月召開本黨十三大時，在黨內秘密通過一下。雖說黨對黨，無須經由政府立法部門。但也不可能不通過黨組織，由我指派私人代表去北平。”11月7日，蔣經國再次召見沈誠，告訴他：“下一波正式去北平的人選，大概在下個月初的黨中常委（會議）中決定。”蔣要求沈誠在台北多留幾天，過了元旦再回去。這一天，據沈誠記載，蔣經國“精神很差”，“顯得浮腫”，音調低沉，“口齒也有些欠靈活”。1988年1月13日，蔣經國去世。

蔣經國去世後，李登輝繼任“總統”。1月18日，沈誠被台灣當局“法務部調查局”傳喚。21日，移送台灣高等法院檢察處收押，迭經審理，指控的罪名有：1.“非法出入匪區，與匪幹勾結，意圖非法變更憲法”。2.“來台為匪統戰，意圖顛覆政府”。其具體事證則有向楊拯民遞交《國是建議備忘錄》，受鄧小平、楊尚昆接見，為楊尚昆遞送致我政府首長“密函”等。至1989年12月14日，台灣最高法院終審，判決無罪。

五、賈亦斌的悲哀和沈誠沒有說出的秘密

對蔣經國的去世，賈亦斌感到突然。他寫詩“泣輓”，詩云：

萍水相逢知遇深，驟聞噩耗淚沾襟。
難忘報國從軍志，時憶軫民建設心。
開放探親贏盛譽，嚴防台獨最傷神。
知兄此去留遺憾，尚有餘篇惜未成。[1]

賈亦斌和我相熟，知道我研究中國國民黨史，他曾專門和我談過。他說："蔣經國將來在歷史上要寫成正面人物。"當沈誠先生來大陸談判時，小平同志提出過一個台灣回歸、國家統一的方案，通過沈誠傳回台灣。蔣經國表示同意，並且說："我是為了給國家、民族有個交代。"賈亦斌認為，如果蔣經國不死，兩岸的統一就不是大問題了。因此他覺得，蔣經國的去世很蹊蹺，懷疑有人下毒。

沈誠和賈亦斌同為當年蔣經國的部下。沈誠到大陸時，曾向賈提出兩個問題：一是"大陸和談有無誠意"？二是"賈先生能不能在國共兩黨之間做些溝通工作"？對於第一個問題，賈的回答是"確有誠意"。對於第二個問題，賈的回答是："國家統一是海峽兩岸 12 億人的根本利益與共同願望。""自己有 26 年國民黨黨齡，到共產黨這邊也將近 40 年了。兩邊都有朋友，必須講信譽；別的不說，絕對不講假話。"他請沈誠轉告蔣經國，他願意做溝通。[2] 事後，賈亦斌向有關領導做了彙報。因此，他知道有關談判情況。例如，楊尚昆《致蔣經國函》的內容，甚至詞語，賈亦斌都是知道的，前些年，他在接受國務院台辦新聞局有關負責人李立訪問時曾特別談到這些情況，據李立記述：

賈亦斌將這些情況向上級做了彙報，中央領導同志還請來人帶去一封給蔣經國的信，信中表示希望'統一大業能在你我這一代人手中完成'。[3]

這裏所稱"中央領導同志"，指的就是楊尚昆。引號中的一句話，就是楊尚昆《致蔣經國函》中的原話。

---

1 賈亦斌《哭經國兄》影印手跡，引自周天瑞、郭宏治：《沈誠：我替楊尚昆傳信給蔣經國 —— 海峽兩岸一段秘密交往真相》，插頁。

2 《蔣經國確曾有意與大陸接觸 —— 訪賈亦斌》，引自周天瑞、郭宏治：《沈誠：我替楊尚昆傳信給蔣經國 —— 海峽兩岸一段秘密交往真相》，台北新新聞文化事業公司 1995 年版，第 176 頁。

3 《賈亦斌與蔣經國的恩怨情仇》，李立編：《目擊台海風雲》，華藝出版社 2005 年版，第 68—70 頁。

六、楊拯民證實，沈誠回憶有“水分”，主要情節真實

沈誠的回憶最初連載於香港《華僑日報》，至 1994 年 12 月結束。篇幅龐大，記述詳細，大概就是沈誠先生對我所說的“詳本”。當時，沈誠先生出於保密的原因，有些話沒有講，或沒有講透，也有記憶上的某些訛誤，因此，其所述不能取信於人，有個別人甚至指責其為“騙子”。《華僑日報》連載甫畢，台北《新新聞》的發行人周天瑞、郭宏治出於職業敏感，立即趕到大陸，逐一訪問沈誠在大陸時的交往人士，包括當時的全國政協副秘書長、自始至終參加接待和談判的楊拯民先生以及賈亦斌等人，在 1995 年 2 月迅速編輯出版了《沈誠：我替楊尚昆傳信給蔣經國 —— 海峽兩岸一段秘密交往真相》一書，並在封面上影印了楊尚昆致蔣經國函四紙。楊拯民接受採訪時雖然仍有部分情節保密，或有故作掩飾之詞，但明確說：“（沈誠）他自己說與二蔣皆有聯繫，我們也弄不清楚。由於他來了許多次，姑且請他帶一封信去，只是一封信的事。”又說：“沈誠強調與蔣經國的關係，而且在主張統一，反對台獨這點上表示得非常清楚，因此，安排他見一些有關的人，後來託他帶了一封信給蔣經國，可是卻沒了下文，更沒想到他居然被捕了。”[1] 楊拯民的答問有力地證明了沈誠的回憶在主要情節上是可靠的。

1995 年 8 月，沈誠將原《華僑日報》所載精簡為《兩岸密使秘聞錄》在台灣商周文化公司出版。該書全文影印了《楊尚昆致蔣經國函》四紙，至今仍在海外發行。

1　周天瑞、郭宏治：《沈誠：我替楊尚昆傳信給蔣經國 —— 海峽兩岸一段秘密交往真相》，第 151—152 頁。

蔣介石與宋明理學*

* 2013 年 6 月 28 日在貴陽孔子學堂的演講。收錄於《找尋真實的蔣介石：蔣介石日記解讀》（4），東方出版社 2018 年版。

我今天演講的題目是“蔣介石與宋明理學”。很坦率講，我今天略微有點緊張，為什麼呢？我最近若干年一直以蔣介石作為自己的研究中心，應該說對於蔣介石比較熟悉。但是我們這一次是“中華文化四海行”，總得講一點文化方面的問題。想了想，蔣介石一輩子信奉、研究宋明理學，實踐宋明理學，所以我就把題目確定下來，講“蔣介石與宋明理學”。

可是要講這個問題，對我而言有兩點困難，首先“宋明理學”所使用的一些概念、範疇和我們當代生活距離比較遠，怎麼樣把它通俗化、講明白，有一定的困難。

其次，我個人研究“宋明理學”是三十年以前的事情了。當年曾經寫過幾本小書，然而這些年來，中國哲學史的研究有了很大的發展。我三十年以前的一些知識，哪些地方已經落後了，我現在不敢說。

但是，這個題目我覺得還是一個很重要的題目。重要性之一，是宋明理學是中國儒學一個重要的發展階段，也是中國文化的一個重要的發展階段。如果我們不懂得宋明理學，恐怕很難懂得中國哲學，很難懂得中國文化。其次，我們要研究民國史，研究國民黨，研究蔣介石也都需要懂得宋明理學。

一、宋明理學與朱熹、王陽明的分歧

宋明理學，我們在習慣上也稱之為“宋明道學”。中國儒家的前輩兩千多年以前就在討論一個問題，就是人和動物區別在什麼地方。

孟子講過一段話，他說“人之所以異於禽獸者幾希”，討論人和動物的差別，“幾希”是很小、很小的意思。儒家學派認為，人和動物的重要差別之一就在於人有道德倫理觀念。所以說，從很早的時候開始，儒家學派就開始討論人的道德倫理觀念問題：道德倫理是什麼？從哪裏來？它和自然、和人類社會有什麼樣的關係？對於人類和社會它的作用是什麼？宋明理學就是對上述問題的討論和回答。因此，宋明理學我們可以稱它為道德哲學，它是從哲學上來回答道德的問題。

中國儒學的發展經過幾個階段，一開始，就是我們大家熟悉的先秦的儒學，這是土生土長的中國思想、中國哲學。先秦儒學之後，唐代是佛學盛行的歷史時期。中唐以後，有些學者將佛學加進儒學，出現“援佛入儒”的現象。到了宋朝，中國的儒學吸收了唐代佛學的內容，就發展成為宋明新儒學，也就是我們通常所講的“宋明理學”。可以說不了解“宋明理學”就不可能了解儒學和中國文化。

“宋明理學”的最高範疇是“理”，或者稱之為“道”，或者稱之為“性”。“宋明理學”是將儒學的倫理觀念哲學化，將倫理上升為天地的本源、人性的本源，從而提出了一系列的修養方法，它的目的是希望人成為“聖人”和“賢人”。這是中國哲學和西方哲學，特別是和古希臘哲學一個重要的不同點。

西方哲學，特別是古希臘哲學，教人認識自然，成為智者，成為很聰明的人。而中國古代哲學呢？它教人認識人的本身，成為道德完美的“聖人”。

“宋明理學”有兩大流派，一派叫“朱熹學派”，或者稱為“程朱學派”，北宋的程頤、程顥弟兄二人和南宋的朱熹所創建的學派。“朱熹學派”的基本思想就是三個字，“性即理”。什麼意思呢？就是說天上的“性”降到人心中，就成為“理”。這個理從哪兒來的？朱熹認為這個“理”是老天爺降到人心裏來的。它是獨立於人的感覺之外的一種客觀精神。我這樣講，大家可能覺得比較抽象，用現代語言來講，朱熹所講的“理”，實際上是規律和倫理二者的綜合。

朱熹舉例說，我們現在坐的椅子一定要有四隻腳，如果四隻腳的椅子你抽去一隻腳，那麼這把椅子一定要倒下來。另外，朱熹還講過，我們大家每天早晨起來都要照鏡子，鏡子是可以照人的，臉洗乾淨了沒有，這就要照鏡子。沒有哪一個傻瓜拿著木板子來照的。朱熹還講水一定是往下流的，那火焰呢？一定是往上燒的。朱熹講的這幾個現象都是自然界的必然現象。

朱熹實際上講的是自然界的規律。四隻腳的椅子為什麼抽掉一隻腳要倒，這在今天的物理學上可以解釋。為什麼鏡子可以照人，木板子不能照人，這在物理學上也是可以解釋的。朱熹學派所講的“理”具有必然性，具有規律的內容。

朱熹所講的“理”有雙重含義：一種“理”叫“在物之理”，就是剛才講的椅子、鏡子、水、火這些“物”所具有的“理”。同時還有“在心之理”，在人的頭腦裏面，或者說，在人的思想裏面的這種“理”。這種“理”叫什麼？就是通常所講的忠、孝、仁、義這樣一系列的道德倫理概念。所以說，朱熹所說的“理”具有兩方面的內容：一個講的是物質的規律，物的必然性，另外，就是講的人的道德倫理觀念。朱熹的“理”是把客觀物質世界的規律和人的道德倫理綜合在一起，用人必須遵守規律來論證人必須服從忠、孝、仁、義這樣一些倫理道德觀念。

朱熹認為，這個“理”是天賦於人，老天爺給人的，人人先天具足，生下來就什麼都有，什麼都完美無缺。那麼，為什麼人還有千差萬別呢？主要是由於“氣稟”不同，金、木、水、火、土，這五行叫氣，有的人“金氣”多一點，有的人“水氣”多一點，有的人可能別的什麼氣多一點，或少一點，這種情況，叫“氣稟之偏”，偏於某一方面了，不全了，不完美無缺了。

另外，朱熹認為，還有人的物質欲望這個因素也會影響人的天賦之“理”的表現，朱熹把它叫作“物欲之私”。一個“氣稟”，一個“物欲”，使人先天具有的這種“理”被蒙蔽了，遮蓋了。怎麼辦？朱熹認為，有兩條路線可以解決。一條路線叫向外用功，一條路線叫向內用功。什麼叫向外用功呢？就是“今天格一物、明天格一物”，“今日窮一理，明日窮一理”。“格”的物多了，窮的理多了，你的天賦之“理”也就恢復了，回來了。朱熹所說的這個“格”字，你可以把它當成研究去理解。今天研究一件事，一個物，明天你再研究一件事，一個物；今天你去討論、探索一個道理，明天再去探討另外一個道理。朱熹認為，天地之大，萬物之多，要一件件，一個事物一個事物地去研究，去探索，這個叫“格物”。

朱熹認為，“窮理之要，必在讀書”。在探討、研究自然和社會各種事物的時候，最重要的是讀書，就是說，你要去探討真理，首先要做的是讀書，特別要讀儒家學派的書。

今日格物，明日格物，這叫向外用功。還有另外一條路線叫向內用功，什麼意思？就是要省、察、克、治。省是反省自己；察，考察自己；克是克服自己；治是治理、管好自己。這些講的都是人的自我道德修養。朱熹提倡，要用一種很嚴肅、很誠懇的精神去進行省、察、克、治等功夫，自我修養。態度很嚴肅，很誠懇，這叫“主敬”，“敬”就是要嚴肅，要恭恭敬敬、誠誠懇懇，和我們今天提倡“敬業”精神的“敬”，意思差不多。

向外用功也好，向內用功也好，幹嗎呢？目的是把人的各種欲望，特別是不正當的物質欲望去掉，把老天爺給你的倫理道德觀念保存起來，發揚起來，這就叫“去人欲、存天理”。朱熹認為這樣做了之後，人就不是一個普通的人，就成為聖人，成為賢人了。

朱熹還提出來，“要先知後行”。在知行關係問題上，朱熹主張首先要知，比如說你從北京到貴陽來，你首先要了解一下貴陽在什麼地方，怎麼樣才能從北京到貴陽。所以要“先知”，將“知”放在第一位，先要認識，先要了解，然後你才能夠行，去進行道德修養。

朱熹的學問是明清時期的官方哲學，長期在思想界佔據著主流和統治地位，統治者覺得這一派的學說很穩妥，很正當，沒有多大弊病，也沒有偏激不當之處，所以除了南宋後期一段很短的時間外，統治者大都提倡這一學派，表彰這一學派。

朱熹學派之外另外一個學派就是“陽明學派”——明朝的浙江人王陽明所創立的學派。這個學派的創始人是南宋的陸九淵，所以又稱為“陸王學派”。

貴州的學者、貴州的百姓可能都知道“陽明學派”。昨天我們到貴陽，下午就參觀“陽明祠”。我也了解到，貴陽附近有一個地方叫修文，修文有“陽明洞”，是王陽明修養的地方。王陽明當年在貴州，特別在文教方面留下了深刻影響，是著名的儒學大師之一。

“陽明學派”跟“朱熹學派”有很多不同的地方。朱熹認為“性即理”，王陽明則認為“心即理”，還說什麼“心外無物”、“心外無理”。什麼是“心”？講的不是存在於人體內的永遠跳動的物質的心，而是講的人的感覺和知覺。王陽明認為，人的感覺、知覺和人的倫理觀念是同一體。他有一段很著名的論證：耳朵是人一生下來就能聽，具有很高的聽力，眼睛是人一生下來就能看，具有很高的視力，這就叫“耳自聰，目自明”，是人的天賦生理功能，不需要後天的學習和培養。每個人都是這樣，除了先天的遺傳的殘疾人，正常的人一生下來都如此，王陽明把人的這種能力叫“良能”。由此，王陽明認為人有一種天賦道德觀念，見父必定知孝，見兄必定知悌，懂得孝敬父母，尊敬兄長。在陽明學派看來，人的倫理道德觀念，忠、孝、仁、義這些道德觀念，和人的生理功能是綜合體，是一致的，叫“良知”。

既然人生下來耳朵就能聽，眼睛就能看，與生俱來，本無欠缺，不必他求，人人如此，自然，不需要再去學習，不需要再去追求，這就叫“心即理”。與“心即理”相聯繫的是王陽明的“致良知”學說。王陽明認為，良知就是人的天賦道德觀念，人一生下來，就有道德觀念，它是完整的，不學而知，不慮而能，既不需要學習，也不需要思考。這樣的話，就必然得出一個結論，如果道德觀念是不需要學習，不需要思考，不需要後天培養的話，那麼向內用功，恢復這個“良知”就可以了，何必要像朱熹那樣主張向外用功，費那麼多精力去研究萬事萬物呢！這個恢復天賦“良知”的過程，王陽明稱之為“致良知”。

王陽明主張一個人最重要的不是要去研究天、研究地、研究世界上的萬事萬物，而是首先要發明、找到天賦的人的本心。如果你能將道德觀念作為自己的主宰，懂得道德觀念是怎麼回事，那麼人的各種各樣的、不正當的欲望就會自動消除。這就是所謂“主於道，則欲消”。所以“陽明學派”和“朱熹學派”都主張“去人欲，存天理”。但是，途徑不同。朱熹是主張格物窮理，一件件事物去研究，一個道理一個道理地去探討；而王陽明則主張，只要把人的本心所具有的道德觀念恢復了，發現了，那麼各種各樣的不正當的欲望自然就會消除。

在知行關係上，朱熹主張知先行後，先要知然後才能行；王陽明主張知行合一，不分先後。

陽明學派以朱學的反對派的面貌出現，它強調人的感覺、知覺、人的思維，也就是強調人的主觀精神。在反對權威主義、教條主義、本本主義這些方面起過思想解放的作用。但是，由於強調人的主觀精神，強調人的感覺、知覺，而人的感覺、知覺又因人而異，沒有標準，沒有規範，因此歷代的統治者對王學總是不放心。覺得它有可能從這裏出現一個缺口，產生一些異端的思想，所以歷代統治者大部分不把王陽明學派列為正宗的儒學。

明清以來，"程朱學派"、"陸王學派"經常互相攻擊。其爭論的要點如下：

第一，"支離"與"簡易"之爭。王陽明這一派批評朱熹那一派"支離"。什麼叫"支離"？就是說，你要培養自己的道德觀念，直接向自己的內心去找尋就可以了，幹嘛兜著圈子、繞著彎子去了解天地萬物？"支"就是兜圈子，繞彎子；"離"，就是離開了培養道德觀念這個根本的目的。為什麼鏡子可以照人，木板子不能照人，你研究了半天，把原理搞清楚了，對你培養道德觀念有何作用？王陽明年輕的時候，有一天他對著竹子觀察、研究，想從竹子的生長悟出道德應該怎麼培養，怎麼成為聖人、賢人。大家想，你對著竹子在那裏發呆，在那裏朝思暮想，當然與你的道德觀念的形成沒有關係。所以說，王陽明認為朱熹的辦法"支離"。"支"，走了岔路，繞了彎子，"離"，離開了道德培養這個根本目的。

朱熹學派批評陸王學派"簡易"。不必研究萬事萬物，也不必讀書窮理，太簡單，太容易了。

第二，"宗經"與"六經注我"之爭。朱熹主張，"六經"，孔子、孟子的著作是"理"的最完備的體現，世上的人，都必須將六經和孔、孟著作做根本，做規範，不能離開，更不能背棄。"陽明學派"認為，"宗經"、讀經都並不太重要，如果我掌握了"道"，把自己的道德修養這個問題解決了，"六經"不過是對我自己思想的一個解釋罷了，這叫“六經注我”。按照這一說法，聖人孔子、孟子講的話，不過是我心裏面想講的話。在這裏，“我”處於第一位，作為標準、作為規範的就不是“六經”，不是孔子、孟子的話，而是“我”了。

第三，“讀書窮理”與“束書不觀，遊談無根”之爭。朱熹主張“讀書窮理”，要多讀書，一書不讀，則缺乏一份道理。“陽明學派”由於強調首先要發明人的本心，所以不那麼強調讀書，特別不強調多讀書，苦讀書。其末流就產生一個偏向，叫什麼？“束書不觀”，把書捆起來根本不用去看，“遊談無根”，海闊天空地神聊、神侃，沒有根據。

第四，“窒欲”與“認欲為理”之爭。“朱熹學派”主張人的欲望是壞東西，要儘可能把它堵塞了，窒息了。他認為“陽明學派”有可能產生一個偏向，就是把人的欲望，人的生理欲望看成是合理的，符合倫理道德的。

這兩個學派在明清時代互相批評，互相攻擊，一直吵嚷不休。

以上是我講的第一點。希望大家對於“宋明理學”，對於“朱熹學派”和“陽明學派”的基本內容有一個概略的了解。

二、蔣介石與宋明理學

蔣介石少年頑劣，是一個調皮、頑劣、很壞的小孩，養成了許許多多的壞毛病。蔣介石自己講，“狹邪自誤，沉迷久之”。“狹邪”什麼意思？泡妞兒，搞“三陪”。蔣介石承認，青年時期，有很多時間泡在妓院裏面，泡在“三陪”這種場所。

蔣介石還有八個字，都是他自己的回憶，說年輕時候“荒淫無度，惰事乖方”。惰事，做事不勤快；乖方，不正派，不正確。蔣介石還講自己少年時，“師友不良，德業不講”，老師既不好，交的朋友都是些狐群狗黨，完全不講求個人的道德修養，到了今天，我要想“正心修身，困知勉行”，已經晚了。可見，蔣介石年輕的時候，生活相當荒唐，相當不正派。

蔣介石什麼時候開始改變的呢？大的關節是 1916 年，1916 年有一個叫陳其美的人被暗殺了，蔣介石很悲傷。陳其美是辛亥時期的一個革命家，孫中山的助手，是陳其美把蔣介石介紹給孫中山，是陳其美介紹蔣介石參加同盟會，成為革命者，可以說，陳其美是蔣介石參加革命的引路人。

1916 年，陳其美被袁世凱派人在上海暗殺了，這件事情給了蔣介石非常大的刺激，所以他就立志要學習陳其美，要做陳其美的接班人。而且，這以後蔣介石就立下一個志願，他要做中華民國的模範。

怎麼樣學習陳其美？怎麼樣做中華民國的模範呢？蔣介石找到的辦法就是學習儒家學派的理論。儒家學派認為修身是人生的第一大事，也是各項事業的起點。儒家的重要著作《禮記》裏面有一個篇目叫《大學》，裏面講什麼呢？"大學之道在明明德"，說的是，一個人最大、最重要的學問是，首先要研究，要弄明白自身本有的無比光輝的道德（明明德，第一個"明"是動詞），而且《大學》裏面又規定了修身、齊家、治國、平天下這樣一套人生的程序。

怎樣"修身"？到了宋明時代，道學家們在孔子"克己復禮"思想的基礎上進一步提出了以"去人欲，存天理"為核心的一系列修身主張。一方面將儒學倫理規範上升到天理的高度；一方面前所未有地、細緻地設計了各種遏制人欲的辦法。這一套，正適合蔣介石修身，做中華民國模範的需要。蔣介石為什麼信仰儒學，為什麼特別信仰宋明理學？主要的目的在修身，進行個人道德修養。

我們還是用蔣介石自己的話來說吧。蔣自稱："回滬後，乃即東渡亡命。"1912 年那一年，蔣介石把另外一個革命黨人陶成章刺殺了，事後他逃到日本，到了日本以後，專門研究宋明理學，力求端正品行，改變自己原來許許多多的壞毛病。在這個時候看誰的書呢？看曾國藩的書。看到什麼程度？看到眼睛都壞了。蔣介石還說，民國三、四年間，就是 1914 到 1915 年這段時候，感到自己在道德方面有很大的進步，常常感到昨天錯了，今天努力不夠。為什麼會有這種感覺呢？其原因在於經常讀曾國藩、王陽明、胡林翼三個人的著作，覺得有心得，有收穫，甚至於做夢的時候也忘不了這三個人的著作。

從此以後，蔣介石一生經常處於反省過程中。宋明時候，有些理學家有一個小本，這個小本叫"功過簿"。什麼叫"功過簿"？做什麼好事了，在這個本上畫個紅圈；做什麼壞事了，畫個黑圈。有什麼好的念頭了，畫紅圈；有什麼壞的念頭了，畫黑圈。蔣介石沒有"功過簿"，但是他有日記，日記就發揮了"功過簿"同樣的作用。蔣介石的日記從1915年開始一直記到1972年，前後記了53年。蔣介石記日記的作用之一就是：自我反省，克己復禮。

我舉一些比較具體的例子：例如：

1920年1月17日，蔣介石日記說："中夜，自檢過失，反復不能成寐。"這一段是說，半夜檢討自己的毛病，反反復復，睡不著了。

1922年10月25日日記說："今日仍有幾過，慎之。"這段日記是說，檢查的結果，發現幾處毛病，提醒自己要當心。

1925年2月4日的日記說："存、養、省、察功夫，近日未能致力。"存，保存自己的良好道德。養，培養自己的良好道德。省，反省。察，檢查。蔣介石提醒自己，近來有幾天沒有下功夫進行個人的道德修養了。

1925年9月8日，蔣的日記又講："每日做事，自問有無疚心。朝夕以為相惕。"要求自己每天做事的時候，自問有沒有感到慚愧、自咎的地方，早晨、晚上都要這樣想想，提高警覺。

蔣介石為什麼要這麼樣檢討，每天反省呢？蔣介石年輕時候有許多壞毛病，其中最大的毛病是好色。蔣介石為了要做中華民國的模範，為了道德自我完成，所以他跟自己好色的這個毛病進行過長期的、反復的鬥爭。為了說明這一點，我們還是看他的日記吧：

1919年3月，那段時候，蔣介石被孫中山派到福建去帶兵打仗，在福建建立一塊革命的根據地。中間，蔣介石請假回上海，路過香港，3月8日，他的日記說："好色為自污、自賤之端，戒之、慎之。"提醒自己謹慎小心，別犯錯誤。但是這一天，蔣介石"見色起意"，看到一個漂亮的女孩子，動了念頭，於是在日記裏面為自己"記過一次"。

第二天，他又寫日記，勉勵自己要經受住花花世界的考驗，說是："日讀曾文正書，而未能守其窒欲之箴。在閩不見可欲，故無邪心，今初抵香港，遊思頓起，吾人砥礪德行，乃在繁華之境乎！"曾文正就是曾國藩，他要求人們堵塞、遏制物質欲望。蔣介石檢討自己，雖然每天讀曾國藩的書，但是卻未能遵從他的"窒欲"的教訓。在福建時沒有見到漂亮女孩子，所以沒有產生過"邪心”，現在到了香港，各種各樣的念頭（遊思）就都冒出來了，這可是“砥礪德行”，進行個人道德修養的好機會呀！

蔣介石把繁華世界看成是鍛煉自己品德的好機會。這一段時期，蔣介石的日記裏面留下了大量的自我控制和自我放縱的記載。

例如：1920 年 1 月 6 日，日記說：“今日邪心勃發，幸未墮落耳。如再不強制，乃與禽獸何異！”這一天，蔣介石有了“邪心”，很強烈，但是幸虧自我控制，沒有墮落。蔣介石說，如果不強行控制，抑制衝動，那與禽獸有何區別！

過了幾天，1 月 14 日，蔣介石晚上外出遊蕩，大概遊蕩到妓院或者是“三陪”的場所裏去了，蔣介石在日記中罵自己說：“身份不知墮落於何地！”

第二天，蔣介石從外面回來的路上又起“邪念”，日記說：“何窒欲之難也！”遏制、堵塞自己的欲望怎麼這樣困難呀！

1 月 25 日，蔣介石在路上走著走著，又產生了不正當的念頭，日記說：“徒行頓起邪念。”宋明理學家主張“一念之萌”，就是一個念頭剛剛產生時，就要考慮這個念頭是“天理”還是“人欲”。如果這個念頭是好念頭，符合道德觀念，那就“敬以存之”，恭恭敬敬地嚴肅地把這個念頭保存下來；如果這個念頭屬於人的欲望，那就“敬以克之”，很嚴肅地克服它。我剛才舉的這些日記，大體上都屬於“敬以克之”一類。

年輕的朋友可能沒有經過“文化大革命”，年紀大的朋友都經過“文革”。“文革”的時候林彪曾經講過一句話，叫“狠鬥私字一閃念”，就是你這個腦子裏有個念頭一閃，如果這個念頭不對，就要“狠鬥”。大家看了我上面介紹的日記，蔣介石是不是有一點“狠鬥私字一閃念”的味道？我剛才講到，蔣介石早年身上有許多壞的毛病，在他的修養過程裏面，有的毛病得到克服，克服得不錯。例如，我剛才講到的，蔣介石早年好色，生活放蕩。但是從中年以後，這個毛病改得就比較好了。所以我們今天要找蔣介石的緋聞，中年以後找不到（有些這方面的傳聞，不可靠）。但是有些壞毛病是終生難改。例如，蔣介石愛罵人，愛發脾氣，這些毛病幾乎跟著蔣介石一輩子，蔣介石想改，但是沒改掉。

三、蔣介石與王學

蔣介石初次研究王學在民國初年，也就是在 1914 到 1915 年間，蔣介石想改自己的壞毛病的時候。我講他讀了三個人的著作，其中一個就是王陽明。

蔣介石再次研究王學在 20 世紀 20 年代到 30 年代。1926 年 11 月 17 日，蔣介石從江西九江出發，在車裏面讀《陽明格言》。1931 年 7 月 26 日，讀王陽明的《年譜》，覺得"有益"。8 月 31 日日記記載："今日看《陽明集》，認此為救國之本，當提倡之。"當時，蔣介石正在想辦法對付廣東的地方政府，他覺得可以從王陽明的書裏面找到救國的道理。

蔣介石最肯定、最欣賞王陽明的"知行合一"學說，但是孫中山卻最不喜歡王學，在《孫文學說》中給過嚴厲批判。蔣介石在 1932 年 5 月，1950 年 7 月，兩次出面演講，說明王陽明和孫中山在"知"的認識上各有不同，但在重視"行"這一點上完全一致。

四、蔣介石與朱學

民國初年，蔣介石讀曾國藩的書，是他研究朱學的開始。蔣介石再次研究朱學，約在 20 世紀 20 年代末。1929 年 7 月 18 日，他的日記記載，正在讀朱熹的全集《朱子全書》。1933 年 8 月 13 日、14 日，蔣介石住在廬山下面的白鹿洞，這是當年朱熹講學的地方，蔣介石在日記中寫道："所遊之地，所到之處，皆為當年朱子親歷之境，身入聖域勝地，而不能身體力行，復興中華固有之道德而發揚光大之，豈不有忝所生乎？"到了朱熹當年講學的地方，蔣介石覺得不能夠像朱熹那樣，身體力行，發揚光大中華的固有道德、文化，很慚愧，白活了。

蔣介石研究朱熹的學問有一個特點，他試圖把德國的黑格爾哲學和朱熹的哲學結合起來。1940 年 2 月 1 日他有一篇日記，記述閱讀中國學者研究黑格爾的書《黑格爾學術》，聯繫朱熹的"太極學說"，覺得有心得，認為朱熹的學說實在是"中華唯一哲理"，給了朱熹哲學非常高的評價。

蔣介石還將自己和朱熹比較。朱熹生前曾經認為自己的短處在於“急迫浮露”，沒有“雍容深厚”的風度。2 月 17 日，蔣介石檢討自己，認為朱熹的短處正是自己的毛病，急躁、外露、不冷靜、不含蓄、不從容、不深厚。

可以看出，蔣介石對於陽明學派，對朱熹學派都給予高度的評價。但是，在 20 世紀 40 年代，蔣介石思想卻有很大的轉變，這個轉變就表現在對於“理學”的懷疑和對“顏李學派”的肯定上。所以，蔣介石並不是一輩子都信奉“宋明理學”的，有一段時期，他對“宋明理學”是懷疑的。這一點，到目前為止還很少有人知道。

五、對顏（元）、李（塨）學派的讚揚，對理學的懷疑

1942 年，蔣介石看梁啟超的一本書，《中國近三百年學術史》，裏面有一章論述“顏李學術”。顏是顏元，李是李塨，都是明末清初的學者。梁啟超把他們稱為“實踐實用主義”。蔣介石日記說：我花半天的工夫把“顏李學術”這一章讀完了，非常敬佩顏、李這兩個人學術的偉大。以他們兩個人的學術成就，實在可以稱為“漢唐以來罕有之大儒”。而且，他們的學術完全和我提倡的《行的道理》相同。蔣介石說，原來我自己很得意，認為“不行不能知”是自己的一大發明，可謂“發前人所未發”。現在發現，顏元先生在我之前已經講過“不知只是不行”這樣的話，感到敬佩和安慰。當年孔祥熙在孔子誕辰時要我發表《孔學宗旨》一文，因為心不自安，沒有發表，否則還要作文更正。現在讀了《顏李學術》之後，對於宋明的“程、朱、陸、王”之說“更增疑問”了。[1]

在知行關係上，孫中山強調“行”的重要，1918 年寫作的《孫文學說》其中有一章，標題就是“不知亦能行”，說明人類進步，科學昌明，“皆發軔於不知而行”，最初不知，通過“行”而後發展了“知”，增加了“知”。蔣介石認為，在孫中山這句話後面，還可以加一句話：“不行不能知。”1939 年 1 月 3

1 《蔣介石日記》(手稿本)，1942 年 8 月 25 日。

日，蔣介石在日記中寫道："吾則繼之曰：不行不能知。唯有行而後乃能知其知之真偽與是非也。"同年3月15日，他發表題為《行的道理》的演講，繼續強調"行"的重要。他說："我們除了基本的革命大義以外所知的實在有限，因此我們一方面固然應當竭力求知，同時還應該從力行中去求真知。凡是我學問經驗中認為已經獲得的知識，如果不是經過實行而證明為有效，就不能斷定所知者果為真知。所以我們一切的事業，必須實行而後始有真知。""如果經過實行或實驗以後，而我們所得的知識，所用的方法，證明為不能見效，我們就可以察覺此前所認為已知者，其實不是真知。"[1] 從總體上，根本上考察，一切"知"均源於"行"，蔣介石所補充的"不行不能知"這句話，將"行"看作"知"的來源，是對的。他所說的"唯有行而後乃能知其知之真偽與是非"這句話，將"行"看成檢驗"知"的"真偽"與"是非"的途徑，也是對的。宋明時代的理學家或"實學"家們還很少像這樣明確地講過。

《大學》裏有一句話叫"致知在格物"。對於這一句話，歷來的儒家有很多很多解釋。其中有唯物主義的解釋，也有唯心主義的解釋。蔣介石在1942年8月28日的日記中講，什麼叫格物呢？"格物之格，以研究而後分析，分析而後明別，確定其物事之理性是也。簡言之，分析其事物之理性，謂之格物也。"將"格物"，解釋為去研究、去分析事物的道理，這是唯物主義的解釋。

過了幾天，蔣介石又在日記中寫道："《顏李學案》在途中得以窺見大略，開拓我此生之學業最大，若不見此，幾乎為程、朱、陸、王之學誤此一生矣。"還是讚揚顏元、李塨學說，後悔朱熹、王陽明等人的學說害了自己。

第二年，1943年8月，蔣介石在《上星期反省錄》又寫道："習齋"（顏元）、"恕谷"（李塨）的話，都是"先獲我心"之言。自從去年在蘭州讀到了他們的書，對於中國學術傳統的觀念，就"徹底改變"，這些改變，都由顏、李的書"得益而來"。還寫道：本週看梁任公著《近三百年中國學術史》，讀到"顏習齋學案"手不能釋卷，更覺此書重要。

我講上面的情況，就是說明蔣雖然崇拜朱熹和王陽明的學說，但是在20世

1 《行的道理》（行的哲學），引自秦孝儀編：《"總統"蔣公思想言論總集》卷16，台北中國國民黨中央黨史委員會1984年版，第154頁。

紀40年代，一度對“朱熹學派”和“陽明學派”產生懷疑。大家看中國哲學史的話，你會發現顏元的學術、李塨的學術被公認為符合唯物主義思想。

六、晚年蔣介石對“朱學”、“王學”的新認識

蔣介石到台灣以後重視科學，提出“科學第一”的思想，哲學思想也隨之變化。1949年，蔣介石丟掉中國大陸，到了台灣，很沉痛地進行自我反省。提了四個字的新口號，叫“科學第一”。這時，蔣介石對於“朱學”，對於“王學”，有了新的認識。

開始的時候，他對王陽明還是很佩服，感歎陽明的學問簡易精博，願“終身私淑”，做王陽明的學生。[1] 什麼叫“終身私淑”，就是沒有正式拜師，但終身願意當王陽明的學生。

但是這一時期，他再度閱讀“顏習齋學案”，表示要重新研究。[2] 同時，對於朱熹、王陽明兩個學派之間的爭論也有批評，認為像王陽明這樣的學者把朱熹的學說看成敵人，大可不必，這就是“意氣之爭”。他說：“此種心物之理，不能固執一偏（不能夠只看一個方面）。陽明以晦庵（朱熹）為有誤，則可照其己意解釋，不必以敵對相視也。”他表示，陽明說“理在心”可以，但認為“物無理”，則不可。他說：“至今科學之理，則物有其理更明矣。”[3]

蔣介石對王陽明的最嚴厲的批評表現在1962年6月的日記裏面，他說：“陽明認為心之外無物，乃是陷於極端唯心論。試問無物，何有人的世界耶？”[4] 這是蔣介石晚年對王陽明學說的最嚴厲的批評。到了1968年，他繼續研究朱熹和王陽明關於“無極而太極”的辯論，認為朱熹的學問“近於科學”，而王陽明的學問“近於唯心”。[5]

蔣介石批評王陽明對“物”的解釋。對什麼是“物”，王陽明有自己特別

1 《蔣介石日記》（手稿本），1954年7月1日。
2 《蔣介石日記》（手稿本），1953年7月4日。
3 《蔣介石日記》（手稿本），1962年6月14日。
4 《蔣介石日記》（手稿本），1966年6月22日。
5 《蔣介石日記》（手稿本），1968年4月14日。

的解釋。他說什麼是物，事就是物。所以蔣介石批評王陽明“將具體之實物於不理。乃對於中國科學研究發生不利之影響”。例如，王陽明早年研究竹子，但他不懂得生物學，也不懂得物理學，所以“研究不得法”，在竹子面前苦思苦想了半天，最後失敗了。[1] 到了 1970 年 6 月，蔣介石去世之前 5 年，他又寫了一段話，讚揚朱熹對“格物”二字的理解，他說：“致知在格物，在近時科學原理讀之，尤覺其釋詞正確。”他說，千年以前，持有這一思想，除了朱熹以外沒有第二個人。這是因為，“當時儒家全為唯心論，只知有心之理，而無物之理，此所以對朱子剖釋格物致知之說詆毀排斥，無所不至，因之中國之大，至今落後、衰弱，反為世界所欺凌、侮辱，如此其極也”。[2]

蔣介石誇獎朱熹說：自孔子刪《詩》、《書》，作《春秋》以來，能夠使中華文化連續不斷地發展的，朱熹是“第一人”。[3] 這就表明，蔣介石從原來欣賞王學到欣賞朱學，充分肯定朱熹在保存和發展中國文化上的功績了。

1970 年 10 月，蔣介石再次在日記中批評王陽明的“事物觀”。他說：“（陽明）以事為物，事物不分。”這是陽明“格物”之說的“最大錯誤”，“難怪後之學者認為其唯心論也”。他表示：“事為內心，物為外表，不能混為一談。”[4] 物是獨立於精神（內心）之外的客觀世界，朱熹將之解釋為“外表”，也並不準確。

王陽明曾經在貴州生活、工作了很長一段時期。貴州有些學者對於陽明學的評價比較高，和蔣介石這裏的評價有很大的差距。其實，朱學與王學各有其特點，各有其貢獻，也各有其局限和消極影響。我們的任務是消除門戶派別和地域之界，實事求是還原其本來面目，科學地、全面地評價其學說和影響。蔣介石在日記裏表述的看法可以作為進一步研究“宋明理學”的一種參考意見。我藉今天講座的機會，把它們介紹出來，跟貴州的學者共同研究，共同討論。

蔣介石重視宋明理學，重視個人的道德修養，這使他在個人修身上做出了成績。剛才我講到，蔣介石早年生活荒唐，但是，中年、晚年生活比較正派。

---

1 《蔣介石日記》（手稿本），1968 年 5 月 17 日。
2 《上月反省錄》，《蔣介石日記》（手稿本），1970 年 6 月 30 日。
3 《上月反省錄》，《蔣介石日記》（手稿本），1970 年 6 月 30 日。
4 《蔣介石日記》（手稿本），1970 年 10 月 28 日。

除了"修身"之外，我覺得他在"齊家"方面也還做出了一些成績。

這裏我講蔣氏家族幾個人的例子，一個是宋美齡。宋美齡一生雖然是蔣介石的夫人，但是不干政，她干政的幾件事情都是好事情。例如抗戰期間她到美國訪問，遊說美國朝野，爭取美國同情和支援中國抗戰，這是好事情。例如，宋美齡曾經支持中國建設空軍，對於抗戰時候中國空軍的建設起了好的作用。

蔣介石培養蔣經國也培養得不錯，蔣經國對於建設台灣、開放黨禁、開放老兵回鄉探親，對於促進海峽兩岸的交流做出了貢獻。

還有蔣緯國。蔣緯國不是蔣介石的親兒子，是戴季陶的兒子。抗戰勝利以後國民黨的大員從重慶到了南京、上海，搞"五子登科"，搶五樣東西，搶什麼呢？搶房子，搶車子（小汽車），搶條子（金條），搶票子（鈔票），搶婊子（姨太太）。1947 年，蔣緯國也趁這個機會在上海搶了一座別墅，蔣介石知道以後，在日記裏邊寫了一段話。說此子"招搖不規〔軌〕，不知自愛"，讓蔣經國通知蔣緯國，趕快把搶來的別墅交回去。[1] 蔣孝文是蔣介石的長孫，是蔣介石最疼愛的一個孫子。1960 年在台灣結婚，和他的新婚夫人向公家要了一輛敞篷吉普車到日月潭去兜風。蔣介石知道以後，在日記裏寫了一段話，大意是招搖過市，影響太壞，馬上通知蔣孝文把吉普車退回公家。[2]

上述事例說明，蔣介石研究"宋明理學"，除了個人修身、自己進行道德修養之外，在"齊家"方面應該說也還做得可以。

儒家學說是講"修身、齊家、治國、平天下"的，在"治國、平天下"方面，應該說蔣介石的成績很差。在這一方面"宋明理學"沒有能夠向蔣介石提供有積極意義的內容。畢竟"宋明理學"是中世紀的思想遺產，解決不了二十世紀中國的問題。

---

1 《蔣介石日記》（手稿本），1947 年 10 月 23 日："朝課後與經兒聚餐談話，為緯國招搖不規，不知自愛，為人輕視，為家庭羞，言之不勝痛憤。先准經兒代為教戒，當視其以後行為能否改過也。" 10 月 24 日："令緯國歸還滬寓於敵產管理處。"

2 《蔣介石日記》（手稿本），1960 年 7 月 7 日："聞孝文藉搭敞篷汽車往日月潭蜜月，心甚不悅，即令該車當日回來，恐其招搖遊逸，為世詬病，且不能成材也。"

七、理與欲——人類的永恆矛盾

“理與欲”，道德倫理和人的欲望之間存在著永恆的矛盾。只要有人類，一定會有道德觀念和人的欲望之間的矛盾。人類永存，理和欲的矛盾永存。

人的欲望，人的需要，是人類社會和文明不斷發展、不斷進化的驅動力。例如，口之於味，使人類發展出各種各樣的美食。目之於色，使人類發展出繽紛豔麗的色彩、圖案和繪畫。耳之於聲，使人類發展出各種優美動聽的旋律。足之於行，人想走得更快，於是就創造了汽車、火車。人想像鳥那樣飛翔，於是就發明了飛機。如此等等。因此我們說人的欲望，人的需要不是罪惡。不能禁欲、窒欲。

但是人的欲望是無窮的，是難以完全滿足的，聽任物欲橫流是危險的，可怕的。所以要用“理”，用道德倫理觀念來約束，來控制欲望，這個思想叫“以理制欲”，用道德，用倫理來控制、約束人的欲望，這個思想我認為還是合理的，是正當的。

我們一方面要反對僧侶主義，反對禁欲主義，同時又要反對縱欲主義、享樂主義，反對奢靡之風。儒學，特別是“宋明理學”提出了理和欲的矛盾，主張“以理制欲”，是對人類思想史的重大貢獻。

宋儒曾經講十六個字，叫十六字“心傳”——“人心唯危，道心唯微；唯精唯一，允執厥中。”什麼意思？“人心”，指人的生理上的欲望；“唯危”，很危險；“道心”，指人的道德觀念、倫理觀念；“唯微”，微細而不能夠看到。那麼我們應該怎麼辦？“唯精”就是精益求精，“唯一”就是專心致志，“允執厥中”就是保持一個恰當的標準，採取恰當的處理。“中”，就是《中庸》所講的“中”，“無過無不及”，既不要過頭、過激，超越、超前，也不要落後、不足、不到位。我覺得這“十六個字”有道理，人必須正確地處理道德倫理和人的欲望之間的關係。

作為政府，作為執政黨，應該充分發展物質生產和精神生產，最大限度地滿足人民群眾的合理的物質和精神的欲望。但是，也必須提倡道德觀念和個人修養，將依法治國和以德治國結合起來。就是說，人的物質欲望，人的精神欲望是合理的，正當的。所以，國家、政府、執政黨，應該充分地發展物質生產，充分地發展精神生產，滿足人民群眾的合理的欲望。但是，還必須提倡道德觀念，提倡個人修養。一方面依法治國，一方面以德治國。前天，王蒙同志已經講得很多了，我這裏就不多講了。所以說以理制欲，用道德倫理來約束、控制人的欲望，這是防治資本主義社會物欲氾濫病的有效藥劑。資本主義社會最大的弊病就在於貧富兩極分化，金錢萬能，物欲橫流。用什麼來解決資本主義的病症？這就要提倡以理制欲。我覺得，這也是反腐、防腐的有效良藥。這些年，我們揭露了不少腐敗份子，揭露了不少貪官。他們之所以成為腐敗份子，成為貪官，原因何在？不就是不能夠控制自己對金錢的欲望，不能控制自己肉體的欲望嘛！貪污了一千萬還不夠，還要貪污兩千萬，貪污三千萬，貪污上億。一個“二奶”不夠，還要兩個“二奶”，三個“二奶”，幾十個“二奶”。所有的腐敗份子，所有的我們現在已經抓出來的“老虎”，都在於他們不懂得“以理制欲”，用道德來控制自己的欲望。

以上是我今天報告的全部內容，就到此為止。謝謝大家聽我冗長而不大好懂的講演，謝謝大家！

張學良及其西安事變回憶錄*

* 本文錄自《找尋真實的蔣介石：蔣介石日記解讀》(2)，重慶出版社 2018 年版；原載《百年潮》2002 年第 9—10 期。

張學良的西安事變回憶錄，有文字和口述兩種類型。文字型主要有四種：1. 由蔣經國修改定名的《西安事變反省錄》；2.《雜憶隨感漫錄》中的有關章節；3.《恭讀〈蘇俄在中國〉書後記》；4.《坦述西安事變痛苦的教訓敬告世人》。口述型有兩種：1. 唐德剛的訪談錄；2. 張之宇、張之丙姐妹的訪談錄。以上六種回憶錄分別完成於 20 世紀 50 年代至 90 年代。今年 7 月，我到美國哥倫比亞大學珍本和手稿圖書館閱讀了新近開放的張學良檔案，本文將以之為據，闡述張學良上述回憶錄的產生經過，同時探討張學良這一時期的思想狀態及其變化經緯。

一、張學良奉命回憶

西安事變是近代中國的驚天動地的事件，但是，它的發動者張學良很快就處於被軟禁狀態，長期保持沉默。張學良就西安事變寫回憶，始於 1956 年 11 月，完全出於蔣介石的命令。

當時，蔣介石早已退守台灣，正在著手寫作《蘇俄在中國》一書（實際由陶希聖執筆），企圖藉此總結和共產黨人打交道的經驗。1956 年 11 月 20 日張學良日記云：“老劉前日連夜去台北。今日返，午飯後來余屋，告知我，彼係被‘總統’召見，告他令我寫一篇西安事變同共產黨勾結經過的事實，再三囑咐要真實寫來，並說此為歷史上一重大事件。”言後又再告劉囑余要安靜。

“老劉”，指負責看守張學良的國民黨軍統特務隊隊長劉乙光，是張、蔣之間的聯繫者。

張學良接到蔣的這一指示後，“百感交集，十分激動，決心不計個人利害，詳述前因後果”，但是，他已多年不再回憶此事，不知由何下筆。當日，他曾向劉乙光談西安事變經過約兩小時，談完又後悔，覺得違背了自己不久前所立“寡言”之誓。這一天晚上，張學良“興奮過甚，前思後想，反復追思”，一夜未能睡好。

從西安事變送蔣返回南京之日起，張學良已經被蔣介石軟禁了近 20 年。此際，正軟禁於高雄西子灣，處於重重看守中，但是，蔣介石對張還是不放心。1956 年 11 月 13 日，蔣介石單獨召見劉乙光，詢問張學良的讀書、身體及年齡，命劉向張宣佈蔣的兩項禁令：不准收聽中共廣播；不准同警衛人員接近。張聞聽之後，頗有震雷貫耳之感，“反復思維，深自反省”，決意自 11 月 16 日起，“寡言，讀書，默思”，“死裏求生，改頭換面，作一番復活功夫”。他對西安事變的回憶就是在這種情況下開始的。

12 月 5 日，張學良將西安事變回憶錄寫成，不過，那其實是寫給蔣介石的一封長函，首云：“劉乙光同志轉下鈞示，令良將西安事變前後事實，寫一回憶呈閱。聆悉之下，百感交集，惶悚無似。良本下決心，永世不談此事，所以無任何隻字記載存留。而多年來，更不願自尋煩惱，曾自勉連回想亦不再事回想，忽聞斯命，准良將此歷史大事自白，欽佩鈞座之偉大，感激對良之高厚。起而自奮，決心完白坦述，上供鈞座之參考，下垂後人之昭戒。”在長函中，張學良回憶了他和李克農、周恩來等人的聯繫，但聲明發動事變並未和共產黨“徵詢商議”，“如認為西安之變，由於中國共產黨之宣煽，則不如說，由於良之不學無術、魯莽孟浪”。在寫作前，蔣介石曾通過劉乙光向張詢問楊虎城的情況。張稱：“平心而論，西安之變，楊虎城乃受良之牽累，彼不過陪襯而已。”“至於楊虎城到底同共黨是何等關係，是如何得以結合，良實不知其詳。”

張學良寫這封長函，自稱“主旨在真實”，除記憶上的訛誤外，沒有故意在史實上說假話，但是，長函只寫到他本人發動事變為止，事變發生後的情況，如拘留蔣介石，宋子文、宋美齡來西安和周恩來談判以及周恩來和蔣會面等情況均略而未談，他本人和共產黨的關係也談得很膚淺。張學良怕蔣介石責備，於 12 月 6 日補寫了一段，特別說明："假如鈞座對於某事內容或某人之言談，或另有其他之事，欲詳細知道，請明加指示，再專就該一事詳細陳述，如記憶不清者，再詳為回憶。良補此書者，是惟恐鈞座對某一事件，良或漏書，或欠清楚，認為良有意規避。然內中也有諸事，盡力簡述，或覺於正題無關，或覺此時不當再為提起，並非有不錄真實之意也。"當夜，張學良將長函抄好，於 6 日交給劉乙光，要求務必於當日送達台北。

二、蔣經國要求寫出西安事變的全過程

12 月 10 日，劉乙光自台北回到高雄西子灣，向張學良交回長函。據稱，蔣介石不在台北，只見到了蔣經國。小蔣要張學良完整地寫出西安事變全過程，至蔣介石與張學良等離開西安後三日為止。劉並稱："總統"的著意之點在，"真實知道共黨是如何的做到了這項工作，以為反共鬥爭研究資料"。張學良聽後，覺得十分為難，日記云："不能不寫真實，又不能不為長者諱。"所謂"長者"，當然是指蔣介石。張學良當夜再三思量，終於找到了一種方法，"真而諱可也"。

蔣經國急於看到張學良的修改稿，於 17 日電催劉乙光到台北。當日，張學良續致蔣介石一函，說明回憶西安事變時的考慮：

> 良未寫事變當時之事，非有他，實有不忍言者：自愧行為過於醜劣，再多關鈞座於良個人者為多，實難下筆；而其中事實，鈞座多已知之矣。鈞座已知之事，俯乞萬死，庶良不再為追述，茲謹就鈞座未知之事，略陳如下。

張學良為"有所不寫"找到的理由是："鈞座已知之事，何必要我來寫！"函中，張學良著重敘述了和蔣在華清池兩次談話之後的衝動心情，很快就轉入自我批判：認為"此事最重要處，是在當事者良之個人"。他檢討自己：1. 滿

腹憂患，固執己見，不計利害。2. 對共黨無深刻之研究……函稱，本人之所以犯錯誤，原因在於：痛恨日本人，“徹底確認彼等非要征服中國不止，無調協餘地，非作殊死鬥不可”；而對共產黨，“總覺得同是中國人，不過是所見者不同，權利之事，今日可為敵，明日在某一目標下又可為友矣”。同時，張學良批評國民黨的宣傳，“本主觀之點，室中杜撰，不能對症下藥，所以常鑿枘不入，不起重大作用也”。

張學良所欲為“長者諱”的，正合蔣介石的心意，所以，張學良的西安事變回憶始終是一份缺少關鍵之處的不完整的記錄。

三、蔣介石要求駁斥“成交”說

在西安事變中，宋美齡、宋子文二人曾代表蔣介石和周恩來等談判，達成改組行政院、肅清親日派、中央軍撤兵並調離西北、釋放愛國領袖等 9 項協議。蔣介石也曾在與周恩來會面時表示，要停止“剿共”，聯共抗日。在這一情況下，西安事變得以和平結束，張學良才主動送蔣介石返回南京。但是，這一經過，蔣介石始終不願公之於世。他的《西安半月記》僅在 12 月 23 日簡單地記載：“是日，子文與張、楊諸人會談約半日，對於送余回京事，眾意尚未一致。”對於他本人和周恩來的見面與談話，竟一字全無。

1955 年，郭增愷在香港《熱風》雜誌發表《西安事變感言》一文，對所謂張、楊閱讀蔣的日記後受到感動，因而幡然悔悟一說表示質疑，認為西安事變的解決是蔣與張、楊之間的“成交”，“宋子文和蔣夫人是保證者”，他本人也是“見證人”中的一個。蔣介石對此文很不滿意。1956 年 12 月 18 日，劉乙光到達台北，將張學良的回憶長函面交蔣介石。同月 20 日，蔣即傳喚劉乙光，聲稱：“（張學良）對共產黨（的認識）已有進步，我甚安慰。他將來對革命還可以有貢獻。”同時命劉將郭文轉交張學良，要張在回憶錄中加以駁斥，“這篇東西（指郭文）對我們倆都有關係，必須有以闡明以示後人。”言談之間，給劉的感覺是，蔣“需要甚急”。

郭增愷何人，張學良已不復記憶；在回憶錄中駁郭，必須說假話，張學良感到“甚難寫，弄的不三不四”。思考再三，張學良僅將回憶修改兩小段，另寫《慨中國文人之無行》一文，中云：

有郭增愷其人者，當年在西北公路局任職，為楊虎城之嬖佞。……此人真不知羞恥者。

我等當年讀過蔣“總統”日記之後，自認抗日之事已有著落，追悔孟浪，不明領袖謀國苦衷，恭送“總統”回京，自動隨從請罪，說不到什麼條件成交，更談不到見證，就是有見證的話，恐亦輪不到該郭增愷名下。

此文重點仍在於論證送蔣返京，出於受蔣日記之感動，而非“條件成交”，企在體蔣之意，維護其“偉大領袖”的形象。同時，張學良並於12月21日致蔣一函，聲稱讀郭文之後“可氣亦殊可笑”，函云：

此人為誰，良誠已忘卻，假如良所知的那人是對，彼乃一小丑角色。他不是共黨，他是屬於第三黨，在第三黨中也不是什麼重要者。當年曾為楊虎城嬖幸官僚政客之流也。在回憶文中難將其人攙入，茲僅就其故說之處，針對如上，以證其無的之言，另寫一紙以駁之，未審可用否？

12月21日，張學良將寫好的文與函交給劉乙光立送台北。與劉約定，如認為不妥，先來一電話，以便準備再寫。

函上，蔣介石沒有再提出新的要求。郭增愷方面，則由張學良在美國的經紀人伊雅格出面斡旋，由張簽付美金支票6100元，郭遂不再說話。

四、張學良要求“受訓”

張學良所寫西安事變回憶和對郭增愷文的處理都使蔣滿意。12月24日蔣將自著精裝《解決共產主義思想與方法的根本問題》及1957年日記本一冊交給劉乙光，作為對張學良的獎賞，同時要劉傳達兩句話：“共產黨必敗”，“（張）對反共抗俄，有貢獻處”。張學良得悉後，“中夜反復自思”，決定給蔣介石及宋美齡各寫一信。次日，張學良將信函交給劉乙光，請他派人送往台北。劉認為信件重要，表示必須本人親送。

國民黨對擔任高級職務的黨員有輪訓制度。張學良在 1929 年加入國民黨，擔任過中央監察委員、執行委員、政治委員會委員等職。

1951 年 11 月，張學良致函宋美齡，“請示黨員歸隊”。1954 年 10 月，劉乙光調台北陽明山受訓，張學良也想爭取受訓機會，曾致函張群，但未有下文。此際，張學良揣摩蔣的意思後，再次向劉表示受訓心願，要劉上達。劉為了避免說錯話誤事，要求張學良寫一份節略給他。1956 年 12 月 25 日，劉乙光到台北，蔣介石於當夜 9 點接見。對張的受訓心願，蔣連說：“好！好！”劉追問何時？蔣答：“須佈置佈置。”同月 27 日，劉乙光尚未起床，蔣即電話召見。蔣稱：“張受訓一事，貿然從事，恐外間之人有些不諒解，甚或引起風潮；或有人對張侮辱，反而壞事，須先有步趨。其辦法是，張先寫一書，敘述個人經歷、抗日情緒、對共產（黨）的觀感等，公開發表，改變外間觀感，然後方可進行。”蔣的意思是要張通過親身經歷，公開反共。張學良得知後，情緒激動，一夜未能成眠。次日，情緒更為激動。日記云：

> 早起，蠢性又發，在老劉處大發牢騷。回來胡寫信，後經老劉苦說，趙四亦加勸言。下午睡過，自感矛盾，即決從事反共，又何顧小小顏面問題。“總統”賜給機會，准我由“九一八”以前寫起，這是何深用意！同時外間是有人懷恨切深。把信改書，囑老劉明早去台北。余稚氣太勝，須力加痛改。

29 日，劉乙光向張表示，信中仍有不妥之處，張學良此時情緒已經平靜，立即改寫信件，交劉送往台北，並且寫了兩句詩：“昨夜一陣瀟瀟雨，狂風吹去滿天雲。”

五、蔣經國為張學良的回憶定稿

自 1957 年年初起，張學良即遵照蔣介石之命，撰寫範圍更廣的回憶。4 月 22 日完成，命名為《雜憶隨感漫錄》。該稿一部分回憶張作霖，題為《我的父親和我的家世》；另一部分回憶自己，題為《我的生活》。其中涉及西安事變的有《我之與國民黨》與《出洋歸國與管束》兩節。該稿指責中共“包藏禍心，別有所圖”，讚揚蔣在西安事變中“剛正嚴厲”，自貶行動魯莽，思想幼稚，可恥而又可笑。張並在致蔣函中聲言，本人對該稿並不滿意，請蔣指示修改之處。23日，張將該稿交劉乙光送往台北。5月1日，劉自台北歸來，告張已將該稿交蔣經國，等了幾天，沒有動靜。同月5日，蔣介石召見劉乙光，聲稱張所寫“係歷史重要文件”，“有價值，有貢獻”，“如不到台灣，無此文”，要張親筆寫一份。同時，蔣並稱，張前所寫回憶西安事變的函件，須加編整，由張親筆抄寫，交高級將領參考。同日，蔣經國召見劉乙光，聲稱“總統”已將張的函件交自己修改。5月10日，蔣經國將修改稿及《雜憶隨感漫錄》原件退給劉乙光。張學良收到後發現，蔣經國已將自己去年12月5日和17日寫給蔣介石的函件合併，改為一篇文章，題名《西安事變反省錄》，但內容並無重大變動。

5月11日，張學良按蔣介石要求，開始抄寫《西安事變反省錄》，至19日抄畢。自20日起，抄寫《雜憶隨感漫錄》。6月10日，蔣經國召見劉乙光。張學良即將《反省錄》抄稿交劉，要他在必要時呈上，請劉同時聲明：張“不滿意這本，寫的不整齊，假如不急用，請帶回再繕”。劉乙光到台北後，向蔣介石說明張意，蔣稱：“留下我研究研究。”蔣並表示，擬將張遷至較近之處。蔣經國還送了一些芒果給張。6月24日，劉乙光再次被召到台北，蔣經國、蔣介石所著《蘇俄在中國》一書交劉，要他轉交張學良。

6月30日，張學良抄完《雜憶隨感漫錄》。致蔣介石函稱：“楷書能力太低，日僅千餘字，又不整齊，時有錯漏，請罪。”第二天，劉乙光去台北，為張學良選擇新住址，張學良就將信函及書稿一起交劉。

自7月3日至14日，張學良將《西安事變反省錄》，工工整整地又抄了一遍。

六、《懺悔錄》風波

張學良平靜下來了，但是，1964年，一件意外的事卻引起了他的激動。當年7月1日，台北出現了一本題為《希望》雜誌的創刊號，該刊"特載"欄有一篇《張學良西安事變懺悔錄摘要》，內容就是蔣經國定稿的《西安事變反省錄》，只不過作了刪節。同月7日，這篇《懺悔錄》又被台北《民族晚報》分段轉載。張學良從報上讀到之後，立即給蔣介石寫信，說明"這個東西可不是我發表的"，"誰發表誰的責任"。蔣介石為此非常生氣，結果，《希望》雜誌被查禁，創刊號全數收回，黑市由每本台幣10元漲到100元。蔣經國當時已擔任"國防部"部長，《希望》雜誌是小蔣所掌握的軍方政治部辦的。多年以後，張學良對此事的解釋是：蔣經國"在一個軍事會議上公開給他們看，說我這個人，過去說這些事，是一個很大的教訓。有人就偷著把這個信發表了"。張並稱，他和蔣介石之間"暗中約會〔定〕，我們倆應該守秘密的事"。張學良被軟禁之後，他和蔣介石並無多少見面機會，不可能有什麼"暗中約定"。倒是西安事變期間，雙方有過默契：不發表協議及談判經過。1936年12月27、28日，西安《解放日報》及中共方面相繼公佈了談判中的六條協議，引起宋子文和宋美齡的強烈不滿，批評這一做法"無信義"，兩宋並通過宋慶齡轉告中共代表，"無論如何不得再宣佈他們的談話內容"。看來，張學良的所謂"暗中約定"指的是西安事變時期達成的相關默契。

七、回歸本真

為了恢復自由，張學良按照蔣氏父子的希望，對西安事變說了相當多的懺悔的話，也作了若干反共表態，但是，張學良還是沒有能恢復自由。自此，他就緘口不言了。1975年，蔣介石去世。1988年，蔣經國去世。1990年6月1日，以"總統府"資政張群為首的80位友人在台北圓山飯店為張學良慶祝90大壽。此後，張學良基本上恢復了自由。同月17日及8月4日，他兩次接受日本廣播協會電視台訪問，第一次向媒體公開談論西安事變。1990年1月25

日，他開始接受美國唐德剛教授的訪問。1991年12月17日，開始接受美國張之宇、張之丙姐妹的訪問。這時，在對西安事變等問題的看法上，張學良才逐漸回歸本真。

在20世紀90年代的訪談中，張學良仍對中共經歷的二萬五千里艱難長征表示敬佩，自述當年曾和部下討論："我們都是帶兵的人，誰能夠把這個軍隊帶成這個樣子了？我們試試！""他能這樣子，你不能小看他。你不能，他這夥人怎麼能這樣？"張學良肯定，共產黨得民心，而國民黨不得民心。他說："大部分（民眾）支持它，那厲害。""為什麼共產黨剿不完，就是他得民心，我們不得民心。"

"把這地方消滅了，那個地方又起來了。"他毫無遮掩地坦率表示："一般人都不知道我的心理，我簡單地說，我可以說我就是共產黨。""我同情他們，不但同情他們，我擁護他們。"

西安事變前張學良和蔣介石有過激烈辯論。對此，張學良回憶說："我跟蔣先生言語衝突就是這個問題。我說你要想剿滅共產黨，你剿滅不了他們。""他們共產黨怎麼能這樣？因為咱們中國的老百姓多數支持他。"又說："（蔣先生）把民眾的力量看得不高，估計得低"，"罵我失敗主義"。我說："我們要考慮，我們自個兒為什麼，我們有這麼大的力量不能把它消滅了？你消滅不了，應聯合他。"

關於發動事變的動機，張學良自述說："我主要的敵人是日本人，共產黨跟我們爭，那還是中國人。"他說："（蔣）認為在中國能夠奪取他政權的，只有共產黨。我就不同，奪不奪取（政權），共產黨也是中國人。"張學良批評蔣不能容忍共產主義，"思想頑固至極"，甚至藉端納的話批評蔣是"騾子"，"很難把他說服"。這些地方，已經完全和幽禁期間誠惶誠恐，口口聲聲自稱"罪人"的張學良完全不同了，可以說，大體上已經恢復了西安事變時期張學良的本真狀態。蔣介石關了他幾十年，但是，對張學良的思想影響收效甚微。張學良的所謂"懺悔"只是在特殊壓力下的一種自我保護，通過"改頭換面"，藉以"死裏求生"。

不過，關於西安事變的解決過程，張學良仍然堅決不說。當張氏姐妹詢問有關情況時，張學良表示：“要知道西安事變怎樣解決的，現在我決不說。”“現在都知道了怎麼回事，何必還要我說呢？”“何必非要出自我之口呢？”“出自我的口就是傷人。”“我傷害任何人就是損失我自己人格。”對蔣介石的看法，張學良也不願多說，更不願深說。某次訪談中，張學良批評蔣，剛說了一句：“他這人就是為他自己的”，馬上警覺地詢問：“你沒有錄音吧？”又一次，張談到“蔣先生很窄小”，準備舉例說明時，趙四小姐插言說：“你不要在這講這種話！”張學良也就立即打住，不再往下說了。

張學良雖自命新潮人物，甚至被張作霖視為“左傾份子”，但是，他的思想中仍然保有中國傳統倫理的濃烈成分。西安事變後，他在南京一再表示：“如蔣先生命我作〔做〕什麼皆可，他人余不接受。”其所以到了 20 世紀 90 年代還在“為長者諱”，自然還是傳統倫理思想的作用。

蔣介石、宋美齡的戀愛與婚姻*

* 本文錄自《找尋真實的蔣介石：蔣介石日記解讀》（1），重慶出版社 2015 年版。

關於蔣介石與宋美齡的戀愛與婚姻，坊間作品很多，但大都含混模糊，真實成分少，而揣度想像多，個別作品甚至有意作偽，胡編亂造。本文將根據蔣介石日記和其他可靠的資料，力求為讀者還原比較確切、真實的歷史。

一、蔣宋的相識與相愛

蔣介石與宋美齡初次相見在何時？何地？董顯光的《蔣總統傳》將時間定在在陳炯明兵變之後，地點則定在上海孫中山寓所。該書說：

> 陳炯明在粵叛變國父後，政治紛亂異常，蔣總統力挽狂瀾，遂投身於其漩渦中。一日，在國父宅中邂逅宋美齡女士。[1]

董書初版於 1937 年，經過多次增訂，是國民黨的官書。其書對蔣雖多阿諛之詞，但關於蔣、宋見面的時間、地點一類說法應該比較可靠。1927 年 10 月 9 日，日本《大阪每日新聞》的記者訪問宋美齡，問："蔣先生謂初認女士為理想之伴侶，但不知當時女士作何感想？" 宋美齡答道："此乃五年前事，當時余未注意之。"[2] "五年前"，應即 1922 年。

---

1 《蔣總統傳》，台北中華文化事業出版社 1960 年版，第 116 頁。
2 《大阪每日新聞》，1927 年 10 月 9 日；《交通日報》，1927 年 10 月 14 日。

陳炯明兵變後，孫中山在廣東無法立足，於1922年8月14日到達上海，積極聯絡蘇俄和中共，開始改組國民黨。蔣介石隨孫中山同船到滬，襄助孫中山處理各項事務。8月22日，離滬返甬。此後，來往於奉化、上海之間多次，但是，日記中並無任何與宋美齡相見的記載。相反，倒有"與潔如觀劇"、"潔如來陪"、"潔如送我上船"等記載，可見，蔣介石與陳潔如正處於情熱中[1]。正像宋美齡沒有"注意"蔣介石一樣，蔣介石也還沒有"注意"宋美齡。有些著作描寫二人第一次見面，蔣介石"看著宋三小姐翩然而至"，"立刻被她的美國式的教養和氣質吸引住了"，純粹是想像之詞。

蔣介石對宋美齡產生愛慕之情是在第二次廣州見面。1926年6月30日，蔣介石日記出現"往訪大、三姊妹"的記載，"大"，指大姐宋藹齡；"三"，指的就是宋美齡。7月2日，宋美齡將回上海，蔣介石日記云："美齡將回滬，心甚依依。"[2]雖然只有短短幾個字，但說明蔣介石已經對宋產生愛慕之心了。在當年日記最後的《姓名錄》一欄，他特別寫上："宋美齡：西摩路一三九"等字。

進入1927年，蔣介石日記中關於宋美齡的記載逐漸增多。如：

> 3月21日日記："今日思念美妹不已。"
> 5月4日日記："致梅林電。"
> 5月11日日記："贈梅弟相。""晚，致梅弟信。"

這裏的"美妹"、"梅林"、"梅弟"，指的都是宋美齡。又是思念，又是致電、致函，又是寄贈相片，說明蔣介石開始了對宋美齡的"苦苦追求"[3]。5月18日，蔣介石自南京到上海參加陳其美殉國紀念會。上午7時，車到上海，蔣介石所做的第一件事就是立即去看望宋美齡。這一天，蔣介石雖然照例在日記開端寫了一行字："叛逆未除，列強未平，何以家為？"意指在陳炯明和"列強"尚未平定之前，不該考慮個人"成家"一類問題。不過，接連幾天，蔣介石都處於對宋美齡的思念中。5月28日日記云："終日想念梅林不置也。"30日日

---

1 《蔣介石日記》(手稿本)，1922年10月19日，11月27日，12月15、18日。
2 《蔣介石日記》手稿本關於私人生活部分常被塗黑，本文所用，除特別注明者外，均據毛思誠：《蔣介石日記類鈔．家庭》，《蔣介石個人全宗》，中國第二歷史檔案館藏，不一一注明。
3 宋美齡語，參見顧執中：《報人生涯》，江蘇古籍出版社版，第279頁。

記再云：“終日想念梅林。”這種情況說明，蔣介石已經進入對宋美齡的相思狀態了。

6 月 5 日上午，蔣介石在南京接到宋美齡的來信。日記云：“接三弟信”。“三弟”，指宋美齡。宋寫信給蔣，這大概是第一次，至少，這是蔣日記中有記載的第一次。蔣不稱宋為“美妹”或“梅弟”，而稱之為“三弟”。在蔣看來，也許可以顯得更親密吧！接信後，蔣介石立即給他的“三弟”復電。7 日早晨 6 時，蔣介石又起床給“三弟”回信。10 日下午，登車赴滬，次日清晨 3 點到達，8 點即轉車赴杭州參加市民大會。在有限的空檔中，蔣介石仍然擠出時間，“往訪三弟”。12 日，蔣介石從杭州回到上海，與“三弟”一直“談至午夜”。7 月 3 日，蔣介石為參加上海特別市市政府成立典禮，提前到滬，與宋子文、錢永銘、陳光甫等談話，爭取銀行家的支持。當晚，蔣介石與宋美齡等在鄉下小餐館聚餐，在日記中留下了“別有風味”的記載。兩天後，蔣介石設晚宴，款待上海商界頭面人物。宴後和宋美齡乘車兜風，到深夜 1 時才盡興而歸。次日上午，蔣介石在上海新舞台召集黨員大會，發表演講。下午，探望“三弟”，拜會友人，然後再次探望“三弟”。

這一段時期，蔣、宋接觸頻繁，反映出二人關係的日漸親密，已進入談婚論嫁階段。

宋美齡的父親宋嘉樹出身貧寒，後來逐漸發展為華僑富商。宋美齡本人自幼在美國接受教育，畢業於麻省韋爾斯利女子學院。大姐宋靄齡嫁給孔祥熙，二姐宋慶齡嫁給孫中山。其家世、社會關係自不必說，加上相貌出眾，自然成為蔣介石傾心追求的對象。和宋美齡的耀眼光芒相比，蔣介石原來的幾房妻妾就黯然失色了。

二、蔣介石與毛福梅等妻妾“離異”

1927 年 4 月，蔣介石在上海發動反共政變後，中國出現了兩個國民政府對立的局面。一個在南京，一個在武漢。兩個政府都反共，雙方開始接洽“合流”。武漢國民政府的條件是蔣介石下野。8 月 13 日，蔣介石發表辭職宣言。

第二天，回到故鄉奉化。大約即在此時，蔣介石向宋美齡發出求婚信，函稱：

> 余今無意政治活動，惟念生平傾慕之人，厥惟女士。前在粵時，曾使人向令兄姊處示意，均未得要領。當時或因政治關係，顧余今退而為山野之人矣。據實所棄，萬念灰絕。曩日之百對戰疆，叱吒自喜，迄今思之，所謂功業宛如幻夢。獨對於女士才華容德，戀戀終不能忘。但不知此舉世所棄之下野武人，女士視之，謂如何耳！[1]

本函透露，1926 年 6 月，蔣介石在廣東曾向宋藹齡、宋子文透露有與美齡結縭之意，但未得“要領”。現在，蔣介石直接要求宋美齡本人表態了。

中國古代男尊女卑，實行一夫多妻制，一直到民國時期，男人都可以擁有三妻四妾。但是，基督教主張一夫一妻。宋美齡全家都是基督教徒。蔣介石要和宋美齡結婚，就必須處理和原來的幾房妻妾之間的關係。

蔣介石的原配夫人是毛福梅，奉化岩頭村人，父親是南貨店老闆。毛福梅出生於 1882 年，大蔣介石五歲。二人於 1901 年結婚。當時，毛 20 歲，蔣 15 歲（虛歲），還是未成年人。1903 年，毛福梅進入奉化作新女校，讀過不到半年書。至 1910 年，蔣經國出生。

由於是包辦婚姻，毛氏文化水準又低，蔣、毛兩人感情不好。1919 年 4 月，蔣介石在上海，毛福梅攜經國到滬探望，蔣介石日記即有“家庭之事，不能稍如我意，實所痛心”的記載。四天後，毛福梅即返回溪口。蔣介石自覺不安，但以“夫婦之道乖，其奈之何哉”自慰。1921 年 1 月，蔣介石自奉化回溪口，居然不願意與毛氏“同衾一夕”。從道理上，蔣介石覺得不應該，但情感上又扭不過來。自此，二人關係日漸惡劣，蔣介石見到毛福梅的人影，聽到她的腳步聲，就感到“刺激神經”。4 月 3 日，兩人居然“對打”起來。蔣介石認為“實屬不成體統”，決計離婚。4 月 4 日他給毛福梅的二哥毛秉禮（懋卿）寫了一封千字長函，詳細敘述與其妹的決裂情形及主張離婚的理由。函稱：

> 吾今日所下離婚決心乃經十年之痛苦，受十年之刺激以成者，非發自今日臨時之氣憤，亦非出自輕浮的武斷。須知我出此言，致此函，乃以至

1 （上海）《益世報》，1927 年 10 月 19 日。

沉痛極悲哀的心情，作最不忍心之言也。英明如兄，誠能為我代謀幸福，免我終身之苦痛。[1]

毛氏與蔣母王采玉關係不錯。蔣介石雖決計離婚，但蔣母反對。4 月 19 日，蔣介石發現毛氏又回到家裏，非常憤怒，決定發出“最後離婚書”。日記云：“母親老悖，一至於此。不僅害我一身痛苦，而且阻我一身事業。徒以愛子孫之心，強欲重圓破鏡，適足激我決絕而已。”蔣介石是孝子，斥責母親“老悖”，這是僅有的一次。同年 4 月 25 日，蔣母遍體虛腫，6 月 14 日病故。

蔣母去世，毛福梅少了一個保護人。蔣介石思前想後，決定徹底解決婚姻束縛。11 月 15 日日記云：“家庭之難處置，婚姻習慣之惡，使人終身受罪。凡事都當從解放做去，不可以舊習慣害後生也。”當年 11 月 28 日，蔣介石召集親戚商量，參加者遲疑猶豫，久議不決，蔣介石氣急，在舅父面前大發脾氣，親戚們才同意二人離婚，但是“離婚不離家”。直到 1927 年 8 月，蔣介石下野回溪口，才補辦了一紙《離婚協議書》[2]。

姚冶誠原是上海妓館中的娘姨，蘇州人，自幼父母雙亡，靠開糖果店的小叔養大。丈夫從事殯葬、腳力為生，不久離異。1912 年與蔣介石結合。初時，兩人感情不錯，但姚冶誠好賭，常與鄰里吵架，又不懂得照顧人。1920 年 5 月，蔣介石得了傷寒，姚冶誠沉迷賭博，不為蔣介石“侍疾”，出言、舉動都很冷淡，氣得蔣介石立即從寓所搬出，住進旅館。23 日，蔣介石由戴季陶夫人送入醫院治療。直到 26 日晚，姚冶誠才到院探視。蔣介石大怒，勒令姚立刻離開，歎息說：“余夙世孽重，遇此冤家也宜哉！”[3] 當時，蔣起意與姚斷絕關係，但是，蔣緯國為蔣介石收養之後，即由姚冶誠撫養，認姚為母。蔣介石疼愛緯國，不願讓他有無母之感，其間，蔣母到上海探望兒子，與姚冶誠住在一起，蔣母也覺得姚氏“兇狠”，無法共處。蔣介石託人試探姚的離異條件，覺得姚“敲詐為事，唯利是圖”，便決定與姚暫時分居。此後，蔣常年在外，而姚冶誠則攜緯國常住寧波或奉化。分居之後，二人關係有所好轉。蔣介石給姚寫信，

---

1 （上海）《益世報》，1927 年 10 月 10 日。

2 王舜祁：《蔣氏故里述聞》，上海書店出版社 1998 年版，第 41 頁。

3 《蔣介石日記》（手稿本），1920 年 5 月 27 日。

也會出現“無時不想著你與緯兒”一類詞句。1924 年至 1926 年北伐前夕，姚冶誠三次帶緯國去廣州和蔣介石相聚，但時間都較短。1926 年元旦，姚及緯國到廣州，與陳潔如不能相容，於 2 月 19 日返滬。1927 年，蔣介石為與宋美齡結婚，與姚協議離異。由蔣負擔生活費用，姚冶誠攜蔣緯國移居蘇州。

蔣介石難以處理的是和陳潔如的關係。陳潔如，原名璐，浙江鎮海人。1906 年生。父親陳鶴峰，在上海當“棧師傅”（倉庫保管員）。陳璐於 1918 年進入愛國女學讀書，與後來與張靜江續弦的朱逸民成為好友。蔣介石常去張府訪問，因此與陳相識，為陳所吸引。《陳潔如回憶錄》稱，二人於 1921 年 12 月 5 日，在上海永安大樓大東旅館結婚，但是，根據蔣介石日記，當日，蔣介石在溪口，不在上海。蔣母於當年 6 月 14 日去世，11 月 23 日下葬。蔣介石不可能在母逝世不到半年，下葬不到半月之時就大辦婚禮，而且《日記》中也全無與陳潔如結婚的相關記載。多年前，我曾著文證明，《陳潔如回憶錄》中引用的許多文獻、信函，均為執筆者偽作。現在以《回憶錄》與蔣《日記》相校，可以證明除有限的幾件事外，許多生活情節也出於虛構和編造，不能相信。

蔣介石 1921 年 12 月 13 日日記稱：“投宿大東旅社，璐妹迎侍。”這一天應該就是蔣、陳結合的日子。稱“迎侍”，顯然未辦結婚手續。其後，自 1922 年 1 月至 8 月下旬，蔣介石一直在桂林，隨從孫中山籌劃北伐。其間，蔣介石又是寫信，又是寄相片，表達對“璐妹”的思念。陳炯明兵變後，蔣介石於 1922 年 8 月陪孫中山到上海，和陳璐見面機會更多，日記中常有“宿於璐妹家”、“訪璐妹三次”、“偕璐妹觀劇”、“璐妹與緯兒玩耍”、“璐妹隨侍”等記載，顯見關係已經很不一般。同年 12 月 15 日、17 日，蔣介石日記載：“晚，潔如來陪”，“晚，偕璐妹回寓”，顯示二人已經正式同居。這一時期，陳潔如真誠地愛著蔣介石，以致蔣曾用“孺慕”二字來形容[1]。但是，陳潔如容不下蔣和姚冶誠繼續保持關係。1924 年，蔣介石攜姚及緯國到廣州參加國民黨第一次全國代表大會，將陳潔如惹惱，寫信表示，永遠不再與蔣介石相見。1 月 17 日，蔣介石火急致函張靜江打探“究竟”。同月 24 日，孫中山任命蔣介石為黃

1　孺慕，語見《禮記》，原指兒童對父母去世的哀悼之情，蔣介石此處用詞不當。

埔陸軍軍官學校籌備委員長，但有關方面拒發開辦費用，蔣介石拂袖離粵。直到4月21日，在孫中山等催促下，蔣介石才回粵就職。1925年4月18日，陳潔如自滬來粵，蔣介石親到碼頭迎接，同回黃埔司令部。自此，陳即以“校長夫人”身份在廣州出現，風光一時。不過，好日子不長，此後，陳、蔣之間常常鬧點彆扭。兩人時愛時憎，亦愛亦憎。蔣介石5月25日日記云：“又與潔如賭氣，不能安眠。”6月5日，陳潔如鬧著要回上海，蔣介石擔心陳此去“受騙受苦”，日記云：“終不放心潔如在滬，恨之又愛之也，憐之又痛之也。”[1]然而，陳潔如剛剛離開廣州，蔣介石就又要她回來。“思慮半日，望如雲霓”，“想起潔如前事，痛恨不堪，幾乎暈倒”。陳潔如本來答應月末可到，28日仍未到，蔣介石為此大發脾氣，自稱“暴戾不堪，不能忍耐”。陳潔如到廣州後，悉心侍奉，蔣介石有時覺得可以原諒其既往，但有時卻又因家中“器物凌亂無次”，大聲訓斥。

1926年6月，蔣介石與宋美齡相見後，對陳潔如不滿更多。如：“治家無方，毫無教育”等。當年7月30日，蔣介石在北伐途中致函陳潔如，要她“讀書治家”。同日，致函張靜江稱：

> 潔如之遊心比年歲而增大，既不願學習，又不知治家，家中事紛亂無狀。此次行李應用者皆不檢點，而無用者皆攜來，徒增擔夫之苦。請囑其不管閒事，安心學習五年，或出洋留學，將來為我之助。如現在下去，必無結果也，乃害其一生耳！如何？[2]

同年11月12日，蔣介石得悉陳以每月72元的租金遷居大屋，大為不滿，日記云：“招搖敗名，年少婦女，不得放縱也。”這個時候的陳潔如，在蔣介石的心目中，大概只留下不滿和嫌憎了。1927年，蔣介石決定與宋美齡結婚，即向陳潔如提出，要求她出國留學，以五年為期，然後恢復婚姻關係[3]。8月15日，蔣介石在一天內，連續給宋美齡、宋子文、張靜江夫人朱逸民及陳果夫四人寫信。朱逸民是陳潔如的密友，蔣介石這時給朱逸民寫信，內容必與陳潔如

---

1 《蔣介石日記》（手稿本），1925年6月5日。

2 《張靜江個人全宗》，中國第二歷史檔案館藏。

3 參見《一個改寫民國歷史的女人》，北京師範大學出版社1992年版，第310—314頁。

相關。同月 19 日，陳潔如偕張靜江的兩個女兒蕊英、倩英自上海啟程，赴美留學。據親見者記載：

> 蔣夫人穿一件淡灰色細紗長馬甲，下面有白紅色的間色，裏面襯著半節式的背心，腳上穿白皮鞋和粉紅色的長統絲襪，短髮蓬鬆，態度自然。在小火輪汽笛吹第一次的時候，伊不覺得怎樣。到了大輪船的汽笛吹，小火輪的汽笛再吹的時候，伊就哭泣起來了。[1]

陳潔如此去，蔣介石即藉機斬斷了和她的婚姻關係。

三、蔣介石與宋美齡的訂婚與結婚

蔣介石用不同辦法處理了和毛福梅、姚冶誠、陳潔如的婚姻關係，他和宋美齡結婚的障礙也就掃除了。根據蔣介石日記，9 月 8 日上午，蔣介石收到宋子文及宋美齡的親譯來電。17 日，蔣介石復宋美齡電。內容均不詳，推斷應與婚事及前程計劃有關。9 月 22 日，蔣介石決定出國考察。23 日，船抵上海，照例首先探望宋美齡。日記云："與三弟敘談，情緒綿綿，相憐相愛，惟此稍得人生之樂也。"第二天，蔣介石就忙著邀請王正廷"作伐"。午夜，又去拜訪何香凝，大概也是為了請她出來當媒人。25 日，蔣介石於探望宋美齡之外，又拜訪張靜江，會見張靜江之後，又去見宋美齡，直至 11 時才回寓。當時，國民黨內對蔣介石的家事多有質疑。26 日，蔣介石修訂早已寫好的《啟事》，交《申報》連登三天。該《啟事》的主要目的在於說明自己與毛福梅、姚冶誠、陳潔如已無婚姻關係：

> 民國十年，原配毛氏，與中正正式離婚。其他二氏，本無婚約，現已與中正脫離關係。現在除家有二子外，並無妻女。惟傳聞失實，易滋淆惑，專此奉復。[2]

1 《申報》，1927 年 8 月 22 日，第 4 張，第 13 版。
2 《申報》，1927 年 9 月 28 日，第 2 張，第 5 版，又 29 日、30 日。

當日，蔣介石與宋美齡訂婚。日記云："晚與三弟談往事，人生之樂，以訂婚之時為最也。"

27日下午，二人同到孔祥熙寓所合影，並一同拜訪王正廷和馮玉祥夫人李德全，感謝他們充當介紹人。當日，蔣介石與宋美齡"密談"至深夜1時。

9月28日，蔣介石東渡日本。當日晨6時，蔣介石就起床整裝，向宋美齡告別。自然，二人都不忍分離。蔣介石日記云："情緒綿綿，何忍捨諸！不惟外人不知三弟之性情，即中正亦於此方知也。"7時前，蔣介石登上"上海丸"。

上船第一天，蔣介石就給宋美齡連發兩封電報，"不知其今夜果能安眠否？"30日、10月1日，連續發電。日記云："近日無論晝夜，心目中但有三妹。別無所思矣。不知近日三弟作如何狀也？"

宋美齡的母親倪桂珍當時住在神戶有馬溫泉養病，因此，蔣介石到日本後的第一任務就是探望倪桂珍，請她同意婚事。10月3日，蔣介石到達神戶，立即和宋子文同車到有馬溫泉拜訪宋太夫人。蔣介石日記記載說："其病已癒大半，婚事亦蒙其面允。惟其不欲三弟來此，恐留此結婚也。不勝悵望。"蔣介石原來打算在日本結婚，然後與宋美齡結伴赴美。現在老太太當面應允婚事，蔣介石很高興，但是老太太不贊成女兒來日結婚，蔣介石又很失望。他便立即致電在上海的宋美齡，詳述自己一時不能歸國的實情，要她"速來"。蔣介石在日記中惴惴地寫了一句："彼當來乎？"下午，蔣介石第三次拜見倪桂珍，發現老太太很高興，目不轉睛地盯著自己瞧，看得他很不好意思，日記云："未免令新婿為難。"10月4日下午，蔣介石收到宋美齡"不來日"的回電，好夢難圓，心中不勝悵惘。

這以後的一段日子，蔣介石便留在日本，與宋美齡電報往來，互通音訊，同時看報讀書，陪倪桂珍談天，與宋子文談國事，談時局。1927年上半年，宋子文站在武漢政府方面，與蔣介石對立，後來又不贊成妹妹和蔣介石的婚事。顯然，二人這時已經前嫌盡消，談得很投機了。

10月8日，倪桂珍回國，蔣介石到神戶送行。23日，蔣介石到東京，陸續會見日本友人和政要。11月5日，會見日本首相田中義一。這一時期，國民黨內部派系紛爭，無法調和，閻錫山、馮玉祥等人紛紛要求蔣介石回國，因此蔣便改變計劃，於10日回到上海。他聽說宋美齡有病，立即往訪，發現宋“形容枯瘦”，想係“操心過度”，不勝憐惜。11月12日下午，蔣介石外出尋屋，準備婚房。14日，陪倪桂珍、宋藹齡、宋美齡祭掃岳父宋耀如墓地。正當蔣介石加緊婚禮準備之際，蔣緯國突然向蔣介石報告，何應欽、白崇禧的夫人準備邀請姚冶誠來滬。姚氏生性潑辣，蔣介石擔心她受政敵挑撥，到婚禮上鬧場，一時很緊張，後來了解並無其事，才安下心來。當晚，蔣介石應孔祥熙之宴。晚，與“三妹”歡敘。接連幾天，不是談天，就是談論人事。11月26日，二人一起到祈齊路看新房。27日，上海《申報》出現了一份別具一格的結婚《啟事》，聲明不收婚禮，凡有饋贈，請移作修建“廢兵院”（傷兵院）費用。中云：

> 中正奔走革命，頻年馳驅戎馬，未遑家室之私，現擬辭職息肩，惟革命未成，責任猶在。袍澤飢寒轉戰，民眾流離失所，詎能恝然忘懷。尤念百戰傷殘之健兒，彌愧憂樂與共之古訓。茲定12月1日在上海與宋女士結婚，爰擬撙節婚禮費用及宴請朋友筵資，發起廢兵院，以完中正昔日在軍之私願，宋女士亦同此意。如親友同志厚愛不棄，欲為中正與宋女士結婚留一紀念，即請移節盛儀，玉成此舉，無任銘感。凡賜珍儀，敬謹璧謝。婚儀簡單，不再柬請。式佈區區，惟希公鑒。[1]

28日下午，蔣、宋一起乘車兜風之後，訪問蔡元培，請他主持婚禮。婚禮選址在戈登路大華飯店禮堂，這是當時上海最豪華的結婚場所。29日，蔣介石與宋美齡提前到禮堂“習禮”，預演一番。接著又訪問證婚人。忙來忙去，蔣介石一度“腦暈”。

11月30日上午，蔣介石忙裏偷暇，撰寫結婚感想，題為《我們的今日》。文中提到，當他第一次遇見宋美齡時，即認為宋是“理想中之佳偶”，而宋美齡也曾矢言，“非得蔣某為夫，寧終身不嫁”。蔣介石宣稱：“余今日得與余最敬最愛之宋美齡女士結婚，實為余有生以來最光榮之一日，自亦為余有生以來最愉快之一日。”他自述參加革命以後，冷熱不定，常常在積極進行之際，忽然萌生消極退隱之念，引起“前輩領袖”和厚愛同志的關心。他表示：“自今日與

1 《申報》，1927年11月27日第2張，第5版，又28日。

宋女士結婚之後，余之革命工作必有進步。余能安心盡革命之責任，即自今日始也。”為了渲染他和宋美齡結婚的意義，蔣介石還在文章中講了一通“大道理”：“家庭為社會之基礎，欲改造中國之社會，應先改造中國之家庭。余與宋女士討論中國革命問題，對於此點實有同一之信心”云云。文章寫完後，二人又到宋宅預演了一番婚禮。當日，各方紛紛送禮、送紅包。據《申報》報導，“禮物無不昂貴”，“收款員竟無片刻暇晷”。其中，張靜江送 400 元，上海萬國儲蓄會中方董事葉琢堂、四明銀行總經理孫衡甫等各送 200 元，中央銀行行長周佩箴等各送 100 元。報紙聲稱，可見眾人對“廢兵院”建議的支持云云。

12 月 1 日上午，蔣介石寫了一篇《勖愛妻》文。下午 1 時，先到孔宅換禮服，3 時到宋宅，行“教會婚禮”。到者一千餘人。婚禮由中華全國基督教協進會會長余日章為祝婚人，劉紀文任儐相。首由祝婚人致詞，次新人宣誓，交換戒指，證婚人致詞。4 時，再到大華禮堂，行“正式婚禮”。蔣錫侯、宋子文代表男女兩家主婚，蔡元培、譚延闓、王正廷、何香凝、李德全等證婚，邵力子司儀。宋美齡由宋子文挽著，在琴聲中慢步走出。全體向國旗、黨旗、總理遺像三鞠躬。由蔡元培宣讀證書，新人彼此一鞠躬，儀式即行結束。譚延闓日記云：“禮甚簡單，鞠躬，讀證書後蓋印，即禮成矣，尚不如宗教式之嚴重也。”[1] 當日，蔣介石感到幸福之至，日記云：“見余愛姍姍而出，如雲霞飄落。平生未有之愛情，於此一時間並現，不知余身置何處矣！”婚禮完成後，二人共同乘坐新買的汽車兜風。當晚，至宋宅宴會。9 時，回新宅，入新房。次日，在家“與愛妻擁談”，日記云：“乃知新婚之蜜，非任何事所可比擬。”12 月 3 日回門，拜訪岳母。當日，倪桂珍設宴款待。晚 10 時回寓。不料蔣介石的頭卻又“作痛”起來。在宋美齡的“慰藉”之下，蔣介石才感到稍微好了一點。

蔣介石與宋美齡沒有忘記所登“廢兵院”啟事。12 月 20 日，二人一起到曹河涇察看院址。

---

1 《譚延闓日記》（手稿本），1927 年 12 月 1 日。

四、新人笑，舊人哭

蔣介石與宋美齡結婚，美人在懷，如願以償，自然春風得意。12 月 19 日日記云："九時起床，與三妹歡爭。""歡爭"這是個很少見的詞語。"爭"，當然就有"吵"的意思，然而，卻又"歡"，吵得很愉快。這種"爭"，自然是一種關係親密、融洽的表現。不過，兩人之間很快就都不愉快了。12 月 27 日，蔣介石日記云："往跑馬場接三妹。晚，以三妹煩惱，余亦不悅。十時勸慰後即睡。"從文字上推敲，這時還是宋美齡"煩惱"，蔣介石因之"不悅"，兩人之間尚無矛盾。但是，矛盾很快就來。兩天後，宋美齡外出，蔣介石一人獨處，感到寂寞。日記云："復以其驕矜而余亦不自知其強梗失禮也。"這就是說，蔣覺得宋"驕矜"，宋認為蔣"強梗無理"，彼此都發覺了對方的缺點。當日下午，蔣病臥在床，但是，他很快得知，宋美齡在娘家也病了，於是"扶馬連夜往訪"。宋美齡坦率地陳述：結婚以後"不自由"，勸蔣介石"進德"，提高個人道德修養。蔣介石嘴上未表態，但內心贊成，"頗許之"[1]。第二天上午，兩人一直耗到 10 時才起床。

宋美齡在美國受過高等教育，其氣質、情趣不自覺間影響了蔣介石，使蔣覺得她既可愛，又可敬。蔣介石的妹妹蔣瑞蓮住在上海，1928 年新年，蔣介石夫婦前往探視，發現妹妹正在家裏與客人打牌，蔣介石自覺慚愧，深怕宋美齡看不起[2]。1 月 6 日，蔣介石在南京，得知妻子在上海生病，非常擔心。8 日，蔣介石接到宋美齡來信，日記云："接三妹信，憂喜交集，勉我國事，勸我和藹，心甚感愧。"[3] 當時，宋不願意到南京來，蔣介石自稱："若有所失"，"抑鬱不知所事"。14 日，宋美齡自上海致電蔣介石，有所勸誡，蔣介石"慚愧幾不成眠"。第二天，宋美齡到南京，蔣介石親到下關迎接，得知妻子皮膚病很厲害，又患神經衰弱，自悔不該與其"頑梗"。他陪妻子到湯山泡溫泉，謁中山陵，逛莫愁湖、雞鳴寺、夫子廟，甚至"終日休息戲嬉"。其間，宋美齡繼續對蔣有所規勸、勉勵，使蔣"心甚自慚"。其日記云："三妹愛余之切，無微

1 《蔣介石日記》(手稿本)，1927 年 12 月 29 日。
2 《蔣介石日記》(手稿本)，1928 年 1 月 2 日。
3 《蔣介石日記》(手稿本)，1928 年 1 月 8 日。

不至，彼之為余犧牲幸福，亦誠不少，而余不能以智慧、德業自勉，是誠愧為丈夫矣！"[1] 又云："三妹待我之篤，而我不能改變兇暴之習，任性發露，使其難堪。"[2] 3月30日，宋美齡讀蔣介石日記，特別寫了一段話，要蔣慎重落筆，小心保管，謹防失落：

> 此日記本為兄帶往前方所用，當此軍事磅午之際，最易失落，萬祈留心保守為荷！
>
> 至每日所記之言語事實最為重要，因一言興邦，一言喪邦，如一言一事記載其上，萬一為他人所見，關係我兄前途非淺，千祈慎重為囑！美齡十七、三、卅。

這是宋美齡在蔣介石日記中的唯一留言。

古語云：新婚燕爾。蔣介石與宋美齡結婚後，雖偶有小矛盾，但生活總體是甜蜜、和諧的，但是，遠赴美國求學的陳潔如就苦了。

據陳立夫回憶，蔣在與宋美齡結婚之前，曾要求陳立夫代表自己去和陳潔如"講離異"，陳潔如"當時的態度很好，她說蔣介石做了中國的統帥，應該有一個像樣子的女人做太太，我知道我的身份，我願意退讓，我願意到美國去唸書。"陳立夫此說，與陳潔如在回憶錄中所言"同意讓開"，有相合之處[3]。12月下旬，陳潔如在紐約得知蔣、宋結婚的消息。28日，她寫信給好友朱逸民，詢問她"是否去賀喜？聞說廖夫人做證婚人，未知有此事否？"朱逸民在回信中告訴陳潔如，自己曾與宋美齡交談，要陳原諒。陳不以為意，回信表示："這種地方亦是無法可想的。事到其間亦只能勉強做去，所以我很可原諒你，而感謝你的愛意，時刻記掛著我。"[4] 這些地方，說明陳潔如的性格相當寬厚。

陳潔如赴美之前，蔣介石許諾，每月提供陳在美生活費175美元。陳潔如到美後，計算房租、伙食、學琴、學費、車費等，月需共182美元。1928年3月20日，陳潔如寫信給朱逸民，請張靜江轉告"介石"，要他每月匯付300美

1 《蔣介石日記》（手稿本），1928年3月4日。
2 《蔣介石日記》（手稿本），1928年3月29日。
3 陳立夫：《撥雲霧而見青天》，台北近代中國出版社2005年版，第630頁；《一個改寫民國史的女人》，第298頁。
4 陳潔如：《致朱逸民函》，《張靜江個人全宗》，中國第二歷史檔案館藏，以下均同，不一一注明。

元。信稱，自己到美後，只給"介石"寫過一封信，原因是"恐怕他們愛好似鴛鴦般的夫妻發生衝突"。不過，蔣介石始終沒有給陳潔如回信，這使陳很傷心，由悲而怨，而憤，而恨。以下各函，反映陳的這種感情變化過程：

> 10月24日函云："這種東西是沒有良心的，有了東就忘了西的，真是要氣死人的。"
>
> 12月1日函云："介石是否要我到死的地步？要他每月增些月費，他也不理。死死活活亦要給我一個回音。自己不想寫信亦可以的，只要通知我一聽就完了。好姐姐，你想他可惡嗎？"
>
> 1929年1月7日函云："如遇介石時，代我給他吃幾個白果（白眼），拜託！拜託！"
>
> 同年2月17日函云："可恨介石，要他的錢，總是半吞半吐的，不來照你的意思的。你想可惡嗎？"
>
> 同年8月28日函云："愛姐姐啊，為何世界上的男子這樣黑良心，自我離祖國以來，一個字的音信介石亦沒有給我過，尤其是朋友的交情亦沒有，你想要氣死人嗎？"
>
> 同年10月13日函云："我時常想家中，想起之時身不由知〔己〕，思想和精神覺得非常痛苦，因此更覺介石之心如黑炭……我將來如自立，至死我不願再嫁他人。"
>
> 不僅不願再嫁，陳潔如甚至想到死。11月13日函云："（如）只有我個人，我實在不願為人於世，只是希望早死一日，早有出頭之日。"

蔣介石與陳潔如離異時，總付過一筆錢，到美留學則有月費、年費之分[1]。陳潔如要求將月費增至每月300美元，蔣介石沒有答應。1929年2月，陳潔如提出，如不允增加月費，則請其匯寄1萬美元船費，以便遊歷歐洲各國後回家。1930年5月，陳潔如趁張蕊英回國之便，再次致函蔣介石，要求准許她於明年回國，然而，蔣介石仍不答復。次年6月19日，蔣介石正在閱讀陳潔如的來信，為宋美齡所見，蔣心情緊張，連忙撕碎。宋一氣之下，於次日離寧赴滬。21日，蔣介石清晨5時就起床，寫信向宋藹齡和宋美齡解釋[2]。陳潔如因長

---

1 據陳立夫回憶，當時由周秋琴出面送了一筆錢給陳潔如，陳寫了一份收據。見《撥雲霧而見青天》，第630頁。周秋琴，疑應為周枕琴（駿彥）。這筆錢，應該就是陳潔如致朱逸民函中所稱"自己的錢"。

2 《蔣介石日記》（手稿本），1931年6月20日、21日。

久等不到蔣介石的回信，於 1932 年 5 月 30 日致函朱逸民云：“可恨的就是每日兩眼望穿，音悉不見，真使人心身可恨萬分。我實在有苦無處可告，只能私吞而已。”

杜甫《佳人》詩云：“夫婿輕薄兒，新人美如玉。合婚尚知時，鴛鴦不獨宿。但見新人笑，哪聞舊人哭！”這首詩宛如陳潔如對蔣介石的譴責。

五、蔣介石皈依基督教

蔣介石的父母均信佛教。蔣介石本人也曾幾次想出家當和尚。和宋美齡訂婚後，蔣介石有時參加基督教活動。1927 年 12 月 11 日，蔣介石到景林堂聽教。24 日晚，在岳母家過聖誕。25 日下午，在岳母家祝耶穌聖誕。這一天，蔣介石很高興，稱之為“十年來未曾有之歡樂得之於今日”。1929 年，蔣介石開始閱讀基督教著作《人生哲學》。日記有“到岳母家聽道畢”，“到湯山，聽岳母講教義”等記載，不過這一時期，蔣介石還不是教徒。

1930 年 1 月 12 日，蔣介石到孔宅與王寵惠、孔祥熙一起聽講教義，開始動心。日記云：“總理亦教徒之一，且倫敦蒙難，以專心虔禱，得免禍害也。”2 月 17 日，倪桂珍動員蔣介石入教，蔣答以“余以尚未研究徹底，不便冒昧信從”。當時，蔣介石的感覺是倪的要求很堅決。21 日，倪桂珍和宋美齡邀請江長川牧師專程自上海到南京，勸蔣介石受洗禮，蔣仍答以“未明教義”，江長川牧師則勸蔣“先入教而後明教義”。蔣要求給予三個月的時間研究教義。當時，蔣的想法是：“以救世之旨信耶穌”可，“以《舊約》中之禮教令人迷信則不可”。

2 月 28 日，蔣介石聽說倪桂珍要從南京回上海，想起岳母對自己的“處處愛惜”，不覺淚下。這以後，蔣介石繼續參加宗教活動。5 月 4 日晚，旁聽牧師講解使徒保羅的《與猶太人書》。8 日上午禱告。8 月 2 日，在車中默求上帝保佑。8 月 15 日日記云：“今日看完《新約全書》，尚未深加研究，特再看一遍。惟耶教乃教人救世，損己利人為本，當信奉之。”10 月 23 日，蔣介石到上海，發現岳母病況嚴重，決心入教，“以償老人之願，使其心安病痊”[1]。當日，蔣介石接受江長川牧師洗禮，正式成為教徒。24日日記云：“主義為余政治行動之信仰，教義乃為余精神惟一之信仰。願從此以後，以基督為余模範，救人救世，永矢勿怠。”[2]此後，蔣介石即將基督教視為救國良方，力圖將儒學、三民主義和基督教教義結合起來。有時，他甚至表示，要將中國建設為一個基督國家。蔣之所以如此，一是欣賞基督的救世精神，一是用以反對馬克思主義的階級鬥爭學說。對於“主”，他也就越來越迷信，甚至以《聖經》占卜吉凶，尋求解決政治、軍事危機的啟示。

六、宋美齡逐漸介入蔣介石的政治活動

蔣、宋結婚後，宋美齡逐漸介入蔣介石的政治活動。

國民革命的目標是打倒北洋軍閥。經過艱難的整合，國民黨內部蔣介石、李宗仁、馮玉祥、閻錫山四大派系逐漸達成一致。1928年2月，國民黨召開二屆四中全會，改組國民黨中央和國民政府。譚延闓任國民政府主席，蔣介石任軍事委員會主席、國民革命軍總司令。會議決定“兩個月內會師北京，完成統一”。4月1日，蔣介石在徐州發表《告前方將士書》，號召國民革命軍“直薄幽燕，長驅關外，使張作霖覆滅之後，更無繼張作霖而起之人”。

出兵之前，蔣介石審察後方勤務、醫療等事，發覺準備不足。4月6日，蔣介石致電在上海的宋美齡稱：“前方傷兵藥材必不夠，請再多購一倍，派員專解來前方直接補充，以免流弊。”[3] 13日再電稱：“此次戰鬥勝利，但傷兵亦多，今日已到有千名。各病院病衣、褥套皆不照發，觸目傷心，藥品請速寄來，並請多聘好醫來徐為盼！”[4] 5月5日，宋美齡復電蔣介石，她正在“盡力羅致名醫，請勿顧慮”。當時，蔣介石等將傷兵安排到南京治療，宋美齡曾擬邀請何香凝赴寧慰勞，何以管理過繁，不願擔任，宋美齡即擬在宋子文赴寧時同行，

---

1 《蔣介石日記》（手稿本），1930年10月23日。

2 《蔣介石日記》（手稿本），1930年10月24日。

3 《致宋美齡》，《蔣總統家書》（手稿），第002號，台北“國史館”藏。

4 《致宋美齡》，《蔣總統家書》，第003號。

親自處理醫院各事[1]。

這時，宋美齡開始幫助蔣介石接待外賓，處理外交。1928年5月，日本出兵山東，佔領濟南，蔣介石派兵保護英、美領事，要宋美齡聯繫兩國駐滬領事，報告平安[2]。1930年5月，法國駐華公使自北京南下，蔣介石致電宋美齡，要她"優禮"接待[3]。

北伐成功之後，蔣、李、馮、閻之間的聯合破裂，形成各派軍閥相互混戰的局面。宋美齡毫無保留地支持蔣介石對其他軍閥的作戰。1930年5月，蔣、閻、馮之間爆發中原大戰，主戰場在河南，支戰場在山東，圍繞平漢、隴海、津浦三條鐵路線進行。6月3日，蔣介石在隴海路指揮作戰，致電宋美齡云："請另購肉類及筍類與糖類小罐頭食品各十萬個，毛巾十五萬條，與避疫水一併專車送來前方，慰勞將士為盼。"[4] 8日，宋美齡回電云："犒賞品經子良費盡方法，勉力辦就。"要蔣立即派人前來取運，以免途中意外[5]。子良，宋美齡之弟，時任外交部總務司司長，此電顯示，宋美齡幾乎成為蔣介石的後勤總管了。

蔣、宋聯姻後，宋子文成為蔣介石的支持者。1928年1月，宋子文出任南京國民政府的財政部長。這樣，蔣出征，宋子文就要為之多方籌募經費，甚至為之向國外訂購武器[6]。蔣要錢要得多，要得急，宋子文供應為難。有時就發牢騷，甚至撂挑子。在這樣的時刻，宋美齡常常扮演調解者的角色。1928年5月20日，宋子文、孔祥熙到前方探視蔣介石，見面後未多談即回。21日，蔣介石從宋美齡來電中得知宋子文準備辭職，立即回電，請宋美齡"代挽之，以舒兄後顧"[7]。從以下電文中不難看出宋美齡的這種作用：

（一）如聞子文兄憂勞致疾，無任繫念。請代慰問，當此危難之時，只好寬懷達觀也。

（二）財政困難，兄所深知。文兄為難，兄無不知，自當從事節省。

---

1 《致宋美齡》，《蔣總統家書》，第005號。
2 《致宋美齡》，《蔣總統家書》，第023號。
3 《致宋美齡》，《蔣總統家書》，第035號。
4 《致宋美齡》，《蔣總統家書》，第052號。
5 宋美齡：《致蔣介石》，《蔣總統家書》，第056號。
6 1930年4月25日，《蔣介石致宋美齡》第030號電云："請轉子文兄，唐克車已定之十二架何日可到，另有一種專為拖炮用之唐克車，亦請子文兄購定十二架為盼。"
7 《致宋美齡》，《蔣總統家書》，第012號。

兩電說明，宋子文籌款艱難，既憂且累，以致成病，全虧宋美齡從中慰解。然而，這種慰解很快就不起作用了。1930 年 7 月，前方緊急，蔣介石向宋子文要軍費，宋拒發，宋美齡苦苦哀求，宋仍然拒發。情急之下，宋美齡將自己名下的房產、積蓄全部交給兄長變賣，對宋說："若軍費無著，戰事失敗，吾深知介石必殉難前方，決不肯愧立人世，負其素志。如此則我如不盡節同死，有何氣節！"據說，宋子文為之感動，立即設法籌措將軍餉發下[1]。

古語云：有錢能使鬼推磨。在軍閥混戰中，有錢、無錢常常是戰爭勝敗的決定因素。宋子文將軍餉發下，蔣介石的"討逆軍"即於 8 月 15 日攻克濟南。但是，濟南甫克，蔣介石新的需索卻又開始了。8 月 16 日，蔣介石致電宋美齡電云：前途多艱，不能因此小勝而自矜也。現在最要者為四十萬件之衛生衣與本月下旬之軍米。枕琴老實，不敢與子文催促。請約枕琴與子文協商。此衛生衣與軍米於此月一星期內必須辦妥解來，前方不致以飢凍而崩潰也。[2] 枕琴，指周駿彥，蔣介石的奉化同鄉，長期在蔣介石軍中負責軍需。不久前，宋美齡以"盡節同死"相激，宋子文才肯解囊。現在再次要宋子文掏錢，周駿彥自然膽怯。蔣介石沒有辦法，只能仍請宋美齡出面幫著說話。

反蔣聯軍與蔣介石的"討逆軍"在河南、山東鏖戰，閻錫山、馮玉祥、汪精衛、鄒魯等反蔣頭領則積極密謀，成立另一個國民黨和另一個國民政府，以與蔣介石對抗。7 月 13 日，反蔣各派在北平召開中國國民黨中央黨部擴大會議，成立北平國民政府。9 月 18 日，張學良在東北通電，籲請各方息爭罷兵，靜候中央處置。同時，又派東北邊防軍兩軍入關助蔣。閻錫山、汪精衛等人發現後背被抄，匆忙間逃往山西，通電下野。自此，蔣介石和南京國民政府的正統地位確立。

兩軍對壘，張學良之所以肯在關鍵時刻派兵入關，除了當時張將中國統一的希望寄託在蔣身上這一原因以外，也還有錢能通神的因素。蔣介石很早就和張學良談妥，只要張學良出兵，所需之款可照辦。8 月 28 日，李石曾又在北戴河與張學良敲定，要蔣介石從速備款。9 月 17 日，蔣介石致電宋美齡云：

---

1 《蔣介石日記》（手稿本），1930 年 7 月 19 日，並見《事略稿本》第 8 冊，第 353—354 頁。

2 《致宋美齡》，《蔣總統家書》，第 057、058、091 號。

張漢卿通電，大意主張息爭和平，一切問題聽候中央解決，並言中央對於國是，必有辦法云。另電，已派人赴北京勸汪離平。請催子文兄速電匯出兵費五百萬元，勿延，以免變卦也。[1]

19 日，宋美齡復電蔣介石："來電已轉文兄，彼昨匯張學良一百萬，並每日陸續照數匯，勿念。"[2] 可見，沒有宋美齡催促宋子文掏錢，中原大戰鹿死誰手還是未定之數呢！

還在 1929 年，蔣介石就曾在日記中寫道："結婚二年，北伐完成，西北叛將潰退潼關，吾妻內助之力實居其半也。"[3] 話雖然誇大，但宋美齡在幫助蔣完成北伐，平定各反對派別，鞏固蔣介石和南京國民政府的統治方面，顯然有其作用。

蔣介石帶兵在外，與宋美齡聚少離多，自然難免相思之苦。1928 年 3 月 31 日，蔣介石赴徐州指揮北伐。車上，蔣介石研究作戰地圖後假眠，昏沉之間，似乎覺得"三妹"就在身側，醒後倍感淒涼。4 月 3 日，接到妻子手書，自稱"增加我勇氣逾倍"。同月，孔祥熙、宋子文到前方，帶來宋美齡書信，要蔣"不矜才，不使氣"，蔣介石即在日記中檢討自己"對下總不能溫和厚愛，使人無親近餘地，對學生亦如之"，要求"切戒"[4]。6 月 2 日，張作霖撤離北京。3 日，蔣介石回到南京。由於北伐已經勝利，蔣介石曾想辭去國民革命軍總司令一職，被宋美齡批評為"性質消極"。13 日，蔣介石、宋美齡同遊鎮江焦山，住枕江樓，極目四望，江山壯麗，蔣介石自稱有與妻子終老於斯鄉之念。19 日，宋美齡自南京登車返滬，已經上車了，因不忍分離，下車不走。下午二人到中山陵遊覽，宋美齡又向蔣提了許多意見，蔣都覺得有理，決心自明日起，按時辦事，再不灰心墮氣。宋批評蔣經常後悔，不是丈夫氣概，蔣介石也覺得"有理"。

中原大戰中，蔣介石在前線指揮作戰。1930 年 7 月 4 日，蔣介石正在河

1 《致宋美齡》，《蔣總統家書》，第 101 號。
2 宋美齡：《致蔣介石》，第 104 號。
3 《蔣介石日記》（手稿本），1929 年 12 月 1 日。
4 《蔣介石日記》（手稿本），1928 年 4 月 23 日。

南歸德，得到宋美齡的來信，非常高興，自稱“家書千金，足慰戰地懸望”[1]。31日，蔣介石到徐州，住進一所綠樹成蔭的院落，心中突然湧起對妻子的強烈思念之情，但轉念一想，“叛逆未滅，何以家為”，決定暫不考慮與妻子會面，以為全軍表率[2]。過了一個月，蔣介石終於難捱相思之苦，命宋美齡到徐州相會。9月3日，宋乘飛機趕到徐州，夫妻相聚。才過了兩夜，宋美齡就勸蔣介石“以國事為重”，儘快到前方指揮出擊[3]。5日晚，蔣介石返回河南歸德前線。

蔣介石曾在日記中誇讚宋美齡“以公忘私，誠摯精強，賢妻也”[4]。宋美齡的話，蔣介石能聽得進。她是一個可以對丈夫的思想、性格、行為發生影響的妻子。蔣介石年輕時生活荒唐。宋美齡曾勸蔣介石“進德”，蔣在1928年9月間，檢討自己的“劣心”在戀愛，在驕矜，在浪漫，認為除去之後，“方能革命立業”，“為民之師法”，“我正則社會皆正，我邪則社會皆邪”[5]。這些，應該都與宋美齡有關。

1 《蔣介石日記》（手稿本），並見《事略稿本》第8冊，第305頁。
2 《蔣介石日記》（手稿本），並見《事略稿本》第8冊，第386頁。
3 《蔣介石日記》（手稿本），並見《事略稿本》第8冊，第527頁。
4 《蔣介石日記》（手稿本），1929年5月29日，並見《事略稿本》第5冊，第592頁。
5 《蔣介石日記》（手稿本），1928年9月15日、21日、23日，並見《事略稿本》第4冊，第154、161、168頁。

蔣緯國的身世之謎與蔣介石、宋美齡的感情危機 *

* 本文錄自《找尋真實的蔣介石：還原 13 個歷史真相》，九州出版社 2014 年版，原載遼寧教育出版社《萬象》雜誌，2008 年 2 月號。

多年前，我在台北閱讀根據蔣介石日記編輯的《困勉記》稿本時，曾經發現其 1941 年 2 月 4 日條云：

> 接妻不返渝之函，乃以夫妻各盡其道復之。淡泊靜寧，毫無所動也。[1]

當時，宋美齡在香港養病，拒絕返回重慶，蔣介石對此頗為煩惱，但努力克制，回信僅稱"夫妻各盡其道"，要宋美齡自便，看著辦。"淡泊寧靜，毫無所動"云云，說明蔣介石儘管遇到了妻子不肯回家這樣嚴重的事態，但仍處之泰然。

蔣介石自 1927 年與宋美齡結婚後，雖偶有矛盾，但這種情況，還從來不曾有過。蔣、宋之間到底發生了什麼？這一謎團，直到今年我在胡佛研究所閱讀蔣介石日記手稿本時，經過反復參詳，才最終解開。

一、宋美齡留港不歸，蔣、宋之間發生衝突

事情要追溯到 1940 年 9 月 21 日，當日蔣介石日記云：

1　未刊稿，台北"國史館"藏，《蔣介石日記》（手稿本）與此相同。

妻工作太猛，以致心神不安，腦痛目眩，繼以背疼、牙病，數症併發，渝無良醫，亦不願遠離重慶。以被敵機狂炸之中，如離渝他往，不能對人民，尤不願余獨居云。此三年來戰爭被炸之情形，其心身能持久不懈，實非其金枝玉葉之身所能受，不能不使余銘感更切也。[1]

這段話說的是，宋美齡身患數疾，重慶沒有好醫生，但宋仍不願離渝治病。一是出於對戰亂狀況下重慶人民的感情，日本飛機不斷狂炸，宋不能獨自避難；二是不願離開蔣介石，使其獨居。

同年 10 月 15 日，蔣介石日記云："晚餐與布雷共食，以妻赴港養病未回也。"從這段日記看，為了養病，宋美齡最終還是去了香港。蔣介石很想念，也很寂寞，只能找陳布雷一起吃飯。

12 天之後，蔣介石派蔣經國赴港，探望宋美齡的病況，同時迎接蔣緯國自國外留學歸來[2]。蔣介石本意要宋美齡和經國、緯國一起回渝，但宋美齡表示，待蔣介石的陽曆生日時即歸。然而，屆時宋美齡仍杳如黃鶴。10 月 31 日，蔣介石日記云：

令緯兒來見，以今日為余陽曆生辰，陪余晚餐，妻本約今日回來，尚未見到，亦無函電，不知其所以也。

不僅人不回來，連一封函電都沒有。蔣介石著急了，"不知其所以"一句，充分表現出蔣的焦躁與不安。

蔣緯國歸來，兩個兒子都在身邊，蔣介石很高興，但宋美齡留港未歸，蔣介石覺得不足。11 月 9 日日記云：

經、緯兩兒在港皆得見其母，回渝父子團聚，此最足欣慰之一事。如西安事變殉國，則兩兒皆未得今日重見矣，實感謝上帝恩惠不盡也。惟愛妻抱病在港，不能如期同回，是乃美中不足耳。

11 月 30 日，蔣介石日記再云：

---

1 《蔣介石日記》(手稿本)，1940 年 8 月 21 日。
2 《蔣介石日記》(手稿本)，1940 年 10 月 27 日。

兩兒親愛，兄弟既翕，此為本月最大之樂事，亦為十五年來最苦之一事。今能完滿團團，此非天父賜予至恩，決不能至此，能不感激上蒼乎？愛妻不能如期回渝，是乃美中不足耳！

1925年，蔣經國赴俄留學，和緯國分離。1936年，蔣緯國赴德留學。同年，蔣經國自俄歸來，蔣緯國已不在國內。緯國此次歸來，蔣介石得以與經國、緯國兄弟同時相聚，享受天倫之樂。至此，恰為十五年。不過，宋美齡留港，蔣介石總覺得遺憾，一言之不足而再言之，可見蔣介石思念宋美齡之殷。

"聖誕"是西方人的團圓之日，但是，宋美齡仍無歸訊，蔣介石開始感到"苦痛"了。12月24日，蔣介石日記云：

三年來聖誕前夜，以今日最為煩悶，家事不能團圓，是乃人生唯一之苦痛。幸緯兒得以回來陪伴，足慰孤寂，得聞家鄉情形，聊以解愁。

蔣緯國從國外回到重慶後，曾回浙江溪口一行。蔣介石於百無聊賴之中，只能以聽緯國談"家鄉情形"略解愁悶。此後，蔣介石的這種"孤寂"感日漸強烈。12月28日日記云："惟妻留香港未回，以致家庭缺乏欣興之感。"1941年1月12日、13日、14日，蔣介石連續三天在日記中寫道："為家事心多抑鬱，應以澹定處之。""昨夜為中共與家事，憂不成寐。""下午與緯兒遊汪園，各種梅花盛放，綠萼尤為可愛，惜妻今年未得同遊也！"值得注意的是14日這一天的日記，受蔣家委託的審讀者在開放前塗去一行，顯然認為不宜公開。這以後，蔣的"孤寂"感有增無減：

1月26日日記云："本夕為舊曆除夕，孤單過年，世界如此孤居之大元帥，恐只此一人耳。"

同月30日日記云："近日寂寞異甚，時感孤苦自憐。惟祈上帝佑我，與我同在，使我不至久寂為禱也。"

同月31日日記云："妻滯港未歸，子入團就學，故時以寂寞孤苦為憾耳！"

蔣介石為何有如此強烈的"孤寂"感？顯然，和宋美齡滯港不歸有關。宋為何滯港不歸？則顯然與蔣、宋之間發生了某種衝突有關。從上引"心多憂鬱”、“憂不成寐”等語推測，蔣與宋美齡之間的“衝突”不小。2月4日，蔣介石接到宋美齡“不返渝”的函件。蔣、宋“感情危機”終於爆發。

蔣一再要求宋美齡返渝而宋一直不理，至此正式發函通知。宋的函件今不可見，但無疑可以感知，蔣、宋之間發生了重大矛盾。2月9日，蔣緯國回“黨政訓練班”學習，蔣介石手寫《寂寞悽愴歌》相贈。

怎麼辦？蔣介石的態度是向宋美齡闡述“夫妻各盡其道”，不卑不亢，既不生氣，也不告饒，將皮球踢給宋美齡。

二、蔣介石堅守家中“秘密”，以“權變”之計化解矛盾

蔣的冷靜、沉穩態度起了作用，宋美齡於1941年2月12日自港返渝。但是，蔣介石的家裏並沒有平靜。同月23日，蔣介石日記云：

> 家事不宜過於勉強。只有勿助勿忘，以待其自然著落耳！

“勿助勿忘”，語見《孟子．公孫丑》：“心勿忘，勿助長也。”意為（修養時）心裏不要忘記，也不要人為地去助它增長。2月24日，蔣介石日記再云：

> 家事致曲，不宜太直、太急與太認真，應以澹然處之，導之以德，齊之以禮耳。

“致曲”，語見《禮記．中庸》，舊解較多，其中一種解釋為：將真誠推致到細微之處。2月25日，蔣介石日記又云：

> 家中之事，不能與家中之人直道，同家親人不得晤面，是為余一生最大之遺憾，然亦惟有勿忘勿助，以待其自覺。家事切不可強勉而行，自信修身無虧，上帝必加眷顧，終能使我家母子親愛，家庭團圓耳。令緯兒離重慶赴贛。[1]

---

1 以上文字，開放前被塗去。此據蔣介石《二十九年、三十年要事雜記》（手稿本）補，美國胡佛檔案院藏。又《困勉記》稿本亦有此段記載。

家事以委屈求全為主，不能與普通交道並論，只求母子親愛無阻，雖權變尚無損也。

"家中之事，不能與家中之人直道"，說的是：蔣介石有些事情不願告訴宋美齡。"同家親人不能晤面"，說的是蔣氏父子與宋美齡之間不能同時相處。但是，蔣介石"自信修身無虧"，所以開始時採取聽其自然的方針，但是思考再三，為了使母子之間"親愛無阻"，還是決定"委曲求全"，採取某種"權變"的辦法。顯然，這一時期，宋美齡與蔣緯國"母子"之間"親愛有阻"了。

蔣介石自述的"權變尚無損"的內容，他沒有說，其內容之一大概就是"命緯兒離渝赴贛"，避免和宋美齡見面。蔣要緯國到江西去看看哥哥、嫂嫂，"還有，你母親也在那裏。"[1] 蔣緯國聽命，到贛州會見蔣經國夫婦，也拜見將自己一手帶大、從蘇州逃難到此的蔣介石的第二任夫人姚冶誠。就在蔣緯國"離渝赴贛"期間，蔣、宋之間的"感情危機"有了顯著緩和。3 月 6 日，蔣介石日記云：

本日在參政會講演，自覺過於滯鈍，詞不達義，而妻則以為甚得體也。

顯然，宋美齡不僅與蔣介石和解，而且政治上支持蔣介石。蔣在國民參政會的演講，自己不甚滿意，但宋美齡卻認為"甚得體"。3 月 9 日為夏曆二月十二日，係宋美齡誕辰，蔣介石邀集親友 10 人為之祝壽。當日氣氛融洽。蔣介石為夫妻關係好轉欣慰，日記云："夫妻諧和為人生唯一之樂事也。"但是，他同時也為經國、緯國不在身邊遺憾。日記云："兩兒未能參加耳！"。

3 月 27 日，蔣緯國自江西歸渝。大概此前蔣介石已經做好了宋美齡的工作，因此蔣緯國"認母"順利。當日，蔣介石命其向宋美齡行隆重的"叩拜"大禮。日記云：

緯兒已到，令叩拜其母，親愛如古，不勝欣慰。使我家庭之得有今日之團圓，以償我一生最大之宿願，惟有感謝上帝大恩於無涯矣。

十四年來之家事，一朝團圓，完滿解決，寸衷之快慰，殊有甚於當年之結婚時也。[2]

---

1 汪士淳：《千山獨行 —— 蔣緯國的人生之旅》，台北天下文化出版股份有限公司 1996 年版，第 87 頁。

2 以上兩段引文，第一段見於《蔣介石日記》(手稿本)，第二段見於《困勉記》。

蔣介石與宋美齡結婚至此約為14年，多年沒有能解決的問題一朝解決，蔣介石有一種前所未有的"快樂感"。3月29日，蔣介石在《上星期反省錄》中說："心神愉快之時較多，尤以母子親愛、夫妻和睦為最！家有賢婦與孝子，人生之樂，無過於此。"31日，在《本月反省錄》中又說："家庭間夫婦母子之和愛團團，此為一生幸福之開始，是亦修身、正心與祈禱之致也。"至此，蔣宋之間的"感情危機"結束。不過，問題似乎並未完全解決。

對家中的風波以及宋美齡和自己的隔閡，蔣緯國似乎有所覺察，但又不明究竟。1943年4月12日，蔣介石日記云：

> 近日緯兒心神頗覺不安，彼不願訴衷，但其衷心自有無限感慨。昨晚乘車外行，彼稱前夜夢寐大哭，及醒，枕褥已為淚浸，甚濕，不知其所以然云。彼復言哥哥待我如此親愛，是我平生之大幸，亦為我蔣門之大福云。言下甚有所感。

第二天，蔣介石在晨禱時，想起家事，不禁泫然飲泣。他寫道："余如何能使彼母子之親愛亦如其兄弟哉？""惟禱上帝，能保佑我家庭，使彼母子能日加親愛以補我平生之缺憾也。"[1]

此後，蔣介石見到宋美齡和蔣緯國之間關係良好時，就特別高興。當年12月開羅會議之後，蔣介石、宋美齡與蔣緯國在藍溪相會，同機返國。12月1日，蔣介石日記云：

> 登機視緯兒猶熟睡，頗安。以彼於下午忽發瘧疾，熱度竟至百零二度以上，見母子談話與母詢問兒病，親愛之情，引為余平生第一之樂事。

由此可見，擔心宋美齡與蔣緯國關係不好是蔣介石長期的心病。

三、蔣緯國的身世之謎是蔣、宋矛盾的原因

研究蔣介石上引日記可知，蔣宋在1940年末至1941年初的"感情危機"，

---

1 《困勉記》，1943年4月12日。

既和宋美齡懷疑蔣介石的“私德”，又和懷疑蔣緯國的來歷有關。

蔣緯國並不是蔣介石的親生兒子，而是戴季陶和日本護士重松金子所生，時間為 1916 年 10 月 6 日。戴季陶因懼內，事先和蔣介石說好，由蔣出面認子。蔣緯國出生後，由日人山田純三郎帶到上海，交給蔣介石，蔣交給當時的夫人姚冶誠撫養，取名緯國。後來甚至有過一種說法：蔣介石也同時和重松金子相好，蔣緯國為蔣介石與重松金子所生。抗戰期間，戴季陶在重慶的一次演講中就曾公開這樣宣佈過[1]。

1920 年，蔣緯國隨姚冶誠到溪口。1922 年隨姚遷居奉化。不久，再遷寧波。10 歲時到上海，入萬竹小學就讀。1927 年，蔣介石和宋美齡結婚，姚冶誠攜蔣緯國遷居蘇州。1928 年，蔣緯國考入東吳大學附屬中學。1934 年畢業，進入東吳大學理學院物理系，兩年即修完相關課程。又奉蔣介石命，進入文學院，學習政治、經濟、社會等課程。在此期間，蔣緯國從未和宋美齡見過面[2]。1936 年 10 月，緯國奉父命遠赴德國研習軍事。這時候，宋美齡本應和緯國見面了，然而，仍然沒有見，可能還因此鬧了矛盾。蔣介石日記云：“緯兒如期出國，不稍留戀，其壯志堪嘉，而私心實不忍也。”又云：“家事難言，因愛生怨，因樂生悲，痛苦多而快樂少也。”[3]

蔣緯國到德後，先後加入德國山地兵團及慕尼克軍校，被授予陸軍少尉銜。歐戰前夕，奉命赴美，先後進入陸軍航空隊空戰訓練班和裝甲兵訓練中心受訓。1940 年 10 月，蔣緯國自美返國，途徑香港，宋美齡當時正在香港養病，蔣緯國自然要前往拜見。但是，這是宋美齡和蔣緯國的第一次見面，所以蔣介石很重視，特派蔣經國到香港。一是為了迎接緯國，也是為了讓經國充當緯國和宋美齡之間的“仲介”。關於蔣緯國和宋美齡的第一次見面，據蔣緯國回憶：

> 當時見面非常自然而且親切。我喊她“Mother”，並且在她頰上吻了下，因為出國四年，一些禮節就很歐化了；她親熱地問我在國外好不好等

1　紀雲：《戴季陶解蔣緯國身世之謎》，原載《鍾山風雨》。

2　汪士淳：《千山獨行——蔣緯國的人生之旅》，台北天下文化出版股份有限公司 1996 年版，第 48 頁。

3　《本周反省錄》，《蔣介石日記》（手稿本），1936 年 10 月 31 日。

等。我們談話的氣氛可以說一點都沒有第一次見面的尷尬。她給我的印象，就好像是長輩看見自己的孩子回來一樣。[1]

蔣介石很關心宋美齡與蔣緯國的這次見面，事後得知"母子相見，甚為親愛"。蔣介石非常高興，日記云："快慰無量，甚感上帝施恩之厚重也。"[2]但是蔣介石沒有想到，宋美齡和蔣緯國第一次見面時的"親愛"只是當時的"表面文章"，事後宋感到不妥，於是就發生拒不返渝等情況。

蔣緯國的曖昧身世，今天人們已經很清楚，但是當時的蔣緯國本人並不清楚。據他本人回憶，回到重慶後不久，在宋美齡的書房中發現約翰·根瑟所寫 *Inside Asia* 一書，其中影射蔣緯國為戴季陶所生，為了某種原因過繼給蔣介石了。蔣緯國為此詢問戴季陶，戴拿出蔣介石送給他的十二寸帶框相片以及一面鏡子，對著蔣緯國坐下來，把鏡子放中間，自己的頭擱在一邊，蔣介石的相片擱在另一邊。他要蔣緯國照鏡子，然後問蔣緯國："你是像這邊的，還是像那邊的？"當蔣緯國回答還是像蔣介石"多了些"時，戴季陶笑著說："那不就結了嗎！"[3]可見，蔣緯國身世之謎當時還是"機密"，宋美齡顯然並不清楚。蔣、宋結婚之後，蔣介石也沒有向宋美齡談過有關情況。宋美齡自然會想：緯國到底是哪個女人所生？為何蔣會相認？蔣介石是否"私德有虧"等等。過去，蔣緯國和宋美齡從未見過面，宋可以不想這些問題，但蔣緯國自海外回渝，宋美齡就面臨是否承認並接納這個"兒子"的嚴肅問題；上述問題不清楚，宋美齡如何坦然承認並接納？在這一情況下，宋美齡必然對蔣有所質問，蔣又不願坦率說明（"家事不能直道"），矛盾因此而生；及至蔣"委曲求全"，採取"權變"後，二人之間的矛盾也就化解了。

蔣介石在世的時候，始終不曾將身世之謎告訴過蔣緯國，很可能，也不曾告訴過宋美齡。

---

1 汪士淳：《千山獨行——蔣緯國的人生之旅》，第 83 頁。
2 《蔣介石日記》（手稿本），1941 年 11 月 3 日。
3 汪士淳：《千山獨行——蔣緯國的人生之旅》，第 86 頁。

關於宋美齡與美國總統特使威爾基的「緋聞」*

——駁考爾斯，兼辨李敖之誤

* 本文錄自《找尋真實的蔣介石：蔣介石日記解讀》（1），重慶出版社 2015 年版；原載台北《傳記文學》2003 年 5 月號及《百年潮》2003 年第 10 期。

1985年，美國人邁可・考爾斯（Gardner Milk Cowles）出版了一本回憶錄，題名《邁可回顧》（*Milk Looks Back*），其中寫到，1942年10月，美國總統羅斯福的特使溫德爾・威爾基（Wendell Lewis Willkie）訪問重慶時，宋美齡曾與之有過"風流韻事"，蔣介石發覺後，氣憤地率領手持自動步槍的士兵前往捉姦。由於考爾斯是威爾基當年訪華時的隨員，因此上述情節很容易取信於人。1986年，香港《九十年代》雜誌10月號譯載了考爾斯的有關回憶。1995年，李敖等在其合著的《蔣介石評傳》中加以引用，並作了詳細的論證和分析。其後，李敖又單獨署名，寫作《宋美齡偷洋人養洋漢》、《蔣介石捉姦記》、《宋美齡和誰通姦》等文，陸續發表於《萬歲評論叢書》、《真相叢書》、《烏鴉評論》、《李敖電子報》、《李敖大全集》等處。近年來，大陸出版的某些圖書、刊物以及網站，也都樂於傳播此說，競相宣揚。某著名編劇甚至寫到了電視劇劇本中。

如果是里巷兒女之間的偷情，並不值得重視，但是，事情發生在中、美兩國的三個重要歷史人物之間，又經過上述出版物的渲染，就不得不認真加以考察了。

一、考爾斯細緻、生動的回憶

為了考察方便，並利於讀者思考、判斷，筆者不得不首先引述考爾斯的有關回憶。《邁可回顧》一書寫道：

我們旅程的下一站是中國。宋子文 —— 蔣介石夫人的哥哥的那棟現代化的豪華巨宅，是我們在重慶六天的總部。

六天的活動相當緊湊，有威爾基和蔣介石委員長 —— 國民政府領導人之間的數次長談；有政府官員的拜會活動；還有委員長和夫人每晚的酒宴。其中，夫人的儀態和風度，令我和溫德爾兩人都感到心神蕩漾。

有一晚在重慶，委員長為我們設了一個盛大的招待會。在一些歡迎的致詞之後，委員長、夫人和威爾基形成了一個接待組。大約一小時後，正當我與賓客打成一片時，一位中國副官告訴我，溫德爾找我。

我找到威爾基，他小聲告訴我，他和夫人將在幾分鐘後消失，我將代替他的地位，盡最大的努力為他們做掩護。當然，十分鐘之後，他們離開了。

我像站崗似地釘在委員長旁邊。每當我感到他的注意力開始遊蕩時，就立刻慌亂地提出一連串有關中國的問題。如此這般一小時後，他突然拍掌傳喚副手，準備離開。我隨後也由我的副手送返宋家。

我不知道溫德爾和夫人去了那〔哪〕裏，我開始擔心。晚餐過後不久，中庭傳來一陣巨大的嘈雜聲，委員長盛怒狂奔而入，伴隨他的三名隨身侍衛，每人都帶了把自動步槍。委員長壓制住他的憤怒，冷漠地朝我一鞠躬，我回了禮。

“威爾基在哪？” 禮儀結束後他問。

“我不知道，他不在家。”

“威爾基在哪？” 他再次詢問。

“我向你保證，委員長。他不在這裏，我也不知道他可能在哪裏。”

我和侍衛們尾隨其後，委員長穿遍了整棟房子。他檢查每個房間，探頭床底，遍開櫥櫃。最後，他對兩個人的確不在屋裏感到滿意後，一個道別的字都沒扔下就走了。

我真的害怕了，我見到溫德爾站在一排射擊手前的幻影。由於無法入眠，我起身獨飲，預想著可能發生的最壞的事。清晨四點，出現了一個快活的威爾基，自傲如剛與女友共度一夜美好之後的大學生。一幕幕地敘述完發生在他和夫人之間的事後，他愉快地表示已邀請夫人同返華盛頓。我怒不可遏地說：“溫德爾，你是個該死的大笨蛋。”

我列舉一切的理由來反對他這個瘋狂的念頭。我完全同意蔣夫人是我們所見過的最美麗、聰明和性感的女人之一。我也了解他們彼此之間巨大的吸引力，但是在重慶的報業圈已經有足夠多關於他們的流言蜚語了。我說："你在這裏代表了美國總統，你還希望競選下屆總統。" 我還表示屆時他的太太和兒子可能會到機場接他，夫人的出現將造成相當尷尬的場面。威爾基聽了氣得跺腳離去。當時我已經非常疲倦，於是倒頭便睡。

我 8 點醒來時，威爾基已在用早餐，我們各吃各的，半句話沒說。9 點鐘他有一個演講。正當他起身準備離開時，他轉身對我說："邁可，我要你去見夫人，告訴她：她不能和我們一起回華盛頓。"

"哪裏可以找到她？" 我問。他靦腆地說："在市中心婦幼醫院的頂層，她有一個公寓。那是她引以為傲的慈善機構。"

大約 11 點。我到醫院要求見夫人。當我被引進她的客廳後，我愚鈍地告訴她，她不能和威爾基先生一起回華盛頓。

"誰說不能？" 她問。

"是我，" 我說，"我告訴溫德爾不能隨你同行，因為從政治上說，這是非常不智的。"

在我還沒有搞清楚怎麼回事之前，她的長指甲已經朝我的面頰使勁地抓了下去。她是這麼的用力，以致在我臉上整整留下了一個星期的疤痕。

考爾斯曾任美國明尼蘇達州《明尼亞波里斯論壇報》（*Minneapolis Tribune*）和愛荷華州《狄盟市註冊報》（*Des Moines Register*）記者，後來創辦《展望》（*Look*）週刊，應該說，他的這段故事寫得很細緻、很生動，但是，這實在是一個破綻百出，編造得非常荒唐、非常拙劣的故事。

二、威爾基在重慶的日程足證考爾斯"回憶"之謬

威爾基於 10 月 2 日由成都到達重慶，7 日下午離開重慶，飛赴西安，其間行程斑斑可考。為了以確鑿的證據揭露考爾斯所編"緋聞"的荒唐，筆者現依據當時重慶《大公報》的報導及相關檔案，將威爾基與考爾斯在重慶的活動排列於下：

10月2日下午3時46分，威爾基等一行由成都抵達重慶，旋即驅車入城參觀市容，6時許至旅邸休息。

10月3日上午9時起，在美國大使高斯陪同下，威爾基偕其隨員考爾斯（當時翻譯為高而思）、白納斯、鮑培，陸續拜會中國外交部副部長傅秉常、行政院副院長孔祥熙、軍委會總參謀長何應欽。

10時40分，拜會時任軍事委員會委員長的蔣介石及其夫人宋美齡，談至11時15分。

11時3刻，威爾基、考爾斯、白納斯、鮑培赴國民政府，拜會國民政府主席林森。12時，林森設宴招待威爾基。出席者有居正、于右任、孔祥熙、美國大使高斯、考爾斯、白納斯、梅森少校、皮耳少校等。

下午3時半，威爾基參觀中央訓練團，發表演說，長達一小時餘。

5時至6時，美國大使高斯假座重慶嘉陵賓館舉行茶會，招待威爾基，到場有孫科、于右任等中外來賓三百餘人。6時許散會。

晚8時，蔣介石及宋美齡假軍委會禮堂設宴歡迎威爾基。參加者有威爾基及其隨員考爾斯、白納斯、梅森少校、皮耳少校、美國大使高斯、史迪威將軍、陳納德司令、蘇聯大使潘友新、英國大使薛穆及澳、荷、捷克等國外交使節與夫人。中國方面參加者有宋慶齡、孔祥熙夫婦、孫科夫婦、居正、于右任、王寵惠、吳鐵城、馮玉祥、何應欽等多人。

10月4日晨，威爾基由翁文灝陪同，參觀重慶工廠。中午，翁在中央造紙廠設宴招待。下午，威爾基返城。

同日下午4時，宋美齡以美國聯合援華委員會名譽會長名義假外交部舉行茶會，歡迎美國總統代表、美國援華會名譽會長威爾基。出席（者有）宋慶齡、孔祥熙、孫科、史迪威及威爾基隨員考爾斯、白納斯、皮耳海軍少校、梅森陸軍少校及中外記者百餘人。威爾基首先參觀兒童保育院及抗屬工廠作品展覽，宋美齡為之“一一加以說明”。參觀後，茶會開始，由兒童保育院兒童表演歌舞及合唱。進茶點後，宋美齡致歡迎辭，威爾基作答。6時散會。

晚，蔣介石與威爾基長談3小時半，宋美齡任翻譯。

1月5日，上午9時，威爾基由顧毓琇陪同，參觀中央大學、重慶大學、中央工業專科學校及南開中學。12 時返城，參加教育部長陳立夫舉行的宴會。下午至晚間，蔣介石、宋美齡繼續與威爾基晤談。同日，受到威爾基接見的還有史迪威、胡霖、張伯苓、周恩來等人。

10 月 6 日上午 9 時，威爾基由俞大維陪同，參觀兵工廠。

中午，何應欽在軍委會設宴招待威爾基。午後 4 時，中美、中英、中蘇、中法文化協會等 18 個團體在嘉陵賓館舉行聯合茶會，歡迎威爾基一行。到場有美國大使高斯、蘇聯大使潘友新及王世杰、馮玉祥等三百餘人，由吳鐵城致歡迎辭。

5 時 50 分，國防最高委員會秘書長王寵惠訪問威爾基。

午後 7 時，孔祥熙以行政院副院長及中美文化協會主席的身份在重慶范莊私邸設宴招待威爾基，宋美齡、宋慶齡、孫科、周恩來、鄧穎超、馮玉祥等及美國大使高斯、史迪威、陳納德，威爾基的隨員白納斯、皮爾、梅森等一百餘人參加。席設范莊草坪，所用為"新生活自助餐"。

10 月 7 日晨，蔣介石、宋美齡共同接見威爾基，同進早餐。

9 時，威爾基舉行記者招待會，向新聞界發發表談話，並回答提問。

10 時，威爾基由董顯光陪同，參觀婦女指導委員會，宋美齡出面招待，導往各辦公室參觀。至 11 時結束。

下午 4 時半，由重慶飛抵西安。

綜觀上述日程，可見整個威爾基訪渝期間，由蔣介石主持，宋美齡參加的歡迎宴會只有 10 月 3 日晚一次。這次，威爾基和考爾斯都參加了，但是值得注意的是，這是一次宴會，而不是考爾斯回憶中所說的會後還需要回到宋宅補進"晚餐"的"招待會"。會後也不如考爾斯所述，客人們分散談話，以致威爾基可以乘機和宋美齡相約，溜出去偷情。關於宴後情況，重慶《大公報》報導說：宴畢，由中央廣播電台表演國樂。"音樂節目進行時，威氏傾耳細聽，極為注意。每一節目奏畢時，威氏即向蔣夫人詢問甚久，蔣夫人則詳加解釋。""全部音樂節目完畢，威氏即登台參觀樂器。各大使亦繼其後。威氏對每一種樂器均詳加研究，蔣夫人以極愉快之情逐予解說。蔣夫人並親撫古琴以示威氏，威氏歎為觀止。""十時半許，一夕盛會盡歡而散。"這期間，有威爾基與宋美齡調情、相約、出溜的機會嗎？

重要的是，威爾基來華前和宋美齡從未謀面，到重慶後，3 日中午，和蔣氏夫婦僅有 35 分鐘的談話。晚宴時，威爾基和宋美齡之間的感情怎麼可能迅速升溫，達到互相默契、外出偷情的高熱度呢？

人的記憶常常不很準確。是不是事情發生在其他日子，考爾斯的回憶發生部分誤差了呢？也不是。

4 日這一天，宋美齡為威爾基舉行歡迎茶會，考爾斯是到會者之一。有無可能偷情發生在這一天晚上呢？然而，檔案記載，當晚，蔣介石與威爾基談話，宋美齡任翻譯。雙方長談三小時半，不可能發生威爾基要考爾斯掩護，自己和宋美齡開溜的事。

5 日，根據檔案記載，蔣介石、宋美齡與威爾基之間的談話自下午 5 時 15 分起至 8 時 15 分止，地點在重慶九龍坡蔣介石官邸。談話後，同至曾家岩進晚餐，飯後繼續談話，宋美齡始終在場，也不可能發生和威爾基共同開溜之事。

6 日，孔祥熙在私邸草坪設宴歡迎威爾基。此次宴會取“自助餐”形式，有點兒像考爾斯回憶所述的“招待會”了，然而，蔣介石並未參加這次宴會，考爾斯也未出席，自然不可能產生威爾基要考爾斯打掩護，糾纏蔣介石以分散其注意力一類情節。據《大公報》報導，當日的情況是：孔祥熙致歡迎辭；8 時 15 分，威爾基致答辭，其後即在范莊向中國全國發表演講辭。辭畢，繼續進餐。餐畢，放映電影。8 時許，宴會結束。又據威爾基自述：晚飯吃過之後，他即受宋美齡之邀，一起入室，與宋藹齡“大聊特聊”，一起談到晚上 11 點，然後是孔祥熙進來，加入“龍門陣”。這是威爾基等在重慶度過的最後一個晚上。第二天下午威爾基等就離開了。

可見，威爾基在停留重慶的六天中，不可能發生考爾斯“回憶”所述的一類情節。

此外，現存的蔣介石和威爾基之間的談話記錄表明，他們之間的關係一直都很融洽。根據蔣介石本人的統計，他和威爾基的談話時間長達十幾個小時之多，分別之前，蔣並友好地向威爾基表示，將來旅順、大連可由中美共同使用。這種情況也表明，他們之間不存在任何隔閡。

三、考爾斯“回憶”的其他明顯破綻

考爾斯的“回憶”還有其他不少明顯的破綻。

第一，蔣介石舉行的“盛大招待會”，來賓眾多，蔣介石要一一會見、寒暄的高貴來賓也很多，考爾斯只是威爾基的一介隨員，怎麼可能用“一連串有關中國的問題”纏住蔣介石達“一小時”之久？

第二，蔣介石僅僅在“招待會”上一時不見了威爾基與宋美齡，何以就輕率地斷定二人出外偷情，以至於“盛怒狂奔”，率領持槍衛兵衝進威爾基住地，親自搜查？蔣介石手下特務無數，要了解威、宋何在，何須親自操勞？此類事情，越秘密越好，蔣介石帶著衛兵，當著考爾斯的面搜查，一旦果有其事，當場捉出，一個是羅斯福的特使，一個是自己的夫人，蔣介石將何以善其後？

第三，蔣介石身為軍事委員會委員長，是中國方面的最高軍事統帥，又在盛怒中，怎麼可能先向考爾斯“一鞠躬”？

第四，威爾基是美國共和黨的領袖，羅斯福的特使，考爾斯怎麼可能謾罵他：“你是個該死的大笨蛋”？

第五，宋美齡作為蔣介石夫人，出訪美國是件大事，中美雙方都需要做很多準備，簽證也需要時間，威爾基預定 10 月 9 日離華，怎麼可能邀請宋美齡“同返華盛頓”？宋美齡作為蔣介石夫人，自然懂得她的出訪並非小事，數日之內不可能倉促啟程，怎麼可能在聽說不能與威爾基同行之後，就用“長指甲”朝考爾斯的面頰“使勁地抓下去”？

第六，考爾斯對威爾基說：“在重慶的報業圈已經有夠多的關於他們的流言蜚語了。”威爾基在重慶停留的時日不過 6 天，即使威、宋之間有什麼“風流韻事”，報業何從知曉？傳播何能如此之快？如此之“足夠多”？

以上六條，條條足以證明，考爾斯的“回憶”是編造的，而且編造得極為拙劣、低下。

四、宋美齡訪美並非肇因於威爾基

威爾基於 1942 年 10 月 14 日回到美國。同年 11 月 26 日，宋美齡相繼抵達，開始了對美國長達 7 個多月的訪問。此事是否肇因於威爾基呢？答案是否定的。

根據檔案記載，邀請宋美齡訪美的是羅斯福總統夫婦。1942 年 8 月 22 日，羅斯福致電蔣介石，表示他本人及夫人都非常盼望“蔣夫人能即來敝國”。9 月 16 日，羅斯福夫婦再次致電蔣介石，重申這一邀請。這兩次邀請都在威爾基訪華之前，可見，宋美齡訪美，既非肇因於威爾基，也不需要依賴威爾基的力量。

威爾基確曾積極推動宋美齡訪美。根據威爾基的回憶《天下一家》（*One World*）等資料，可知 10 月 5 日，威爾基在和宋美齡的談話中，曾建議宋美齡去美作親善訪問。10 月 6 日晚，威爾基在和孔祥熙談話時，又說明其理由是：美國人亟需了解亞洲與中國，中國方面有頭腦以及有道德力量的人，應該幫助教育美國人。蔣夫人將是最完美的大使，她有極大的能力，會在美國產生極為有效的影響力。他說：憑藉蔣夫人的“機智、魔力、一顆大度而體貼的心、高雅美麗的舉止與外表以及熾烈的信念，她正是我們需要的訪客”。威爾基回美後，還曾向羅斯福轉達過宋美齡希望訪美的口信。但是，威爾基的這些舉動，都是在執行羅斯福總統的政策和指示。在很長時期內，美國採取孤立主義政策，漠視中國正在進行的艱苦卓絕的抗戰。威爾基反對日本侵華，對中國友好，積極主張援助中國抗日。1940 年，他在競選美國總統時，就主張“應予中國以經濟上之援助”。1942 年，他多次發表演說，指責日本“以野蠻手段肆意侵略較弱之國家”，認為“日本為吾人之敵”，而“中國為吾人之友”。他高度評價中國抗戰，認為“過去五年來，美國人民甚少能認識中國抗戰對於吾人全部文明之重要意義者。”在這些方面，他和羅斯福是完全一致的。

至於宋美齡訪美，則一是為了向美國人宣傳中國抗戰，爭取美援，二是為了治病。

抗戰爆發後，宋美齡即積極投身對外宣傳，特別是對美宣傳。她積極利用報紙、雜誌、廣播、接見外國記者等多種形式，宣傳中國抗戰。她的宣傳受到美國輿論的重視和高度評價。1942 年秋，中國抗戰還處於艱難時期，自然有進一步爭取美國支持的必要。

同時，這一時期，宋美齡的健康狀況惡化也迫使她下決心赴美治療，抗戰初期，宋美齡到淞滬前線勞軍，突遇日機空襲，宋美齡的座車在匆忙躲閃中傾覆，宋美齡不幸受傷。自此，宋美齡即長期多病。1942 年 10 月下旬，宋美齡的身體狀況日差，蔣介石擔心宋患有癌症，決定命宋赴美治療。同月 27 日，蔣介石日記云："妻體弱時病，未能發現病因，甚憂。" 29 日日記云："妻子體弱神衰，其胃恐有癌，甚可慮也。" 30 日日記云："恐妻病癌，心甚不安，決令飛美就醫，早為割治。"

可見，宋美齡訪美也與她和威爾基之間的所謂"私情"完全無關。

五、宋美齡訪美前，蔣介石、宋美齡之間並無感情危機

如果宋美齡和威爾基之間確有"風流韻事"，蔣介石又曾"發怒狂奔"，率兵搜查，那麼，他們二人之間一定會發生感情危機，但是，現存蔣介石日記（未刊）卻看不出任何蛛絲馬跡。

宋美齡訪美啟程前，蔣介石依依不捨，愁腸百結。如：

> 11 月 2 日日記云："為妻將赴美，此心甚抑鬱，不知此生尚能有幾年同住耶？惟默禱上帝保佑而已。"
>
> 11 月 17 日日記云："下午與妻到聽江亭廊前談對美總統談話要領十項後回寓。夫妻依依，甚以明日將別為憂也。"
>
> 11 月 18 日日記云："五時醒後不能安眠，默禱妻此行平安成功……九時，送妻至九龍鋪機場，同上機，送至新津大機場，換大機……十二時，送妻登機，見其機大……別時妻不忍正目仰視，別後黯然銷魂，更感悲戚。並願上帝賜予生育子女，默禱以補吾妻平生之不足也。"

宋美齡啟程後，蔣介石倍感惆悵，11 月 19 日日記云："'平時不覺夫妻

樂，相別方知愛情長，' 別後更覺吾妻愛夫之篤，世無其比也。"

宋美齡抵美後，蔣介石仍然思念不已。如：

> 11 月 28 日日記云："妻於二十六日平安飛到美國，並據醫者檢查，決無癌症，此心甚慰。"
>
> 11 月 29 日日記云："妻於十八日赴美，臨別悽愴，兒女情長，今又獲一次經驗也。"
>
> 12 月 1 日日記云："本日為余夫婦結婚十五週年紀念日，晨起，先謝上帝保佑與扶掖成全之恩德。接妻祝電。晚，往孔宅大姊處舉葡萄酒恭祝余妻康健。"
>
> 12 月 31 日日記云："惟以妻在美不能共同團圓為念。"
>
> 1943 年 2 月 4 日日記云："今日為舊曆除夕，孤身獨影，蕭條寂寞極矣。"

類似的記載還很多。如果宋美齡與威爾基有私情，蔣介石又確有所覺，他能寫得出上述日記嗎？

在蔣介石和宋美齡漫長的婚姻生活中，有過兩三次感情危機。例如，1940 年 10 月，宋美齡赴香港養病，曾長期拒絕回渝。次年 2 月 4 日，蔣介石日記云："接妻不返渝之函，乃以夫妻各盡其道覆之。淡泊靜寧，毫無所動也。"這段日記表明，蔣、宋之間發生了某種矛盾（關於此，筆者有另文分析）。而蔣在宋美齡赴美前後的日記表明，二人之間當時不存在任何隔閡。

六、考爾斯"回憶"的由來與宋美齡在美國所打"誹謗官司"

考爾斯並非威、宋"緋聞"的始作俑者。早在 1974 年，美國人艾貝爾（Tyler Abell）整理、出版的其父《皮爾遜日記》（*Drew Pearson Diaries*）的上冊中就有記載。該書談到，威爾基以羅斯福總統特使名義訪問重慶時，與蔣夫人有染，蔣委員長盛怒之下，帶憲兵到南岸官邸去捉姦，並無所獲。威爾基臨行去向蔣夫人辭行，閉門二十分鐘才出來，等等。考爾斯所述正是皮爾遜日記有關說法的細緻化。

皮爾遜是美國著名的專欄作家。其人文品不佳，專門挖人陰私，曾被羅斯福斥為“習慣造謠的人”。威爾基訪華期間他並不在重慶，更與威爾基沒有密切關係。其日記始於 1949 年，止於 1959 年，所述宋、威之間的風流韻事完全是事隔多年的道聽途說，本無多大價值。然而，由於其事具有“商業價值”，所以日記出版後，迅速受到注意，被美國的每月書會列為重點推薦書目。該會當月的書訊在介紹該日記時不僅刊出威爾基與宋美齡的並列照片，而且下題“匆匆的結合”（A hasty liaison）數字。事為台灣駐紐約新聞處主任陸以正發現，上報台灣“新聞局”，“新聞局”不敢再繼續上報，但宋美齡已讀到了一位好事的美國老太太寄來的書訊，大為震怒，指令陸以正在美國《紐約時報》等十大報紙刊登全頁廣告闢謠。陸以正經過反復考慮，並經宋美齡同意，先向該書的出版公司交涉，要求更正，遭到拒絕。其後，陸以正即收集證據、證詞，代表宋美齡向紐約州最高法院提出民事訴訟，要求出版公司與艾貝爾賠償宋美齡的名譽損失三百萬美元。經過一年多的談判磋商，出版商最終接受三項條件：一、公開道歉；二、承諾在本書重版時，將誹謗的文字刪除；三、律師費由雙方各自負擔，被告方賠償起訴方訴狀費、送達費、存證信函費等共七百多美元。此三項條件經宋美齡批准。

後來，《皮爾遜日記》上冊再未重印，中、下兩冊則胎死腹中，永未出版。以上情況，俱見陸以正所著《微臣無力可回天》一書，台北天下文化書坊 2002 年 4 月出版，茲不贅述。

七、考爾斯反復無常

據說，按英美制度，提出誹謗訴訟，原告如為公眾人物，有責任提出對方誹謗不能成立的證據。陸以正代表宋美齡控告《皮爾遜日記》的出版者及編者，就必須設法證明該書所述純屬子虛。

在找尋證據的過程中，陸以正找到了考爾斯（陸書譯作柯爾斯）。其情況，陸書寫道：我去見柯爾斯，他沒想到事隔三十年。還有人記得他曾在戰時到過重慶，相談甚歡。

我問他《皮爾遜日記》所提的故事是否正確，他大笑說："這是不可能的事，絕對沒有！"我說可否請他給我一封信，以當年陪伴威爾基訪華記者的身份，說明絕無此事。他馬上喚女秘書進來，口授了一封信，簽名交給了我。這樣豪爽的個性，至今令我難忘。

陸以正無論如何沒有想到，大概也一直沒有發現，當年這位保證"絕對沒有"此事的"證人"十一年後又在"回憶"中，以當事人的身份，活靈活現地描述了本文一開始引錄的那段"風流韻事"。

怎樣理解考爾斯的反復無常呢？看來，只能用"商業價值"來解釋了。為了吸引讀者，考爾斯在寫作自己的回憶錄時，終於覺得那段"八卦新聞"還是很有用；而且，即使再為台灣方面發現，也沒有什麼了不起，《皮爾遜日記》的官司不是七百多美元就了結了嗎？

宋美齡的巴西之行與蔣介石的「婚外情」傳說*

——兼析其事與美國人要蔣交出軍權之間的關係

* 本文錄自《找尋真實的蔣介石：蔣介石日記解讀》(1)，重慶出版社 2015 年版。

1944年7月9日，中國抗日戰爭最艱難的時候，宋美齡突然離開重慶，去巴西休養。自此一去不歸。直到一年後抗戰勝利，宋美齡才翩然回國。關於此事，許多宋美齡的傳記和相關著作都認為其原因是：蔣介石在重慶有了"婚外情"，宋美齡因此一怒而去。

事實是否如此呢？

一、可疑的送別茶會

蔣介石的《事略稿本》（未刊）1944年7月5日條云：

> 約集各院院長及各部會高級幹部與歐美友好，計共六十人，舉行茶會，為夫人餞行並坦白說明外間之流言蜚語與敵黨陰謀之所在。繼夫人亦起而說明對公人格之信仰，措辭均極有力也。而居正、戴季陶等各院長亦各先後發言，僉謂公之為人，厚重嚴謹，久為眾所敬服也。[1]

這段記載很含糊。考察有關史籍可知，當年7月，宋美齡即將離開重慶去巴西養病。"為夫人餞行"云云，說明會議主題是為宋美齡送行。會上，蔣介石

1 《事略稿本》，台北"國史館"藏。

坦白說明了“外間之流言蜚語與敵黨陰謀之所在”。接著，宋美齡起而發言，表示相信蔣的“人格”。又接著，居正、戴季陶以及國民政府各院院長紛紛幫腔，對蔣的“品格”大唱讚美歌。這就奇怪了，餞行會為何變成為蔣介石辨誣的“闢謠會”呢？所闢之“謠”為何？

查蔣介石日記當年 7 月 4 日條云：

> 下午，回林園，與妻商談，約幹部與友好聚會，說明共產黨謠諑，對余個人人格之毀譽無足惜，其如國家與軍民心理之動搖何！乃決約會，公開說明，以免多家猜測。[1]

這則日記說明，會議是在 7 月 4 日與宋美齡商談之後決定的，目的在於闢謠，謠言內容有關蔣的“人格”。至於謠諑來源，《事略稿本》僅模糊地說明出於“敵黨陰謀”，而這則日記則點明是“共產黨”。蔣介石長期敵視中共，所以並未調查，也未加論證，就武斷地確定是“共產黨謠諑”。

再查當年 7 月 6 日蔣介石的日記，中云：

> 妻近接匿名信甚多，其中皆言對余個人謠諑、誹謗之事，而惟有一函，察其語句文字，乃為英（美）國人之筆。此函不僅詆毀余個人，而乃涉及經、緯兩兒之品格，尤以對經兒之謠諑為甚，亦以其在渝有外遇，且已生育孳生，已為其外遇之母留養為言。可知此次蜚語，不僅發動於共黨，而且有英、美人為之幫同，其用意非只毀滅我個人之信譽，且欲根本毀滅我全家。幸余妻自信甚篤，不為其陰謀所動，對余信仰益堅，使敵奸無所施其挑撥離間之技倆。可知身修而後家齊之道，乃為不變之至理，安可不自勉乎哉！

從這則日記看，謠言出於寫給宋美齡的“匿名信”，內容不僅“詆毀”蔣個人，還涉及蔣的兩個兒子，特別是蔣經國。“似為英（美）國人之筆”，據此，蔣介石認為，“不僅發動於共產黨，而且有英、美人為之幫同”。蔣稱，宋美齡充分相信自己，不受煽動。

再查蔣介石 7 月 8 日日記：

---

1 《蔣介石日記》（手稿本）。

據妻近日所言，其所接中外人士之匿名信，各種捏造是非，無中生有之誣詞，甚於其往日之已言者。反動者此次造謠作用，其第一目的在挑撥我夫妻情感，先使我家庭分裂，然後毀滅我人格，則其他目的皆可迎刃而達矣。惟妻對余篤信不疑，已在餞別時發表其篤信之演詞，以粉碎反動共匪一切之陰謀。是此次茶會之功效在此，其他外人對之信與不信，皆所不顧也。

從這天的日記可知，"匿名信"的內容是挑撥蔣介石與宋美齡的"夫妻情感"，其目的在於使蔣"家庭分裂"，進而毀滅蔣的"人格"。

蔣介石到底蒙受了什麼樣的誹謗，要在宋美齡出國前隆重召開有"高級幹部和歐美人士"參加的會議，鄭重"闢謠"？

二、蔣介石、宋美齡同場表態

查王世杰 1944 年 7 月 5 日日記云：

蔣先生今日約黨部、團部、幹部同志三四十人暨中外基督徒若干人在山洞官邸茶會。在會中，蔣先生宣佈兩事：一、蔣夫人將赴巴西養疴，休養畢將訪若干友邦；二、外間近有人散佈謠言，誣衊蔣先生私德，謂其有外遇等等情事者，有人欲藉此類造謠以搖動同志與軍隊對彼之信心。蔣夫人亦有演說，指述此類誣衊之用意，與彼對蔣先生之敬信。[1]

蔣介石的日記吞吞吐吐，欲言又止，而王世杰的日記則寫得比較坦率，"謂其有外遇"，原來，是一則有關蔣介石私德的"緋聞"。王世杰當時擔任三民主義青年團中央監察會監察、第三屆國民參政會主席團主席，顯然，他是參加了"闢謠會"的。

至此，問題算是解決了，然而又沒有完全解決。美國斯坦福大學胡佛檔案館收藏的《史迪威文件》中藏有一份"闢謠會"的會議記錄，可以解決我們的大部分疑問。

---

1 《王世杰日記》，台北"中央研究院"近代史研究所影印本。

記錄為英文打字稿。其一為《委員長在75位客人參加的會議上的講話》，現譯為中文：

在我的妻子因神經衰弱出發去巴西之際，我決定為她舉行送別會。你們都是我的朋友。我想坦率地說明某些事情的時刻已經到了。我覺得這樣做很重要，它將成為維護革命的手段。可能在座的中國朋友會認為我不應該說得如此坦率，但是，這是必需的。

最近，在重慶社交圈裏有不少謠言，有些牽涉我。你們已經聽到，但是，除了我的妻子之外，只有一位朋友告訴我這件事。他是真正的朋友。所有我的朋友都在此，當他們聽到此事時應該告訴我。這個謠言說我的個人行為不光明，說我和一個女人有不正當關係，說我和一位護士有非法關係並且生了一個兒子。

當我的朋友告訴我此事時，他建議我不要費心去說明任何事。我知道這些謠言已經一個月。它們已經傳播開來，不僅在社交圈，而且也在黨內同志中成為閒談的話題。我想這是很大的恥辱。如果這些謠言在人群中得到限制，這是一回事；當這些謠言在同志中流傳時，就是另一回事。這是一件很嚴重的事。有些同志已經嘲諷地談論此事。在高級訓練班裏，說我不能樹立一個好的榜樣，說我已經請別人做我的工作，說我不到辦公室。

記錄稿稱："說到這裏，委員長詳陳他每週所做的固定工作，以及投入大量時間接聽電話，閱讀文件。"蔣接著說：

沒有一個地方我既能工作，並且適合於大家。我沒有一小時能輕鬆。我不能休息。除了橫膈膜附近有傷，我只能坐在沙發裏。當我坐在椅子上，我感到非常累、疲乏，這就是我為什麼不去辦公室並且不能在會議上長時間停留的原因。

顯然，我的品格還沒有足夠偉大，使每個追隨者都絕對相信我。

民國二十三年，我的妻子和我提倡新生活運動。由於這種道德力量，我們得以成功地反對共產主義並抵抗外國侵略。如果我像傳說所稱那樣，我的真誠何在？我的將來和中國的將來相聯繫。作為領導者，任何對我的污辱就是對國家的污辱。我們必須詢問自己，我們的道德標準是否足夠高。如果我的道德標準被玷污了，我如何面對國家？我怎能成為中華民國國民政府的主席？

我為什麼說這些事情？我懇請諸位了解我的人格。敵人找不到摧毀我們的辦法，所以他要讓我們丟臉。他不能摧毀我們，只能使我們丟臉。這些謠言並非指向我，而是指向國家。所有我的朋友長期和我患難與共，艱危與共。我必須讓他們知道這些情況。我很慚愧。我自覺個人品格還沒有高尚到使你們絕對相信我。在這樣的時刻，我很遺憾，諸位不能培植對我的信任。

我國是弱國。如果我們企圖引導戰爭走向最後勝利，就必須通過鍛煉，使道德完善臻於正直。我們不應該逃避這些事。我們必須做每一件事情，才可能掌握真理。這是擊敗邪惡企圖的唯一辦法。

在上一個十年中，如果我曾經有過一些貢獻，這就是道德上的貢獻。我是一個基督徒，相信它的戒律並且絕對服從。假如我不遵從這些戒律，我就是異教徒。朋友們，你們的生活和命運完全和我相連。為了你們的緣故，我不敢做任何錯事。我過去五年的記錄是一本公開的書。假如你們不相信我，可以詢問我的服務人員，並且調查我的舉止。我做的每一件事都有記錄。我和妻子的感情絕對純潔，我們的關係中沒有任何污點。我的生活裏沒有任何事情不能公開。如果謠言所傳是事實，那就稱呼我為偽君子就是了。我召開此次會議，是為了挫敗敵人的有害目的。只有當所有人都已經達到道德的高標準，我們才能面對公眾；只有於我們能引導戰爭走向勝利的時候，我們才能面對孫逸仙的在天之靈。

蔣介石的這份講演稿說得很清楚：謠言的內容是他和一位護士有不正當的關係，並且生了一個兒子。蔣介石力辯絕無此事。他是基督徒，以教義自律；又是新生活運動的提倡者，對自己有很高的道德要求。他和妻子的感情絕對純潔，沒有任何污點。

蔣講話後，宋美齡接著表態。她說：

委員長提到的謠言已經遍傳重慶。我已經聽到這些謠言，收到許多就這一問題寫給我的信。不是作為妻子，而是作為真誠的愛國者，我覺得使委員長知道這些謠言是我的職責。

但是，我希望說明，永遠不可能讓我為這些謠言低首彎腰；我也不會向他詢問，這些謠言是否真實。如果我懷疑委員長，將是對他的侮辱。我相信他是如此正直，相信他的品格和他的領導。我不能為任何事情侮辱

> 他。我和他結婚已經 17 年。我和他共同經歷了所有危險，嚴重者如西安，所以我了解委員長性格的每一面，他在世界上獨一無二。了解他的性格，我完全相信他的正直。我希望，沒有一個人會相信這些惡意的誹謗。
>
> 昨天，當委員長告訴我，他正在召集朋友們到一起，我的第一個反應是："不要麻煩，謠言會自行消亡。"他回答說，這不是對個人的誹謗，通過誹謗他，他們正在誹謗作為一種道德力量的中國。這些惡意的誹謗應該立即消除。中國對世界的貢獻不是經濟，不是軍事，不是工業，中國的貢獻是道德力量。委員長的領導正在朝向更高的目標，不斷追隨主的腳步，那時，他是中國的力量。

宋美齡的講話強烈表達了他對蔣介石道德上的信任，並且將是否相信這些提升到是否愛國的高度。

國民參政會參政員、婦女月刊（《婦女爭鳴》）編者陳逸雲說：她第一次聽到這些謠言在三個月以前，深受打擾。她覺得，任何相信這些謠言的人都是叛國者。

戴季陶說：應該信任委員長。多年以前，當我在東京和日本戰爭部長共餐時，我因認為中國可有能力以堅持，而被反復嘲笑，視為笑柄。但是現在，在委員長的領導下，中國已經戰鬥了 7 年。（戴先生的評論被隨意弄亂，這裏不是正確的引用。）

委員長最後說，本項活動不公佈[1]。

據記錄，本次茶會參加者包括政府高級官員、教士、婦女指導委員會委員，等等，共 75 人。地點在歌樂山總統官邸。

以蔣、宋二人談話為主體的這份會議記錄不僅有英文本，而且有中文本。吳稚暉就曾收到過國民政府國事委員會蕭自誠的一份來函，內稱："茲奉上委員長、蔣夫人七月五日林園茶話會講演辭各一份，敬懇察收存閱，並懇勿向外發表為禱！"可見，有些沒有到會的人也接到了記錄稿[2]。

---

1 Stilwell，53-9，美國胡佛研究院藏。

2 吳稚暉檔案微卷，Roll，28，美國胡佛研究院藏。

三、蔣介石“闢謠”之言可信嗎？

蔣介石為個人生活“緋聞”召開如此隆重的“闢謠”會，這是罕見的。其原因，當然在於這一謠言在重慶，特別在國民黨黨內流傳甚廣，嚴重影響蔣介石的個人威信。其次，適當宋美齡即將赴巴西休養，也容易給人“謠言”屬實的印象。當年，日本軍隊在河南發動一號作戰，中國軍隊節節敗退，正處於中國抗戰的關鍵時期，作為抗戰統帥的蔣介石的私人道德自然與抗戰相關。蔣介石召開“闢謠”會的目的很容易理解。

那麼，蔣介石的“闢謠”可信嗎？這須要多方面嚴謹地加以分析。

（一）蔣介石不僅在公開會議上“闢謠”，而且在其日記上也早就否認此事。早在 1944 年 5 月 8 日，蔣介石日記中寫道：“共匪倒〔搗〕亂，造謠中傷誣衊，甚至以敗德亂行之污穢謠諑，想入非非之匪〔誹〕語加諸吾身，以圖毀滅吾身家。此種誣衊與橫逆之來，自民國十五年以來，雖非一次，然至今更烈，所謂道高一尺，魔高一丈者，乃由今日經歷所得，更覺其真切也。然余自信此種謠言，一經證明其誣妄，則增益余品性之時，故毀言之來，賢者實以為福也。”這是蔣介石日記中關於此項“緋聞”的第一次記載。一直到 1945 年年末，蔣介石仍念念不忘去年他所經歷的“私德”風波。其年終《雜錄》云：“共黨破壞我個人之信譽，毀滅我個人革命之人格，造作我私生活不道德，各種各樣不同之方式謠諑，使全國民眾對我絕望而為之遺棄不齒，以達其傾陷領袖奪取抗戰領導權的目的。”又云：“離間我夫妻，污衊我父子，傷害我家庭，夫婦、父子、骨肉之愛情，以期滅絕我血統，非使我國亡種滅而不止。”[1] 蔣介石的日記生前並未發表，也無發表打算。在公開的場合，蔣介石有意說謊，欺騙公眾，可以理解；在自己不打算發表的私人日記裏說謊，自我欺騙，似無必要。

（二）蔣介石“緋聞”的最大衝擊者是宋美齡。作為蔣的妻子，宋美齡不會容忍蔣在個人感情上對她的背叛與欺騙。即使她為了維護蔣作為抗戰統帥的形象委曲求全，但不會輕易出席茶會，和蔣介石同步發表上述鮮明而堅決的聲明。這一時期，她對於蔣介石必然怨憤有加，衝突勢所難免。然而，宋美齡不

1 《1945 年雜錄》，《蔣介石日記》（手稿本），1945 年。

僅出席茶會，而且堅決“闢謠”。可見宋美齡不相信所傳屬實。

（三）蔣介石早年的生活確實荒唐，但是，他努力以儒家的道德修養規範自己，致力於“存天理，去人欲”。在經過漫長的自我反省和鬥爭後，漸見成績。在他加入基督教和提倡新生活運動後，特別是他承擔國民黨和國民政府的要職之後，仍然繼續履行儒學的修養工夫。這一方面，他的日記多有記載。如：

> 1939 年 2 月 4 日日記云：“妄念惡意與邪心時起，如何能掃除淨盡，如何能為全民表率？應嚴制而立克之。”
>
> 同年 2 月 23 日日記云：“污穢妄念，不能掃除淨盡，何以入聖？何以治人？豈非自欺欺人之濁狗乎？”
>
> 同年 5 月 28 日日記云：“妄想惡念，滋生不絕，何能作聖，應痛改之。”
>
> 1940 年 1 月 3 日日記云：“克念作聖，至今邪念妄想，尚不能克洗。何以對聖靈？何以成大業？戒之。”
>
> 同年 2 月 11 日日記云：“邪念不除，何以為人？”又曰：“年逾五十，尚不能不動心，其能有成乎？”
>
> 同年 3 月 16 日日記云：“妄念、欲心雖漸減，而未能絕也，究不可以作聖。”
>
> 同年 4 月 13 日日記云：“不能節欲，焉能救國，戒之。”

從這些日記中可見，蔣要求自己成為“全民表率”，以“入聖”自期。因此，他在思想中不斷進行“天人交戰”，狠鬥自己的“妄念”、“邪心”和“欲心”，其自我修養有很嚴格的方面。例如，他要求自己早起，一旦過時，就一再反省，自我譴責。又如，他生活淡泊，不飲酒，不喝茶，一旦違反，也會反省、自譴。他不僅要求自己的行為符合儒學標準，而且，狠鬥私字一閃念，“察毫微於一念之間”。上引 1939 年 2 月 23 日日記表明，蔣當日僅僅因為“污穢妄念，不能掃除淨盡”，竟狠罵自己是“自欺欺人之濁狗”！

蔣上述日記中的“邪念”、“妄念”，其具體內容是什麼，我們不能任意猜測，但顯然包括他青年時代的痼疾“好色”在內。在另外一些日記內，蔣把這一內容表達得很清楚，如：

1940年4月10日日記云：“人欲、性欲，應節制自愛。”

這些日記表明，抗戰以來，蔣介石對自己的“私德”有相當嚴格的要求。在這種狀態下，他與某一護士發生不正當的關係，並且育有私生子的謠言當然不可信。

（四）宋美齡患病是事實，醫生要她遷地休養也是事實。宋美齡長期多病。1942年10月29日，蔣介石日記云：“妻子體弱神衰，其胃恐有癌，甚可慮也。”30日日記云：“恐妻病癌，心甚不安，決令飛美就醫，早為割治。”到美國後，經檢查，發現並無癌症，但是身體仍然不好。蔣介石日記中關於宋美齡疾患的記載很多，如1943年：

8月13日日記云：“妻病未痊，甚念也。”

12月5日日記云：“妻近日心神不安，故目疾、痢疾交發，痛苦甚劇。”

12月7日日記云：“妻病痢與目疾，恐難速癒，彼實為國為家集中心力於此一點，以期完成革命也。惟其心急憂甚，故為劇增，奈何。”

12月14日日記云：“妻痢疾已癒，而目疾未見進步，無任憂慮，此總由妻子幽憤之故，應使之心神寬裕為第一也。”

當月，蔣介石偕宋美齡飛赴埃及參加開羅會議，宋美齡一直在病中，特別是宋氏家族許多成員共有的皮膚病，嚴重地困擾著宋美齡。對此，早在1936年8月22日，蔣介石就記載：“妻病皮膚，甚苦癢，可憐也。”[1] 進入1943年末，記載日漸增多。如：

12月18日日記云：“夫人皮膚病復發，其狀甚苦，至深夜二時方熟睡。”

12月19日日記云：“本日夫人目疾略減，而皮膚病、濕氣，為患更劇，以氣候轉熱關係故也。”

12月20日日記云：“在機上，晚餐時，見夫人目疾與精神較昨為佳，不料夜間在機上，其皮膚病復發，且甚劇，面目浮腫，其狀甚危，幾乎終

1 《蔣介石日記》（手稿本），1936年8月22日。

夜未能安眠。以左醫生新來，不知其體質，誤用其藥乎？心甚憂慮。”

12 月 26 日日記云：“今日吾妻自上午十一時往訪羅斯福商談經濟回來，直至晚間霍浦金辭去，在此十小時之間，幾乎無一息暇隙，所談皆全精會神，未有一語鬆弛，故至晚十時，見其疲乏不堪，彼目疾未癒，皮膚病又癢痛，而能如此，誠非常人所能勝任也。”

開羅會議後，蔣氏夫婦回到重慶，但重慶氣候潮濕，多霧多雨，進入 1944 年，宋美齡的病情日益加重，蔣介石不得不強制她去昆明休養。其情況，蔣介石當年 2 月 29 日日記云：

昨日妻濕氣更重，手股發腫，痛癢難熬，終夜不得安息，乃決催其赴昆明休養，彼終依依不肯捨家，情篤不可言喻。余不忍其再受如此痛苦，乃準備飛機，強其赴昆，以重慶氣候與水分只有增加其病症也。下午三時十五分，送至九龍鋪〔坡〕機場起飛。六時前聞妻安全到昆，病亦稍癒為慰。又，《本月反省錄》云：“妻病濕氣更劇，痛苦異甚。”

宋美齡到昆明休養後，病情不僅毫無好轉，反而更重了。1944 年 3 月 10 日，蔣介石日記云：“妻到昆明養病，已逾十日，其病情益劇，聞終夜不能安眠，恐成神經衰弱不能久支之象。近日憂慮以此為甚，奈何！”同月 15 日，宋自昆明回到重慶，病情一度略好[1]，但沒過幾天，又進一步加劇。3 月 31 日，蔣介石日記云：“近日妻病時劇，其痛癢之勢，不可形狀。夜間又不能安眠，乃至悲泣。”這裏，蔣介石用“不可形狀”來記述宋美齡的“痛癢”，可見其嚴重程度。“乃至悲切”，說明宋本人已無法忍受。

又，同年 5 月 3 日蔣介石日記云：

妻病“風疹瘰”已半年餘，近更嚴重，每夜幾乎不能睡眠，其能安睡二三小時之夜，已為難能可貴之事。此種痛癢，誠非身歷者不能想像其萬一。若上帝不速加憐憫，使之早痊，如此失眠痛苦，神經決難忍受，其病必深入神經矣。今日彼之心神萎頓沉悶，更為可慮也。天乎？

1 《蔣介石日記》（手稿本），1944 年 3 月 15 日、18 日。

此後，蔣介石日記常見他對於宋美齡病況的憂慮。如：1944 年 3 月 25 日日記云："妻病亦未痊可，更覺沉悶。" 3 月 27 日日記云："妻並沉滯，甚覺可慮。" 5 月中旬，宋美齡的病曾略有好轉[1]。但因日軍發動"一號攻勢"，河南戰局緊張，宋美齡的病很快又變壞。5 月 21 日，蔣介石日記云："近時余妻及庸之皆因憂成疾矣。" 蔣介石 6 月 9 日日記云："惟妻病甚憂。"6 月 13 日日記云："晚回林園，妻病日弱，誠家國兩憂集於一身矣。" 可見，宋美齡皮膚病確實很嚴重，易地治療確有必要，並非無病呻吟。

至於為什麼遠赴巴西，筆者 2007 年在美訪問期間曾詢問宋氏家族的曹琍璿女士，琍璿女士向其夫、宋子安之子宋仲虎先生及宋靄齡之女孔令儀作了調查，據稱，當時聽說巴西有個醫生善治皮膚病，又因得到巴西總統邀請，所以就去了巴西。琍璿女士的這一說法在蔣介石日記中可以得到部分佐證。當年 6 月 29 日，蔣介石日記云："預定：一、寫巴西總統信。"7 月 1 日，蔣介石在《本星期工作課目》中列入"妻往巴西養病"。由此可以得知，宋美齡的巴西之行是蔣介石通過巴西總統安排的。

（五）蔣、宋之間這時不存在嚴重衝突，甚至可以說二人之間的關係相當不錯。

> 1944 年 2 月 29 日，蔣介石日記云："上午，批閱軍事公文，以妻病懸念不置。"
>
> 3 月 4 日日記云："下午，寫妻信及手抄《真美歌》，祝妻四十六歲誕辰。"
>
> 3 月 6 日日記云："晚以夫人誕辰，獨自飲食，感慨不置。"
>
> 3 月 11 日《上星期反省錄》云："本月六日，即二月二十二日（舊曆），為妻四十六歲誕辰，其濕氣與失眠症甚重，在滇休養，心甚不安，獨居寡歡，寂寞蕭條極矣。"

宋美齡自昆明回重慶後，蔣介石經常陪宋美齡散步、遊覽、散心。

> 3 月 16 日日記云："晚傍，與妻往聽江亭遊覽。"

---

1 蔣介石 1944 年 5 月 26 日日記云："本日心神略安，妻病亦較前減輕。"

3月19日日記云："下午，與妻遊覽林園後回寓。"

3月27日日記云："四時與妻遊覽林園，精神略舒。"

5月22日日記云："傍晚回林園，與妻遊覽白市驛。"

6月3日日記云："下午，與妻乘車郊遊後回園。"

這一時期，蔣介石為宋美齡的疾病擔憂，宋美齡則為蔣介石的勞累操心。當時，由於戰況緊急，蔣介石從凌晨3時起就以電話指揮河南軍事，宋美齡很為蔣憂慮。5月5日，蔣介石日記云："妻甚以余上午三時起而通電話為慮，然此無其他方法可代也。"7月2日，宋美齡決定去巴西養病，當日深夜，二人話別，頗有前途難測、依依不捨之概，據蔣介石日記云：

今日子刻與寅刻，余妻以即欲飛往巴西養病為念，發生悲戚心情。彼甚以最近國家形勢甚危殆，而其精神與夢寐之間，皆多各種不利之徵兆，甚以此去恐不能復見為慮。彼云：須君牢記世界上有如我愛汝時刻不忘之一人乃可自慰。又云：君上有天父之依託，而下有汝妻為汝竭誠之愛護，惟此乃可自慰也。余心神悲戚更重，不能發一言以慰之。惟祝禱上帝保佑我夫妻能完成上帝所賦予吾人之使命，使余妻早日痊癒，榮歸與團聚而已。[1]

宋美齡去巴西之後，蔣介石不斷給宋美齡打電報。根據現有資料，自當年8月4日起，至同年9月11日宋美齡轉往美國入紐約長老會就醫前夕止，蔣約致宋電九通。這些電報尚未全部公佈，但已有部分可以見到，舉例如下：

1944年8月10日，第403號。巴西中國大使館蔣夫人："國內戰事與物價較前已佳。"

7月20日，第405號。"共黨所提條件另報。"

1944年8月26日，第410號。"羅（總統）私人代表哈雷等本月內可以到重慶，甚望吾愛能早日痊癒，回國襄助也。"

1944年9月2日，第411號。"現在美國召開和平組織會議。中、美、英會議未閉幕以前，似暫緩赴美為宜。"

1944年9月，第412號。"何日飛美？甚念。加拿大仍應如約訪問，

1 《蔣介石日記》（手稿本），1944年7月2日。

不宜令其失望。如何盼復。今日已見哈雷與史迪威，情形較預想者為佳。”[1]

從上述電報看，蔣介石如常向宋美齡通報國內情況，甚至向她提供有關中共的機密情報，並且關心宋美齡的身體狀況，對她的外交活動提出建議，並無任何芥蒂。

綜合以上五點，筆者認為，蔣介石的“闢謠”之言可信。

四、無風不起浪

謠言有多種形式。一種是毫無根據，一種是有某些影子，在流傳中逐漸變形、扭曲，在不同程度上背離事實，甚至面目全非，所謂“無風不起浪”是也。

上引蔣介石所記，當時重慶流傳的關於蔣經國的“緋聞”：“在渝有外遇，且已生育孳生，已為其外遇之母留養”云云，顯指其與章亞若的戀情及生育孝嚴、孝慈一事，只不過將發生在贛州的事移到重慶了。同樣，蔣介石在重慶時期的“婚外情”也有某些“影子”。

一是戴季陶在重慶時曾公開聲言，他和蔣介石在日本時共同喜愛一位日本女子，蔣緯國即為蔣介石與該日女所生。據紀雲所寫《戴季陶解蔣緯國身世之謎》一文，1943 年 11 月 12 日，戴在重慶中央政治學校的孫中山誕辰紀念會上曾痛自懺悔稱：

> 到了東京離開中山先生的監護，我和校長（指蔣介石 —— 筆者）共居一室，僱一日本下女服侍生活。那日本下女供奉得我們非常體貼，於是我們兩個青年人竟然遏制不住自己，就和她同居了。我因為過去在滬長期縱欲，已經染上惡疾，喪失了生育能力，所以翌年下女生一男孩，就是校長的二公子緯國。我看到校長連得經國、緯國，而我猶是伯道無兒，常自恨自悲。幾十年來每想到“不孝有三，無後為大”，就痛恨自身青年時期的荒唐。[2]

1 《蔣總統家書》，台北“國史館”藏。
2 原載《鍾山風雲》，此處引自 http://ckb.hebntws. cn/2000516/ca484340.htm。

作者當時擔任會議記錄，會後曾將記錄稿發表於該校的內部刊物《南泉新聞》上。事隔多年，作者的回憶有若干混亂、謬誤之處，例如，戴季陶並非沒有生育能力，另有一子名安國，不會有“無後”之歎等等。但是，蔣緯國的身世長期不明，戴季陶關於緯國為蔣介石早年與日本下女所生的說法自然會在重慶流傳開來，並逐漸演變為蔣介石在重慶時與某護士生子的“緋聞”。

蔣介石“婚外情”另一“影子”是陳潔如自上海來到重慶，蔣介石與之重修舊好的傳言。對此，陳潔如的女婿陸久之曾函告著者的同事嚴如平教授說：“當年轟動山城傳說紛紜的‘陳小姐’，原來就是陳潔如。”據事後嚴所撰文章稱：

> 1937 年“七七”事變後，抗日戰爭全面爆發。經過激烈的淞滬會戰，上海於 11 月 13 日淪於日本之手，租界成為孤島。隱居於法租界巴黎新村（今重慶南路 169 弄 8 號）的陳潔如，是一個民族意識相當強烈的愛國女性，她居安思危，猶如臨淵履薄，更是深居簡出。1941 年 12 月中旬的一天，她與弟婦龐定貞同去南京路惠羅公司購物，不料竟與陳璧君、褚民誼在電梯中邂逅。陳潔如 1924—1925 年與蔣介石在廣州居住時，與這位“國民主席”夫人是相識的，但如今的陳璧君，已是賣國投敵的大漢奸了，在日偽統治下的上海炙手可熱；褚民誼也是汪偽政府行政院副院長兼外交部長。陳潔如惴惴不安之餘強作鎮靜，虛與委蛇；陳璧君則猶如捕獲到一個獵物，當即邀陳潔如同去對面的匯中飯店敘舊共餐，飯後並以車送其歸寓。陳璧君從此得悉了陳潔如的地址，常來巴黎新村串門，最後還提出了要陳潔如也跟著她一道“曲線救國”，出任汪偽政府的僑務委員會副主任。以民族大義為重的陳潔如婉言相拒，她為逃脫魔掌，當即毅然隻身秘密離開上海，潛去抗戰的大後方。
>
> 陳潔如抵達重慶後，被秘密安置在山洞（地名）離陸軍大學蔣介石官邸不遠的吳忠信公館裏。吳忠信是蔣介石二十多年前的拜把兄弟，互相知根知底，如今受此重託，遂將陳藏於密室而重禮厚待。蔣舊情復熾，經常去吳忠信公館與陳幽會。雖然行蹤秘密，但終究逃不過宋美齡的耳目，一時醋海興波，鬧得不可開交。傳說蔣被宋打了一個耳光，又一說蔣的臉都被宋抓破了，致使蔣無法接見外國來賓。素來對宋美齡依順有餘的蔣介石，這次居然我行我素。宋美齡十分氣惱，竟於 1942 年 11 月出走美國云

云。這一來蔣介石和陳潔如之間的活動也就方便自在多了。據傳有一段日子陸軍大學的游泳池常有陳潔如的身影，而蔣則坐在池邊觀看。當時蔣演出的這樁風流故事不脛而走，人言嘖嘖，盛傳"委員長另有新歡"，人皆稱之為"陳小姐"，在山城成了人們茶餘飯後的熱門話題。然而人言言殊，以訛傳訛。有的又說蔣寵愛的這位"陳小姐"是陳布雷的女兒，有的又說是陳立夫的姪女，多少年來神秘莫測，殊不知乃是當年的校長夫人鴛夢重溫而已。[1]

陸久之在抗戰勝利後與陳潔如的養女陳瑤光結婚，與陳潔如關係密切，所言當出於陳潔如口述，自有相當的可靠性[2]。不過正像所有回憶都不可避免地存在年代模糊等局限一樣，陸久之將宋美齡負氣離開重慶的時間定為 1942 年 11 月是錯誤的，因為那年宋美齡訪美，源於懷疑自身患有"癌症"，需要檢查和治療，當時，蔣、宋關係良好[3]。

這樣，有了蔣介石與"下女"生子的情節，有了在游泳池邊常常出現的蔣介石與"陳小姐"的身影，有關傳說在重慶不脛而走就不難理解了。

宋美齡對蔣、陳關係很敏感。1931 年 6 月 19 日，蔣介石收到陳潔如自美國的一封來信，為宋美齡所見，蔣於慌亂中將陳函撕毀，宋美齡一氣之下，於第二天晚上回滬[4]。6 月 21 日，蔣介石趕忙給宋美齡與宋藹齡寫信解釋，事情才得以緩解。抗戰期間，蔣介石與陳潔如再度相晤，宋美齡有較強烈的反應是必然的。

陳潔如到達重慶的時間說法不一。王舜祁《蔣氏故里述聞》稱：陳潔如第一次到重慶時，曾參加軍需署署長周駿彥的悼念活動。當時在侍從室為蔣收發電報的周坤和回憶，他在貴賓室發現蔣的身邊有一位"中年婦女"，不是宋美齡，而是陳潔如。周駿彥逝世於 1940 年 7 月 30 日，故陳此前必已到達重慶。

1　原載南京《民國春秋》雜誌，後收入《陳潔如回憶錄》附錄，團結出版社 2002 年版。

2　有關蔣介石與陳潔如在抗戰期間在重慶重修舊好的說法也見於奉化王舜祁先生的《蔣氏故里述聞》一書，該書稱："1943 年。一天，周坤和接到第四戰區司令長官張發奎發到侍從室的一份電報，內云夫人陳潔如已與太虛法師一起從南洋經香港到達廣東。電報用密碼拍發，陳潔如、太虛之名都用了代號，有關文字也用了暗語。侍從室的回電是'令四戰區派人護送'。太虛回到了重慶（當時太虛在重慶北碚縉雲山主持佛事，外出講經仍回原處），陳潔如則去了上海。那時，宋美齡正在美國治病，同時向美國各界宣傳中國抗戰形勢，要求增加援助。不久，蔣介石趁此良機，決定與陳潔如重敘舊情。"見上海書店 1998 年版。不過，王書也沒有將有關史事的年月考證清楚。這是傳說類著作的通病。

3　參見本書《關於宋美齡與美國總統特使威爾基的"緋聞"》。

4　蔣介石 1931 年 6 月 20 日日記云："美妻今晚回滬。昨日這函，不應撕碎，應交其閱，則不致疑，而我之心地亦大白，但見信即恨，故一時心忙，不問是非，立即撕碎，是處於真心，並無他意。"

陳的到來激起了蔣的感情波瀾：

1940年10月5日日記云："最近每夜失眠，回憶青年時代往時，更自慚愧悔恨，而今於性欲舊情，亦時發現不忘，可知此心惡根未盡，何能望其與聖靈交感相通耶！戒之。"[1]

同年10月《反省錄》云："心神較安，對於交感上帝之修養，似有進步，但雜念與性欲時有發現，以舊日孽緣太多，不易滌蕩盡淨耳！"[2]

同年11月14日日記云："性欲漸起，舊念重生，應以靈性制之，不可使其放縱。"

上述日記中，"性欲舊情"、"舊日孽緣"、"舊念重生"云云，應該指的就是他和陳潔如的一段老關係。陳潔如在重慶住到什麼時候，已不可考。但是根據周坤和的回憶，1943年，陳潔如第二次到渝，周曾目睹她出席"中美之友社"的成立大會，陳先來，蔣後到。

沒有可靠的資料能夠說明蔣、陳的"老"關係發展到了什麼樣的"新"程度，但是，卻有蛛絲馬跡可以說明，蔣、宋關係因之發生裂痕。

宋美齡1942年11月開始的訪美之行獲得巨大成功。1943年7月，宋美齡回到重慶。初時，蔣、宋感情不錯。當年7月5日蔣介石日記云："昨日下午四時回寓，見妻已到寓，病臥榻上，頸頭疼痛，不能搖動矣。孫、孔二夫人與經、緯兩兒皆聚集一堂，甚覺難得。親戚辭去後，夫妻二人晤談別後經過。妻又報告留美經過要務，殊感欣慰。晚餐後再談，睡前靜坐、禱告如常也。"7月11日《上週反省錄》云："本週夫人平安回國，結果勝利，其病體歸來第三日幾乎痊癒無恙。夫妻精神療治，非任何藥石所能比較也。"可見二人久別重逢後的親密狀況。但是，到了8月12日，蔣介石日記中就出現了蔣獨住重慶黃山官邸，而宋住到新開寺孔祥熙宅"留醫"的記載。8月16日，宋美齡病癒，夫妻二人同住黃山，但是不知什麼時候，宋美齡又單獨住回孔宅。9月14日，蔣日記自稱："心緒鬱結。"15日，蔣的日記起首部分被蔣本人罕見地塗去了

1 《蔣介石日記》(手稿本)。
2 《二十九年、三十年要事雜記》，《蔣介石日記》(手稿本)。

五行。這被塗去的部分，應是蔣有不願告人的秘密[1]。日記末段云：

> 禱告畢，默然就寢。自覺今日之忍痛、抑悲、制憤、茹苦，可謂極矣。

這一則日記顯示出，蔣當日精神上受到很大衝擊而又不能發作。有誰能擁有如此巨大的本領呢？除了宋美齡，恐怕沒有第二人。次日，蔣日記又云："觀月獨坐，意興蕭然。"9月19日，蔣又將日記起首部分塗去三行。這以後，蔣的日記中連續可見"獨到黃山休息"、"獨自靜觀自然"的記載，足證蔣、宋之間發生矛盾，處於分居狀態。聯繫上文陸久之所述相關情節考察，這應是宋察覺蔣、陳之間"新"關係的結果。9月27日，蔣介石日記云："正午到新開寺孔寓，與妻談話後即回。"這一段記載頗可玩味。夫妻之間的一般談話，沒有記載的必要；特別記載而又不記述內容，說明其中有秘密。至10月3日，蔣介石日記又云："本晚靜坐後，與妻同往新開寺孔宅敘談，即宿於此。"這則日記說明，蔣宋之間達成和解，蔣介石的獨居生活結束了。

陳潔如畢竟是蔣介石的前任夫人，因不願當漢奸而投奔大後方，蔣介石自然要加以接待並妥善安置。蔣介石此舉，名正言順，理由正當。至於是否"鴛夢重溫"，這是無從確證之事。所以宋美齡對蔣、陳的重會雖然不高興，但也不能過加指責。"醋意"不能沒有，但畢竟不能成"海"。經蔣"談話"解釋之後，也就煙消雲散了。不久以後，蔣介石成為國民政府主席，宋美齡榮膺主席夫人，自然更不能揪住蔣、陳舊情不放了。

1944年5月至7月流傳於重慶的蔣介石的"緋聞"，所謂與某護士的"不正當關係"，所謂"私生子"云云，對於局外人也許新鮮，對於宋美齡來說，自然不屑一聽。她之所以能在"闢謠會"上慷慨陳詞，為蔣介石的"私德"背書，其原因在此。

---

1 蔣日記被塗的情況有兩種，一種是胡佛研究院開放前審讀者所塗，蓋有2006或2007印記，30年後將開放；一種是蔣本人所塗，無印記。

五、美國人企圖藉蔣介石"婚外情"事件要蔣交出軍權

7月9日，蔣介石送宋美齡上飛機。7月13日，中央社自巴西里約熱內盧發電報導：宋美齡於13日到達當地，同行者有孔夫人宋藹齡等。宋等一行受到美國駐巴西大使及巴西高級官員的歡迎。宋將下榻關納巴拉灣內的波羅柯伊奧島的旅館，預計將在此休息數週。14日，中國駐美大使館在華盛頓正式宣佈：

> 蔣夫人已抵里約熱內盧。夫人自美國返國後，即感違和。若干時日以前，即擬離渝，但因華萊士副總統訪華之行而暫緩啟程。其離渝前數日，曾在私邸宣佈決赴巴西休養。蔣主席親自機場送行。

16日，《中央日報》發佈消息："屏除工作，易地養病，蔣夫人抵巴西。"該社稱："蔣夫人於本月9日離渝赴國外養病，業於13日下午到達巴西首都里約熱內盧。本社有關方面探悉：蔣夫人從自去年訪美、加歸來以後，以工作關係，迄無休息機會，致健康未能全復。據診治之醫生言，渝地氣候不宜，必須易地療養，且屏除工作完全休息，則最近期內即可全〔痊〕癒云。"

儘管中央社和駐美使館陸續發佈上述新聞，但是傳言並未止息。8月19日，蔣介石披閱有關情報，日記云：

> 最可憂者，美國朝野對我個人生活之謠諑層出不窮，尤關於我夫婦家庭間之猜測亦未已。此次吾妻出國養病，為於公於私，皆有損失，然虛實是非，終有水落石出之時。無稽荒謬之談，必不能盡掩天下耳目，而且美國內亦有主持公道者，故余並不以此自餒也。[1]

可見，"謠諑"的最大市場在美國。不僅美國民間社會（野），連美國政府（朝）都關注此事。

文獻證明，首先向美國傳播"謠諑"的就是美國駐重慶大使館的工作人員。當年5月10日，使館秘書謝偉思（Jack Service）曾以《蔣家庭內的糾葛》為題向美國國務院報告，中稱："關於蔣家庭發生內部糾葛的消息在重慶真是傳說紛

1 《蔣介石日記》（手稿複印本），1944年8月19日。

紛。幾乎每個人都能為已普遍為人接受的消息提供一些新的細節和說法，即委員長找到一個情婦。”報告繪聲繪影地描寫宋美齡對蔣介石的怨恨：

> 夫人現在談到蔣委員長時只是用“那個人”。
>
> 有一天，夫人走進委員長的臥室間，發現床下有一雙高跟皮鞋，就從窗口丟了出去，並打中衛士的頭。
>
> 委員長一度有四天沒有會客，因為在同夫人的一次爭吵中，他的頭的一側被一隻花瓶擊傷了。[1]

自此，美國的媒體、輿論就大炒特炒蔣委員長的“緋聞”，使蔣覺得臉面無光。1945 年初，英美社會甚至流傳蔣氏夫婦已經離婚的說法，使得蔣多次慨歎“對余夫妻之謠詠如故也”[2]。

美國人為何要這樣做？這和當時美國方面企圖讓蔣介石將軍權交給史迪威的圖謀緊密相關。

美國軍政兩方早就對蔣介石及其政府不滿。1944 年日軍發動“一號作戰”以後，國民黨軍兵敗如山倒。當年 7 月，馬歇爾向羅斯福提出，中國局勢頹落，必須讓蔣介石將其對中國軍隊的指揮權交給美國將軍史迪威。同月，羅斯福晉升史迪威為上將，並於 7 日致電蔣介石，提出這一要求。15 日，再次電蔣催促。中國的抗日戰爭有賴於美國的援助，蔣介石不敢得罪羅斯福，企圖以拖延時日的方式軟磨。羅斯福於 8 月 10 日、23 日，兩電蔣介石，要他立即採取必要措施，讓史迪威及早指揮中國軍隊，並且威脅他：稽延拖拉，“容有嚴重之後果”。隨後，美國特使赫爾利、納爾遜及美國駐華大使高斯先後出面，對蔣介石施加壓力。羅斯福再次警告蔣介石，“務希立採行動，方能保存閣下數年來英勇抗戰所得之果實，及吾人援助中國之計劃”[3]。話說得很清楚，你要是不聽話，就別想再得到美援了。然而，蔣介石就是不為所動。在這種情況下，美

---

1 約瑟夫・W・埃謝里克：《在中國失掉的機會》，國際文化出版公司 1989 年版，第 94 頁；參見 Sterling Seagrave: *The Soong Dynasty, Happer & Row Publishing*, New York, 1985, p. 379.

2 蔣介石 1945 年 1 月 5 日日記云：“畢範宇來談，英、美謠傳余夫妻離婚之說，余一笑置之。此為英人所造也。”又，1 月 31 日日記云：“共匪對吾妻又發動謠詠，以期喪失吾夫妻之信譽，並期離間吾家庭至感情。”《上星期反省錄》1945 年 2 月 3 日：“俄國對我態度漸有好轉之象，故中共交涉亦已接近，然而對余夫妻之謠詠如故也。”

3 《戰時外交》（三），台北中國國民黨中央黨史委員會 1981 年版，第 658—659 頁。

國人自然樂於傳播並擴展蔣介石的"緋聞"，把他搞臭，促其下台。謝偉思的報告寫得很清楚："批評委員長的人認為，這一切都證明他的基督徒信仰和新生活運動不過是口頭上的道德，而另一方面的跡象表明，不要太久，他終會成為一個舊式的'軍閥'。"報告還有一段話值得注意："如果性格傲慢而又拘守宗教戒律的夫人與她的丈夫公開決裂，蔣氏王朝就會崩潰。"[1] 了解此點，就可以理解為什麼宋美齡會收到"許多"人，包括一些美國人的來信。

進入 1945 年，蔣介石終於恍然悟到美國人在其中的作用。他在《民國三十四年大事表》中寫道："去年一年間，中共與美國駐華大使館協以謀我之陰狠，實有非人想像所能及者，今春美國大使館之失火，其內容乃為滅絕其對我各種陰謀文書，故而故意縱火也。思之寒心。"同年來，他感慨地寫道：

> 以如此毒辣、卑狠、陰險之行動，以常理論之，決無倖免之理，而且已見其大效。美國且已斷絕我接濟，各地國民亦已信謠諑以為真，幾乎街談巷語皆以為資料，尤以五、六月間美副總統華萊士來華時為極點，而美國自其大使高斯拜辭（十月間）回去後，直至十二月方派哈雷接任，但其政府仍不令其提國書，竟至卅四年一月方提國書，中美國交至此方得初步恢復。言念及此，誠不寒而慄矣。[2]

蔣介石以上兩段話，有許多不正確的部分。一是毫無根據地將中共牽扯在內，一是過於誇大了此事對於中美關係的影響。不過，美國人確實不能完全脫開干係。其證據：一是如上述給美國國務院寫報告的美國使館秘書謝偉思，一是那些積極給宋美齡寫信的美國人，一是熱衷於炒作"緋聞"的美國部分輿論界。這些人為何如此？很簡單。其中固然有對"婚外情"的道德義憤和對那時國民黨政權已經充分表現出來的腐朽的憎惡，也和美國方面企圖逼迫蔣介石交出軍權的圖謀有關。當然，他們當時沒有可能準確地調查出事情的真偽，而是以訛傳訛。在政治鬥爭中，要打擊對手，常常並不需要準確的事實。這種情況，歷史上實在太多了。

1　約瑟夫·W·埃謝里克：《在中國失掉的機會》，第 93—94 頁。
2　《雜錄》，《蔣介石日記》（手稿本），1945 年。《事略稿本》，台北"國史館"藏。

蔣經國怎樣從蘇聯歸來*

* 本文錄自《找尋真實的蔣介石：蔣介石日記解讀》（2），重慶出版社 2018 年版。

一、經國留蘇不歸

近代中國有過多次留學運動。辛亥革命前，大批愛國青年赴日，企圖學習日本維新致強經驗；五四運動後，大批愛國青年赴法勤工儉學，企圖直接學習西方先進文化。大革命時期，不少愛國青年赴蘇，企圖學習俄國革命經驗。1925 年 10 月，經蔣介石批准，16 歲的蔣經國和其他 90 名年輕人一起赴蘇。當年 10 月 1 日，蔣介石日記云：“復經兒信，准其赴俄留學也。”[1]

蔣經國到達蘇聯後，進入莫斯科孫中山大學。12 月，加入中國共產主義青年團。1926 年 2 月，蔣經國寫信給父親，批評來信“不脫離宗法社會的語意”。蔣介石不以為忤，回信表示：“你的進步我以為很大，你的思想、語意統統是對的。”信中還說：“中國革命如能認為世界革命之一部分，這樣革命才有意義，否則不能說是革命。”[2] 這以後，蔣介石得悉兒子已經加入共青團，寫信勉勵他以共產主義為事業，函稱：“我雖然未加入共產黨，而為純粹的國民黨員，但我自認我一生的事業是在革命。所以我們父子兩人始終是立在革命戰線奮鬥的。我對於你，名稱雖為父子，在革命上說起來是一個同志，我實在是滿足的。”[3]

---

1 《蔣介石日記》(手稿本)。

2 俄羅斯文獻中心，全宗號 530，目錄號 4，卷宗號 49，第 88—92 頁。

3 《蔣介石給蔣經國的信》，1926 年 3 月 16 日。俄羅斯文獻中心，全宗號 530，目錄號 4，卷宗號 49，第 91—92 頁。

同年6月，蔣經國寫信向父親報告學習情況，蔣介石覺得他信寫得不錯，“文理甚有進步”，高興之餘，特別將信遞給張靜江閱讀。[1]不久，北伐開始，蔣經國以《中國北伐的目的及其最後的成功》為題，在莫斯科的群眾大會上演講，受到熱烈歡迎。此後，他被孫中山大學的聯共支部書記視為“有訓練的馬克思主義者”。

1927年2月1日，蔣介石曾致函經國，鼓勵他畢業後“仍在蘇聯繼續學習”，看不出會有大的政治動作。[2]但是進入4月，蔣介石卻通過白崇禧在上海收繳工人糾察隊武裝，發動反共政變。這對於蔣經國宛如晴天霹靂，但他轉變得很快，馬上帶頭鼓動學生到莫斯科共產國際大廈前遊行，並在報紙上公開發表文章譴責：

> 蔣介石是我的父親和革命友人，現在卻是我的敵人。幾天前，他已經不再是革命黨，成了反革命份子。他對革命說盡好話，時機一到卻背叛了革命。[3]

自然，蔣經國的這一表態得到蘇共和在莫斯科的中共黨人的充分肯定，一度被他的同學們稱為“敬愛的人”。不過，幾個月之後，他又在秘密鑒定中被認為“政治上不堅定，猶豫不決，需要長期特別的政治監視”。[4]

在孫中山大學學習期間，蔣經國受到校長拉迪克和施凱德教授等人很深的影響。他們告訴蔣經國，“托洛茨基是位勇敢的革命志士”，“托洛茨基的學說是最進步的”。年輕的蔣經國也很欣賞托洛茨基的名言，“以革命的火炬燒掉舊世界”。他不僅沉迷於托派的激進革命理論，而且加入了托派秘密組織。斯大林曾應邀到校演講，批判托派的錯誤，蔣經國聽過報告之後，沒有覺得托派錯在何處，仍然繼續進行反斯大林的活動。[5] 1927年12月，聯共（布）召開第十五次代表大會，開除托洛茨基等人的黨籍，蔣經國這才承認錯誤，退出托派。

---

1 《蔣介石日記》（手稿本），1926年6月13日。

2 俄羅斯文獻中心，全宗號530，目錄號4，卷宗號49，第63頁。

3 （漢口）《人民論壇》，1927年4月24日第1版。

4 余敏玲：《俄國檔案中的留蘇學生蔣經國》，台北《中研院近代史研究所集刊》1998年6月第29期，第124頁。

5 蔣經國：《我在蘇聯的日子》，《蔣經國自述》，團結出版社2005年版，第16—17頁。

據蔣經國自述，他從孫中山大學畢業後，曾申請歸國，但未被批准，他便申請加入紅軍。1928 年，蔣經國以“最優秀的五名學員之一”的優異表現，被保送進入列寧格勒蘇聯紅軍軍政大學。在演習中，曾擔任過連長、團長以至師參謀長等職。1930 年 3 月 28 日，被批准成為聯共候補黨員。同年 7 月，蔣經國從軍政大學畢業，被派到工廠實習。1931 年，因在公開會議上批評中共駐共產國際代表王明，被送至莫斯科郊外的石可夫農場勞動。次年，蘇共又應王明要求，將蔣經國送到西伯利亞的一座金礦做工。1932 年 11 月，蔣經國到烏拉爾山附近的一座重型機械廠當技師，後來升任助理廠長和當地《重工業報》的主編。1935 年 3 月，和同廠的女工芬娜結婚。同年 12 月，長子蔣孝文出生。

蔣經國有過回國的念頭。1934 年 12 月，蘇聯內務部烏拉爾分部主任李希托夫找蔣經國談話，告訴蔣：“中國政府要我把你送回去。”當蔣經國為之精神一振時，李希托夫又告訴他：“最後決定權當然在我們。我現在要你寫份聲明給外交部，告訴他們說你不願意回國。”後來，蔣經國奉命和中國大使館的一位書記談話，蔣當然不敢透露想回國的願望。[1] 1935 年 1 月，共產國際將蔣經國召到莫斯科，王明告訴蔣經國，中國最近謠傳你在蘇聯被捕，要蔣寫信回國，告訴母親，自己在蘇聯完全自由。王明並且拿出了一份代擬的信件，蔣經國覺得並非己意，拒絕簽名。後來蘇聯內務部長和王明商量，同意蔣經國另寫一信，蔣經國仍然不敢透露自己想回國，只含蓄地寫了一句：“我沒有一天不想吃點久未嚐到的家鄉小菜。”[2] 從莫斯科回到烏拉爾後，蔣經國曾經通過一個名叫陳甫玉的華僑幫他帶一封信給蔣介石。一個月後，陳的妻子告訴蔣經國，陳甫玉已經在距離中蘇邊境只有幾里的赤塔被捕。大概即在此後，蔣經國曾一度被取消候補黨員資格。蘇聯有關方面的結論是：“我們不要忘記，蔣經國是蔣介石的兒子。”[3]

1936 年 12 月，蔣經國申請成為聯共正式黨員。他在自傳中表示，如果將

---

1 蔣經國：《我在蘇聯的日子》，《蔣經國自述》，第 12 頁。
2 蔣經國：《我在蘇聯的日子》，《蔣經國自述》，第 23 頁。
3 蔣經國：《我在蘇聯的日子》，《蔣經國自述》，第 25 頁。

來有機會碰到蔣介石，要“給他和他的黨羽嚴酷的懲罰”。[1] 同月 15 日，蔣經國被接受為第四類布爾什維克黨員。所謂第四類，指的是“人民敵人”的子女。這說明，他是被作為特殊情況處理的。

二、蔣介石拒絕宋藹齡以承認《伯力協定》換取蔣經國回國的建議

儘管蔣經國痛罵蔣介石，宣佈與其斷絕父子關係，但是，他是蔣介石的親生兒子，留蘇不歸，蔣介石還是懷念他的。

名義上，蔣介石有兩個兒子，蔣經國與蔣緯國。兩個兒子的性格很不相同，經國樸實，緯國活潑，蔣介石曾稱：“經兒可教，緯兒可愛。”但是，蔣緯國是戴季陶與日女重松金子所生，為蔣介石收養，蔣介石的嫡親血脈，實際上只有一個蔣經國。蔣介石對蔣經國的教育很重視，親自為他制訂課表，聘請老師，選擇學校，寫信指導。[2]

1920 年 11 月 30 日，蔣介石與人談起對經國的教育，覺得母親的話很“陳腐”，深恐貽害經國，談起來有痛心之感。蔣介石是孝子，在日記中批評自己的母親，這是很少見的。1922 年 3 月，蔣經國考入上海萬竹小學四年級，蔣介石感到喜慰。8 月 4 日致函兒子，要他每日寫楷書一二百字，用心學習英文。10 月 13 日，又再次致函，要他勤奮讀書、習字，熟讀《論語》、《孟子》等“四書”以及《左傳》、《莊子》、《離騷》等書。函稱：“目今學問，以中文、英文、算學三者為最要，你只要能精通這三者，亦自易漸漸長進了。”[3] 此後，蔣介石雖然公務日漸繁忙，但還是不斷給經國寫信，或給予鼓勵，或給予指導。1923 年 11 月，蔣介石正在莫斯科訪問，於 27 日致函，鼓勵他學英文要勇於開口：“凡是所學的東西，總要能夠應用才好。如其單是牢記其方法成句，而不能應用，

---

1 余敏玲：《俄國檔案中的留蘇學生蔣經國》，台北《中研院近代史研究所集刊》1998 年 6 月第 29 期，第 124 頁。

2 參見《蔣介石日記》（手稿本），1920 年 2 月 7 日、3 月 4 日、4 月 2 日各日日記。

3 毛思誠著：《蔣介石年譜初稿》，檔案出版社 1992 年版，第 82、102 頁。

那學問也就枉然了。"[1] 1924 年 5 月，蔣介石正在廣州創辦黃埔軍校，於 1 日寄函，詢問其曾否看《曾文正家訓》。月底，又致函稱："曾文正公言辦事、讀書、寫字，皆要眼到、心到、口到、手到、耳到，此言做事時，眼、心、口、手、耳皆要齊來，專心一志，方能做好。"[2]

蔣介石之所以對蔣經國的教育抓得如此之緊，說明眷愛之深與期望之大。蔣經國留蘇不歸，久無音訊，蔣介石盼望兒子歸來，自是人之常情。但是，此後一段時期中蘇關係的惡性發展，使蔣介石感到蔣經國歸來的希望很渺茫。

國共關係破裂後，斯大林和蘇共中央經過多次討論，決定支持中共組織武裝暴動，在廣州建立工農兵蘇維埃。1927 年 12 月，蘇聯駐廣州副領事哈西斯及領事館工作人員烏科洛夫、波波夫等人參與廣州暴動被殺，南京國民政府發佈斷絕邦交令，宣佈撤銷駐在各省的蘇聯領事館，各地蘇聯國營商業機關一併停止營業。此後，蔣介石曾兩次得到蔣經國的消息。一次是 1928 年 7 月，蔣介石在北平，見到留蘇歸來的馮玉祥的兒子馮洪國，得知經國已入列寧格勒軍事政治大學，"甚能用功"。一次是在同年 12 月，蔣介石從報上得知，經國已經被俄國共黨放逐到白海。[3] 1929 年 7 月，在南京國民政府"革命外交"的氛圍中，張學良以武力強行收回當時為蘇聯掌握的中東鐵路部分管理權。17 日，蘇聯政府宣佈從中國召回所有官方代表，要求中國外交官迅速撤離蘇聯國境，斷絕外交關係。9 月至 11 月，"蘇聯特別遠東集團軍"進攻中國東北軍，東北軍戰敗。12 月 22 日，東北地方當局代表蔡運升受南京國民政府委派，與蘇聯代表談判，達成《伯力協定》。事後，南京國民政府國務會議認為，《協定》的範圍超出了中東鐵路問題本身，涉及通商、恢復使領館等須由中央"直接交涉"的問題，屬於"逾越職權"，不肯批准。[4] 這樣，蔣經國歸國就更加無望了。

蔣經國歸國無望，有時，蔣介石就自我安慰：以黨為家，以黃埔軍校的學生為子，甚至說，"國民皆為吾子"。要"家"幹什麼？兒子何必自生？[5] 1930

1　毛思誠著：《蔣介石年譜初稿》，第 148 頁。
2　毛思誠著：《蔣介石年譜初稿》，第 282 頁。
3　《蔣介石日記》（手稿本），1928 年 7 月 9 日、12 月 9 日。
4　《事略稿本》，台北"國史館"2003 年版，第 435 頁。
5　參見《蔣介石日記》（手稿本），1928 年 12 月 9 日，1930 年 4 月 21 日。

年 10 月 31 日，宋藹齡偕子女到奉化溪口，與蔣聚會，兩家團圓歡愉之際，感覺缺少經國，宋藹齡便向蔣介石建議，不妨考慮承認《伯力協定》，為營救經國歸來留下餘地。蔣介石決然回答說：“伯力紀錄無異亡國，余寧犧牲一切，雖至滅種，亦誓不承認也。”次日，蔣介石、宋美齡陪宋藹齡拜謁蔣母墓地，再次討論營救蔣經國回國一事，蔣介石的回答卻是“不宜操切”。[1]

沙俄政府長期將中國東北視為自己的勢力範圍。中東鐵路係清末時沙俄利用中國的土地和資源建成。蘇俄十月革命後曾慷慨宣佈，廢除沙俄時代對中國的一切特權，但是事後並未全部付諸實行，蘇聯政府仍然擁有對中東鐵路的部分特權。《伯力協定》的主要內容是恢復中蘇衝突以前的中東鐵路管理制度和中蘇之間的和平狀態。如：蘇聯理事復職，恢復蘇聯正、副局長職權，以及先行恢復蘇聯在東三省境內的領事館和中國在蘇聯遠東各省的領事館，恢復衝突前蘇聯在東三省境內的營業機關；雙方隨即撤兵等。它延續了蘇聯不該享有的中東鐵路部分路權，但尚非“亡國”紀錄。蔣介石顯然高估了這一《協定》的作用，“雖至滅種，亦誓不承認”，自然，換取蔣經國歸國的問題就無法談起了。

三、再次拒絕宋慶齡以牛蘭夫婦交換蔣經國的建議

蔣介石雖然拒絕了宋藹齡以承認《伯力協定》交換蔣經國的建議，但是，他對蔣經國的思念卻有增無減。由於蔣母已去世多年，蔣經國又是蔣母疼愛的長孫，這一段時間，蔣介石對兒子的思念經常和對母親的思念糅合在一起。如 1931 年 1 月 25 日日記云：“少年未聞君子大道，自修不力，卒至不順於親，不慈於子，至今悔之不及。”同年 12 月 3 日日記云：“近日思母愈切，念兒亦甚。中正罪孽深重，實無顏以對父母也。”古語云：“夫不孝有三，無後為大。”蔣介石是儒學倫理的遵奉者，他擔心蔣經國死在異國他鄉，將來自己去世後，無顏見雙親。

這之前和之後的一段日子，大概是蔣介石一生中最倒霉的時期之一。由

1 《蔣介石日記》(手稿本)，1930 年 10 月 31 日、11 月 1 日，並請參閱以上兩日《困勉記》。

於軟禁胡漢民，汪精衛、孫科等在廣州造反，另立國民政府；由於採取不抵抗政策，日寇輕易地佔領了東三省。因此，蔣介石不得不考慮引咎辭職。正像他在日記中所述，心情極度悲涼。思母、念兒、憂時三者常常結合在一起。如：1931 年 12 月 14 日晚，蔣介石想起第二天就是母親誕辰，心中悲傷，日記云："夜夢昏沉，對母痛哭二次。醒後更悔不孝罪大。國亂人孤，但有痛楚而已。" 12 月 15 日，蔣介石向國民黨中央提出辭呈，要求辭去國民政府主席、行政院長、陸海空軍總司令各職。這一天，蔣介石可謂辛酸至極，他覺得，自己辛勞八年，死傷部下三十餘萬，手造國家，現在辭職，就像放棄親自撫養的兒子一般，由此，他進一步想到留俄不歸、無法相見的蔣經國，倍感痛苦，在日記中歎息："嗚呼！於國為不義，於黨為不忠，於母為不孝，於子為不慈，能不愧怍！未知以後如何自反以報答親恩與黨國也。"[1] 這裏，既有對失去民國元首寶座的痛惜，也有對留俄不歸的兒子的憂慮。

就在這一時刻，歷史給了蔣介石一個爭取蔣經國歸來的機會。這就是宋慶齡向蔣介石提出的，釋放為國民政府逮捕的共產國際間諜牛蘭夫婦，以之作為交換條件，讓蘇聯政府允許蔣經國歸來。當年 12 月 16 日蔣介石日記云：

> 孫夫人欲釋放蘇俄共黨東方部長，其罪狀已甚彰明，而強余釋放，又以經國交還相誘。余寧使經國不還，或任蘇俄殘殺，而決不願以害國之罪犯以換親子也。絕種亡國，乃數也。余何能希冀倖免！但求法不由我犯，國不由我而賣，以保全我父母之令名，使無忝所生則幾矣。區區後嗣，豈余所懷耶！

這一則日記涉及當時的一項重大事件。

1929 年 2 月，共產國際東方部在上海成立遠東局，藉此幫助中共中央工作，同時，負責聯絡東方各國共產黨。遠東局下設政治部與聯絡部。聯絡部主任為阿布拉莫夫，其手下工作人員有牛蘭（Hilaire Naulen）夫婦等。牛蘭，原籍波蘭，曾在共產國際南洋局工作，1930 年 3 月奉調來華，在阿布拉莫夫手下當聯絡員，負責管理秘密電台、交通及經費等事項，同時兼任紅色工會泛太平

1 《蔣介石日記》（手稿本），1931 年 12 月 15 日。

洋產業同盟秘書處秘書。1931 年 6 月 15 日，在上海四川路 235 號寓所內被公共租界巡捕房逮捕。8 月 9 日，在上海高等法院第二法院受審。14 日，由上海警備司令部移解南京。

牛蘭夫婦被捕後，國民黨當局以為抓到了一個大人物。他的職務被說成共產國際遠東局負責人，不僅指揮中共南方局，而且指揮中共長江局及北方局，就連印度、菲律賓、馬來亞、朝鮮、安南、日本等地的共產黨，也均在其管轄之下，每年活動經費有 50 億元之巨云。上引蔣介石日記所稱"蘇俄共黨東方部長"，即指牛蘭。

為了營救牛蘭夫婦，中共保衛部門和蘇聯紅軍總參謀部上海站迅速共同制訂計劃，由潘漢年和該站工作人員里哈爾德·左爾格共同負責。此後，宋慶齡即與他們密切配合，為營救牛蘭夫婦做了許多工作。

宋慶齡於 1931 年 7 月因母喪自德國回國，8 月 13 日到達上海。沒過幾天，即接到德國著名作家德萊塞、勞動婦女領袖蔡特金以及珂勒惠支教授等多人來電，要求宋慶齡設法營救牛蘭夫婦。蔣介石日記表明，宋慶齡曾於當年 12 月向蔣提出，以遣返蔣經國作為營救牛蘭夫婦的交換條件，遭到堅決拒絕。蔣介石當然會想到，對宋慶齡方案的拒絕可能導致蘇方加害於蔣經國，但他馬上又想：古人傳世，依靠德行與勳業，不靠子孫。前代史傳中有許多聖賢豪傑、忠臣烈士，都無後，但其精神事跡都卓絕千秋。與之相比，自己念及"有後"、"無後"一類問題，說明自己志向低鄙。不過，他猜想，俄國人也許還不至於加害經國，自己生前也許見不到兒子，但死後，經國"終必有歸鄉之一日"。[1] 蔣介石就這樣心事紛紜，想來想去，覺得自己"對國不能盡忠，對親不能盡孝，對子不能盡慈，白白活在世間，傷心之至！"[2]

以蔣經國交換牛蘭夫婦，這一主意可能來自莫斯科。牛蘭夫婦被捕後，莫斯科不僅動員了許多國際知名人士出面營救，而且願意以蔣經國交換，這一事實說明牛蘭夫婦在共產國際中有相當重要的地位。同時，這一條件通過宋慶齡提出，也顯示出宋和莫斯科方面的密切關係。季米特洛夫日記記載，宋慶齡

1 《蔣介石日記》（手稿本），1931 年 12 月 27 日。
2 《蔣介石日記》（手稿本），1931 年 12 月 31 日。

"已近乎是共產黨員"。[1]她參與營救，很可能有特殊背景。

蔣介石拒絕宋慶齡的建議，顯示了他性格中堅決反共和倔強的一面，但是，他還是希望蔣經國能夠回來，也相信能夠回來。1934 年 2 月 13 日日記云："今日者母亡家破，子散國危。若不奮勉，何以對先人？何以見後嗣？勉之！"同年 8 月 15 日日記云："近日病中，想念兩兒更切，甚望其能繼余之業也。"可見，蔣介石雖然做了蔣經國在蘇聯被殺的最壞思想準備，但對其歸來仍然抱有希望。

當時，在日本帝國主義者的威脅下，中、蘇開始接近，雙方都希望以兩國的聯合來牽制和震懾日本。蔣介石一面指令顏惠慶、顧維鈞、王寵惠等與蘇聯談判，企圖恢復邦交；一面通過外交途徑爭取讓蔣經國回歸。1934 年 9 月 2 日日記云："與顏、顧、王等談外交方針漸定，彼等或較諒解。經國回家事，亦正式交涉。此二事能得一結果，則努力之效漸見。"同年 12 月，蔣介石從蘇方得到消息，蔣經國不願回國，蔣介石一面感歎"俄寇之詐偽未已"，一面則自覺"泰然自若"。他在日記中寫道："當此家難，能以一笑置之，自以為有進步也。"[2]不過，蔣介石也想到，蔣經國在蘇聯已經被"赤化"，曾經發表過一份批判自己的激烈聲明，即使能夠回國，見面時如何相處，也是一個很大的難題。這樣一想，他就轉而安慰自己。1935 年 1 月 9 日日記云："經國不歸，使余無逆子之憂慚，是塞翁失馬，上帝必有其意旨也。"

這一年 12 月，張學良發動西安事變。最初，蔣介石不了解張、楊和中共方面會如何對待自己，做了被殺的最壞準備。12 月 16 日，黃仁霖到張學良住處看望蔣介石，蔣託他帶給宋美齡一函，交代後事，但此信為張學良所扣。20 日，宋子文到陝，蔣介石將寫給宋美齡的遺囑交給宋子文，要他轉交。致宋函表示："今事既至此，惟有不愧為吾妻之丈夫，亦不愧負吾總理與吾父母一生之教養，必以清白之身還我先人，只求不愧不怍，無負上帝神明而已。"他囑咐宋美齡善待經國、緯國，函稱："家事並無掛念。惟經國與緯國兩兒，皆為兄之子，亦即吾妻之子，萬望至愛，視如己出，以慰吾靈！"致宋函之外，還有一

1 《季米特洛夫日記選編》，1936 年 12 月 9 日，廣西師範大學出版社 2002 年版，第 49 頁。
2 《蔣介石日記》（手稿本），1934 年 12 月 14 日。

函致經國與緯國：

我既為革命而生，自當為革命而死，甚望兩兒，不愧為我之子而已。我一生只有宋女士為我惟一之妻，如你們自認為我之子，則宋女士亦即為兩兒惟一之母。我死之後，無論如何，皆須以你母親宋女士之命是從，以慰吾靈，是囑。

父；十二月二十日

這兩份遺囑表明，蔣介石已在對後事預作安排。

西安事變剛剛發生時，王明曾擬自莫斯科致電在陝北的中共中央，要求槍斃蔣介石，為斯大林制止。[1] 12 月 16 日，季米特洛夫致電中共中央，主張"用和平方法解決"。中共中央在 12 月 13 日召開政治局擴大會議時，主張罷免蔣介石，交付人民審判，12 月 19 日，中共中央召開政治局會議，否定 13 日會議的意見，確定和平解決事變的方針。不僅如此，24、25 日，蔣介石兩次會見周恩來，蔣介石答應，只要紅軍聽命中央，接受統一指揮，他"不單不進剿，且與其他部隊一視同仁"。有資料說，周恩來曾向蔣擔保，蔣經國可以由蘇聯歸來，經國是愛國份子，毫無疑問，也會希望父親抵抗入侵中國的敵人。[2]

蔣經國的歸國難題終於呈現曙光了。

四、共產國際決定派蔣經國回國，蔣經國向季米特洛夫保證："您的全部指示都將完成"

中蘇關係改善後，蘇方對蔣經國的回國態度也逐漸轉變。1936 年，陳立夫與蘇聯駐華大使鮑格莫洛夫磋商，要求放蔣經國歸國。[3] 11 月上旬，鮑格莫洛夫準備回國，通過張沖向蔣介石傳達"經國可以回國"，並稱，前些時候，蔣經國曾通過華僑帶信回國，"被搜查折回"。蔣介石得悉後感到安慰，在日記中表

1 《季米特洛夫日記選編》，第 50 頁，1936 年 12 月 14 日。

2 王炳南語，轉引自韓素音：Eldest Son: *Chou En-lai and the Making of Modern China*, p. 154。

3 陳立夫：《撥雲霧而見青天》，第 448、643 頁。

示："可知經兒未忘其國家也。"[1] 同月，蔣廷黻被任命為駐蘇大使，啟程之前，宋美齡特意告訴蔣廷黻，委員長希望長公子能夠回國。到達莫斯科後，蔣廷黻和蘇聯副外長史迪曼尼可夫商量，請他代為查詢蔣經國的下落。史表示很困難，答應試一試。

蔣經國的回國問題終於進入議程。西安事變後，蔣介石停止了對陝甘寧蘇區的"圍剿"，國共雙方加緊了聯合抗日的談判。蔣經國曾致函共產國際主席季米特洛夫和斯大林，要求回國。1937 年 3 月 10 日，季米特洛夫決定，叫蔣介石的兒子來一趟，然後派他回國。[2] 蔣經國到莫斯科後，中共駐莫斯科代表團向他表示，很快就可以回到中國，但首先要寫一個聲明，保證回到中國後不跟中共作對，也不能站到托派一方。在莫斯科期間，蔣經國先後會見蘇聯副外長史迪曼尼可夫、斯大林的密友李希巴托夫、蘇聯駐華大使鮑格莫洛夫等人，他們對他都很友好。史迪曼尼可夫對他說："中國政府要求我們送你回去。蘇聯政府現在覺得南京政府及其領袖蔣總司令對我們友善，因此，我們願意答應我們朋友的要求，把你送回中國。"又說："中蘇關係正在日益改善。我們現在對南京政府及蔣總司令有很透徹的認識。中國近四五年來，有了長足的進步。我希望我們將來不單在地理上，而且還在政治上，有密切的關係。"據說，蔣經國還曾受到斯大林的接見。25 日，蔣經國到中國駐蘇大使館領取護照，向蔣廷黻大使辭行，蔣廷黻隨即致電蔣介石報告。同日，季米特洛夫邀請蔣經國到自己的家裏，對他說："現在我認為'以蘇維埃化來救中國'的說法是錯誤的。請轉告令尊蔣總司令，共產黨已經誠意決定和國民黨聯合。我們都知道，蔣總司令是一位極能幹的軍事家及極出色的政治家。"他要蔣經國轉達自己對蔣介石的"誠摯的問候"。[3] 當日下午 2 時，蔣經國乘第 2 號西伯利亞快車離開莫斯科。28 日，季米特洛夫得到蔣經國打來的電報："我在旅途中向您致以最熱忱的布爾什維克的問候，您的全部指示都將完成。"[4] 由於資料缺乏，我們無法了解季米特洛夫

1 《蔣介石日記》（手稿本），1936 年 11 月 5 日。
2 《季米特洛夫日記選編》，第 54 頁，1936 年 3 月 10 日。
3 蔣經國：《我在蘇聯的日子》，《蔣經國自述》，第 26 頁；《季米特洛夫日記選編》，第 56 頁。據蔣經國日記及回憶，他乘車離開莫斯科的時間都是 3 月 25 日，疑季米特洛夫所記日期有誤。
4 《季米特洛夫日記選編》，第 56 頁，1937 年 3 月 28 日。

給了蔣經國哪些指示，但不外推動蔣介石和中共合作、團結抗日一類話語。

五、蔣介石與蔣經國父子相會

蔣介石在 3 月 17 日得到蔣經國即將歸國的消息，很高興。日記云：“十年苦鬥，方得國與家漸見光明也。”24 日，蔣介石舉行家宴，自然一片喜慶氣氛，但經國、緯國尚遠在異國，不能團聚，蔣介石未免感到美中不足。第二天，好消息接踵來到。25 日，蔣介石接到蔣廷黻大使的莫斯科來電，聲稱蔣經國當日到使館敘談，已有妻與子各一，大約下月即可到達上海。4 月 6 日，蔣介石接到蔣經國從海參崴打來的電報。多年以來，蔣介石、蔣經國之間不通音訊，接到兒子第一通電報，蔣介石自然感到安慰。4 月 12 日，蔣介石再接蔣經國電，聲稱已自海參崴乘船回國，更覺高興。

隨著父子相聚日期的臨近，蔣介石心中開始密佈愁雲。4 月 13 日日記云：“教子不慎，自壞家風，可痛可悲也。緯兒決不如此也。”4 月 18 日，蔣經國到達杭州，怎樣和這個“赤化”了的、在蘇聯報紙上罵過自己的兒子見面，蔣介石不無躊躇。日記云：“家事愁悶，不可言喻。”第二天，蔣介石才決心和蔣經國一家相見。日記云：“下午見經國，以昨日到杭，不願即見也。”20 日，蔣介石又煩惱了一天，以後才慢慢緩解下來。月底，蔣介石在《本月反省錄》中寫道：“經兒由俄歸家，一別十二年，骨肉重聚，不足為異，而對先妣之靈可以告慰。”他終於放下了無以對母親，也無以對祖宗的沉重思想負擔。

蔣經國在外多年，中文自然荒疏了。蔣介石特別挑選政學系少壯派的徐道鄰作為他的老師，指導其讀書和學習中文。為了改造這個受過多年布爾什維克教育的兒子，蔣介石親自為蔣經國挑選書目，要他認真閱讀曾國藩的《家訓》和《家書》，認為讀好了，不僅於國學有心得，而且“必於精神道德皆可成為中國之政治家”。他像蔣經國未出國前一樣，一封又一封地給兒子寫信。當年 5 月 12 日致函，要求蔣經國認真研讀孫中山 1918 年至 1919 年寫作的《孫文學說》，函稱：“你以後看書，應多注重中國固有道德，建國精神與其哲學。《孫文學說》一書，實為中國哲學之基礎，而三民主義則為中國哲學之具體表現。”

同函特別提出，孫中山 1924 年《民生主義》演講中“批評馬克思主義各節，尤為重要，應切實用客觀態度，悉心研究看完”。[1] 這一段時期，蔣經國就按照蔣介石的要求在家鄉讀書、反省，撰寫在蘇聯時期的回憶。直到 1938 年 1 月，蔣經國到武漢探視蔣介石，父子才再一次見面，相處三日。蔣介石覺得兒子變了，在日記中寫道：“經兒來省，覺其見解明晰，常識較富，而舉止亦有規範，不失大家子弟之風，是用快慰。”[2] 蔣介石終於按照自己的意圖改造了蔣經國。

1　蔣經國：《我所受的庭訓》，《蔣經國自述》，第 5 頁。
2　《愛記》，未刊稿，台北“國史館”藏，1938 年 1 月 24 日。

陳潔如回憶錄何以塵封近三十年*

* 本錄自《找尋真實的蔣介石：蔣介石日記解讀》（1），重慶出版社 2015 年版。

陳潔如曾與蔣介石同居七年。1964年，由香港人李時敏代筆，以英文寫成回憶錄。當年，紐約出版界宣稱這本回憶錄不久就可以出版，但很快悄無聲息。直到1990年，才有人從美國胡佛檔案館裏發現了這部回憶錄的英文打字稿。1992年1月，台北《傳記文學》和《新新聞週刊》分別連續譯載該回憶錄。此後，各種中文版本遂相繼問世。總計從成稿到出版，經歷了近三十年光陰。中間何以出版受阻？牽涉到蔣介石、蔣經國、陳立夫、沈昌煥、俞國華、孔令侃、孔令偉、江易生、游建文等一批歷史人物，故事相當複雜。

一、紐約出版界透露，陳潔如將出版與蔣介石同居的故事

約在1964年3月，美國紐約出版界透露，陳潔如即將出版450頁的英文稿，敘述自1920年至1927年與蔣介石同居故事，內附數十張照片及《紐約時報》當年報導一篇。陳潔如稱：她與蔣介石的婚姻糾葛向未解決，此件公案總要說個明白，使天下人知道此中真相，做個公平判斷。紐約出版界稱："此書不久可以出現，當為一有趣讀物。"

3月17日，吳商鷹在美國舊金山市《世界日報》的《每日專欄》發表文章，內稱：

關於蔣介石的家屬，人所共知者他的原配髮妻是姓毛的，有一妾稱為姚夫人，又一妾為陳潔如女士。毛氏夫人撫育其子經國成人，姚氏夫人則為撫育緯國者。姚氏夫人原上海某商人外室，跟蔣作妾，陳潔如女士為上海堂子出身，與張靜江之妾為姐妹行。蔣介石於 1927 年與宋美齡女士結婚之前，曾呈請奉化縣長准許與原配毛氏離婚。據蔣氏當時公開談話則謂，其他二氏並無婚約。蓋指姚夫人與陳潔如女士與他僅屬同居關係。

陳潔如女士與蔣氏脫離後即於 1927 年赴美國居住。據報，伊習英文頗有成就。究竟伊的生活如何，世人亦不甚注意了。今由紐約出版界傳出消息，伊寫出 450 頁之英文稿，敘述與蔣介石之多年同居故事。人們有注意蔣氏生平者，均期待不久可讀此冊有興趣之新著述。

這本著述內容如何，在出版前無從揣測。這種男女私情原極尋常，有如飲食一般可以日常瑣屑視之。不過蔣介石自命為中國領袖，顯赫將四十年，最後所娶的宋美齡女士名聞國際。其中趣事笑話說之不盡。蔣氏的人格如何？待人接物如何？真偽如何？陳女士既與同居有七年多，必能說出多少真實情形，留作歷史家參考。蔣氏的左右親信有不少人為他寫傳記，全為恭維歌頌之詞，不足為參考資料。陳潔如的寫作總比專事諂媚之徒有所不同，對於研究蔣介石為人者有所貢獻。據我所聞，陳女士人甚聰慧，赴美國後即專事研究英文。此次英文稿可能為伊本人手筆，自然更說得透徹呢。

這大概是介紹《陳潔如回憶錄》的第一篇文章，通過此文，陳潔如在寫作並即將出版回憶錄之事遂廣為世人所知。

二、台灣“外交部長”沈昌煥得報，命江易生調查

吳尚鷹的文章刊出後，台灣當局的“外交部”部長沈昌煥迅速得知此事。4 月 7 日，致函“駐美公使”江易生，內稱：

據報：上月間，金山《世界日報》吳尚鷹《每日專欄》內載，謂有陳潔如女士（Jennie Chen）擬以英文著書，敘述其早年與蔣公之關係。此事游建文兄獲知內情，希即與建文兄密取聯繫，研擬對策，查明陳女士是否

確已撰著此書？內容如何？已否洽得出版商？何時出版？有無打消該書出版之方法？如該書勢在必出，有無請美政府取締之可能？以上各節，統希在不打草驚蛇之情況下密商建文兄辦理，並希將發展情形隨時密告為盼。[1]

從本函可知，沈昌煥得知消息後的第一個反應就是，不能讓《陳潔如回憶錄》出版。原函"如該書勢在必出"之下，原有"有無洽購全部版權俾免流傳之可能？對鄰邦元首作人身攻擊，是否可予取締"等字，後塗去。可見，沈昌煥考慮過的"打消該書出版"的方法有一文一武兩種。"文"的方法是收買"全部版權"，使之不能在社會流通；"武"的方法是以"攻擊鄰邦元首"為理由，請美國政府"取締"。函中所稱游建文，福建閩侯人，1907 年生，曾任中華民國總統府秘書，1949 年隨國民政府遷台，任宋美齡秘書，後任駐紐約"總領事館領事"。函中稱："此事游建文兄獲知內情"，可能沈昌煥的消息即來自游建文。

4 月 16 日，台灣當局"駐美公使"江易生復函沈昌煥云：

關於陳女士著書事。本年 4 月 7 日手諭奉悉，當即與游亦錚兄密洽。據告：月前陳曾經由一美國人手，持書稿之一部分（全書似已完稿）請其校閱。內容雖無惡意中傷領袖之處，惟是非不明，淆亂視聽，仍堪注意。亦錚兄認為，目前似不宜採取任何步驟為妥。蓋此時如與著者或其代表周旋，不啻默認書中事實，反易受其利用，馴至演成巨額勒索交易，宜審慎將事。云云。[2]

"游亦錚"，當即上文提到的游建文。沈昌煥與游建文商量，游認為，儘管該書並無"惡意中傷領袖"之處，但是，"是非不明，淆亂視聽"，仍然值得注意。

為了避免造成"默認"書中事實，或被藉端"巨額勒索"，游建文建議"不宜採取任何步驟"，但這樣就會形成無所作為、聽其出版的局面，江易生覺得不妥，他找了一位美國法律專家商量。自然，不好直說蔣介石、陳潔如之名，而

1 《陳潔如女士擬著書》，台北"中央研究院"近代史研究所檔案館藏，819/0024。
2 《陳潔如女士擬著書》，台北"中央研究院"近代史研究所檔案館藏，819/0024。

是編了一段大體相似的故事。同函向沈昌煥回報說：

> 職嗣就本案法律觀點，設詞（即不涉本題，另編假定故事）與多年好友艾希萊（Paul Ashley）律師（渠為譭謗法專家）相機研討。據稱：當事人如認其名譽因譭謗而遭受損害，自可以受害人名義向美國法院提起訴訟。惟法院審判此類案件，極為現實，且程序繁複，計算受害人名譽損失之賠償亦甚輕微，結果往往得不償失。至美國政府對此類書刊，均無依法取締或防止出版之權利。即能接受友邦政府之請求，勸告出版公司不予發行，公司往往可以願負文責，聽由當事人控訴為答復，故於事亦屬無補。云云。專此密陳。[1]

這位美國專研“譭謗法”的專家分析的結果是，打官司，往往“得不償失”；要求美國政府“取締”，但美國政府的政策是“出版自由”，只能“勸告”出版商，如果出版商“願負文責”，美國政府也無可奈何。

在沈昌煥、江易生函件往返之際，NANA 繼續發表相關消息，4 月 20 日，沈昌煥致電江易生：

> 據報，此事已由 NANA 發表新聞，該書有無出版消息？查書中語言多譭謗元首，希商建文兄，即與律師研究從美國法律上可採取之對策，並電復。

NANA，不詳，可能是一種報紙。NANA 發表了《陳潔如回憶錄》的信息，引起沈昌煥注意，致電催促江易生和美國律師商量，找尋法律解決的途徑。

同日，江易生致電沈昌煥，報告紐約《中文聯合日報》4 月 16 日、17 日的有關專文，聲稱該文係譯自 4 月 12 日的英文報紙《金山紀事報》，文章的作者是北美新聞聯盟的記者 John Donovan，其內容為：陳潔如自稱“係政治力量迫其遠走，但曾獲保證五年後即恢復正常關係，至今三十七年而無交代”，並附蔣、陳合照及陳潔如單人照各一幀。江電稱，已與游建文“密商”，游表示將“與國華兄洽辦”。

國華兄，指俞國華，浙江奉化人，曾任蔣介石的侍從秘書。1955 年後歷任

---

1 《陳潔如女士擬著書》，台北“中央研究院”近代史研究所檔案館藏，819/0024。

台灣“中央信託局”局長、“中國銀行”董事長兼“中國產物保險公司”董事長、“財政部長”等職，後並曾任“行政院長”。派俞國華到美國處理，可見台灣方面對此事的重視。

上電到達台北後，由“外交部”部長、政務次長、常務次長等依次圈閱後，決定送交“蔣副秘書長親啟”，特別以括弧說明“送寓所”。蔣副秘書長，指時任“國防”會議副秘書長的蔣經國。

4 月 20 日，台灣駐紐約“總領事館”收到了一封轉俞國華先生的電報，內稱：

> 前電諒達。頃奉諭，請轉商易生、建文二兄，希彼等與令侃兄聯繫，共商妥當（處理某案之）辦法。弟建敬叩。[1]

這封電報的特殊之處就在於末尾所署發電人“建”。根據有關資料，特別是下引署名“建”的幾封同類電報判斷，應是蔣經國的化名。電稱，“頃奉諭”，自然所奉是蔣介石之“諭”了。本電說明，蔣介石、蔣經國都介入了陳潔如出書問題的處理。

4 月 22 日，江易生再次致電台北“外交部”，認為藉助美政府與法院程序兩種辦法都不理想，建議“運用私人途徑”勸阻出版。電稱：

> 職連夜苦思並參考律例，頗覺處理本案允宜特別謹慎。蓋此間幸災樂禍之潛敵甚多，即美政府包括國務院在內，亦係敵友參半，一旦涉訟，人證物證問題即隨之而起，牽連必多，仇我者更必蜂擁而來，推波助瀾，肆意渲染。美政府如同情於我，在友誼立場上最多亦只能向出版商善意勸告，終難期收實效。法院程序迂緩繁細，未必能予有效救濟。即使終獲勝訴，得失如何，亦難衡量。目前全書內容如何？不得而知。中樞對本案現階段之反應與看法如何？我是否尚有運用私人途徑在港或在美及時勸阻出版可能？否則恐只有待書出版後視其內容誹謗及牽涉程度如何，屆時若情勢難堪，被迫涉訟，似宜由其他被涉及之人物出面起訴，較為便利。謹電密陳，以供鈞座個人參考。俞董事長抵此後商談情形容續陳。[2]

---

1 台北“國史館”檔案，002-080200-00644-094，1964 年 4 月 20 日。

2 《陳潔如女士擬著書》，819/0024。

在專制社會，此類事很好解決，直接下令，禁止出版就可以了，但是，美國標榜“出版自由”和“法治”，這可讓江易生犯了難，無可奈何之下，只好建議“私人途徑”解決。

俞董事長，即俞國華。俞國華奉命來美，江易生在華盛頓等待其到達後會商。

三、蔣介石、蔣經國早就得悉，一直在籌謀對策

據有關資料，陳潔如開始寫作回憶錄在 1963 年。1964 年 1 月 10 日，陳潔如在香港和美國商人勞倫斯・愛普・希爾（Lawrence Eppe Hill）簽署了一份委託書，授權希爾在 4 個月內出版她的回憶錄，題為《我作為蔣介石夫人的七年》，或《蔣介石的崛起》，保證“內容全部屬實”。《委託書》說明打字稿共 425 頁，可見，當時已基本完成。

蔣介石、蔣經國早就得悉有關情況。當年 2 月 17，蔣介石日記云：

> 有某女要在美國出書，對我家謗毀之所為，此又一不測之隱痛，惟其事在卅五年以前。雖捏造誣謗，亦不致遭受重大影響，此乃共匪屢年來無所（不）用的卑劣陰謀之一小插（曲），只有置之不理而已。下午，與令侃談陳某在美出書案之對策，認為此案可了則了，否則亦無關大局也。[1]

蔣介石與陳潔如同居，時在 1920 年至 1927 年。1927 年 12 月 1 日，蔣介石與宋美齡在上海結婚。事前，蔣介石要陳潔如赴美留學，提高文化，應允 5 年後恢復婚姻關係。8 月 19 日，陳潔如離滬赴美。此後的一段時期內，蔣介石每月向陳潔如提供經濟資助。其日記稱“其事在卅十五以前”，大體相當。由於是多年以前的事情，雖然蔣介石估計書中會有“捏造誣謗”情節，但認為“不致遭受重大影響”，所以並不十分重視。令侃，指孔令侃，孔祥熙的大兒子，和蔣家（特別是宋美齡）關係密切。“可了則了”，這是蔣介石對此事的處理原則

1 《蔣介石日記》，美國胡佛檔案館藏，以下同，不一一注明。

和方針。

陳潔如雖然在美國學過幾年英文，但是她原本只是個初中生，文化不高，歷史知識更缺，其敘述和蔣同居故事的書出自於時居香港的李時敏之手。李時敏的英文名字為 James Zee-Min Lee，父親李博，是澳洲悉尼的華僑富商。李家熱心公益，也很愛國，曾資助孫中山革命，在當地僑界很有影響，後全家遷居香港。大約在 1921 年前後，李時敏結識蔣介石和陳潔如，據說還當過蔣介石的英文教師。那一段時候，正是蔣介石放浪形骸，並因此得了"風流病"的階段。其日記云："欲立志，先戒色，欲除病，先戒欲。色欲不戒，未有能立德、立智、立體者也。避之猶恐不及，奈何有意尋訪也。"[1] 這就說明，蔣當時既有改過遷善之心，但又積習難除。

1964 年 2 月上月，蔣介石在《反省錄》中說："李時敏有關之某事消息突殊其來，又增加我重重憂患中之不測痛苦也。"可見，蔣介石其時已經得知，李時敏參與了陳潔如故事的寫作，李是蔣、陳的舊識，熟知蔣早年風流、放浪的故事，因此蔣介石的心事一度加重。3 月 5 日，蔣經國到台北，談起"某有出書勒索之消息"，而且蔣經國"早已知悉，但其不願使我分心，故未敢以告，今聞其詳報始末，乃已釋然矣"。大概估計陳潔如要錢不多，也可能書中並無多少"誹謗"性的消息，所以蔣介石一顆懸著的心又放了下來。

不過，蔣介石當初熱烈追求陳潔如，後來為與宋美齡結婚，又設詞將其支到美國。從西方婚姻自由的角度考察，自然無所謂，但從中國傳統道德的角度考察，總不是一件光彩之事，因此，他的"釋然"心境並沒有維持幾天，3 月 9 日日記云："某事煩擾，以上各項，皆使心神不佳。"蔣介石是個情感易於衝動的人物，他不會也不善於排遣或按捺自己的感情。

自舊金山市《世界日報》報導《陳潔如回憶錄》即將出版的消息後，部分媒體陸續跟進。4 月 16 日、17 日，紐約中文《聯合日報》連續譯載北美報業組合記者的特訊，聲稱："蔣介石有妻子，在港教書糊口，自撰回憶錄吐露辛酸"。又稱："年已 58 歲之陳潔如女士，刻在香港亦代人補習英文為糊口。""其

1 《蔣介石日記》，1921 年 9 月 24 日。

回憶錄刻在美國紐約出版家之手中”。該文不僅談生活，而且進一步談政治，如敘述蔣介石的發跡過程：

> 當年蔣介石之政治地位在國民黨內動搖，渠當時需要上海財團勢力之支撐。經過孔祥熙之計劃，由宋藹齡負責，對蔣保證，如蔣與其幼妹宋美齡結合，則上海財團支持蔣介石。此事後來實現。當時蔣介石請陳潔如暫時下堂，言明以五年為期。蔣介石以國民革命及國家利益向陳潔如說項，估計五年可獲政治權力，她為蔣所動，接受其請求，乃離滬出國，於8月19日乘日昃總統號輪至三藩市。在出國前陳母獲蔣介石指天誓日，謂永不遺棄陳潔如。蔣當時對天發誓，謂五年之內必與潔如恢復夫妻名分，如有違背，則渠個人與國民政府均將遭天譴。陳潔如抵美後，被當時三藩市中國領事館冷遇。陳氏其後返港，從此緘默三十七年之久。在此時期內，蔣介石據稱背棄過去諾言，實行對陳氏遺棄，亦從未供應其生活。此外蔣介石亦從未與陳潔如離婚。陳潔如現有大量文件證實此事。其在美國之代表希爾（文證公司董事長）曾與當年與此事有關之人物接觸，均證實陳氏之故事真實性。其中文件包括孔祥熙甚至宋美齡之書信等文件。

這些報導涉及孔祥熙、宋藹齡二人在蔣介石與宋美齡婚姻中的作用，蔣與宋結婚的動機以及蔣介石遺棄陳潔如的經過，大都為人們前所未知，對於蔣介石的聲望，自然有打擊作用，堪稱“猛料”了。

由於紐約方面一直找不到阻止陳潔如出書的辦法，蔣介石的心情本已相當煩亂。4月26日日記云：“某事之煩擾，尚無具體對付辦法，且情形更趨複雜。”4月30日，他在《上月反省錄》中寫道：

> 李時敏恩將仇報，殊為心痛，但事先大意，未能從早處理安置，演成不測變化，但亦惟有依法處理而已。

現在，蔣介石得知紐約報界爆出的這些“猛料”後，自然更加煩悶了。

四、陳立夫、俞國華等提出“雙管齊下”的辦法

4月27日，台灣駐紐約“總領事館”得到來自台灣的電報，要求轉交“俞國華先生”，電稱：

> 奉諭：1. 請面告易生兄，此案決由關係人立夫、令侃二兄出面交涉，使館可暫不出面。2. 立夫、令侃二兄所需費用，請先照付。3. 送俞部長一萬元。[1]

該電首署“原辦機關，蔣副秘書長”，末署“建叩。卯感”。

說明“建”就是蔣經國，該電仍為蔣經國所發。它透露的信息是，蔣介石認為，阻止陳潔如出書一事不能由具有官方身份的“領事館”出面，而只能由陳立夫、孔令侃以私人身份辦理，並且可以使用金錢手段。俞“部長”仍指俞國華。

4月28日，江易生致電台北“外交部”報告：

> 國華兄昨抵此，渠已就本案先與陳、孔、游在紐商談。（一）決定由陳、孔以當事人地位委託律師去函出版公司警告。如有任何虛構事實，公司應負法律責任。該公司告陳，該書尚有二百餘頁待整理，其中事實矛盾之處頗多，不易一一證實。經律師去函警告後，或有阻其出版之可能。（二）陳、孔均主派員赴港徑商作者，以作根本解決之計。（三）國華兄已將詳細情形徑電台北，此電謹供鈞座參考。[2]

陳、孔、游，指陳立夫、孔令侃與游建文。陳立夫是蔣、陳關係的知情人，孔令侃是蔣介石處理此事的被授權人，游建文是最早得知相關信息的外交官員。俞國華抵美後，首先到紐約和他們商量，然後再到華盛頓和江易生商量。江易生致“外交部”電所報，即係俞國華到華盛頓後所談。

美國雖然是“出版自由”的國家，但是並不可以聽由作者任意胡說，出版者要對書的內容，特別是有無誹謗和人身攻擊一類情節負責。從江函可以看

---

1 台北“國史館”檔案，002-090200-00644-097，1964年4月27日。

2 《陳潔如女士擬著書》，819/0024。

出，接受《陳潔如回憶錄》的出版公司還是很謹慎的，正在逐一“證實”書中所述情節。因此，陳立夫等就企圖利用此點，警告出版公司，提醒其法律上應負的責任。但是，陳立夫、孔令侃等都認為，“根本解決之計”，還是派人去香港，找回憶錄的主人陳潔如本人商量。

這前後，希爾的辦公室和希爾本人先後碰到不少麻煩。如：有人兩次企圖破門，進入希爾的辦公室。5 月 1 日晚 10 點，希爾被打得不省人事，躺倒在辦公室門後。1965 年 1 月，有人破壞其辦公室的重金屬網眼紗窗。不久以後，希爾在紐約第 45 街被人從後面打暈過去，房間被盜等等[1]。

5 月 4 日，俞國華致電台北“機要室陳主任轉呈建兄”，內稱：

> 密。1. 侃兄告稱，律師信去後，薛爾尚無表示。陳前曾會晤薛爾，彼首謂只負編輯之責。其後又自稱，係副代表。彼公司類似一地下印刷工廠，現正設法調查薛爾背景中。2. 倘派員赴港，似可向對方透露，如該書出版，我方必在美國循法律途徑解決之決心與其所耗費用之浩大，期彼能知難而退。3. 弟明日赴南美訪問，在離美期間，請逕電洽侃兄為禱。[2]

薛爾，即前文與陳潔如簽訂委託書的紐約商人希爾。陳，指陳立夫。從本電可知，陳立夫本人和希爾面談過。也委託律師向希爾發出過警告信，但尚無表示，於是，俞國華開始調查希爾的“背景”，同時，建議派人赴港，警告陳潔如，讓她“知難而退”。

阻止陳潔如出書之事遲無進展，蔣介石越來越煩躁不安。其 5 月 5 日日記云：

> 令偉轉來消息，電文閱之煩悶，可以說近年來各種苦痛刺激之深，而以此時為最甚。今後對某事決不再過問，迅令其依照計劃由法律途徑解決的方針代為負責進行可也。

令偉，即孔二小姐。5 月 7 日，蔣介石日記再云：

---

1 參見楊天石：《果真要改寫民國史嗎 —— 陳潔如回憶錄的產生、遭遇及作為舉證》，香港《明報月刊》，1993 年 4 月號，收入《哲人與文士》，《楊天石近代史文存》，中國人民大學出版社 2007 年版，第 654—664 頁。

2 台北“國史館”檔案，002-080200-00666-013，1964 年 5 月 4 日。

昨（6日）令偉來談某事及其中文反動報登載此事剪報呈閱，余置之不閱，而交還於彼，令其以後不要再將此事見告，更使余刺激不能受。乃囑令侃，此事決以法律根本解決，特授權於彼，負責處理之方針。至於今後進行情形，再不必來問我，以免我貽誤他事也。

這兩則日記充分反映出蔣介石在閱讀上述“猛料”之後的煩躁心情，企圖擺脫而又難以擺脫，決定聽任孔令侃等去處理，不必再來彙報請示。

五、陳立夫出面調解，陳潔如具結保證，不再出書

1927年，蔣介石與宋美齡結婚之前，蔣介石要陳立夫代表自己去和陳潔如談判，“講離異”，陳潔如同意“讓開”，陳立夫圓滿完成任務[1]。現在，阻止陳潔如出書一事陷入僵局，自然還需要陳立夫出面。

陳潔如1931年離美回國，長住上海。中華人民共和國成立後，陳因其養女患病，打算撰寫回憶錄賺錢，支付醫藥費。陳立夫當時正準備自台返美，行前託友人自香港致函陳潔如，加以勸阻。後陳潔如被聘任上海盧灣區政協委員。1961年經周恩來批准，遷居香港，其後，再次萌生出版回憶錄的念頭。陳立夫得知，再次寫信加以勸阻，聲稱此事“有百害而無一利”，“希望君一如往昔，保持個人偉大人格，重友誼而輕物質，不為歹人所利用”。[2] 此信僅署11月4日，年代不明。

1964年10月27日，蔣經國自台北發往時居美國傑克遜城的陳立夫一電，中云：

手書敬悉。弟以兄所提處理本案之三項意見，極為妥當，望兄相機進行。江於今赴港，詳情續報，並已另電令侃。弟建敬叩。[3]

1 陳立夫：《撥雲霧而見青天》，台北近代中國出版社2005年版，第630頁。
2 參見楊天石：《果真要改寫民國史嗎——陳潔如回憶錄的產生、遭遇及作為舉證》，香港《明報月刊》，1993年4月號，收入《楊天石近代史文存．哲人與文士》，中國人民大學出版社2007年版，第654—664頁。
3 台北“國史館”檔案，002-080200-00645-007，1964年10月27日。

"建"，仍為蔣經國。此電表明，為阻止陳潔如出書，陳立夫提出"三項意見"，得到蔣經國的肯定。江，不知何人，疑為律師江一平，曾任東吳大學法學院教授、上海律師公會常委，是當年蔣、陳結合的"證婚人"。1949 年去台。處理蔣、陳分離的善後事宜，自然他出馬很合適。

11 月 5 日，"建"再致陳立夫一電，中云：

江去港已一週。經考慮後，此時請勿與司貝樓書局接觸，究以如何為妥，望洽令侃兄。弟建卯。[1]

此電表明，除派"江"去香港和陳潔如直接磋商外，蔣經國建議，不和紐約的出版商聯繫。

香港談判情況如何，有無曲折，不得而知。2012 年，我在台北會見陳立夫先生的兒媳林穎曾女士，承她出示保存的陳潔如的親筆收據，其內容為：

茲由立夫先生交下洋 15 萬元正。該款業已如數收訖。此後潔與介石雙方恢復自由，一切行動與對方無涉，特立此據為憑。

陳潔如具，12 月卅日

這就很清楚了，蔣家拿出 15 萬美金，陳潔如保證不再出書，從此雙方關係了結。這就是《陳潔如回憶錄》被塵封近三十年的原因。

多年後。陳立夫回憶此事經過，與人有一段問答，節錄如下：

陳："她回到香港，又寫信給我，要我替蔣公想法子接濟她，蔣公要我另外寄了一些錢給她。又隔了多少年，她左右的朋友遍對她說，你為什麼不寫一本回憶錄呢？印出來可以有用的，所以，她寫了，給紐約的一個書局拿了去，後來蔣經國知道了要我與孔令愷〔侃〕去要回來。"

問："那花了一些錢吧？"

陳："這個錢也是孔令愷〔侃〕出的。拿了回來，可是陳留了一份 copy，拿回來以後，我們又給陳潔如一些錢，有人要利用陳潔如敲竹槓。"[2]

1　台北"國史館"檔案，002-080200-00645-010，1964 年 11 月 5 日。

2　陳立夫：《撥雲霧而見青天》，台北近代中國出版社 2005 年版，第 631 頁。

陳潔如的上述收據被陳立夫收藏在一個信封裏，封套書“有歷史性文件”，為陳立夫親筆。封套內除陳潔如的照片外，還保存著一首標題為《無題》的新詩，下署“30、11、29、重慶”等字，應係1941年重慶時期的作品。蔣介石偶爾寫幾首舊詩，但從來不寫新詩，因此，此詩應為抗戰爆發後，陳潔如自上海與蔣再見後的贈蔣之作。

林穎曾女士告訴筆者，陳潔如交回的除回憶錄外，還有蔣介石寫給陳潔如的情書多通，可惜都被陳立夫先生燒毀了。

不知道是誰，在美國胡佛檔案館保存了全套陳潔如的英文打字稿，在哥倫比亞大學珍本和手稿圖書館保存了一份英文摘要本。筆者1990年訪問美國時，讀到了英文摘要本，在胡佛檔案館得知藏有英文全本，但第二天要離美訪日，行程已定，無法更改，只好怏怏離去，所幸1990年終於被人發現，最終得以面世。

六、陳潔如回憶錄大量作偽，價值不大

1990年，在近三十年塵封之後，陳潔如回憶錄終於公之於世。然而，檢閱該書，作偽太多。其回憶政治部分，幾乎全假，所引當時公私文件，均是贋品。例如1926年12月由汪精衛和鮑羅廷連署的《致國民黨全體黨員之命令》，且不說其內容和時事多有不合，汪精衛當時並不在國內，即以汪、鮑連署這一點而論，也是對後來中共軍事佈告的一種拙劣的模仿，北伐時期並沒有這種佈告樣式。作偽者憑藉自己一點可憐的歷史知識大膽杜撰，結果弄巧成拙，反而露出了作偽的馬腳。

陳潔如和蔣介石同居的時候，還只是個女孩子，不懂政治，也對政治不感興趣。她在和蔣介石分手的時候，不會保留大量政治文件。現在書中所引，顯係捉刀者李時敏所編。其目的是增加回憶錄的分量和賣點。出版之後，一時被鼓吹為民國史的“黑匣子”，將導致重寫民國史云云。然而，這些貌似近真而破綻百出的假貨自然逃不過行家的眼睛。台灣的蔣永敬教授曾撰文，指出該書的四五十條失真之處，《傳記文學》主編劉紹唐先生不登，坦率地向蔣永敬教授

說明："我總不能搬起石頭砸自己的腳。"筆者聞訊，遂將自己的文章《果真要改寫民國史嗎——陳潔如回憶錄的產生、遭遇及作偽舉證》投寄香港《明報月刊》，在該刊 1993 年 4 月號刊出了。

筆者原來在文章中說過，《陳潔如回憶錄》其中"回憶個人生活部分可能真實性較大，而回憶政治大事部分可能真實性較小"。現在看來，其"回憶個人生活部分"問題也很多。最明顯的錯誤是，陳潔如回憶和蔣介石結婚的日子是 1921 年 12 月 5 日，地點在上海永安大樓大東旅館的大宴客廳，然而，蔣母於當年 6 月 14 日去世，11 月 23 日下葬，蔣介石自 10 月 8 日至 12 月 11 日，一都在溪口忙著安葬母親，沒有離開。12 月 5 日這一天，蔣日記所記為"往訪蕭王廟孫氏母舅"。蕭王廟，在奉化西北、溪口鎮之東，蔣介石何能在一天之內既到蕭王廟探視母舅，又在上海結婚？據蔣日記，12 月 12 日，蔣介石離開寧波，13 日到上海，日記云："投宿大東旅社，璐妹迎侍。"陳潔如早年名"陳璐"，看來，這一天才是蔣、陳結合的日子。稱"迎侍"，而不稱結婚，可見蔣介石沒有當成一件大事或喜事來辦。

如果陳潔如對自己和蔣介石結合的日子、地點都記錯，其他生活情節的真實性和準確性恐怕也要多打幾個問號。關於這一方面的情況，謝起章寫過一本書《陳潔如是蔣介石的夫人嗎》，1997 年由北京中國文史出版社出版，可以參看。

寫回憶錄，最根本的要求是真實、準確，最忌加油添醋，尤忌虛構想像，更忌胡編亂造。一有虛構，立即失去其回憶錄的價值。

尼克松競選與蔣介石、宋美齡晚年的感情風波*

* 本文錄自《找尋真實的蔣介石：還原 13 個歷史真相》（3），九州出版社 2014 年版。

一、一位“女子”，一位“小人”，使蔣介石很“苦痛”

1972年，晚年的蔣介石已處於重病中，深為一位“女子”、一位“小人”所苦。其3月17日日記云：“女子與小人之言不可聽也。”從文意揣度，這裏所稱“女子”，所稱“小人”，均非泛指，而是確有其人，認為他們的話不可聽。

同年5月27日，蔣介石日記云：“獨上中興賓館視事。近日精神苦痛，以女子、小人為難養也，故擬獨居自修。”中興賓館，即今之台北陽明書屋。從這一段日記看，這一位“女子”，這一位“小人”，使蔣介石精神很“苦痛”，所以想一個人“獨居”。蔣介石原來和宋美齡同居於離台北圓山不遠的士林官邸，“獨居”，自然是離開宋美齡。那末，這一位使蔣介石感到“難養”，認為其言“不可聽”的“女子”可能指的是宋美齡了。

說到做到。三天後的下午，蔣介石離開士林官邸，獨自搬到位於陽明山的中興賓館。

上了陽明山，蔣介石仍然心情不佳。看來，在這位“女子”和這位“小人”之間，蔣介石認為更難以相處的是這位“女子”，親近吧？“不遜”；疏遠吧？“則怨”，她會鬧情緒。

“惟女子與小人為難養也”，是春秋時代孔子在《論語》中講過的話。1972

年 3 月至 6 月之間，蔣介石為何三次想起孔子的這句話，所指何人？使蔣介石精神“苦痛”的原因何在？

二、“女子”，指宋美齡；“小人”，指孔令侃

要回答上述問題，還需要從蔣介石日記中找尋答案。

1972 年 5 月 17 日蔣介石日記云：“晚見令侃，心神厭惡，國家生命幾乎為他所送。妻既愛我，為何要加重我精神負擔？”原來，“小人”，指的是孔祥熙和宋藹齡的兒子孔令侃。看來，孔令侃做了“大錯事”，“國家生命幾乎為他所送”，自然蔣介石見了他就厭惡，而且這件“大錯事”又和宋美齡有關。蔣介石承認，宋美齡是愛自己的，但是這件“大錯事”卻“加重”了自己的“精神負擔”。一段時期以來，蔣介石之所以“精神苦痛”者，其源蓋出於宋美齡與孔令侃也。

孔令侃畢業於上海聖約翰大學。畢業後任財政部特務秘書、中央信託局常務理事。抗戰期間，到美國哈佛大學留學。宋美齡出訪美國，爭取美國朝野支持中國抗戰時，孔令侃擔任宋美齡的秘書，為宋美齡出過不少力，也因此頗得宋美齡的寵愛和信任。

三、蔣介石尤其痛恨孔令侃

在“女子”宋美齡和“小人”孔令侃之間，蔣介石尤其痛恨孔令侃。

1972 年 2 月 9 日，蔣介石日記云：“晚為令侃事痛憤。”

同年 6 月 7 日，蔣介石日記云：“晚間，令偉言令侃要來見我，心神為之痛苦不堪，但只好聽其來見。”“令偉”，指孔二小姐，孔祥熙的掌上明珠，不僅在孔家受寵，在蔣介石夫婦那裏也很“吃得開”。

孔令侃想見蔣介石，先通過妹妹孔令偉打招呼。蔣介石雖然心神“痛苦不堪”，但礙於孔令偉的情面，不好不見。

第二天，孔令侃來了，談到和美國的關係，孔令侃很得意，但蔣介石卻大為不滿，6 月 8 日日記云："上午與令侃談話時，任其美國對他開玩笑，而彼自以為得意，殊為可歎。"國民黨遷台後，孔令侃長期定居美國，任台灣當局駐美國"大使館"參事，從事對美秘密外交。其任務是做美國政府和美國國會議員的工作，例如爭取美國的政治支持和物質援助，向美國購買飛機、艦艇以及武器、軍火等。後曾被蔣介石聘請為"國策顧問"。從上引蔣介石日記可知，孔令侃的對美工作出了大錯，但其本人卻毫無自覺，所以蔣介石既痛恨這個外甥，又很看不起他，寫下了"殊為可歎"四字。

過了一個多月，蔣介石想起孔令侃來還憤憤不已。7 月 11 日日記云："恥辱仇憤，沒有一時能忘。我的病源起於令侃，我的國恥亦發於令侃，用人不可不謹慎也。"

看來，孔令侃的錯誤犯得很大。它是蔣介石的"病源"，也是蔣介石的"國恥"，所以他時刻在懷，無時能忘。

四、這一時期，中美關係出現大轉折

國民黨遷台後，美國政府長期和台灣當局保持著密切的"外交"關係，但是，也在逐步謀求調整和中華人民共和國的關係。

1968 年，尼克松擊敗民主黨人漢弗萊和獨立競選人華萊士當選為美國第 46 屆總統，開始疏離台灣，接近大陸中國。1969 年 3 月，中、蘇兩國軍隊在珍寶島發生軍事衝突，美國政府視為聯華制蘇難得的機遇，開始醞釀政策轉變。同年 10 月 10 日，美國國家安全事務助理基辛格會見巴基斯坦空軍元帥謝爾·阿里·汗，告知他美國將停止兩艘驅逐艦在台灣海峽的例行巡邏，希望他通過總統葉海亞·汗向北京方面傳達。11 月 19 日，美國作家白修德通過羅馬尼亞向北京遞交信函，暗示美國將從台灣撤軍。

託人傳話，轉遞信函，都還是私下的秘密活動。進入 1970 年，美國政府逐漸公開表明對北京的友善態度。這一年 2 月，尼克松向國會提交外交報告，聲稱"中國人民是偉大的、富有生命力的人民，他們不應該被繼續孤立於國際大家庭之外，從長遠來說，如果沒有這個擁有 7 億多人民的國家出力量，要建立穩定的、持久的國際秩序是不可設想的。”尼克松原是強硬的反共派。他的上述言論預示，美國政府的對華外交政策即將出現大轉折。

蔣介石對華盛頓和北京的接近保持高度警覺。尼克松向美國國會提交外交報告之後，接連發生的一系列事件，使蔣介石日益不安。

1971 年 4 月，以美國乒乓球協會主席格雷姆·斯廷霍文為首的美國乒乓球代表團應邀訪問北京，周恩來在和代表團談話時表示：“你們這次應邀來訪，打開了兩國人民友好往來的大門。”

同年 7 月 9 日至 11 日，美國總統國家安全事務助理基辛格經巴基斯坦秘密飛抵北京，與周恩來、葉劍英六次會談。16 日，發表公報，聲稱：獲悉尼克松總統曾表示希望訪問中華人民共和國，周恩來代表中國政府邀請尼克松總統於 1972 年 5 月以前訪華，尼克松總統接受這一邀請。中、美兩國領導人會晤，目的在於謀求中、美兩國關係正常化，就雙方關心的問題交換意見。

尼克松非常重視北京的邀請，也使他很興奮。同年 10 月，尼克松在接受《時代》週刊訪問時明確表示：“如果我死之前有什麼事情可能的話，那就是到中國去。如果我去不了，我要我的孩子們去。”

在尼克松發表上述談話後不久，基辛格即於同月 20 日至 26 日再次訪問北京，為尼克松訪問做準備。基辛格在北京的最後一天，第 26 屆聯合國大會通過決議，恢復中華人民共和國在聯合國的一切合法權利，立即從聯合國的一切機構中驅逐台灣蔣介石集團的代表。蔣介石對此雖然早有思想準備，但是事到臨頭，蔣介石還是有“晴天霹靂”之感。

1972 年 1 月，尼克松連任美國第 47 屆總統，和台灣的關係進一步冷淡，相反，和中華人民共和國的關係卻進一步熱絡。2 月 21 日至 28 日，尼克松應邀訪問北京，美國國務卿羅傑斯、國家安全事務顧問基辛格隨行。21 日下午，毛澤東會見尼克松。21 日至 26 日，周恩來與尼克松會談，就兩國關係正常化及國際局勢等廣泛問題交換意見。28 日，在上海發表《聯合公報》。

這一連串的事件對蔣介石來說自然是極為沉重的打擊。除了在日記中稱尼克松為“尼丑”，指責他“出賣中華民國”以外，他不得不思考原因何在。

五、蔣介石怪罪孔令侃與宋美齡

尼克松外交政策的轉變自有其國際和國內的深刻原因，但是，蔣介石卻想得很簡單，認為其原因出在孔令侃和宋美齡身上。1971 年 12 月 25 日，蔣介石日記云："此次尼丑對華政策之惡化，其咎當在令侃，而夫人仍信其言，幸得改正為慰。"可見，蔣介石將尼克松對華政策的變化視為孔令侃之"咎"和宋美齡的"信其言"。"幸得改正為慰"。宋美齡很喜歡孔令侃，信任孔令侃，聽孔的話。大概這時候宋美齡不大聽了，所以蔣介石感到欣慰。

孔令侃和宋美齡與尼克松外交政策的轉變何干？查 1971 年 12 月 14 日蔣介石日記云：

> 尼丑未當選以前，來台北相訪，彼滿懷我協助其選舉資本，應〔因〕其未先提，而我亦未提也。此等政客，成事不足，敗事有餘，此乃吾妻專聽令侃一面之詞所致。今國患至此，令侃之罪不小也。

尼克松於 1946 年當選為美國眾議院共和黨議員，步入政界。1952 年，作為艾森豪威爾的夥伴，當選為美國副總統。1956 年再度當選為副總統。1959 年，與約翰．肯尼迪競選總統，以微弱票差被擊敗。失敗後，尼克松先後在洛杉磯和紐約做律師。1967 年 4 月，尼克松訪問台灣，於同月 10 日會見蔣介石。當時，台灣國民黨當局已因經濟起飛而有錢，尼克松此行的目的是企圖從蔣介石手中得到資助，以便第二年再次參加總統競選。會談中，尼克松未開口要錢，蔣介石也就裝糊塗，不肯掏錢。

蔣介石何以不肯掏錢呢？從上引蔣介石日記可知，是孔令侃的主意，孔令侃影響了宋美齡，宋美齡又影響了蔣介石。結果，尼克松空手而歸。

關於 1967 年蔣、尼會見的情況，蔣介石 1971 年 9 月 28 日日記也有記載：

> 尼丑昔年在慈湖晤談時，視為其可厭之政客，以輕薄待之，並未允其助選。

從這則日記中可以看出，蔣介石當時不僅沒有答應資助尼克松競選總統，而且對他持輕視、鄙薄態度。

在仕途上蔣介石不看好尼克松，然而事情卻出乎蔣介石的意料。第二年，尼克松在競選中獲勝，入主白宮。“此等政客，成事不足，敗事有餘”，蔣介石認為尼克松之所以疏遠台北，親近北京，其原因在於報復 1967 年台灣之行“空手而歸”之恨。

蔣介石稱尼克松為“政客”，這一點可能並沒有說錯，但是視其為心胸狹隘、瑕疵必報的“小人”，則是把尼克松看錯了，把美國對華政策的改變視為尼克松的個人恩怨所致，就更錯了。

六、蔣、宋和好，日記輟筆

蔣介石搬上陽明山之後，“獨居”到 6 月 19 日，宋美齡也搬來“同住”。6 月 27 日，蔣介石日記云：“夜與妻月下閒談。”7 月 3 日日記云：“與妻車遊。”7 月 14 日再記云：“與妻車遊。” 7 月 20 日又記云：“與妻車遊山下一匝。” 據台灣作者王豐記載：

> 每天下午四五點鐘，照例這是蔣介石、宋美齡伉儷坐車兜風的時間，蔣先生用過午茶和點心，通常會主動去找宋美齡，問她：“噠（darling）！你要不要去‘車車’啊？”

“車車”，意為兜風。上引日記顯示出，蔣、宋二人已經重歸於好。但是對孔令侃卻始終未有原諒之詞。

7 月 21 日，蔣介石日記云：“近日體力疲倦，心神時覺不支。” 當日在日記中寫下“行政院人事擬案”，下書“副院長，謝東閔”。從字跡看，已非蔣介石親筆。可見他已經病得提不起筆來了。

謝東閔，（1908 年—2001 年），台灣彰化人。因不滿日本殖民統治，於 1925 年離開台灣，到上海求學。畢業於廣州中山大學政治系。抗戰期間，參與籌備國民黨台灣省黨部，並在福建從事抗日活動。抗戰勝利後返台，任高雄首任縣長，後曾任台灣省副議長、議長等職。傳說，1972 年初，宋美齡曾勸蔣介石任命孔令侃為“行政院”院長，被蔣介石堅決拒絕，宋美齡不以為然地說：

“不給令侃做院長，那末副院長總可以給他做吧？”蔣介石仍然不同意，宋美齡抗爭說：“令侃做了那麼多對國家有利的事情，難道他的能力不夠資格做個副院長，不夠資格做部長？就算你決意讓經國做院長，也該安排令侃當個副院長！”蔣介石在自己已經提不了筆的情況下，特別命人在自己的日記中寫下“副院長，謝東閔”幾個字，一方面固然是為了任用台灣本地人才，但是否也具有抵制宋美齡推薦孔令侃的意思呢？

7月22日中午，蔣介石突發高燒，確診為肺炎，從這一天開始，無法再寫日記。

附錄

蔣介石日記的現狀及其真實性問題

一、日記現狀

根據現有資料，蔣介石的日記約始於 1915 年，28 歲，止於 1972 年 7 月，85 歲，距離去世只有 3 年。這一年，蔣介石手肌萎縮，不能執筆，因此停止了長達 57 年的日記。蔣的這 57 年日記，遺失 4 年。其中 1915、1916、1917 三年，遺失於 1918 年底的福建永泰戰役。當時，蔣介石遭北軍襲擊，孤身逃出，日記、書籍大部失落。現在能見到的 1915 年日記僅存 13 天，為蔣當年在山東任討袁軍參謀長時所記。所稱 1917 年日記實際是蔣自撰的回憶，題為《中華民國六年前事略》，回憶自童年至 1917 年的個人歷史，並非日記。1924 年的日記則可能遺失於黃埔軍校時期，毛思誠在編《蔣介石日記類抄》時就未能見到。因此，蔣介石日記現存 53 年，共 54 冊。在中國以至世界政治家中，有這麼長時段的日記存世，這種情況大概極少。

蔣介石日記原由蔣本人保管。蔣去世後，由蔣的孫子蔣孝勇保管。孝勇去世後由其夫人蔣方智怡女士保管。2004 年經胡佛研究所研究員郭岱君女士動員，決定寄存於斯坦福大學胡佛研究所，時間為 50 年。胡佛研究所的資深研究員馬若孟親自去加拿大蔣宅，將這批日記攜到美國。

胡佛研究所接受這批日記後，即投入力量保護、整修。蔣介石日記的保存情況並不很好。若干部分已經霉爛、損毀。胡佛研究所用現代科技進行攝影、復原，製作複本。宋氏家族的曹琍璿女士和秦孝儀先生的高足潘邦正先生受蔣家委託對日記進行初讀，對涉及個人隱私的少量內容進行技術處理。2006 年 3 月向公眾開放 1918 至 1931 年部分。2007 年 4 月又開放至 1945 年，其餘部分將陸續開放。其少量技術處理部分將在 30 年後全部恢復原狀。

蔣介石日記有手稿本、仿抄本和類抄本、選錄本等幾種類型。胡佛研究所開放的蔣介石日記全部由蔣介石親筆書寫，可以稱為手稿本或原稿本。蔣從早年起，即陸續命人照日記原樣抄錄副本。由於這種本子從內容到格式和手稿本都一模一樣，因此可以稱為仿抄本。這種仿抄本，大陸保存 1933 年（僅 1—

2兩個月）、1934年2冊。胡佛研究所保存47冊，自1920年至1970年，中缺1924、1948、1949、1971各年。

蔣介石一生崇拜曾國藩，在很多地方都模仿曾。曾國藩有日記，有別人替他編輯的《曾文正公日記類抄》。上世紀二十年代至三十年代，蔣介石陸續將自己的日記、來往函電、文稿等許多資料交給他的老師和秘書毛思誠保管。毛即利用這批資料編輯長編性著作《民國十五年以前之蔣介石先生》。同時，毛思誠模仿《曾文正公日記類抄》的體例，將蔣的日記分類摘抄，計有黨政、軍務、學行、文事、雜組、旅遊、家庭、身體、氣象等十餘種，統名為《蔣介石日記類抄》。我稱之為"類抄本"。毛的做法是首先摘抄蔣的日記原文，然後加以文字潤色，一般不改變蔣的原意。毛編完《民國十五年以前之蔣介石先生》一書後，《類抄》和少數蔣日記的仿抄本以及其他函電、文稿等就一直保存在寧波家中。中華人民共和國成立後，毛氏後人將這批資料藏在夾牆裏。"文革"中，紅衛兵砸破牆壁，發現這批資料，逐級上報，一直送到公安部。公安部撥交南京中國第二歷史檔案館保存。"文革"後，毛氏後人將這批資料捐獻給國家。

抗戰時期，蔣介石命奉化同鄉王宇高、王宇正繼續按分類原則摘抄自己的日記，分《困勉記》、《省克記》、《學記》、《愛記》、《遊記》五種。《困勉記》記錄蔣在艱難困勉中勉力奮鬥的事跡。《省克記》記錄蔣的自衛反省和克己修身。《學記》記錄蔣的讀書心得。《愛記》記蔣的人際關係和對同事的看法。《遊記》記蔣的遊歷。主要資料來自蔣的日記，但編者也偶採日記之外的資料，並且用第三人稱的口吻記述，和毛思誠的《蔣介石日記類抄》並不完全相同。不過，編者基本上忠實於日記。編者所述和日記摘抄常用"公曰"分隔，"公曰"以下的內容一般抄自日記，因此可以大體歸入"類抄本"。不過這五種本子的文字都較日記簡括，也有編者潤飾、修改之處。它們都經過蔣介石本人審閱，有些日記所無的內容則是蔣本人所增。

蔣介石在命人編輯《困勉記》等五書之外，又命同鄉孫詒等編輯《事略稿本》。這是年譜長編性的著作。全稿按年、按月、按日收錄、排比與蔣的生平有關的各種資料，如文告、函電等，其中也大量摘錄蔣的日記。該書上接毛思誠編《民國十五年以前之蔣介石先生》，自 1927 年始，止於 1949 年。同樣，它對蔣的日記有刪選，有壓縮，有加工。特別應該指出的是，編者為了維護蔣的形象，對蔣日記中的部分內容有所諱飾。學者使用時須當心。

《困勉記》等五種稿本現藏於台北國史館。《事略稿本》也藏於該館，近年來陸續刊行。不過，由於該稿卷帙龐大，刊行速度較慢，全部出版恐尚須時日。

秦孝儀主編的《蔣公"總統"大事長編初稿》可以視為《事略稿本》的簡本。其中所引蔣的日記未作說明，也有修飾，少數地方甚至面目全非。該書印數很少，屬於內部資料性質。由於該書僅編至 1949 年，近年來，台灣學者劉維開等正在續編，已出 1950、1951、1952 三冊。

二十世紀五十年代，日本產經新聞社以日文出版了《蔣"總統"秘錄》。為幫助該社編輯此書，台灣中國國民黨黨史會派專人摘抄、提供了包括蔣介石日記在內大量文獻，因此該書在敘述蔣介石生平時曾部分引錄蔣的日記。後來美國學者黃仁宇寫作《從大歷史的角度讀蔣介石日記》一書，即根據《秘錄》和《長編》。此後海內外學者研究蔣介石的著作，所引日記不少出於此書。其實，黃仁宇本人並未讀過任何真正意義上的蔣的日記。

《民國十五年以前之蔣介石先生》、《事略稿本》、《蔣公"總統"大事長編初稿》、《蔣"總統"秘錄》等書不以公佈蔣的日記為目的，其主體部分也不是蔣的日記。勉強分類，只能稱之為蔣的日記的"選錄本"。至於 2007 年初北京團結出版社出版的張秀章編著的《蔣介石日記揭秘》則是一本偽書，筆者已有兩文揭露，此處不贅。

二、真實性問題

日記記錄本人當日親歷、親見之事或個人所為、所思，不僅比較準確，而且私密度很高，歷來為史家所重視。但是，蔣介石長期被視為"壞人"、"惡人"，他的日記可靠嗎？我在研究蔣介石的過程中，常常碰到這樣的問題。

日記有兩種。一種是主要為寫給別人看的，這種日記往往裝腔作勢，把真實的自我包裹起來。例如閻錫山的《感想日記》，滿篇都是《論語》式的格言，一望而知是教人如何成聖成賢的，沒有多大價值。一種是主要為寫給自己看的。此類日記目的在於自用，而不在於示人傳世，其記事抒情，或為備忘，或為安排工作與生活，或為道德修養，或為總結人世經驗，或為自我宣泄，往往具有比較高的真實性。蔣的日記大體屬於此類。

蔣雖然很早就投身革命，但是辛亥前後生活一直比較荒唐，我曾稱之為上海洋場的浮浪子弟。1913 年，“二次革命”失敗，蔣介石亡命日本東京，受孫中山之命，加入中華革命黨，同時盡力讀書，在這一年讀完曾國藩全集，受到影響。1916 年，他的引路人陳其美被袁世凱派人暗殺。這件事給了蔣介石以極大刺激。“自矢立品立學，以繼續英士革命事業自任。”[1] 他決心從此改邪向善，立志修身，每日靜坐、反思，按儒學要求克己復禮。此後的一段日記應該比較真實。其後，蔣介石在國民黨中的位置日益重要。他繼續用儒學，特別是宋明道學的要求來約束自己，“存天理，去人欲”，日記成為他個人修身的記錄與工具。他修身的願望是真誠的，日記自然也是真實的。此後，他的日記逐漸增添新的內容，即每日生活、工作、思想的記錄，治兵、治國和處理人際關係的經驗總結等。蔣每日、每週、每月、每年常有反思，他的日記也就相應成為反思的工具和記錄。這一段時期，蔣介石還不會想到他將來會成為國民黨和中華民國的要人，他的日記會長期流傳，成為歷史學的研究資料，因此，沒有必要在日記中矯飾作假。等到他地位日隆、權勢日重之後，他自然明白其日記的重要，但是，由於他繼續通過日記記錄每日工作、思想、心得，安排工作日程、計劃，提醒應注意事項，並繼續用以治心修身，是為自用，而非用以示人，因此，一般會如實記錄，而不會有意作假，自己騙自己。例如，他抗戰期間的日記一般分幾個部分：1. 提要，記當日主要事件或主要心得；2. 預定，記一二日內應做之事；3. 注意，記對國內外形勢的思考；4. 記事，記一日所做主要之事；5. 上星期反省錄；6. 本星期預定工作綱目；7. 本月反省錄；8. 本月大事表。等等。假如蔣在這些項目中造假，等於是給自己造成混亂。

說蔣記日記一般會“如實記錄”，並不等於說蔣在日記中什麼重要的事情都記。有些事，他是“諱莫如深”的。例如 1927 年的“四一二”政變，顯係蔣和

1 《蔣介石自述革命思想之起源》，《蔣介石日記》，1929 年 8 月 31 日。

桂系李宗仁、白崇禧精密謀劃之舉，但日記對此卻幾乎全無記載。蔣自己就說過，有些事情是不能記的。可見，蔣記日記有選擇性。同時，他的日記只反映他個人的觀點和立場，自然，世界常常被他扭曲。有些事和人，常常被他扭曲得完全走形，不成樣子。因此，只能說，蔣的日記有相當的真實性，但是，真實不等於正確，也不等於全面。

蔣的日記，主要為自用，而非主要為示人、為公佈。這一點，可以從以下三點得到證明。

一、蔣身前從未公佈過自己的日記，也從未利用日記進行自我吹噓、美化。當然，他會想到身後立傳，使自己的事跡流傳的需要，這一功能主要由《事略稿本》一類著作完成。蔣一般會選擇自己的同鄉或親信進行編輯，這些人自然會本著"為尊者諱"的原則，刪削或修改部分內容，而蔣本人也會逐本校閱，嚴格把關。

二、蔣喜歡罵人。在日記中，蔣罵過許多人，好友如戴季陶、黃郛，親屬如宋子文、孔祥熙，同僚如胡漢民、孫科、李宗仁、白崇禧、何應欽，下屬如周至柔等，幾乎沒有人不被他罵，而且罵得非常狠。蔣如果考慮到要示人、要公佈，他就不會在日記中那樣無所顧忌地罵人。

三、在日記中，蔣寫了自己的許多隱私，例如早年搞"三陪"，在"天理"和"人欲"之間的艱難掙扎，甚至為解決生理需求而進行"自慰"等。此類事，蔣在日記中都如實記錄，顯然，記這些，決不是為了示人，更不是為了樹立自己的高大與神聖形象。

2005年我在胡佛研究所閱讀蔣介石日記時，新華社記者要求我簡明扼要地對蔣介石"定性"，我曾說過三句話：一、在近代中國歷史上，蔣介石是個很重要的人物。二、在近代中國歷史上，蔣介石是個很複雜的人物。三、有功有過。既有大功，又有大過。我至今仍堅持這樣的看法。由於如此，蔣的日記對於我們認識蔣的本相，研究中國近現代的歷史有很大的意義。不看，會是很大的損失，但是，看了，什麼都相信，也會上當。

蔣介石是個什麼樣的人[1]

一、研究蔣介石與國民黨很重要

蔣介石有好多頭銜。頭銜之一叫蔣總裁，總裁相當於總書記，就是說蔣介石曾經是國民黨的領袖。頭銜之二是蔣委員長，就是說他曾經擔任過國民政府的軍事委員會的委員長，他是軍事上的最高統帥。頭銜之三、之四是蔣主席、蔣總統，就是說他曾經擔任過國民政府主席和中華民國的總統。將總裁、委員長、主席、總統這四個頭銜加起來，說明蔣介石曾經將黨權、軍權、政權都集中在他一個人身上，他是當時中國的一把手，因此他的地位非常重要。

對於這麼一個人，多年來國共兩黨對他的評價懸殊很大，國民黨稱蔣介石是"千古一人"，就是中國一千年才出一個，是中國的救星，甚至說他是世界的救星。中國共產黨在很長一段時間把蔣介石罵為蔣匪，罵為"蔣光頭"、"蔣該死"，罵為人民公敵。同樣一個毛澤東在不同時期裏面，對蔣介石也有完全不同的評價。

1938 年抗日戰爭剛剛開始的時候，毛澤東在延安，在中共中央的六屆六中全會上做報告說國民黨歷史上有兩個偉大領袖，第一個是孫中山，第二個就是蔣介石。所以 1938 年毛澤東稱蔣介石是偉大領袖，是最高統帥。但是到了 1945 年抗戰剛剛結束，毛澤東就稱蔣介石是人民公敵。沒幾天，毛澤東到重慶開會，又在重慶的會議上高喊蔣委員長萬歲，所以同樣一個毛澤東，在不同時期裏面，對蔣介石也有完全不同的評價。蔣介石是 1975 年在台灣去世的，中國有句古話叫蓋棺論定，蔣介石去世幾十年了，棺雖蓋但是不能論定。當前在我們中國的老百姓裏面，對蔣介石還是有兩種完全相反的評價。

2002 年我在北京的社會科學文獻出版社出版了一本研究蔣介石的著作叫《蔣氏秘檔與蔣介石真相》。那是根據蔣介石秘密收藏的檔案來研究蔣介石的生平的。書出版以後，有人寫信給胡錦濤，說蔣介石是什麼人？蔣介石是頭號戰犯、民族敗類、千古罪人，說現在中國社會科學院的研究員楊天石居然吹捧蔣

1 本文錄自《找尋真實的蔣介石：還原 13 個歷史真相》，九州出版社 2014 年版。

介石是民族英雄，說如果蔣介石是民族英雄，那麼我們這些人是什麼呢？這封信是用什麼名義寫的呢？是以一批老紅軍、老八路軍、老新四軍、老解放軍戰士的名義寫的。這封信說，如果蔣介石是民族英雄，我們這些老革命是什麼，我們豈不成了反革命了嗎？他們就提出來要求中共中央嚴肅調查這件事情，並且嚴肅地處理。

當然我的這本書裏，根本沒有"民族英雄"這四個字，最後有關領導審查了我的書，認為沒有問題，所以我才能有機會到這裏來繼續做我的報告。那麼研究蔣介石、評價蔣介石有什麼樣的意義呢？我認為至少有兩點意義，第一是提高中國近代史的科學水準，我們作為老百姓都希望了解中國過去的歷史，都希望了解的歷史是真實的，是科學的，是不講謊話的歷史。可是我們過去的歷史講到國民黨，講到蔣介石時，應該承認是講了不少謊話，不少違背歷史真實的話。

例如講到抗戰，我們很熟悉的八個字就是國民黨、蔣介石"消極抗戰，積極反共"，我想這個大家都熟悉。我們還熟悉毛澤東有名的一篇文章，他有個有名的比喻說，抗戰期間蔣介石躲到四川的峨嵋山上去了，他沒有澆水，沒有栽樹，現在抗戰勝利了，蔣介石從峨嵋山上走下來，把手伸得老長老長的要摘桃子了。毛澤東的意思就是說蔣介石沒抗戰，那麼這樣的歷史顯然是不科學的。我建議大家，如果有機會的話，到盧溝橋的抗戰紀念館看一看。你找一找抗戰紀念館裏面，講到國民黨，講到蔣介石，還有沒有"消極抗戰，積極反共"這八個字，沒有。在原來"消極抗戰，積極反共"的地方，現在換了另外八個字，叫"正面戰場，繼續作戰"。這就說明我們現在講抗戰的歷史，比以前進步了。我們今天來研究蔣介石，研究國民黨的目的就是要提高近代史的科學水準，要講真話，要把歷史的本來面目正確地告訴老百姓。

第二個理由就是要發展兩岸的和平關係，最終完成民族和國家的統一，我講一正一反兩個例子，2005 年抗戰勝利 60 週年紀念，我們大陸做了一個很勇敢也是很正確的決定，邀請台灣和海外的抗日有功將領回大陸參加紀念抗戰勝利的活動。我們將邀請書發給其中的一個人叫郝柏村，郝柏村當年是抗日將領，1949 年以後他在台灣當過"國防部長"，當過"行政院長"，他的兒子郝龍斌現在是台北市的市長。我們給郝柏村發了一封信，邀請他回大陸來參加紀念抗戰的活動。郝柏村回信表示不準備參加。本來回來不回來，參加不參加，是郝柏村的自由，他可以不來。我們的宣傳機構覺得下不來台，發了一個消息說，郝柏村因為身體不好，所以他不能夠回大陸來參加紀念抗戰勝利的活動。我們不發這個消息還可以，我們一發這個消息郝柏村生氣了，他第二天就在報紙上發表聲明說，“我為什麼不回大陸去參加抗戰紀念活動呢？是因為我覺得大陸抗戰的宣傳有片面性，所以我不去。”

過了大概一個月，胡錦濤在人民大會堂做紀念抗戰勝利的報告，其中有一段話是這麼講的，說抗戰八年中，中國國民黨和中國共產黨領導的抗日部隊，分別承擔了正面戰場和敵後戰場的作戰任務，共同構成了對敵鬥爭的態勢。胡錦濤的這段話是以前中共中央領導人從來沒有講過的。第一說當時抗戰有兩個戰場，一個是正面戰場，一個是敵後戰場，這兩個戰場共同構成了和日本作戰的戰場。這兩個戰場是兩個黨分別領導的。這還不是最主要之點，最主要之點在於胡錦濤把哪一個黨放在前面講，按照我們通常的想法，胡錦濤一定會這麼講，中國共產黨和中國國民黨領導的抗戰部隊，但是胡錦濤不是這樣講的，他是把國民黨放在前面，是中國國民黨和中國共產黨領導的抗日部隊，國民黨在前面。這以前中共中央的領導人沒有誰這麼講過。在胡錦濤講話之後，台北舉行紀念抗日戰爭勝利 60 週年和台灣光復 60 週年的討論會，我作為大陸學者去參加。吃完午飯以後，我們大家在休息，突然馬英九來了，馬英九來了以後，他就主動走到主席台上，發表了一個大約 15 分鐘的講話，他的第一句話就是，我告訴大家一個好消息，現在連北京的胡錦濤總書記也承認我們國民黨領導抗戰的功勞了。

馬英九接著說，現在關於台灣的地位，有一種說法叫地位未定，台灣是哪個國家的？地位沒有確定，馬英九說不對，台灣的地位在開羅會議上早就確定了，台灣是中國領土的一部分。所以剛才我講的是一正一反的兩個例子。我們請郝柏村來他不來，他覺得我們對於抗戰的宣傳有片面性。當胡錦濤肯定了國民黨領導抗戰的功勞以後，馬英九作為一個好消息向台灣的老百姓，向台灣的學者做報告。是我們片面性的宣傳，甚至於是欺騙性的宣傳，有利於兩岸和平關係的建立呢，還是我們講實話，講真話，有利於兩岸的和平關係的建立呢？顯然是胡錦濤同志的做法。

所以我說時代已經變了，當年我們的口號是“打倒蔣介石，解放全中國”，在那個情況底下，我們對蔣介石，對國民黨做了一個評價。現在已經發展到兩岸和解，共產黨和國民黨兩黨和解的新時期，所以在去年，在人民大會堂紀念辛亥革命的時候，胡錦濤又講了兩句話，講“終結兩岸對立，撫平歷史創傷”。過去兩岸是互相對立，互相仇視，這種情況結束了，要開闢一個新時期了。溫家寶也提出來，要“捐棄前嫌”，說國民黨和共產黨是兄弟，雖然彼此有矛盾，有一點小小的怨憤，有矛盾，有冤仇，但是還是好的親戚，還是一家人。這個是我講的第一點，就是我們正確的評價蔣介石的意義。

二、蔣日記是他自我鬥爭、克己鬥私的記錄

第二點我想講蔣介石日記的狀況，很多讀者都知道蔣介石有記日記的習慣，他的日記從 1915 年開始，一直記到 1972 年，一共是 57 年。57 年日記丟掉了 4 年，現在還保存下來是 53 年的日記。從保存下來的日記看，蔣介石是用毛筆寫的，而且每天寫。住院了他要寫一句話“因病不能記事”，不能寫日記。蔣介石晚年得了手肌萎縮症，手發抖，在這個情況下他要寫上“手抖不能記事”。蔣介石這個人，儘管有這樣那樣的缺點，這樣那樣的問題，但是他有個優點我稱之為堅毅有恆。很多人都記日記，但是像蔣介石這樣連續寫日記，57 年每天不斷，這是他堅毅有恆的表現。蔣介石為什麼記日記呢？一個是學習曾國藩，曾國藩每天記日記，所以蔣介石也每天記日記。為什麼記日記？一個是為了個人的道德修養，蔣介石給自己定下的目標，他要做古往今來的第一聖賢豪傑，要做中華民國的模範。所以蔣記日記的第一個目標是為了進行個人的道德修養。第二個目的是記錄工作，指導工作。第三是自我反省，總結經驗。

我們在座年齡大的朋友可能都記得，文革期間林彪曾經提出來要鬥私批修，要在靈魂深處爆發革命。我覺得蔣介石的日記目的之一，他是通過日記來鬥私，跟他自己進行鬥爭，但是沒有批修的問題。所以蔣介石日記實際上是一個自我反省的日記，每週蔣介石要寫本週反省日記，每月蔣介石要寫本月反省

日記，到了一年終結了，蔣介石還要寫上幾千字甚至於幾萬字的本年反省日記。所以他記日記的目的之一是自我反省。

第二個原因是革命需要，蔣介石當年參加革命的引路人是陳其美。陳其美介紹蔣介石參加同盟會，介紹蔣介石會見孫中山，所以我說陳其美這個人是蔣介石參加革命的一個引路人。1916 年，陳其美被袁世凱派人暗殺，蔣介石很悲傷。自此蔣介石下決心，立志要提高自己的道德修養，提高自己的人品，立學立志做學問，來繼續英士的革命事業，英士就是陳其美，所以他從此改邪向善，立志修身，每天靜坐反思，按儒學來要求自己。

蔣介石年輕的時候由於家教不好，交的朋友，說句老實話，都是狐群狗黨，因此生活比較放蕩。但是從 1916 年開始，他為了繼承陳其美的革命事業，下決心要把那些壞毛病改掉，他記日記就是為了改變自己的壞毛病，做一個革命者。

蔣介石日記現在人們都可以看到，從 2006 年開始，美國的胡佛檔案館分四批向全世界公佈了蔣的日記，每一個外國人憑護照可以閱覽，每一個中國人憑中華人民共和國的護照都可以閱覽。本來這個日記兩年以前就準備出版，但是後來蔣家的後人發生矛盾，所以這個出版計劃停止了。但是我相信過幾年這個日記還是會出版，大家都有機會看到。

有讀者可能會問蔣介石日記的真實性怎麼樣？如果蔣介石在日記裏面講假話，說謊，我們豈不是受騙上當了？我的看法：第一，蔣介石日記記自己的私人生活，例如 1919 年 5 月 8 號，蔣介石到香港，他就說："見色起意，記過一次"，就是說，他看到一個女孩子，這個女孩子很漂亮，起意了，動心了。怎麼樣呢？記過一次。蔣介石有個女朋友叫介眉，這個介眉想嫁給蔣介石，蔣介石說"不忘介眉"，如果我不把介眉這個女孩子忘掉的話，我憑什麼來立志，憑什麼來立業。他說："欲立品，先戒色。"今天我邪心勃發，但是還好，我沒墮落。說"見姝心動"，"姝"也是漂亮的女孩子，這心理可醜，"遇豔心不正"，豔也是漂亮的女孩子，碰到一個漂亮的女孩子有不正的念頭，記過一次，所以這些都是蔣介石自我鬥爭、克己鬥私的記錄。

第二，記罵人的情況，大家都知道，蔣介石喜歡罵人，例如他罵胡漢民是胡賊，不知道廉恥，壞蛋裏的壞蛋，厚顏無恥之極，說他利令智昏，“禽獸之肉，不足食也”。不足，是不配讓我吃他的肉。孫科是孫中山的少爺，蔣介石在日記罵他不肖，總理之一生為其所賣，不僅賣黨，而且賣國。說他庸暗、愚蠢、糊塗、狂妄、是非不明，是阿斗一流人物。宋子文是蔣介石的小舅子，蔣介石罵他狡猾、驕橫跋扈，絕不可用，說他是罪魁禍首。孔祥熙是蔣介石的親戚，蔣介石罵他可恥之至。桂系的李宗仁、白崇禧，蔣介石罵他們兩個無恥。國民黨裏面還有一個管空軍的，空軍總司令叫周志柔，蔣介石罵他，說槍斃 10 次都不夠。

蔣介石日記裏面，幾乎所有人，他的同事、他的朋友、他的親戚都罵，只有一個人吳稚暉，這個人是國民黨元老，蔣介石不罵。那麼宋美齡他罵不罵？也罵，只不過罵得比較巧妙，比較隱蔽。例如 1972 年 5 月 27 號蔣的日記，說到中興賓館視察，中興賓館在陽明山，蔣介石原來跟宋美齡住在士林官邸，這一天蔣介石搬到陽明山上去了，說最近我的精神苦痛，為什麼呢？因女子與小人為難養也，“女子與小人為難養也”是孔夫子的話，蔣介石把它抄在一個地方，說“獨居自修”，我一個人待著吧，自己修養自己。6 月 12 號又講“切勿近之”，一個是女子，一個是小人不能靠近。這裏的小人指的誰呢？小人指的孔祥熙的兒子孔令侃，女子指的誰呢？女子指的就是宋美齡，所以說蔣介石在日記裏面連宋美齡都罵。

大家想，他既然寫了自己的私人生活，那些見不得人的私心雜念，而且罵了這麼多人，這樣的日記自然是不能公開的。我的看法，他的日記有相當大的真實性，比較可靠。我這樣講，不等於說他的日記沒有缺漏，沒有扭曲的地方。例如 1938 年，汪精衛從重慶偷偷跑到河內，越南的河內，準備從河內到香港，到上海，幹嘛？跟日本人談判，汪精衛對抗戰失去信心，要到香港去跟日本人談判當漢奸。這時候戴笠的一批特務追到河內，在深夜裏翻牆入院，向汪精衛住的房間掃射，但是汪精衛很狡猾，在前一天的晚上，汪精衛和他的秘書換了房間。國民黨的特務掃射的是汪精衛秘書的房間，汪精衛搬了臥室，安然無恙。大家想，汪精衛是國民黨的元老，是國民黨的副總裁、第二號人物。要把這樣一個人物暗殺掉，沒有蔣介石的命令，我想戴笠吃了豹子膽他也不敢。

所以暗殺汪精衛肯定是蔣介石的主意。把汪精衛殺掉，我想我們每一個中國人都覺得是應該的，因為他要投降日本。但是蔣的日記怎麼寫的呢？這麼八個字，“刺汪未中”，刺殺汪精衛沒有刺中，“不幸之幸”。我看這段日記的時候就很奇怪，刺殺汪精衛是好事情，去刺他沒有打中，這是遺憾的事情，但是你看蔣介石說不幸之幸，沒有刺中居然認為是個好事情。蔣介石為什麼這麼寫？我想蔣介石是要塑造自己的崇高的道德形象。蔣介石不贊成汪精衛投降日本，所以給汪精衛出主意，到歐洲去修養。把護照準備好，把美金準備好，勸汪精衛，你別投降日本人，你別跟日本人接觸，你到歐洲去吧。他怎麼會突然派特務去暗殺汪精衛呢？所以他要把自己塑造成道德上的完人，是有意這麼寫的。

我研究蔣介石，得出這麼兩個結論，如果研究近代史不看蔣的日記是很大的損失，但是看了什麼都相信，也會上當。

三、蔣介石學勾踐忍辱精神，對日本採取妥協政策

下面講史料價值，就是蔣介石日記的史料價值怎麼樣？二次世界大戰時，世界上有幾個領導反法西斯戰爭的人物，美國總統羅斯福、英國首相丘吉爾、蘇聯領袖斯大林，這三個世界級的領袖，都沒有日記。在中國共產黨的領袖裏面，毛、劉、周、朱都沒有日記。所以說像蔣介石這樣的人，他能夠留下 53 年日記，這在世界的政治領袖，在中國的政治領袖裏都是唯一的。有日記有什麼好處呢？第一有助於了解他的內心世界。我們看一個政治人物，常常只能看到他公開的方面，他在會場做報告，他寫文章，他從事各種各樣的政治活動，這些公開活動我們能看到，能知道，但是政治人物的內心世界我們看不到。有了日記之後，就可以幫助我們了解他的內心世界，例如在 1931 年東北被日本侵佔以後，國民黨政府採取妥協退讓，甚至於可以說不抵抗政策，這個我們大家都知道。

在“九一八”事變以後，蔣介石、國民黨為什麼對日本採取妥協退讓政策呢？下面這段日記可以作為解答。蔣介石在 1934 年 2 月 15 日的日記裏寫到，古代中國南方有兩個國家，一個是越王，在浙江紹興，另外是吳王，在蘇州，吳國把越國打敗了，越王勾踐成了吳國的俘虜，被帶到蘇州，越王勾踐不甘心

失敗，他想，要報仇，就要回國，回紹興去，首先要取得吳王的信任。正好吳王病了，當時的醫療條件不好，沒有儀器，沒有體溫錶，沒法檢查，勾踐就說我來。幹嘛呢？他就飲溲嚐糞，這個溲就是小便，勾踐就用自己的舌頭去嚐吳王的小便，不僅嚐小便，而且嚐大便，嚐完以後他就向吳王報告，說您沒什麼大病，很快就會恢復健康。吳王很感動，他想這個勾踐原來是我的敵人，被我抓到蘇州來了，他居然嚐我的小便，嚐我的大便。吳王感動之餘，就說你回去吧！我送你回老家。越王回到紹興以後就臥薪嚐膽，最後發憤圖強，把吳王打敗了。

蔣介石是勾踐的同鄉，他就想，當年的勾踐比起今天的我來說，勾踐的耐苦忍辱要超過我好幾倍，所以蔣介石在"九一八"事變以後，為什麼對日本妥協退讓，原因很多，根本的原因是敵強我弱，日本是強國，中國當時是弱國。在這個情況底下，蔣介石學習勾踐，這是他文化上心理上的原因。我們再看一個例子。1941 年 10 月 7 號是蘇聯的十月革命節，這一天，因為當時中國跟蘇聯是同盟國，是共同對日本作戰的，所以蔣介石對於蘇聯很親熱，到蘇聯駐重慶的使館表示祝賀。請蘇聯顧問參加宴會，宴會以後還演戲。這是蔣介石公開的外交活動，從這些公開的外交活動來看，蔣介石對十月革命節，對當時的蘇聯都是一個友好的贊成的態度，對不對？但是蔣介石內心怎麼想呢？他的日記可不是這樣，有這段日記，說俄政府去年以來對我侮辱、蔑視，干涉我內政，掩護共黨，而且在新疆建飛機廠，侵犯我主權，做了許多不好的事情，因此，蔣介石恨蘇聯恨得不得了，說蘇聯是赤色帝國主義，說本來是不能成為朋友的，說這種人不講信義，專制強權。如果僅從蔣介石的外交活動來看，他對蘇聯很友好，對蘇聯的革命節表示慶祝，但是內心裏卻認為蘇聯是帝國主義。更重要的是下面一段，當時的蘇聯很困難，德國的軍隊已經打到莫斯科城下，蘇聯很危險，所以蔣介石說，我國於其被侵失敗之時，不僅不計較既往，而且用道義來回報他，這是我中華"不畏、不侮"（不害怕強權，不欺負弱小）的立國的精神，我不能夠把這種精神丟掉。至於結果怎麼樣，對方怎麼想，能不能感動，這個不是我考慮的。從這一段日記裏，可以比較充分地表現蔣介石在那個時期內心的複雜的思想感情。

四、蔣日記暴露政壇秘密，曾想拘留、審判毛澤東

第二，有助於了解政壇秘密。我只講一件事情，1945 年重慶談判，抗戰勝利了，蔣介石邀請毛澤東到重慶談判。毛澤東開始不去，蔣介石打了三次電報，毛澤東從延安到了重慶。毛澤東到了重慶以後，蔣介石最初確定的方針誠懇、忍耐，蔣介石說，毛既然來了，我要誠懇地接待他，毛會提出許多條件的，我要忍耐。過了幾天，蔣介石發現毛澤東代表中共提出的條件很高，所以很生氣，下決心要把毛澤東扣留在重慶，而且要審判毛澤東。但是又過了幾天，蔣介石想來想去，毛澤東是我請來的，美國人、蘇聯人做了保證，我把他扣留在重慶恐怕要出漏子。蔣這麼想之後，他又決定改變方針，當時抗戰勝利，國民黨給抗戰有功人員頒發抗日戰爭勝利勳章，蔣介石把毛澤東列在接受抗日戰爭勝利勳章的名單裏。禮送，要把他送回延安，所以後來是國民黨的張治中把毛澤東從重慶送回延安。在重慶談判期間，蔣介石曾經想拘留、審判毛澤東，這就是政壇秘密，這個秘密不僅蔣介石的左右部下不知道，連宋美齡都不知道，只有他的日記能夠暴露這件事情。

還可以知道許多國際政治的奧秘，例如蔣介石日記有這樣一句話，“派齊浚赴瑞士”，齊浚是國民黨的地下人員，蔣介石把齊浚從重慶派到瑞士去了。為什麼？我們沿著這個線索往前去查的話，就會發現，當時的德國有一批軍人、政府官員、商人想推翻希特勒，要建立一個沒有希特勒的新的德國。蔣介石把齊浚派到瑞士，就是為了聯絡一批德國反對希特勒的人士，支持他們反對希特勒。這樣一個秘密，多年來國際上沒有歷史學家、沒有人知道，我們之所以能夠發現這個秘密，是從他的日記“派齊浚赴瑞士”裏面找到的。

又比如說，1967 年 4 月，尼克松訪問台灣，在同月 10 號會見蔣介石，尼克松為什麼到台灣來？因為他第二年要在美國競選總統，大家知道美國競選總統要花很多很多的錢，那個時候台灣有錢，國民黨有錢。尼克松到台灣來找蔣介石，本來的意思是想從蔣介石那裏拿到一筆競選經費。可是蔣介石沒有給，蔣介石為什麼沒有給呢？他是聽了孔令侃和宋美齡的話沒有給。儘管蔣介石這一年沒有給錢，第二年尼克松選上了，當了美國總統，尼克松當了美國總統以後，派了基辛格到北京來會見周恩來，會見毛澤東，尼克松本人也從美國跑到

北京會見毛澤東。而且美國就跟台灣斷交，跟中華人民共和國建交，蔣介石就在琢磨，本來美國跟台灣關係很好，現在為什麼美國跟我們台灣關係不好了，跑到北京去見毛澤東呢？蔣介石想來想去，覺得就是因為尼克松到這來向我要錢我沒給，所以蔣介石對尼克松恨之入骨，在日記裏不叫他尼克松叫他“尼丑”，小丑。

當然，尼克松改變政策跟大陸友好，不是因為蔣介石沒有給錢，而是決定於美國的內部政策的變化，蔣介石的判斷是錯的，但是尼克松要從蔣介石、從台灣搞競選總統的經費，這個秘密我們也是從蔣的日記裏面才能看出來。

五、蔣介石提醒自己不能當吳三桂與洪承疇

我們講第三個問題，蔣介石是個什麼樣的人？

第一，我認為蔣是一個民族主義者，在他的一生裏，渴望民族振興，儘可能維護國家主權。不能說空話，要拿事實出來證明。1923 年蔣介石被孫中山派到蘇聯去訪問，頭銜是孫逸仙軍事代表團團長。蔣介石為什麼到蘇聯？是想徵求蘇聯的同意，要在蒙古的庫侖，就是今天蒙古人民共和國的首都烏蘭巴托建立一所軍官學校，訓練一支國民黨的軍隊。然後以烏蘭巴托為基地向北京進攻，當時北京是中華民國北洋政府的首都。我講到這裏，大家可能會有個問題。說楊先生你講的不對吧，國民黨的基地在哪裏呢？在廣州，黃埔軍校也是在廣州，蔣介石幹嘛要跑到蘇聯去，跟蘇聯人商量，把庫侖作為軍事基地呢？大家要知道，廣州確實是孫中山的軍事基地，但是廣州這個地方，不是一個理想的軍事基地。為什麼？廣州的旁邊就是香港，當時香港是英國的殖民地。國民黨的軍隊要北伐，英國殖民者完全可通過香港，在你的後方搗亂。

第二，從廣州進攻北京，要經過廣東、湖南、江西、湖北、河南、河北，經過六個省長途跋涉，從廣州到北京的途中要跨過長江，跨過黃河，在北伐軍跨過長江的時候，列強的軍艦完全可以開到武昌的江面，把國民黨的軍隊攔腰斬為兩段，所以說廣州不是一個理想的革命基地。那麼選在庫侖，選在烏蘭巴托呢，大家想，烏蘭巴托和北京之間距離短，不需要長途跋涉，中間沒有長江大河，沒有受到帝國主義軍艦干涉的可能，而且出了蒙古就是張家口，出了張

家口就等於到了北京，所以說把庫倫作為軍事基地，是一個比較好的方案。假定蘇聯同意這個方案的話，我想中國近代史要改寫了，還有沒有黃埔軍校呢？沒有了，只有一個庫倫軍校。還有沒有北伐呢？沒有了，只有南伐，從蒙古往北京打。

蔣介石在日本是學軍事的，他覺得他的這個方案很好，很完美，而且他估計蘇聯一定同意，但是蔣介石沒有想到從十月革命以後，蘇聯就一直把蒙古作為自己的勢力範圍。

所以蘇聯當時的軍事委員會主席托洛茨基跟蔣介石講，你們想從蒙古打北京不行，你們國民黨的腳步絕對不允許踏進蒙古的土地。所以這件事情給了蔣介石很大的刺激，蔣介石後來反蘇原因很多。其中一個原因是蔣介石得出一個結論，蘇聯對中國的邊疆，對於蒙古，對於新疆都有野心。蒙古後來在二戰後雖然獨立了，實際上成了蘇聯的勢力範圍，這個過程大家都知道，不講了。原來新疆的統治者是盛世才，這個盛世才也成了蘇聯的傀儡，抗戰期間蔣介石想辦法把盛世才收服了，而且把盛世才從新疆調到重慶，從新疆的軍閥變成了國民政府的農林部長。消除了新疆成為外蒙古第二個危險。蔣介石有這麼一段日記，我介紹給大家。說蘭州以西，一直到伊犁，直徑 3000 公里的領土全部收復，這是國民政府成立以來最大的成功，這塊土地的面積實在是東北三省土地的幾倍。

所以說，新疆之所以避免成為外蒙古第二，避免成為蘇聯的勢力範圍，這裏面有蔣介石的功績在裏面。我還要講一件事情，就是 1968—1971 年，國民黨、蔣介石在台灣是計劃反攻大陸的。原來蔣介石把反攻大陸的希望寄託在美國人身上。後來發現美國人並不願意跟大陸打仗，蔣介石對美國絕望了。當時中共跟蘇共發生矛盾，蘇聯從原來的中國的朋友，變成了社會帝國主義，所以在這個情況底下，蘇聯開始和台灣的國民黨接近。當時兩條線談判，一條線在墨西哥，談判的一方是蘇聯駐墨西哥大使，談判的另一方是國民黨駐墨西哥“大使”叫陳志平。另外一條線是台灣的“新聞局”局長魏景濛，蘇聯一方是一個叫維克多路易斯的記者。雙方研究什麼呢？研究怎麼樣推翻毛澤東。

蘇聯人跟台灣講，跟蔣經國談，說你不是要反攻大陸嗎？我們蘇聯支持你。反攻大陸你缺錢吧？我們蘇聯可以借錢給你們。說你反攻大陸要武器吧？你開個單子來，我們蘇聯提供給你們。說你們反攻大陸還要基地吧？我們蘇聯在中國邊疆的基地都可以借給國民黨。也就是說在中、蘇關係惡化以後，蘇聯主動地聯絡台灣的蔣介石集團，要支持台灣反攻大陸。蔣介石擔心蘇聯不懷好意，所以他在日記裏提醒自己說，吳三桂、洪承疇的前車之鑒我要記住，因為當年清兵入關了，是兩個漢人起了作用，一個是吳三桂，一個是洪承疇。蔣介石說我千萬對蘇聯防著點，我不能當吳三桂，也不能當洪承疇。

我們年齡大一點的聽眾可能記得，1969 年那時候，毛澤東提出來要準備打仗，就是要防備蘇聯從北面進攻中國，而且在珍寶島，中、蘇兩國的軍隊打起來了。這本來是國民黨反攻大陸的機會吧？但是蔣介石的日記怎麼寫的？說我政府自當靜觀其內部變化，絕不在此時反攻，以免俄共侵佔中國的華北，來製造另外一個中共的傀儡政權。蔣介石在台灣天天做夢也想反攻大陸，但是一旦蘇聯要幫助蔣介石，蔣介石還是有民族主義的感情。他提醒自己，不能當蘇聯傀儡，不能當吳三桂、洪承疇。

另外跟英國的關係。1943 年同盟國在華盛頓開太平洋會議。會議的主題是討論怎麼樣對付日本。但是英國的丘吉爾突然在會上提出來，聽說你們中國的軍隊正在向西藏進軍，這是不可以的，西藏是一個“獨立的國家”，中國不可以把兵開到西藏去。蔣介石知道以後說，這實在是帝國主義面目的暴露，連流氓、市儈都不幹的，所以蔣介石指示宋子文，要反駁丘吉爾的觀點，指出西藏是中國的領土。

我們過去常講，蔣介石是美帝國主義走狗。下面我引證的是蔣的日記對美國的看法，“美國乃無正義之國”，這是 1951 年 7 月 11 號的日記，說美國非中國之友人，而為中國之主人，如果誰與之合作，與美國人合作，只有被其陷害與犧牲而已。1967 年宋美齡的哥哥宋子文在美國死了，宋美齡想到美國去給他哥哥送葬，蔣介石不贊成，他在日記裏說，美國這個地方，我不願家人常踏，不願我的家人經常到美國去。在台灣的時候，美國還提出來，你如果要反攻大陸的話，我美國可以把原子彈借給你用，前後說了三次，蔣介石都表示拒絕。

前一段時期，為釣魚島這個事情，中國跟日本爭起來了。這個爭論其實在

1970年就開始了。日本多次表示釣魚台是日本的，主權屬於日本。蔣介石的看法呢？說釣魚台是中國的，而且發出這麼八個字的指示，叫"寸土片石"（一塊土地一片石頭），"在所必爭"，所以在釣魚島這個問題上，蔣介石和我們大陸的態度是完全一致的。他是一個民族主義者。

第二點，他是一個改良主義者，蔣介石早年也是個憤青，思想比較左傾，比較革命，他曾經主張解決中國的問題，要把資本家殺光，極左，但是他後來逐漸走向了一條溫和路線。蔣介石剿共多年，那麼他為什麼剿共，為什麼反共，他自己說他跟共產黨有三個分歧。第一個私有制，蔣介石認為，中共是反對私有制，所以蔣介石說我國民黨要保護私有制。第二條是階級鬥爭，蔣介石講說，共產黨是要搞階級鬥爭的，我國民黨反對階級鬥爭，我要搞階級合作。第三條共產黨說，我共產黨代表無產階級的利益，蔣介石講，我要代表全民的利益。這個是蔣介石自己總結的和共產黨的三大分歧。

六、蔣介石企圖以"按揭"方式解決農民土地問題

第一土地問題，我們大家都知道，中共在1927到1937年搞土地革命，口號是六個字，大家都熟悉，叫"打土豪、分田地"。中共多年搞的土改，我們可以概括叫鬥爭土改。就是把地主打倒，農民分地，農民解放。那麼國民黨的土改，蔣介石理想的土改是什麼呢？孫中山的思想是兩句話，第一句話叫耕者有其田，沒有地的農民，少地的農民要有地可種，這是第一句。蔣介石還有一句話，我們很多人都把它給忘了，叫什麼，讓地主也不受損失。就是說孫中山的理想第一是搞和平土改，第二是搞農民和地主都有收穫的雙贏的土改。

蔣介石不贊成階級鬥爭，因此當然不贊成打土豪、分田地這種土改的辦法。蔣介石他所想的是一種和平土改，他的設計是什麼呢？在全國成立土地銀行。你不是沒有地嗎？你向土地銀行借錢，然後分年分月的去歸還銀行。這個就像我們今天買房子叫按揭，你要買房子，這個房子200萬，上百萬你買不起就向銀行借錢，分年分月的去還銀行。蔣介石不是不想讓人民得到土地，而是想建立土地銀行，用這種辦法來解決農民的土地問題。

一個是打土豪、分田地，通過鬥爭的辦法解決農村的土地問題。另外一個

方法是建立土地銀行，用借貸的辦法來解決農民的土地問題。中共的土地改革路線勝利了成功了，而蔣介石的土地改革路線，在大陸時期，始終沒有辦法實行，只有到了台灣他才做了土改。所以在土地問題上，中國共產黨是一條激烈的、鬥爭的土改路線。而國民黨蔣介石他所設想的土改是一種溫和的，讓地主也不受損失的土改路線，這是兩者之間的差別。

另外就是資本，蔣介石的理想是搞社會資本主義。這個社會資本主義，根據蔣介石在日記裏寫的幾條，第一條生產為本，平均分配；第二控制大資本；第三勞資合作。可以看出來，這是一條改良主義的路線，是在保存資本主義的情況底下，改良資本主義。國民黨腐敗是事實，在國民黨裏面，可以說沒有人對國民黨的腐敗的認識，有蔣介石這樣深刻。抗戰期間，蔣介石在重慶辦一個訓練班，第一堂課蔣介石自己上。他不講課，給參加訓練班的國民黨高級幹部發一張問卷調查。調查的第一個問題，要國民黨的幹部回答，為什麼我們國民黨處處比不上共產黨。為什麼現在的大學教授、學生都反對我們國民黨，可見蔣介石對腐敗有認識。而且國民黨蔣介石也想改革。蔣介石有個計劃，他說中國國民黨這個名字要改，怎麼改？加兩個字，中國勞動國民黨。誰有資格參加國民黨呢？第一農民，第二革命軍人，第三是和農民有關係的人。在抗戰的時候，蔣介石就想把國民黨做一個改造，叫勞動國民黨。蔣介石還有一個計劃，要在三年裏派 10 萬個革命幹部下鄉去為農民服務。他提出來軍隊要給農民種地。所以蔣介石有他的改革計劃，但由於舊體制所困，為時代所困，他沒有做到。

第三點蔣介石又是中國傳統文化、基督教義和孫中山思想的崇拜者。“五四”新文化運動時茜期有兩種人，國民黨裏面的像吳稚暉這樣的人，他主張要把所有的線裝書，把中國的古書全部不要，幹嘛呢？把它扔到廁所裏，跟傳統文化完全拋棄割裂，中共的領袖陳獨秀呢？就說現在不是要提倡吸收民族文化的精華嗎？你這個做法就像是從牛糞裏找香水。牛糞裏當然只有臭氣、臭味，沒有什麼精華。所以陳獨秀認為，你要想從傳統文化裏面找精華，等於是從牛糞裏面找香水。這是五四時期或者五四以後，國共兩黨內部的左傾份子對中國傳統文化的一種態度。蔣介石他主張要維護中國的傳統文化，蔣介石一輩子崇拜三個人，一個是浙江的王陽明，另外就是湖南的曾國藩和胡林翼。這三個人都是中國傳統文化的維護者。

1966 年開始，我們有 10 年的“文化大革命”，但是蔣介石在台灣也搞了一個運動，他叫中國文化復興運動。

蔣介石早年學《共產黨宣言》，學日本人研究馬克思《資本論》的著作。開始的時候，蔣介石認為馬克思的《資本論》一類著作太難懂，看了看就不想看了，想拋開。但是他堅持讀下去，久而久之，越讀越有興趣。用他自己的話來說，讀到了不忍把書放開的程度。

蔣介石在 1938 年的時候，在武漢的日記，還寫過這麼一段話語，大家聽一聽，到底像不像蔣介石講的。他說如果一個人不懂得辯證法，不懂得方法論，那麼革命是不會成功的。我有一次做報告的時候，我先唸這麼一段話，我就問下面的聽眾，這個話你們聽是誰講的？下面的聽眾不約而同地講，毛澤東講的，共產黨講的，我告訴他們，這個恰恰是 1938 年蔣介石在武漢領導抗戰時候寫的日記。蔣介石一輩子是辯證法的崇拜者和愛好者，到了台灣，蔣介石都講，辯證法絕對不是共產黨的專利品，所有的國民黨的幹部都應該學習辯證法，所以說蔣介石曾經一度走近馬克思主義，走的很近了。

1923 年蔣介石在蘇聯的時候，共產國際居然動員蔣介石參加共產黨，你們知道這個事嗎？可能沒聽說過，1923 年我講蔣介石訪問蘇聯，共產國際找蔣介石談話。說蔣先生你是不是參加中共？蔣介石怎麼回答的呢？說這個事情太大，我要請示孫先生，他要請示孫中山，所以蔣介石沒有參加中共，我想蔣介石參加中共的話，恐怕中國近代史不是現在這個樣子了。所以我說蔣介石一度走近了馬克思主義，但是最後他還是離開了馬克思主義。為什麼？這就是基督教的影響，就是下面我要講的。

他說基督教講博愛救世，基督教的思想核心是“愛人”，共產黨搞階級鬥爭是主張“恨人”。一個“愛人”，一個“恨人”，蔣介石說，我還是選擇“愛人”吧！選擇“愛人”就選擇了基督教。這是蔣介石最後離開馬克思主義的一個原因。

七、蔣介石思想中幾點可取之處

蔣介石思想中也有一部分可取之處。我講幾點。

第一，蔣介石 1923 年訪問蘇聯時候，就發現蘇聯有一個毛病 —— 排斥異己。他說，我很為蘇聯擔心。在 1923 年的時候，蔣介石就能發現蘇聯專制獨裁的毛病，排除異己，不能夠容忍不同意見。

第二，1923 年，蔣介石在蘇聯的時候，曾經跟共產國際的領袖季諾維也夫辯論。季諾維也夫提醒蔣介石，你們中國革命不單單是沒收外國資本家的財產，你們也要沒收本國資本家的財產。季諾維也夫的意思，就是要中國馬上搞社會主義革命。蔣介石說，我們中國革命要分兩步走。第一步，我們要解決民族獨立和人民民主的問題，第二步才是解決社會主義和共產主義的問題。這場辯論是在 1923 年，應該說，當時蔣主張中國不能夠馬上就搞社會主義革命，不能夠馬上打倒資產階級、消滅資產主義的做法，是對的。

第三就是"為人民服務"的提出，前幾年我在湖南接受一個報社記者的訪問，講過一段話，我說，蔣 1937 年在廬山搞暑期訓練團的時候，對訓練的學員提出兩個要求，第一為國家犧牲，第二為人民服務。我的講話發表以後，有的網民就說毛澤東抄襲蔣介石。後來鳳凰台訪問我，我說這不叫抄襲，無非是大家共同用了這幾個字，我說整篇整段才叫抄襲，用這麼幾個字怎麼叫抄襲。我還舉了一個例子，"實事求是"這四個字，毛澤東講，鄧小平也講，而且認為實事求是是馬克思主義的靈魂。你知道嗎？這個"實事求是"誰最早講的，漢朝的班固。我說你總不能講毛澤東、鄧小平抄襲了漢朝的班固吧！鳳凰台的收視率很高。第二天網上就出現了大量批判我的跟帖。有些網民不關心蔣是不是真講過這幾個字，不去認真分析、研究蔣介石為什麼這麼說，而是不能容忍有人說早幾年。但是，查查蔣介石日記等資料，蔣在 1937 年抗戰爆發之前，在廬山暑期訓練團的辦學方針裏，確實提出過這幾個字。後來，他也多次講過這幾個字。黑紙白字，不能造假嘛。另外講知行關係，蔣堅持"不行不能知"，換句話說，就是不實踐什麼知識都不會有。這和毛澤東講的，你要知道梨子的滋味就得咬上一口是一致的。我說蔣的思想裏頭也有一些可取的東西，不一定一概否定。

八、個人中心主義者與一黨專制主義者

蔣是一個個人中心主義者，蔣認為自己是基督化身，上帝把蔣介石降生在中國，就是讓他救中國。另外蔣介石認為自己是太極，什麼叫太極，太極是中國古代哲學的概念，是宇宙和社會最高的原則和標準。蔣說我就是太極。按照這個邏輯，蔣有三句話，第一，我蔣介石是革命者，對這點蔣介石一輩子不懷疑。第二句話，你反對我蔣介石。第三句，你就是反革命。這種推理方式在邏輯學上叫三段論，蔣當年就是這麼一種理論。這個邏輯是個人中心主義。蔣介石這個人，極端的自我迷信，別人做事情，他都不放心，什麼事情都要自己做他才放心，所以蔣介石除了國民黨的總裁等頭銜之外，一生兼職 82 個，大概很少有人超過他。當年抗戰時候，重慶搞衛生運動，垃圾要堆放在特定的地方。這種事情本來是重慶市長要幹的事情，不行，蔣介石要抓，規定重慶市的垃圾要堆在什麼地方。當時重慶市的女孩子，覺得梳個長頭髮是美，長髮飄飄多麼瀟灑，但是蔣介石規定，女孩子的長頭髮不能夠超過幾寸幾分。國民黨中央一個宣傳部長姓葉，叫葉楚傖，吃飯的時候大概狼吞虎嚥，吃得比較快，蔣介石在日記裏寫什麼呢？說葉部長的吃相太難看，我要提醒他。諸如此類事情，蔣介石有什麼管的必要？沒有必要管。這些小事情管還可以，最糟糕的是，蔣介石在重慶，他要指揮河南的戰鬥。而且把命令直接用電話打到一個連長一個營長那裏去，這種指揮叫遙控，那是軍事學上的大忌。

一黨專制主義者。1926 年蔣介石對蘇聯的鮑羅廷講，他說兩個黨一起革命，最怕的是小黨超過大黨，如果革命不專制的話，這個革命就很難成功。所以在 1926 年蔣就提出來，一個主義一個黨，這是蔣向蘇聯學來的。到了抗戰的時候，美國總統羅斯福派了一個特使叫赫爾利，想調和國民黨和共產黨之間的矛盾。赫爾利親自跑到延安，好不容易把毛澤東說服了，怎麼說服呢，兩黨合作，成立聯合政府，成立聯合軍事委員會，就這個條件。兩個黨別吵了，一塊幹革命吧。我曾經看過這個文件，毛澤東那個地方，毛澤東用毛筆簽了毛澤東三個字。也就是毛澤東同意兩個黨成立聯合政府，成立聯合軍事委員會，旁邊蔣介石那個空著，等著蔣的簽名，但是赫爾利到了重慶之後，給蔣介石彙報，蔣介石拒絕簽字。蔣介石為什麼拒絕簽字呢？在他看來，革命只能有一個黨一

個主義，有兩個黨兩個主義，這個革命一定不能成功，所以我說他是一個一黨專制主義者。

蔣跟美國人講，他說我知道，搞民主是個好事，我如果要搞民主的話，我會像華盛頓、林肯一樣不朽，所以蔣介石有最後要“還政於民”這個終極的理想，但是蔣認為當時實行民主的程度不夠，民主程度不夠而實行民主很危險。所以蔣終其一生是一個一黨專制的人。

蔣介石有許多毛病，但是他又是一個不斷反省的人。其優點是堅毅有恆，奮鬥不止，缺點是好色、暴躁、多疑、孤僻、自戀，就是自己喜歡自己。蔣對自己，對子女應該是要求比較嚴格的。我們到現在還找不到蔣本人貪污的情況。大家看電影《西安事變》，蔣介石面前擺的還不是我這種茶水杯，蔣面前擺的是白開水，蔣一輩子基本上只喝白開水，不喝酒。蔣對子女要求比較嚴，抗戰勝利以後，國民黨的大員從重慶到上海，大家搶五樣東西，房子、車子、票子、條子（金條），還有女子，當時叫“五子登科”。蔣介石的兒子蔣緯國，也趁那個機會搞到一座別墅，蔣經國把情況向蔣介石報告，蔣介石在日記裏面寫了一行字，此子敗壞家風，讓蔣經國通知蔣緯國，馬上把別墅交回去。在台灣時期，蔣介石最喜歡的孫子叫蔣孝文，結婚以後蔣孝文和他的妻子，兩個人向公家借了一輛吉普車，敞篷吉普車，幹嘛呢？到日月潭兜風，這件事蔣介石知道了，在日記裏就寫，說蔣孝文借公家的車到日月潭去兜風，這個是“招搖過市”，馬上讓蔣孝文把汽車交回去。蔣在這些方面對本人、對子女要求都比較嚴。

九、蔣介石的功與過

蔣這個人一輩子有功有過，在我看來蔣介石有七功，第一反清，武昌起義以後，蔣介石胸前掛著一個大炸彈，帶著一百多人的敢死隊去進攻浙江巡撫的衙門，在不到一天的時間裏，把浙江巡撫衙門攻下來。第二，反袁，袁世凱在北京當皇帝，蔣介石在上海、在江蘇發動起義，在山東當討袁軍司令部的參謀長，反對袁世凱。第三，反陳護法，陳是陳炯明，陳炯明把孫中山和宋慶齡逼到廣州珠江上的永豐艦上，蔣介石從浙江千里迢迢趕到廣州，到永豐艦跟孫中山同甘苦共患難，最後把孫中山保護到了上海，而且最後把陳炯明打敗了，這是第三功。第四功就是他出任黃埔軍校校長，給國共兩黨培養了一批軍事幹部。第五是北伐，1926 年至 1928 年，蔣介石在兩三年的時間，打敗了吳佩孚、孫傳芳、張作霖，初步統一了中國。第六功就是領導抗日戰爭。最後一功是堅持世界上只有一個中國，建設台灣。台灣最後成為亞洲四小龍是蔣經國的功勞，但是許多事情是蔣介石生前打下來的基礎。

蔣介石我以為他有三個過錯。

第一個過錯是 1927 年至 1937 年的清黨剿共。第二個過錯是 1946 年至 1949 年的三年內戰。第三個過錯是蔣介石在台灣逮捕了一批共產黨人和無辜的百姓，造成白色恐怖。

在這七個功裏面，我以為他有三個大功，第一個是北伐，用兩年多時間打敗了三大軍閥集團。第二個抗日，蔣介石提出持久戰，他為什麼妥協退讓，主要是中、日兩國國家的力量太懸殊，日本是現代化強國，中國是落後的農業國家，另外蔣介石受到勾踐的影響。1936 年蔣介石和英國人李滋羅斯有個談話，他說我們跟日本人打起來之後，沿海是守不住的，我要從沿海一直後退，後退到四川，我要把四川作為基地，最後聯合世界上的盟國，共同反攻打敗日本。講這個話是 1936 年，抗戰還沒有爆發，後來的歷史發展和蔣介石的估計是一樣的。在抗戰中，國民黨領導了正面戰場，一般的戰鬥是 29000 次，大的戰役是 111 次，大的會戰是 22 次，犧牲的少將以上是 120 人，傷亡是 338 萬，消滅的日軍是 138 萬，佔日軍總數的 70%。過去我們說蔣介石在抗戰期間經常跟日本人秘密談判，想投降日本人，當時的延安也擔心在汪精衛之後，出現蔣精衛，出現張精衛、李精衛，這是沒有根據的。蔣介石在抗戰期間確實跟日本人有談判，但是談判的條件，都是一個，必須中國的領土上沒有一個日本兵，這是蔣介石談判的條件。

有一年日本人為了拉攏蔣介石，開出了一個條件，說只要蔣介石坐到談判桌前面，我們日本人第一不支持汪精衛，第二我們要把汪精衛幹掉，孔祥熙覺得這個條件不錯，動員蔣介石接受，說這個條件太好了，但是蔣介石有一個批示，說誰想利用汪精衛勸我跟日本人談判，“殺無赦”。所以據統計，在抗戰過程裏面，日本人向蔣介石伸出橄欖枝，勸蔣介石談判一共是 12 次，但是每一次都是蔣介石最後拒絕了。

蔣介石在抗戰裏面，還有幾點應該肯定，一個就是對內聯共，就是聯合共產黨一塊抗日。第二對外結成反法西斯戰線。蔣介石在抗戰過程裏面，遭到日本的誘惑，說您要過來，我們就支持您。德國也拉攏蔣介石，說蔣先生您跟我們站在一起，跟我們一起去進攻印度。當時德國人想跟蔣介石訂一個協定，叫中德秘密軍事協定，內容是什麼？德國人從中東去進攻印度，蔣介石從緬甸去進攻印度，讓德國佔領印度，這樣的話，日本這個東方的法西斯和西方的法西斯就在印度洋會師了。日本人派人找到蔣介石的代表，用這個條件來誘惑蔣介石，蔣介石堅決加以拒絕，沒有同意。

蔣介石在抗戰裏邊，還提出一個思想叫解放亞洲被壓迫民族，大家可能有點奇怪，這個話像蔣介石講的嗎，解放亞洲被壓迫民族像共產黨的語言。蔣介石說，什麼叫抗戰勝利，抗戰勝利就是解放亞洲被壓迫民族。宋美齡訪問美國之前，蔣介石交給宋美齡的談話提綱，講的就是要解放亞洲被壓迫民族。韓國從 1910 年辛亥革命之前就成了日本殖民地。蔣介石一直支持韓國的獨立，支持韓國的解放運動。開羅會議上，羅斯福說韓國當日本的殖民地當得太久了，二次大戰結束以後，韓國馬上要獨立，還沒有資格，沒有條件。所以羅斯福提出來，二次大戰結束以後韓國要由四個國家共管，中、美、英、蘇共同管理韓國。蔣介石不贊成，說不行，韓國要馬上讓他獨立，所以韓國的獨立是蔣介石堅持的結果。越南原來是法國的殖民地，法國政府在二戰裏面表現得最糟糕，幾個星期以後，就向希特勒投降了。所以羅斯福對法國政府意見很大，所以在開羅會議上，羅斯福跟蔣介石講，說越南絕對不能夠讓他回到法國的統治，因為法國政府太不像樣了。羅斯福就問蔣介石，說委員長，把越南給你們中國怎麼樣，蔣介石怎麼回答？說越南從來就不是中國的領土，越南二次大戰以後，一定要讓他獨立，羅斯福覺得太奇怪了，我把越南送給你，你中國居然不要，覺得不可理解。開羅會議之後，英國、蘇聯、美國三國在伊朗的德黑蘭開會。羅斯福就跟斯大林講，你說蔣介石怎麼回事，我把越南送給中國，蔣介石都不要，不可理解。斯大林說是，是不可理解。

蔣介石為什麼不要越南？原因就在於他的理想是解放亞洲被壓迫民族，還有一個國家叫暹羅，就是今天的泰國，泰國是一個在二次大戰裏面站錯了隊的國家，他不是跟中國、英國、蘇聯、美國站在一起反法西斯，暹羅跟日本站在一起，定了同盟條約，所以他是戰敗國。對於這個戰敗國，蔣介石主張，說暹羅也要讓他獨立。別人不理解，說蔣先生暹羅可是日本的同盟國，你怎麼還要讓他獨立？蔣介石說你不懂，暹羅的華僑很多，我們要保護華僑。

蔣介石第三大功就是建設台灣，1947 年的時候，蔣介石就有一個理想，他說世界上有兩種國家，一種像美國太霸道，蘇聯太專制，中國要以民生主義立國，要走第三條道路，蔣介石退到台灣以後，他反省在中國大陸的失敗，就失敗在沒有搞民生主義，所以他決定轉變成以建設台灣為中心，蔣介石為台灣做了幾件事情，第一，搞了黨的改造運動，抗戰時期蔣介石要把國民黨改名叫中國勞動國民黨，蔣介石退到台灣所做的第一件事就是黨的改造，要改造國民黨。第二是土地改革，蔣介石在農村搞了土地改革。地主把多餘的土地交出來，台灣政府用“國營公司”股票去交換，這是按照孫中山的理想，就是讓農民得到土地，讓地主也不受損失這個原則來做。另外搞縣市選舉，在選舉過程裏面，台中和台北都出現過非國民黨人選上，而且票數很高。所以台灣的縣市選舉也是在蔣介石時代做起來的。

蔣介石到了台灣以後最大的變化是重視科學，他曾經想把台灣的國民黨改稱科學的、革命的民主政黨，提出要用科學的理論和方法處理各種問題，當我們在搞文化大革命時候，蔣介石在台灣提出 8 個字的口號，叫“科學第一，教育優先”，所以台灣後來經濟起飛，跟蔣介石的基本措施、基本政策有關。

最後一個問題，蔣介石為何丟了大陸？我不詳細講了，提一下，第一是丟掉農民。第二是丟掉了民族資產階級。第三是發動內戰，經濟政策失誤。第四是一黨專政，個人獨裁。第五是腐敗。剛才我講到蔣介石本人不貪污，對子女的要求也還比較嚴格。蔣之所以反腐敗、反貪腐不徹底，最後失敗了。失敗在什麼地方？失敗在對“太子黨”不敢下手。1948 年，蔣介石把蔣經國派到上海去做經濟督察員，法辦奸商。蔣經國到了上海以後雷厲風行，把杜月笙的兒子抓了，把大資本家榮家的大少爺抓了，很有成效，最後杜月笙出來表態說：

你抓我的兒子，我兒子犯法，你怎麼辦我都沒有意見。但是孔祥熙的兒子孔令侃你敢抓嗎？那個時候孔令侃是太子黨，因為是孔祥熙最喜歡的一個兒子，所以杜月笙將他的軍，孔令侃你敢抓嗎？杜月笙這一激，蔣經國就派人把孔令侃公司的倉庫查封，發現了大量的投機倒把物資。問題是孔令侃不僅是孔祥熙的少爺，而且是宋美齡喜歡的孩子，宋美齡沒有生兒生女，所以把孔令侃當成自己的兒子看待。蔣經國把孔令侃的倉庫封了，宋美齡趕快打電話給蔣介石，那個時候蔣介石在北平。說不得了，經國把孔令侃的倉庫封了，還要抓孔令侃，蔣介石就從北平趕到上海，調解這件事情，結果呢？第一，沒有抓孔令侃。不抓孔令侃，孔令侃過了幾天就跑到美國去了，讓孔令侃過了關了，孔令侃過了關，老百姓不幹了，國民黨也不幹了，所以傅作義在北平講什麼話呢？說蔣介石愛美人，愛他老婆宋美齡，愛美人不愛江山，我們還替他賣命幹什麼？因為如果把反腐敗進行下去，把孔令侃法辦了，就不會把老百姓的最後一點希望毀了，現在最後辦到孔令侃頭上，還是把他放了。老百姓對國民黨最後一個希望崩潰了。傅作義後來跟共產黨合併談判。當時的國民黨的黨報《中央日報》就發了社論，說趕快收拾民心，就是說老百姓已經對國民黨失望了，已經絕望了，趕快收拾，但是由於最後打老虎打到太子黨上，蔣介石受到宋美齡的影響，沒有下手，這個是把老百姓最後希望給拋掉了，這個是蔣介石不能夠把反腐敗進行到底的一個原因。

毛澤東 1936 年致蔣介石函引發的思考[1]

毛澤東 1936 年給蔣介石寫過一封信。這封信說：

> 今者綏遠形勢日趨惡化，前線之守土軍隊為數甚微，長城抗戰與上海“一．二八”之役前車可鑒，天下洶洶，為公一人。當前大計只須先生一人而決，今日停止內戰，明日紅軍與先生之西北“剿共”大軍皆可立即從自相殘殺之內戰戰場，開赴抗日陣線，綏遠之國防力量，驟增數十倍。是則先生一念之轉，一心之發，而國仇可報，國土可保，失地可復，先生亦得為光榮之抗日英雄，圖諸凌煙，馨香百世。先生果何故而不出此耶？
>
> 今日之事，抗日降日，二者擇一。徘徊歧途，將國為之毀，身為之奴，失通國之人心，遭千秋之辱罵，吾人誠不願見天下後世之人驟而稱曰，亡中國者非他人，蔣介石也，而願天下後世之人，視先生為能及時改過救國救民之豪傑。

這封信是 1936 年 12 月 1 日寫的，在人民出版社正式出版的《毛澤東書信選集》裏可以找到，這是毛澤東動員蔣介石抗戰的一封信。末尾署“毛澤東、朱德、張國燾、周恩來、王稼祥、彭德懷、賀龍、任弼時、林彪、劉伯承、葉劍英、張雲逸、徐向前等 19 人率中國人民紅軍同上”。因此，這是一封寫得十分鄭重的信，是中國抗戰史上的一份重要文獻。

這封信講的是，現在的綏遠省形勢一天比一天糟糕，在前線的中國軍隊人數太少，這以前，中國軍隊跟日本打過兩仗，一是長城抗戰，一是上海“一．二八”抗戰，這兩次抗戰都是因為中國軍隊人數太少，所以我們打敗了。毛澤東向蔣介石表示：現在您把內戰停下來，明天我們紅軍就和您的軍隊從互相殘殺的戰場開赴抗日前線。毛澤東跟蔣介石說，綏遠的國防力量就可以突然增加好幾十倍。

1　在九州出版社《找尋真實的蔣介石 —— 還原 13 個歷史真相》出版座談會上的發言。本文錄自於《找尋真實的蔣介石：蔣介石日記解讀》（4），東方出版社 2018 年版。

這裏我請大家看這段話，毛澤東勸蔣介石：只要你的念頭、想法轉變一下，就可以產生什麼效果呢？“國仇可報，國土可保，丟掉的土地可以收回來，您蔣先生也就可以成為光榮的抗日英雄”。今後怎麼樣？——“圖諸凌煙”，“凌煙”是唐朝的一座叫凌煙閣的高樓，因為太高，高達雲霄，所以叫凌煙閣——唐太宗為了表揚給他立下戰功的將領，就把這些將領的畫像掛在樓裏。這座樓相當於紀念館。毛澤東說，你只要抗戰，將來就把你的畫像掛在展覽館裏。“馨香百世”，“馨香”就是燒香，燒多少年？一世是 30 年，百世是 3000 年。毛澤東跟蔣說，只要你抗日，把念頭改變過來，我們就在你的像前給你燒三千年的香。

毛澤東向蔣介石指出了兩條道路：一條道路是抗日，一條道路是降日，要蔣介石選一條。毛澤東說，我們希望你將來不要因為不抗日而挨中國人罵，希望你將來抗日了，普天後世之人都認為蔣先生是“及時改過救國救民之豪傑”。這裏，毛澤東勸蔣介石趕快轉變，趕快停止內戰，趕快去抗日。國家的仇恨可以報，國土可以保，丟了土地可以收回來，你個人就是光榮的抗日英雄，而且你就是救國救民的豪傑。

這封信是毛澤東代表中共中央給蔣介石的動員書，也是對蔣介石的許諾。

這封信的歷史背景：第一，中共長征到達陝北，處於繼續被國民黨圍攻的艱難境地。第二，民族危機進一步加深。日本當時正在準備進攻綏遠，想在“滿洲國”之後再建立第二個傀儡國家“大元國”，此外，還要再建一個“大夏國”。中國古代有一個元朝，所以日本人就想搞一個傀儡國家叫“大元國”；中國古代有一個國家叫西夏，日本人想搞一個傀儡國家“大夏國”。第三，國共兩黨已經打了近十年內戰，中共對國民黨和蔣介石已經積累了血海深仇。從 1927 年蔣介石在上海“清黨”開始，到後來“圍剿”中央蘇區，“圍剿”中共在全國各地的蘇區，應該說已經積累了血海深仇。

毛澤東這封信，我覺得有幾個意義：第一，體現了中共秉持民族大義的精神，把國家民族的利益看得重要，把黨派團體利益看得比較輕。第二，體現了中共不念舊仇的廣闊胸懷。1927 年蔣介石和國民黨開始反共、殺共產黨，殺了快十年，但毛澤東不念舊仇。

蔣介石怎麼回答毛澤東的呢？第一，在毛澤東寫信之前的 8 天，蔣介石已經指令傅作義部隊主動攻克綏遠的百靈廟。百靈廟是日本人想建立的“大元國”的首都，蔣介石命令傅作義的部隊把百靈廟打下來，粉碎日本建立“大元國”的陰謀。第二，毛澤東寫信之後的 11 天，發生西安事變，蔣介石接受中共建議，停止內戰，“聯紅抗日”。第三，1937 年 7 月 7 日盧溝橋抗戰爆發，7 月 15 日中共向國民黨遞交《國共合作宣言》（共赴國難宣言）。台灣的郝柏村將軍曾在參觀盧溝橋抗戰紀念館時，問館長，怎麼沒有“共赴國難宣言”？“共赴國難宣言”是周恩來起草，7 月 15 日中共遞交給國民黨的。9 月 23 日，蔣介石發表談話，接受中共的《國共合作宣言》。也就是說，蔣介石接受了毛澤東的意見和中共的要求，國共兩黨第二次聯合，爆發了全民族的抗日戰爭。

重讀毛澤東的這封信，我有幾點思考。

第一，蔣介石領導抗戰是大功。儘管蔣介石在其他問題上有這樣那樣的過錯，在和中共合作抗日中常常鬧矛盾，鬧摩擦，但盧溝橋事變後他沒有投降，沒有賣國，而是對內始終維持和共產黨的合作，對外組成世界反法西斯聯盟，堅持抗戰，直到勝利，打贏了中國近代史上前此未曾有過的全面勝利的戰爭，從而挽救了近代中國歷史上最大的一次亡國危機。結果，收回失地，廢除不平等條約，大大提高了中國的國際地位，使中國成為世界四強之一，成為聯合國的創始國。自然，這是全國人民共同奮鬥的結果，但不可否認，其中有蔣的功績在內。今天我們在國際鬥爭中，特別是對日本的軍國主義的鬥爭中，仍然繼承了當年蔣介石和國民黨人的成果，例如我們經常提到的《開羅宣言》和《波茨坦公告》，應該說都和蔣介石密切相關。蔣介石是開羅會議的參加者，也是《開羅宣言》的簽署者。還在 1943 年 1 月 25 日，毛澤東就致電彭德懷說：“蔣在抗戰中有功勞。”[1] 1991 年，胡繩主編、中共中央黨史研究室著、中央黨史工作領導小組批准出版的《中國共產黨的七十年》一書說：“中共的《宣言》和蔣介石談話的發表，宣告國共兩黨重新合作和中國抗日民族統一戰線的形成。國民黨最高領導人承認第二次國共合作，實行抗日戰爭，是對國家民族立了一個

1 《毛澤東關於爭取在抗戰勝利後與國民黨建立和平局面給彭德懷的電報》，中文獻研究室、中央檔案館編：《建黨以來重要文獻選編》（1921—1949），中央文獻出版社 2011 年版，第 20 冊，第 83 頁。

大功。”[1]毛澤東等人的這些看法，符合歷史實際。

第二，我想到了1949年以後毛澤東和周恩來這兩位中共領袖對蔣介石的看法。

1956年10月13日，在誰當台灣地區領導人問題上，毛澤東表示："蔣介石為什麼不再做總統？我們都是'擁蔣派'。""他的軍隊可以保存，我不壓迫他裁兵，不要他簡政，讓他搞三民主義。"[2]當時誰當台灣地區領導人有幾個選項，一個選項是陳誠，一個選項是胡適，還強調"不能否定一切"。

也還是同一年，毛澤東再次表示，"現在台灣的連理枝是接在美國的，只要改結在大陸，可以派代表回來參加全國人民代表大會和全國政協委員會。"[3]過了幾天，周恩來就對和兩蔣都有關係的記者曹聚仁說："蔣介石將來總要在中央安排。""經國也可以到中央。"[4]1960年5月，毛澤東讀到一份內部資料，題為《廖文毅談美、日、廖共同策劃"台灣獨立"陰謀》，其中談到，廖文毅自稱：美國選擇廖作為統治台灣的人，希望儘早地搞垮蔣介石。最近，美國參議院外交委員會主席富布賴特經常給廖去信，要他準備隨時飛歸台灣。去年廖在巴黎與艾森豪威爾會談時，明確了"台灣獨立"的道路是"外攻內應"。日本外相等一些人是支持"台灣獨立運動"的核心等等。毛澤東看到這份資料時，立即批示："此件通知蔣先生。"[5]

1956年6月，周恩來在全國人民代表大會上做報告，回顧往事說："為了我們偉大祖國和人民的利益，中國共產黨人和國民黨人曾經兩度並肩作戰反對帝國主義。"[6]1959年12月14日說："民族立場很重要，我們對蔣介石還留有餘地，就是因為他在民族問題上對美帝國主義還鬧點彆扭，他也反對託管，反對搞兩個中國。""我們不給美帝國主義以機會。在這裏我們實際支持了蔣介石。"[7]

1 《中國共產黨的七十年》，中共黨史出版社1991年版，第169—170頁。
2 中共中央文獻研究室編：《毛澤東年譜》卷3，第465頁。
3 中共中央文獻研究室編：《毛澤東年譜》卷3，第4頁。
4 中央文獻研究室編：《周恩來年譜（一九四九——一九七六）》上卷，中央文獻出版社1997年版，第623頁。
5 中共中央文獻研究室編：《毛澤東年譜》卷4，第406—407頁。
6 周恩來《周恩來統一戰線文選》，人民出版社1984年版，第320頁。
7 周恩來《周恩來統一戰線文選》，第397頁。

從剛才我引用的毛澤東和周恩來的言論可以看出，即使在 1946 年至 1949 年第二次國共內戰之後，即使中華人民共和國成立了，毛澤東和周恩來也從來沒有對蔣介石採取徹底否定的態度，而是對他有適當的肯定。

第三，時代變了，對蔣的認識應該有新變化。廖承志和蔣經國在莫斯科是同學，兩個人好到可以夜裏共蓋一件大衣，是好朋友、好同學。50 年代，廖承志給蔣經國寫了一封信，引用魯迅的兩句詩：“歷盡劫波兄弟在，相逢一笑泯恩仇。”這是中共方面用兄弟關係來形容國共關係、兩岸關係。不僅是廖承志，溫家寶也曾經提出，國共兩黨應該“面向未來，捐棄前嫌”。他特別用了一句古話：“兄弟雖有小忿，不廢懿親（好親戚）。”意思是雖然有矛盾，有衝突，但我們還是好親戚。胡錦濤 2011 年在人民大會堂的報告中提出：“終結兩岸對立，撫平歷史創傷。”2013 年，習近平總書記在接見國民黨榮譽主席連戰時也曾說：“兄弟同心，其利斷金。”習近平用這個成語表示，只要兩岸團結，人民團結，我們的力量就會很大，可以無堅不摧。

第四，近年來蔣介石研究的進展。近年來，我們在肯定蔣介石和國民黨人的抗戰功績上逐年進步。原來我們對國民黨抗戰的評價是八個字：“消極抗戰，積極反共。”有的紀念館就是根據這八個字設計展覽的。現在，這八個字已經換成了“正面戰場，繼續作戰”。這八個字的前後變化代表了中共對國民黨抗戰的基本評價、基本態度的變化，有標誌性的意義。

第五，蔣介石研究是正常的中國近代史研究的一部分。編寫《中華民國史》是“文化大革命”後期周恩來交代給我們近代史研究所的任務，但一開始遭到很多人的反對。它成了“雷區”。什麼叫雷區？——隨時有地雷會爆發，成為“險學”，一門很危險的學問。自從我們的《中華民國史》編寫工程啟動，特別是陸續出版以後，它就不再是“險學”了。我自己，原來研究中國文學和中國哲學，是因為編寫《中華民國史》，才踏入蔣介石研究這一領域的。藉這個機會，我想表達一點小希望：今後的蔣介石研究也能夠不再是“雷區”，不再是“險學”，著者正常研究，編輯正常審稿，大家都不必提心吊膽。

1945 年，中共開“七大”，毛澤東曾經批評“黨內有一種不正常的情緒——內戰時期的情緒”。他說：“現在有的共產黨員連孫中山都不要了，孫中山的旗幟我們要永遠高舉，要把孫中山的優點、文章裏好的部分一點一點摘出來，讓子孫後代永遠繼承。”蔣介石不是孫中山，無法相提並論，但是，研究和正確評價蔣介石的功過是非，給以科學的歷史定位，不僅是正確書寫中國近代史的需要，反對“台獨分裂勢力”的需要，也是團結兩岸和全世界的愛國華人，組成最廣泛的統一戰線的需要。今天，我們有些同志只記得內戰時期我們罵蔣介石“人民公敵”，罵“蔣光頭”、“蔣該死”，根本不知道，或者不了解本文一開頭我引用的 1936 年毛澤東給蔣寫的那封信，不知道蔣介石也曾做過對國家、民族有利的好事，也不知道 1949 年以後毛澤東、周恩來為爭取台灣回歸所做的種種努力。他們不了解，歷史已經向前發展了，擺在我們面前的任務也發展了。

蔣介石《自反錄》再版序[1]

自反，意為自我反省。儒家學派提倡“自反”，蔣介石信奉儒學，一生努力踐行“自反”學說。他的日記，常多反省之詞，每週、每月、每年，常有《反省錄》之設。《孟子・公孫丑上》云：“自反而不縮，雖褐寬博，吾不惴焉？自反而縮，雖千萬人，吾往矣。”其中，“縮”，意為直，引申為有道理；“褐寬博”，指穿著粗布衣服的平民；“惴”，惴惴不安。全句大意為：自我反省，如果理虧不直，哪怕是面對普通平民，也會惴惴不安、猶疑不決；相反，如果自我反省，感覺符合道理，即使面對千軍萬馬，我也會勇往直前！1931 年 5 月，蔣介石翻閱自己的舊存文稿，覺得所存不過十分之一，擔心日後事務愈繁，散佚的情況會更嚴重，便託自己童年的老師和後來的秘書毛思誠（勉廬）編輯付印。為此，他特別寫了篇序言，一開始就向自己提出問題：“自反而縮乎，自反而不縮乎？”意為，我多年來的所作所為，反省起來，是有道理呢，還是沒有道理呢？他要求毛思誠按照原樣編輯，“迂陋短拙，悉存其真”，作為此後“朝夕自反之資”，希望能對“寡過進德，略有裨助”。

毛思誠接受任務後，將蔣介石自 1912 年（民國元年）至 1925 年（民國 14 年）的文稿 104 篇，區分為建議、戰略、宣言、報告、命令、文電、書函、論說、序跋、哀祭、雜著等 11 類，共 6 卷，附錄孫中山《護法總統宣言》及蔣介石的《〈孫大總統廣州蒙難記〉跋》，作為《自反錄》第一卷。

與此同時，由陳布雷的堂兄陳訓正（屺懷）將蔣介石自 1926 年（民國 15 年）至 1931 年（民國 20 年）的文稿 213 篇，按毛思誠的標準區分為建議、宣言、報告、命令、訓詞、文電、書函、論說等 8 類，共 16 卷，作為《自反錄》的第二卷。陳布雷說明，其“目錄次序略經蔣公閱定，然內容尚未遑親為校讎也”。“爰命先印若干部，存備觀覽，至若搜羅補充，斟酌去取，則當俟諸他日焉。”

1 寫於 2016 年 1 月。錄自《找尋真實的蔣介石：蔣介石日記解讀》（4），東方出版社 2018 年版。

《自反錄》所收蔣介石文稿，約當其 26 歲至 45 歲之間。這一段時期，蔣介石追隨孫中山，投身辛亥革命，反對清政府的專制統治，反對袁世凱復辟帝制，反對陳炯明兵變，創辦黃埔軍校，領導北伐，從聯合共產黨到"清黨"反共，建立南京國民政府，其後，又征伐群雄，取得了對李宗仁、馮玉祥、唐生智、閻錫山等地方實力派的勝利。這是蔣介石一生中由發軔而躍居領導中心的重要時期，也是中華民國歷史的重要時期。《自反錄》收集了這一時期蔣介石的文稿，自然是研究民國歷史和蔣介石個人歷史的重要資料。

蔣介石的著作多有刊行，版本眾多。其中，最流行和最為世人熟知的，一是台灣"國防"研究院 1950 年出版的《蔣"總統"集》，2 冊，補編 1 冊，由張其昀委託秦孝儀主編，後來張其昀親自主編，擴展為《先"總統"蔣公全集》，由中國文化大學、中華學術院編印，3 冊，補編 1 冊，620 餘萬字。二是國民黨中央黨史委員會 1984 年刊行的《"總統"蔣公思想言論總集》。由秦孝儀在其 1966 年所編《蔣"總統"思想言論集》的基礎上增補，分為專著、演講、書告、文錄、別錄、談話、書面致辭等類，共 40 卷，1500 餘萬字。該書號稱收集蔣氏著作最為完備，但是秦孝儀不懂得，重要文獻一經發佈，在社會生活中發生作用，就不應該也不能修改。他為了塑造蔣的一貫正確、完美而無瑕疵的形象，不顧蔣最初的"迂陋短拙，悉存其真"的編輯原則，脫離歷史環境，任意刪棄蔣的文章，改動甚至改寫文字，因此，其所編書，既不完備，即使從版本學和校勘學的角度考察，也並不完全可信。

1957 年，毛澤東對領導幹部講："要讀蔣介石的書這些反面的東西。我們有些共產黨員、共產黨的知識份子的缺點，恰恰是對於反面的東西知道得太少。讀了幾本馬克思的書，就那麼照著講，比較單調。寫文章，缺乏說服力。"他當時曾認為印 5000 冊太少，建議印 10000 冊。為此，北京中華書局等機構組織人員，廣泛收集，編輯《蔣介石言論集》，共 1200 萬字，計劃分為 40 卷出版，並曾將 1927 年之前的 4 卷送審，但此後即沒有任何消息。

《自反錄》所收為蔣介石早年文章，經蔣本人過目，親自題簽，由上海中華書局印刷於 1931 年，據説系非賣品，流傳未廣，現在已很難見到。加之其中有不少文章，為張其昀、秦孝儀等所編書未收，已收者文字亦多有不同，因此，香港中和出版公司為適應海內外日益發展的研究蔣介石和民國史的需要，重印《自反錄》自是應時、必要之舉。

《找尋真實的蔣介石：蔣介石日記解讀》第一輯自序

人的本相常常迷失，歷史的本相也常常迷失。

人的本相迷失的情況很複雜。一種是因“捧”。將某一個人捧為天縱之聖，絕對正確，永遠英明，仿佛斯人不出，世界就永遠處於黑暗中一樣。一種是因“罵”。將某一個人罵成十惡不赦，壞事做絕，禍國殃民，是千夫所指、人人皆曰可殺的天字第一號大壞蛋，仿佛一切罪惡，一切黑暗，均源於斯人。

蔣介石生於 1887 年（清光緒十三年九月十五日），去世於 1975 年 4 月 5 日，活了 88 歲。他一生經歷了近現代中國的許多大事。早年追隨孫中山，參加辛亥革命，討袁、護法；孫中山逝世後，領導北伐、清黨、“剿共”、抗日、內戰，很長時期內擔任中國黨、政、軍三方的最高領導人，位居“元首”。既和中國共產黨有過兩次合作，又兩次分裂。1949 年後退到台灣，既堅持反共復國，又堅持一個中國，在活過 88 年以後去世。在部分人的口中、筆下，他被神化、美化為千古完人，光同日月，“高勳盛德”，“光華流澤”，但是，在另一部分人的口中、筆下，他則被鬼化、醜化為人民公敵、元兇首惡、民族敗類、千古罪人。

兩種情況，簡單的捧和罵，都背離蔣介石的實際，造成其本相的迷失，因此需要尋找。

廓清迷霧，尋找真實的蔣介石，正確評價其功過是非，揭示其本相，對於正確認識歷史上的國共關係，正確認識和書寫中國近代與現代的歷史，有其必要；對於建立兩岸的和平關係，實現中華民族的和解與和諧也有其必要。時至今日，距離蔣氏去世已經 30 多年，距離當年國共大戰、生死搏鬥的年代也已快到 60 年，塵埃早已落定，各種恩怨都已化為歷史陳跡。人們全面掌握資料，綜合蔣氏一生的前前後後、方方面面，對其做出比較科學、比較客觀、公正的評價已有可能。

我從 20 世紀 70 年代起，投身於中華民國史的研究。開始研究孫中山，其發展的必然結果是研究蔣介石。第一步，在海內外廣泛收集資料，第二步，選擇若干重大問題進行研究。20 世紀 30 年代，蔣介石曾將他的部分日記和手稿交給他的老師和秘書毛思誠保存，我曾以這批資料為主撰寫了一批論文。2002 年，結集為《蔣氏秘檔與蔣介石真相》一書，由北京社會科學文獻出版社出版。其後，我又多次到台灣，研讀蔣介石帶到台灣的大量檔案，特別是根據其日記所編寫的《困勉記》、《省克記》、《學記》、《事略稿本》等資料，寫成又一批論文。2006 年 3 月，寄存於美國斯坦福大學胡佛研究院的《蔣介石日記》的手稿本開放，我有幸受邀成為最早的讀者之一。2007 年，胡佛研究院繼續開放日記的 1932 至 1945 年部分，我再次受邀訪問該院。

日記，記個人經歷和內心世界，在各種歷史文獻中有其特殊價值。蔣的日記，長達五十餘年，大有助於人們了解其內心世界和許多不為人知的歷史秘密。當然，只看日記是遠遠不夠的，還需要大量閱讀相關的檔案資料和文獻，反復比較、勘核，同時，將蔣的所思、所行置於特定的歷史環境中思考、研究，才有可能揭示真相，找出真實的蔣介石來。

我在研究蔣介石的過程中，得到過許多鼓勵。1988 年，我的《中山艦之謎》一文發表後，胡喬木多次在談話中稱讚此文有“世界水準”，“不可多得”，又當面對我說：“你的路子是對的，要堅持這樣走下去。”2001 年，我的《蔣氏秘檔與蔣介石真相》一書完稿，經中共中央統戰部審讀，得到“華夏英才基金”資助，於 2002 年出版。但是，我的研究也碰到過若干困難。2003 年，有少數幾個人化名給中央領導和有關機構寫信。他們根本沒有見過我的書，就張冠李戴、毫無根據地指責我吹捧蔣為“民族英雄”，要求對我加以懲處。幸賴中國已經處於改革開放的年代，中國社會科學院的領導和中央有關領導同志對我的書和我的研究採取肯定和支持態度，我的研究才得以堅持和繼續。

本書是我多年來所寫關於蔣介石研究專題文章的一個精選本。部分文章利用收藏在大陸和台北的蔣介石日記仿抄本或類抄本寫成，部分利用胡佛研究院開放的日記手稿複印本寫成（本書注釋簡稱為“手稿本”）。由於類抄本經過不同程度的刪削、改動，已非原汁原味，故此次再到胡佛研究院訪問，又利用日記手稿的複印本對各文所引日記進行核對，並作了少量增補或修訂。

2006年我在胡佛研究院閱讀蔣介石日記時，新華社有一位記者要求我簡明扼要地對蔣介石“定性”。我曾說過三句話。一、在近代中國歷史上，蔣介石是個很重要的人物。二、在近代中國歷史上，蔣介石是個很複雜的人物。三、有功有過。既有大功，又有大過。同年在香港鳳凰衛視演講時，我曾對此作過比較詳細的闡述：大陸時期，蔣介石反清、反袁（世凱）、反陳（炯明）、創立黃埔軍校，是功；領導北伐，領導國民黨和國民政府堅持抗戰，是大功；1927年至1936年的“清黨剿共”和1946年至1949年的三年內戰，是大過。台灣時期，實行土改，反對台獨，是功；白色恐怖，是過。我至今仍堅持這樣的看法。也許有讀者不同意，或者不完全同意。這是正常的。見仁見智，說三說四，都可以，但是，要用學術的方法、討論的方法，擺事實、講道理的方法。斯所禱也。

看來，找尋真實的蔣介石，恢復其本來面目，正確評述其功過是非，給以準確的歷史定位，其事有相當難度，其時將不會很短，只有群策群力，通過長期“百家爭鳴、百花齊放”的道路解決。通過“爭鳴”，人們對蔣介石，對中國國民黨史，對中國近代史的認識將會進步，將會深入，距歷史本相將越來越近，科學性也會越來越強。應該說明的是，本書根據蔣介石的日記論述蔣介石生平的若干問題，故副題為《蔣介石日記解讀》，但是，本書遠不足以概括蔣豐富、複雜的一生，也不足以表現蔣介石日記的豐富內容，故以後會有續集、三集的出版。

感謝蔣方智怡女士開放蔣介石日記的無私而勇敢的決定。感謝胡佛研究院、中國第二歷史檔案館、中國國民黨黨史館等機構多年來給予的閱讀便利。感謝馬若孟（Myers Romon）教授、郭岱君教授、宋曹琍璿女士、潘邦正博士、林孝庭博士等許多朋友的支持和幫助。

斯為序，並期待海內外廣大專家、讀者的批評。

著者2007年7月15日寫於美國斯坦福大學之Blackwelder Court，

時為第四次訪問胡佛研究院也。

《找尋真實的蔣介石：蔣介石日記解讀》第二輯自序[1]

人的正確的歷史觀念從哪裏來？答曰：從史實研究中來。客觀存在的歷史實際是檢驗一切歷史觀念的標準。符合史實的觀念是正確的，反之則為謬誤。既往的一切歷史觀念都要經受客觀存在的歷史實際的檢驗。正確者堅持，不正確者修正。這是歷史學不斷發展、更新的基礎，也是必由之路。

不研究史實，不可能獲致正確的歷史觀念，這是常識。但是，有時人們面對史實，卻也未必就能得到正確的觀念和判斷。這是因為，人的思維，包括人的歷史研究活動，都常常受到許多主客觀條件，如立場、利益、環境、經歷、經驗和知識結構等因素的制約。這些因素，有時有助於人們的認識，有時則反之。生活中常見的情況是，史實明明擺在那裏，有的人就是看不到，看不全，或是看到了也不承認，甚至做出超越常情的另類解釋。歷史學家的責任和可貴之處，就在於能擺脫各種不利於其研究活動的制約因素，盡最大可能還原歷史真相，使人的歷史觀念符合客觀存在的歷史實際。

眾所周知，在近代中國史上，國民黨和共產黨有過兩次合作、兩次分裂，並有過多年對峙。合作的時候，雙方並肩對敵，同生共死；分裂的時候，刀兵相見，不共戴天。這種合作和分裂自然會對人們的認識活動造成深刻的影響。這種影響，有正面的，也有負面的。1945 年 4 月 25 日，毛澤東在中國共產黨第七次全國代表大會上的報告中曾經特別提到一種負面的影響——“內戰時期的情緒”。他說：

> 我們黨內有一種情緒，不喜歡孫中山，這種情緒在相當廣大的黨員中存在著。認真說，這種情緒是不大健全的，是還沒有真正覺悟的表現。這是反映了內戰時期的情緒。
>
> 那時候，因為環境不同，連孫中山也不要了。那個時期為什麼我們不大講孫中山？因為我們被國民黨一下子打倒在地，爬起來也紅眼了。蔣

1 重慶出版社 2010 年版。

介石手裏打著孫中山的招牌到處亂殺人。這時候，群眾對孫中山也就不喜歡。在十年內戰中不要孫中山，這也很難怪，因為我們的力量小得很。[1]

毛澤東所指的"內戰時期"，說的是中國現代史上 1927 年至 1937 年那一段。那時候，國共兩黨彼此互斥為"赤匪"與"白匪"，你殺我，我殺你，彼此都殺紅了眼，自然，作為國民黨的創建人的孫中山在部分共產黨人的眼中會變形，覺得不值得尊崇，可以"不要"了。毛澤東在另外的場合還說過："那時我們被打倒在地上，不把孫中山丟開自己就站不起來，如同五四時期打倒孔家店一樣。"[2] 毛澤東的這段話講明了另外一個影響人們認識的因素，這就是人們在不同時期的利益需要。

孫中山作為偉大的民主主義革命家的地位，今天已經得到舉世公認。為什麼在 1927 年至 1937 年的內戰時期不受許多共產黨人的歡迎，毛澤東講得很清楚，那是"內戰時期的情緒"。毛澤東提出："現在不同了。對黨內一些人存在不尊重孫中山的情緒，應該克服。"人們從這一段話裏，完全應該得到啟示：在歷史研究中，要注意克服、擺脫各種不利於獲致正確認識的制約因素。

國民黨和共產黨打過多年仗，人們有"內戰時期的情緒"是必然的，這種"情緒"影響人們的觀念以至歷史研究也是必然的。不妨舉兩個比較突出的例子。第二次世界大戰中，在消滅歐洲的德國法西斯和亞洲的日本法西斯的先後次序中，有所謂"先歐後亞"，或"先亞後歐"的分歧。蔣介石是主張"先亞後歐"的，多年來，中華民族深受日本侵略之苦，蔣介石持這一主張完全可以理解，然而，蔣的這一主張卻曾經被批判為企圖藉以延長法西斯德國和一切法西斯，包括蔣自己對於中國人民的法西斯統治的壽命。這大概可以算作"內戰時期的情緒"了吧？

抗日戰爭是國共兩黨聯合進行的民族戰爭，兩黨都各自作出了自己的貢獻。2005 年 9 月，胡錦濤同志在紀念中國人民抗日戰爭暨世界反法西斯戰爭勝利 60 週年大會的講話中說："中國國民黨和中國共產黨領導的抗日軍隊，分別擔負著正面戰場和敵後戰場的作戰任務，形成了共同抗擊日本侵略者的戰略態

---

1 《毛澤東在七大的報告和講話集》，中央文獻出版社 1995 年版，第 125 頁。
2 《毛澤東在七大的報告和講話集》，第 100 頁。

勢。”應該承認，這段話不僅完全沒有“內戰時期的情緒”，而且站在新的歷史高度上，對兩黨在抗日戰爭中的作用作了科學的、符合實際的評價。

毛澤東說過：“孫中山這位先生，要把他講完全，我們是馬克思主義者，是講歷史辯證法的。孫中山的確做過些好事，說過些好話，我在報告裏儘量把這些好東西抓出來了，這是我們應該抓住死也不放的，還要交給我們的兒子、孫子。”[1] 蔣介石不是孫中山，蔣介石做的好事也不能和孫中山相提並論，但是，他早年追隨孫中山革命，後來和共產黨兩次合作，領導過北伐和抗戰，晚年遷台後，又反對台獨，堅持“一個中國”，建設台灣，總還是做過若干好事的。在促進和發展海峽兩岸和平關係的今天，人們自然應該按照“歷史辯證法”的要求，將他“講完全”。鑒於“內戰”時期，特別是 1946 年至 1949 年的第二次“內戰”時期，人們高喊“打倒蔣介石，解放全中國”，自然集中於講他的“過”，其中有些講得對，有些可能講得不對，或者講過頭了。這就需要依據實事求是的原則，充分掌握一切有價值的史料，首先釐清史實，尊重史實，在此基礎上進行深入的研究和討論，真正地展開“百家爭鳴”。蔣介石研究如是，國共關係史的研究也應當如是。

對於蔣介石的評價，歷來的看法不外分三種：一是有功無過，一是有過無功，一是有功有過。本書作者持第三說。至於何者是功，何者是過，何者是主流，何者是支流，當然可以討論，也需要討論，然而，歷史是實證科學，無徵不信，沒有充分、可靠的史實作支撐，人們難以提出任何經得起顛撲捧打，可以取信於天下萬世的結論。蔣介石一生經歷的大事很多，必須一件件、一項項，逐件逐項地加以研究，只有在這種研究做得比較深入之後，才有可能進行全面的分析和綜合，得出的結論才有可能比較科學、比較準確。倘若不充分掌握資料，不研究史實，拘守某些既往的觀念，局限於“內戰時期的情緒”和在這種情緒支配下做出的某些結論，排斥任何有理有據的新探索，恐怕無助於揭示歷史真相，無助於兩岸和平關係與政治互信的建立，當然更無助於中華民族的和解與和諧。

1　毛澤東：《在中國共產黨第七次全國代表大會上的口頭政治報告》，《毛澤東文集》卷 3，人民出版社 1996 年版，第 321 頁。

研究和評價歷史人物，主要的依據當然是人物的言與行。蔣介石日記由於主要供個人使用，生前並未公佈，其中有比較多的政壇秘密和個人內心世界的記述，因此，值得治史者重視。但是，僅僅依靠日記是不夠的，必須根據大量的檔案、文獻，鉤沉索隱，稽查考核，才可能揭示奧秘，有所發現。本書中的若干文章，所依據的蔣氏日記不過幾句話，但所依據的檔案和文獻，卻是著者多年奔走於太平洋兩岸的結果。

本書和第一輯一樣，仍然是一件件、一項項的專題研究。全書共收文 21 篇。其中 16 篇是新作，另幾篇原據大陸及台灣收藏的蔣介石日記的摘抄本寫成，此次收入，根據近年開放的蔣介石日記原稿本作了修改和校訂。[1] 其中有兩篇，只採用了原作中的片段，全文幾近重新寫過。此書出版之後，筆者將繼續寫作第三輯。

本書寫作中，東方歷史學會蔣介石項目組給予支持，蔣方智怡女士惠允引用蔣介石日記，美國胡佛研究院郭岱君、曹琍璿，斯坦福大學喬志健，台北“國史館”吳淑鳳，政治大學劉維開，北京大學楊奎松、臧運祜，《南方都市報》劉煒銘，復旦大學王麗，中國人民大學楊雨青，本所聞黎明、黃道炫、張俊義、羅敏、賈亞娟等教授、女士、先生給予各種幫助，謹此致謝。

2010 年 1 月 19 日，北京

1　此次再版，對原版篇目進行了部分調整，詳見“再版說明”。——編者注

《找尋真實的蔣介石：蔣介石日記解讀》第三輯自序[1]

本書是拙著《找尋真實的蔣介石：蔣介石日記解讀》的第三輯，收入 13 篇專題研究論文，3 篇書序，1 篇演講稿。從 1988 年發表《中山艦事件之謎》以來，我先後出版了《蔣氏秘檔與蔣介石真相》《找尋真實的蔣介石：蔣介石日記解讀》的第一輯和第二輯，完成了六十多個專題研究。

多年來，學界不少朋友、不少出版社都鼓勵我寫一本蔣介石傳，熱心的出版社甚至把合同都簽好了，交到我手上。我的老朋友、台灣"中研院"院士陳永發教授幾次直率地對我說，"日記解讀"不要再寫了，趕快寫傳吧！美國的陶涵先生在出版《蔣經國傳》之後，繼續寫《蔣介石傳》，出版了，獲得很大的成功，國內其他學者的蔣傳最近幾年也出版了好幾種。我有些動心，考慮是否要啟動自己的計劃。但是，考慮再三，我還是決定繼續解讀日記，寫專題研究論文，於是就有了現在奉獻於讀者面前的這本書。我還有一些其他專題，資料收集工作已經基本完成，還要繼續寫下去，爭取儘快將第 4 輯奉獻給學界。總之，在我的專題研究計劃大體完成之後，我才準備考慮寫蔣傳的問題。

為什麼？在我看來，傳記和專題研究論文是兩種不同的史學體裁，各有其特點，也各有其優缺點。傳記，可以全面地反映傳主的一生，從生到死，功過是非，方方面面，都要寫到，讀者可以一編在手，全豹在胸，這是其優點。但是，這種寫法，不可避免地要寫一些盡人皆知的歷史過程，也要寫若干學術界、讀者已經熟悉的知識和結論，還要講求結構的平衡和勻稱。有精深研究的地方不能多寫，缺少精深研究的地方也不能省略不寫，容易流於一般化，普通、平常，沒有多少獨家發現，其精光四射、特別出彩之處可能難以充分發揮。一個人，腦袋特別大，或者軀幹的某些部分特別肥碩，其他部分特別小，特別細，就會成為怪人，一本傳記，某些部分寫得分外詳細，其他部分寫得簡略乾枯，就會成為不正常的畸形著作。做專題研究，寫論文呢？其優越性正在

1　本文錄自《找尋真實的蔣介石：還原 13 個歷史真相》，九州出版社 2014 年版。

於可以如韓愈所言，“惟陳言之務去”。讀者已經熟悉的知識、學術界已經達成的共識可以不寫或少寫，讀者不熟悉，學術界缺少研究的、知之不多的問題可以深入開掘、擴展，分歧嚴重、爭持不下的問題可以評議、解析、折衷、解疑，提出新看法，做出新結論，從而推動相關研究向前發展。這種體裁，有話要說的地方可以多說，暢說，不厭其煩，不計篇幅地說，沒有話說的地方，或者沒有新見解的地方，可以惜墨如金，一言不發，一字不寫。當然，這種體裁也有缺點，這就是詳於局部、細部，不容易給出對一個歷史人物的全面的、總體評述。倘能在做了大量比較深入的專題研究之後再著手於傳記的寫作，則似乎比較理想。倘若天假以年，我希望按照這條路子往前走。

我曾經說過，在中國近代史上，蔣介石是個十分重要、十分複雜，有功有過，既有大功，又有大過的人物。關於這個人物，歷來分歧嚴重，或尊或貶，或揚或抑，或愛或憎，或全盤肯定，或全盤否定，或肯定此處，否定彼處，或否定此處，肯定彼處，肯定、否定之間，其高低、分寸，也眾說不一，評價各異，至今不能統一，在今後的若干年內，看來也還不會統一。這不要緊。關鍵在清理史實，還原史實。史實是客觀存在，而且只有一個。我一向主張，史實是立論的基礎，也是檢驗歷史著作科學性的最重要的標準。史實準確、清楚，就有了分析、評價、達成共識的前提和條件。當然，人都是現實的人，各有其立場、利益、政治傾向、價值標準，也各有其經歷、教養、性格、知識結構和感情特徵。這些方面的不同，常常會影響對史實的採認，尤其是解釋、評價。但是，只要大家都面對史實，尊重史實，承認史實，就有了對話、討論的基礎。既往的歷史，特別是政治史常常充滿了國家、民族、階級、集團、派別和人與人之間的鬥爭，歷史學家既需要廣泛閱讀各種文獻，深入歷史之中，又要站在這些既往的鬥爭之上，超越利害、利益關係，克服各種主客觀局限，才可能觀察清晰，判斷準確。蔣介石早已故去，離現實已遠，今天的人們在審閱蔣介石其人和他所處的那一段歷史時，完全有可能，也有條件比過去超越一些，客觀一些。只要持之有據，言之成理，各種觀點都應該得到尊重和表達的機會。當年人們在號召打倒蔣介石的時候，揭露蔣介石成為一時的需要，而且揭露唯恐其不尖銳，批判唯恐其不徹底，說出這樣、那樣的過頭話在所難免。今天，歷史已經發生變化，進入“終結兩岸對立，撫平歷史創傷”[1]的時期，人們在研究蔣介石和他所代表的那段歷史時應該有較大的變化。事實上也已經發生了這樣的變化。陶涵的書，我原來認為無法在大陸出版，但是，出版了，而且成了暢銷書。何謂“撫平歷史創傷”？在我看來，這首先意味著從經過考證的確鑿史實出發，敘述、評價時力求準確，力求全面，客觀、公正、公平，力戒片面性，力戒攻其一點，不及其餘。對任何一方，都不虛美，不文過，不醜化，特別是不掩蓋、縮小對方的優點、成就，不遮蔽己方的缺點、過失。

史學是什麼？是工具，還是科學？我以為，倘若視之為工具，則必然會以實用和滿足需要為目的，就會為主觀目的或主觀需要而編造歷史，隱藏或歪曲部分真相，誇張或強調某些方面，從而使歷史走形、失真。倘若視之為科學，則必然以追求歷史真相，最大程度地還原歷史本來面貌為目的，各種障蔽、扭曲歷史真相的情況就可以避免。中國人一向重視史學，認為它有探索前人成敗的鏡鑒功能，了解昨天與前天的認識功能，揚清激濁、美善刺惡的評判功能，擴展知識、啟迪智慧的育人功能等等。但是，所有這些功能，都必須在確保科學性的前提下才能正確、有效地發揮，否則就會誤導社會，誤導讀者。怎樣才能確保科學性呢？我覺得首要之處還在於清理史實，還原史實。

蔣介石的日記，始於 1915 年，終於 1972 年。中間遺失 4 年，但仍保存 53 年之久。以蔣介石這樣重量級的政治人物，能保留著麼多年日記，在中外古今的歷史人物中實屬罕見。對其寫作目的，史學界有不同分析。有人認為主要為寫給本人看，有人認為主要為寫給別人看，有人認為主要為寫給後世看。對其史料價值，也有不同評價，評價較高者有之，較低者有之，鄙夷不屑者亦有之。基本的事實是蔣介石生前從未發表過，在我看來，這種生前不打算發表的日記往往具有較高的真實性。當然，蔣介石並非什麼都記，其所思、所行、所見、所聞，或記或不記，其所記，也並非都可靠，都正確，其中謬誤和反映蔣介石的個人偏見之處所在都有，但是，我仍然認為，這部日記保存著大量信息，是研究中國近代史的學者不可不讀、不可不用之書。我之所以四赴胡佛，

1　胡錦濤語，《在辛亥革命 100 週年紀念大會上的講話》，2011 年 10 月 9 日。

以 10 個多月的時間手工摘抄這部日記，熱衷“解讀”，一之不足，而繼之以二，以三，其原因也在此。當然，迷信日記，專憑日記立論不行，只有傻瓜、笨蛋才這麼做，必須廣泛收羅各種相關文獻加以考核、參證、補充，才有可能讀懂日記，進而讀懂蔣介石其人及其時代。

前幾年，台北“中央研究院”近史所已經開始整理蔣介石日記，印好了第一本，準備舉行首發式，但是由於蔣家後人之間的矛盾，此事遽然中輟。衷心希望，此一矛盾能早日解決，日記能早日出版，為學者、讀者使用提供最大的方便。

《找尋真實的蔣介石：蔣介石日記解讀》第四輯自序[1]

中國古代典籍《禮記》在闡述人際關係時有兩句話："愛而知其惡，憎而知其善。"意思是，當你喜歡一個人時，要知道他的缺點、過錯；討厭一個人時，要知道他的優點、成績。唐朝的大政治家魏徵將這兩句話接過去，勸皇帝任用百官時要全面看人，他在給唐太宗的《遺表》中警告說，千萬不要"憎者惟見其惡，愛者止見其善"。近年來，《禮記》中的這兩句話被歷史學家所接受，成為治史原則，即評述歷史人物，要力求實事求是，全面、公正，不以個人好惡變造、歪曲歷史。為了最大限度地維護歷史的真實性，有些學者又進一步提出"愛之不增其美，憎之不益其惡"的思想。從《禮記》中的人際關係原則，發展為治史原則，我以為這是對古典遺產的創造性的新解釋、新運用，有助於促進中國史學的良性、健康發展，有助於使著作取信於千秋萬代的讀者。

在提倡不以個人好惡變造、歪曲歷史的同時，我以為還應該提倡另一個原則，這就是不以現實利害變造、歪曲歷史。歷史事件、歷史現象千頭萬緒、錯綜複雜，其對現實的影響自然也利害不一，作用各殊。鼓吹什麼，提倡什麼，強調什麼，後來人自然有選擇的權利，但是卻無權根據現實利害去變造歷史、歪曲歷史。因為歷史畢竟是過去、已經發生的、無可改變的事，只有正確地、全面地記載它、評述它，才可以使後人知興替、明得失，總結或接受歷史的經驗與教訓。歷史的真相被變造了、歪曲了，或者被虛無了、掩蓋了，自然其鏡鑒功能也就變形了、消失了。記得小時候，被大人帶著參觀上海"大世界"，看到那一面面哈哈鏡中各種奇形怪狀的自我，除了開心大笑之外，並不能得到任何對於自我的正確認識。

我們的老祖宗一向重視歷史學。北宋思想家張載要求儒者"為天地立心，為生民立命，為往聖繼絕學，為萬世開太平"，表現出對儒學知識份子宏闊胸襟、遠大理想和崇高擔當感、責任感的殷切期求。這四句話當然首先是對哲學

1 東方出版社 2018 年版。

家、思想家說的，我以為也可以適用於歷史學家。“為萬世開太平”，歷史學家忠實地記錄歷史，說明歷史，總結歷史，不能著眼於一時一地的小利、小害，而要著眼於千秋萬世的“太平”大業。

我在大學讀的是文學專業。畢業後，業餘長時間研究中國哲學。1973 年，應近代史研究所之邀，以“協作”名義參加編輯《中華民國史資料叢稿》。1977 年，仍以“協作”之名，應邀參加寫作《中華民國史》第一編。1978 年 4 月，我被正式調入近代史研究所，從一介散兵遊勇的業餘研究者跨進中國社會科學院的學術殿堂。

《中華民國史》第一編寫中華民國的創立，主角是孫中山。我的任務開始是寫《中國同盟會成立後的革命鬥爭》，完成後的任務是修訂和重寫其中的《武昌起義》一章。1981、1982 年，該書上下兩卷先後出版。1983 年，我被分派主編《中華民國史》第二編第五卷——北伐戰爭與北洋軍閥的覆滅（現為第六卷），這一卷的主角自然是蔣介石，大事件是國共兩黨由合作而分裂，蔣介石從與中共並肩戰鬥到翻臉成仇，不共戴天。我和我的合作者廣泛收集資料，反復修改，用心寫了十年，出版後，在海峽兩岸得到廣泛的好評。在此前後，我讀到蔣介石留存在大陸的部分日記類抄，寫成若干專題研究論文。2002 年，我將這部分文章結集成書，這就是許多讀者熟知的《蔣氏秘檔與蔣介石真相》一書。該書經中央有關部門嚴格審讀，得到肯定和獎勵。

自 2006 年始，蔣介石日記在美國胡佛檔案館分四批陸續開放，我曾四年內四次應邀前去閱覽，用時 10 個半月，讀完蔣介石自 1918 年至 1972 年長達 53 年的全部日記，抄回高過尺餘的資料。我覺得，這些日記，生前從未公開，比較真實地袒露了其主人的內心世界和部分外人難知的政壇內幕，在去粗取精、去偽存真之後，有較高的史料價值。因此，我廣泛參考海峽兩岸以及美國、日本、英國、俄羅斯等地的檔案和文獻，做過一百餘個專題研究，陸續在海內外出版了三輯“解讀”著作。現在呈現在讀者面前的是第四輯。

我的追求和體會是：

1. 史學貴真實，貴客觀，貴直筆，貴實錄，貴全面，貴公正。力求有善記善，有惡載惡；有功言功，有過述過。既不能因善而掩惡，也不應因惡而掩善。同樣，功不能掩過，過也不能掩功。是一，就不能誇大為九；是十，也不應減縮為三或四。不能因政治或其他需要而扭曲、掩蓋、誇大或縮小史實，也不能因個人情感與好惡而任意褒貶。史學家要善於排除各種外在的或內在的干擾，盡最大可能還原歷史真相。史實是史學的出發點。從史實出發，而不是從原則出發，或從某個既定的結論出發。一切既往的敘述和觀點都要接受史實的檢驗。正確者存之、堅持之，片面者修訂之、完善之，謬誤者棄之、否定之。

2. 史學貴爭鳴。任何人對真理和真相的認識都不是一次完成的，而是一個不斷前進、不斷接近真理和真相的過程。其間，片面、謬誤在所難免，在對複雜的歷史事件和人物的認識和評價上尤其如此。因此，要提倡爭鳴，依靠爭鳴，片面才能轉為全面，謬誤才能轉為正確。這種爭鳴，靠的是擺事實、講道理，而不是扣帽子、打棍子，斷章取義，強詞奪理，牽強附會。2014 年 10 月，台灣一家出版社出版了一部書，書名為《最後的侮辱》，副題雖為《中共學者閱讀〈蔣介石日記〉文章點評》，而實際上批評的就是我一個人。該書批判我"利用、閹割、歪曲蔣介石日記，甚至大造符合中共迫切需要的理論"，"將蔣介石醜化、惡化、妖魔化、流氓化"，"對蔣介石進行再侮辱和再否定"。該書攻擊我"拿統戰部的經費，為統戰部工作"，是"正在得寵"的，"感情上和行為上浸透了中共御用學者之深重氣息者"，是"地地道道的原教旨馬列主義者"，甚至辱罵我"不是中華兒女"，是"標準的、積極的和忠肝鐵膽的馬列子孫"云云。[1]

3. 史實是史學研究的基礎和出發點，也是檢驗歷史著作科學水準的重要標準。恩格斯在《反杜林論》一書中說："原則不是研究的出發點，而是它終了的結果。""不是自然界和人類要適合於原則，而是相反地，原則只是在其適合於自然界和歷史之時才是正確的。"這一段話，應該成為歷史學家須臾不可忘記的金玉良言。

4. 在中國近代史上，蔣介石十分重要，也十分複雜，以馬克思主義為指導研究蔣介石，給予全面的、科學的、實事求是的敘述和歷史定位，是我們這

---

1 辛灝年：《最後的侮辱》，台北博大國際文化有限公司 2014 年版，第 10、17、34、39、42、186 頁。

一代學人無可推卸的任務。蔣介石一生以孫中山的信徒和繼承人自居，做過好事，也做過壞事，有功也有過。他和中國共產黨有過兩次合作，兩次分裂。在他敗退台灣以後，中共還曾長期希望和他第三次合作。對這個歷史人物的研究做好了，對國民黨歷史的研究做好了，將有助於提高中國近代史的研究水準，有助於顯示中共作為勝利者的廣闊胸襟和氣度，也有助於促進海峽兩岸和世界華人之間的團結和共識的增益。

5. 蔣介石的日記記載時間長達五十多年，為中國和世界同級別的政治家所少見。正確地使用這份資料，結合其他檔案、文獻，加以比勘、研究、分析，區分其精粗、真偽，相信它對中國近代史的研究者都會有不同的或多或少的裨益。現在，這部日記已經廣泛為世界學者所利用。

本書分上、下兩編。上編收錄 1949 年蔣介石入台後的各次事件的專題研究。下編主要收錄抗日戰爭時期若干事件的專題研究和書序（含兩篇演講稿）。近年來，台獨力量在推行“去中國化”的同時，也在推行“去孫中山化”、“去蔣介石化”。在他們的口中、筆下，蔣介石只是鎮壓台灣人民的“元兇首惡”，而完全無視他在台灣堅持一個中國，實行“革新”，促成台灣經濟起飛，一度成為“亞洲四小龍”過程中的成績。顯然，這是本文一開始就指出的為現實需要而變造歷史的惡例。

關於蔣介石在台灣的歷史，筆者此前已經寫過《“二二八”事件與蔣介石的對策》、《國民黨遷台與蔣介石的反省》、《蔣介石在台“復職”與李宗仁在美抗爭》、《蔣介石反對用原子彈襲擊大陸》、《蔣介石與釣魚島的主權爭議》、《蔣介石聯合蘇聯，謀劃反攻大陸始末》、《尼克松競選與蔣介石、宋美齡晚年的感情危機》等文，收入“解讀”系列第二、第三輯中，有興趣的讀者可以參看。

期待讀者、學者的批評、指教。

陳紅民《蔣介石的後半生》序[1]

在中國近代史上，評價懸殊、爭議最大的人物恐怕要數蔣介石。或尊之為千古完人，或斥之為獨夫民賊。褒貶之間，懸隔天壤。對於他一生中的許多具體作為，更是眾說多歧，即以抗日一事而論，或視之為民族英雄，或斥之為消極抗日，積極反共。褒貶之間，也判若雲泥。這些看法的形成，原因複雜。孰是孰非？或者兩說皆非，需要另立持平、公允、全面之論？不經充分的爭鳴、研討、切磋，在相當長的時期之內，或者在特定的歷史過程尚未終結，歷史的本質尚未完全顯露之前，恐怕還難於達成一致的看法。“不識廬山真面目，只緣身在此山中。”辛亥革命以來的中國歷史，風雲變幻、丘壑詭秘，研究者置身其中，立足點不同，視角不同，難免有橫看成嶺、側看成峰之歎。

然而，對於蔣介石這樣一個重要的歷史人物，沒有比較準確、符合實際的評價和定位又不行。蔣介石對於近代中國歷史的影響實在太大了。自辛亥革命始，近代中國的許多重大歷史事件，蔣介石幾乎無役不與。自北伐戰爭前夕始，蔣介石即居於“黨國”中心，扮演著引領和推動歷史前行的核心角色。可以說，從那以後，近代中國的許多重大歷史事件都和他的思考、決策、運作密切相關。辛亥以後的中國近代史、民國史、國共關係史、抗日戰爭史、台灣史，以至中共黨史、軍史，都無法迴避蔣介石；一部科學的、真實的中國近現代史，必須正確地敘述並評價蔣介石以及與之相關的歷史事件。蔣介石研究的謬誤和偏差將在不同程度上影響中國近現代史的正確書寫，而研究的進展和深入則無疑將推動中國近現代史研究的充實和發展。這是有助於提高我們整個中國近現代史科學水準的一件要事。在眾多近現代史的研究專案中，蔣介石研究應該被視為重中之重。

正確地敘述並評價蔣介石並不很容易。除了蔣介石本人及與他相關的各項文獻、檔案資料實在太多，需要長期、耐心、細緻地收集、整理之外，更重

1 本文錄自《找尋真實的蔣介石：還原 13 個歷史真相》，九州出版社 2014 年版。

要的是，研究者必須要有徹底的、實事求是的科學精神和冷靜、細緻、客觀的治學態度，既深入於歷史之中，又超脫於歷史之上。毋庸諱言，在中國近代史上，國共兩黨為振興中華曾兩次合作，又因思想、理論、政策上的種種分歧而兩次分裂。合作時間較短而分裂、交戰、相峙的時間較長。自然，彼此之間積累了許多隔閡、誤解、曲解以至敵意和仇恨，留給歷史學以深刻影響。如今，往日的戰火硝煙早已消逝，兩黨之間重新對話，開啟了兩岸關係和平發展的大門。在這一情況下，環境已經允許，學者也已經有了比較充分的可能，開闊視野，擺脫歷史恩怨和個人愛憎的拘牽，摒棄狹隘的功利需要，尊重歷史、尊重事實，以客觀存在的歷史實際作為檢驗歷史判斷的唯一標準，從而撥開長期積聚的層層霧靄，洗清多年政治鬥爭塗附於人物身上的種種油彩，去偽存真，還歷史和歷史人物以本來面目。"度盡劫波兄弟在，相逢一笑泯恩仇。"實事求是地、準確地、科學地還原歷史、說明歷史，有助於"恩仇"的泯除和化解。

蔣介石長壽。除青年時期留學日本 5 年外，在大陸生活 57 年，在台灣生活 26 年。在台灣的 26 年中，蔣介石的思想、性格、作為也都體現出這個人物性格中特有的多重性和複雜性：既堅持反共復國，又堅持一個中國；既敵視美國，又依賴美國；既力圖維護國民黨的統治基礎，又不得不適應時變，力圖改造國民黨，開始對台灣社會的政治、經濟改革。他在大陸失敗了，但是，卻能於風雨飄搖之際，在台灣站穩腳跟，完成權力交替。在他去世後，蔣經國繼續他的未竟之業，使台灣社會轉型，並且創造出"台灣經驗"和"台灣奇跡"。蔣介石在台灣的 26 年，是蔣介石歷史的重要部分，也是中國現代歷史的重要部分。

陳紅民教授本書專寫台灣時期的蔣介石。坦率地說，我們對蔣介石的前 62 年比較熟悉，對後 26 年，則比較陌生。由於 1949 年之後，海峽兩岸即長期處於對峙狀態，我們對於彼岸的了解實在太少，可以利用的資料也實在太少。因此，許多研究蔣介石的著作寫到台灣時期大都簡略帶過，或者篇幅雖大，卻充塞模糊影響之談，難以視為信史。多年前，陳紅民教授即與其合作者辛勤地一點一滴地收集資料，出版了《蔣家王朝》中的《台灣風雨》一書。這本書的特點是充實、豐富，言必有據，是當之無愧的史學著作。其後，陳宏民教授精進不已，繼續收集相關資料，最近又遠赴美國，閱讀新近開放的蔣介石日記的1949 年至 1955 年部分，進一步充實、修改原著，終於為我們比較完整而準確地勾繪出蔣介石在台灣 26 年的面貌。可以說，填補了蔣介石研究的空白、台灣史研究的空白和中國近現代史研究的空白。我為陳紅民教授等人祝賀。相信本書將受到兩岸讀者的歡迎，增加人們對台灣時期蔣介石的了解，促進兩岸學者的交流，並且推動兩岸和平關係的進一步發展。

陶涵《蔣介石與現代中國》序[1]

說老實話，我沒有想到，陶涵先生會寫出這樣一本頗見功力的蔣介石傳記，更沒有想到，這本書會在大陸出版。

那是多年以前的事了。陶涵先生原在美國國務院中國科工作，退休之後，成為哈佛大學費正清研究中心的研究員。他應哈佛大學出版社之邀，正在撰寫蔣經國傳記。為此，他不遠萬里，到北京來訪問我。我們一起交談過。我還陪他去訪問過蔣經國當年的親信賈亦斌先生，還曾聯繫奉化的朋友，為他在溪口開過一個座談會，調查蔣經國少年和青年時期的狀況。當時我曾想，蔣經國留學蘇俄的那一段很重要，陶涵先生大概不懂俄文，怎麼辦？沒想到，有一次在台北見面，他卻已經和"中研院"近史所的俞敏玲女士相處得很熟，談話中，口口聲聲"敏玲"、"敏玲"。俞女士留學莫斯科多年，那時，正在幫助陶涵先生收集蔣經國留蘇時期的資料。那一次在台北，我還了解到陶涵先生正在廣泛訪問蔣經國當年的故舊和同僚。我對陶涵先生的研究精神和方法都很贊成。後來，《蔣經國傳》出版了，在西方學術界評價頗好。哈佛大學出版社要他繼續寫蔣介石傳。我得知這一消息後，既為他高興，又頗為他擔心。蔣經國去世未久，故舊、同僚存世者頗多，廣泛訪問可以搶救記憶，掌握較多不見於文獻記載的口述資料，為著作增色。但是，蔣介石的故舊、同僚卻大都已經逝去，留存的文獻資料則浩如煙海，難以盡讀，陶涵先生閱讀中文的能力不是很過硬，他為了參考和引用的準確，利用中文文獻時常須請中國專家先行翻譯成英文。寫蔣介石傳，要讀的資料實在太多。行嗎？然而，出乎意料的是，陶涵先生的《蔣介石傳》又在哈佛大學出版社出版了，西方學術界仍然評價很高，並且很快在台灣出了中文版。

一部歷史著作能成功，一定要有自己獨具的特色。或以史實，或以觀點，或以文字。陶涵先生為寫作《蔣介石傳》，盡其所能收集、閱讀、研究了相關

1　本文錄自《找尋真實的蔣介石：還原 13 個歷史真相》，九州出版社 2014 年版。

文獻資料，也訪問了蔣氏故舊、同僚和部屬中的健在者。美國胡佛檔案館的蔣介石日記開放後，他又迅速前去閱覽。蔣介石日記，用文言、毛筆，以行書書寫，沒有標點，年齡大一點的中國學者讀起來順暢，年輕一點的中國學者讀起來就會碰到一些疙瘩；對於外國學者說來，困難會更大，然而，陶涵先生仍然勇敢地走進了胡佛檔案館的閱覽室。據斯坦福大學的朋友告訴我，陶涵先生為了理解準確，曾邀請中國研究生幫助，慎重選擇，慎重翻譯，因此，本書利用了大量蔣介石的日記資料，可以說，他是利用蔣介石日記為蔣介石寫傳的第一人。

陶涵先生是美國人，長期在美國外交部門工作，熟悉美國政情，他利用這一優勢，查閱了美國的國家檔案和保存在美國的若干中、美政軍要人，如宋子文、馬歇爾、史迪威、魏德邁等人的文獻，也研讀了許多西方學者關於中國近現代史的著作，因此，本書為我們打開了一扇大門，可以幫助我們深入，而不是膚淺地了解蔣介石在美國的史料及其相關研究狀況。中美關係是近代中國最重要的外交關係之一。抗戰開始以後，中美關係日益密切。政要、軍要之間交往頻繁，美國政府深深地捲入了中國的政治、軍事、經濟和外交的各個層面。可以說，不了解中美關係史，就不可能全面地了解中國近代和現代的歷史。1949 年國民黨遷台，這以後，台灣領導人和美國政府之間的關係更加緊密而不可分，可以說，不研究那一時期台灣領導人和美國政府的往來，就無法闡釋台灣 1949 年以來的歷史。陶涵先生的書，以蔣介石為線索，揭示了那一時期中美，包括台美之間的複雜關係，就這一方面史料、史實的開拓、挖掘來說，其深入程度，大大超過了前此的任何一本同類著作。我以為，這是陶涵先生此書的最大成就，也是其貢獻所在。

蔣介石這個人，地位重要，經歷複雜，歷來爭議不斷，尊之者抬上九天，貶之者踩入九地。即以毛澤東言。抗戰初期，毛澤東曾稱蔣為國民黨中孫中山之後的第二位“偉大領袖”，但是時間不長，抗戰剛剛結束，毛澤東即斥之為“人民公敵”。古語云：蓋棺論定。蔣介石的棺蓋雖然早已蓋上，但離論定尚遠，爭論還可能持續若干年，而且，在歷史的發展尚未告一段落，歷史的本質尚未充分顯露之前，有些問題還可能無法做出結論，自然更難取得共識。

中國俗話說：擺事實，講道理。日常生活中的議論、辯論應該如此，歷史研究更應如此。所謂擺事實，說的是必須從嚴格的、經過檢驗的可靠史實出發；所謂講道理，說的是在敘述史實的基礎上，提出思想，提出觀點，作出結論。在這一過程中，前者是基礎，是歷史著作的根本任務。史實講清楚了，而且講得可信、可靠，當代、後代以至千秋萬代的讀者從中自會得出自己的結論。中國古代的優秀史著大都符合這一特點。時移境遷，人們的認識會變化，觀念會變化，但是，這些著作所保存的可靠史實仍然魅力常在，成為各個時期不同情況下各類歷史學家或歷史愛好者研究的出發點。我覺得，陶涵先生出生、成長於太平洋彼岸，對中國歷史和國情可能會有某種隔膜，在閱讀中文文獻時可能會有誤讀，某些敘述、判斷不一定正確，有些問題，文獻缺如，難免依靠猜測，例如，1949 年之後蔣介石和周恩來之間的關係等等，但是，從總體上，本書是按照擺事實、講道理的正確原則寫作的。你可以不同意他的這一個或者那一個觀點，但是，他所敘述的史實你卻必須面對。

中國古代大詩人白居易在描寫音樂時寫道："嘈嘈切切錯雜彈。"科學的發展與此類似，它不怕辯論，也不怕眾聲嘈雜。在辯論中，在不同觀點的切磋、攻難中，真相會顯示，真理會昭明。近年來，關於中國近現代史，以至關於中國歷史的許多問題都在討論，新見迭出，這是大好現象，是學術活躍、思想解放的表現，也是"百家爭鳴"的表現。陶涵先生本書，從一個外國人的視角提出了他對蔣介石其人和對近現代中國歷史的看法。他認為蔣介石是個"高度矛盾"的人物，講了他的功，他性格中的優點，也講了他的過，他的毛病和缺點，這一總體把握是合適的，兩分法的解剖也是可取的。當局者迷，旁觀者清，陶涵先生的經歷、教養、思維方式都和中國人不完全不同，他以異邦人的身份，能夠既沉潛於中國歷史之中，又超脫於中國歷史之上，擺脫中國原有黨派、政團之間的恩怨情仇和利益需要，不以宣傳，而以還原歷史本相為目的，力爭以科學態度比較全面地、客觀地闡述蔣介石豐富、複雜的一生，這對於人們了解蔣介石、研究蔣介石，為其作出比較準確的歷史定位，自然是有意義的，對於進一步深入地研究近現代中國的歷史也是有意義的。既往研究蔣介石的西方學者大都將之視為"失去大陸的人"，以貶斥為主，陶涵先生本書與之不同，說了不少蔣介石的好話，有些方面的評價甚至很高。其中有些文字，本版編者在徵得陶涵先生同意後，已經作了少數刪節，但是，本書的觀點仍然可能有些讀者同意，有些讀者反對，我在台灣學界的兩位老朋友，一位寫書評說好，一位則寫書評大罵。這不要緊。只要著者言之成理，持之有故，讀者持開放心態，各種意見其實都可以促進我們思索，作為我們在通向揭示本相、昭明真理途程中的參照和思維資料。

陶涵先生的文字很好。他以自己的語言敘述傳主的生平和思想，一般不大段引用原文，因此，行文乾淨、流暢。我覺得，陶涵先生本書，嚴格遵守學術規範，既有歷史學家的嚴謹、求實精神，又有文學家對形象的敏感。本書在敘述歷史發展過程時，在確保真實性的前提下，注重環境描寫、人物的肖像描寫、心理刻畫，以至細節烘托。有時候，我甚至覺得，作者的敘述能力高於其思辨能力，這就使本書的若干部分寫得相當生動、可讀，給予我們寫作人物傳記以啟示。

陶涵先生本書的英文版出版後，很快就寄了一本給我，我在研究工作中，曾經參考過這本書。其間，我在加拿大，在中國重慶，都曾有過和陶涵先生見面的機會。陶涵先生希望他的書能在大陸出版，我則表示，其部分觀點大陸可能較難接受，陶涵先生授權我刪削，但須經他同意。大概是 2010 年的夏天，我正在胡佛研究所訪問，陶涵先生再次寫信，重提他的願望，並且用特快專遞給我寄來了兩部台灣翻譯並出版的中文版來。我回國之後，即將其中一部交給了一家出版社。出版社初讀之後，認為書有出版價值，但顧慮送審很難通過。今年 5 月，中信出版社的王強先生通知我，送審關已過。我既為陶涵先生的著作有和大陸讀者見面的機會高興，也為中國的學術、出版環境的進步高興，因此，在王強先生要求我為本書寫篇導讀時，我便愉快地答應了。但是，一動筆，卻感到“導讀”太嚴肅，太正規，擔負的任務過重，還是不如寫篇序言，輕鬆、自如一點吧！

是為序。

阮大仁《蔣介石日記揭密》序[1]

胡佛研究院有一座咖啡廳，所內學者，包括訪問學者公餘都可以去坐坐，喝喝茶，品品咖啡，吃幾塊點心，是一個舒心愜意的聊天所在。2006 年，我應邀到胡佛檔案館研讀蔣介石日記，一天緊張的工作之後，常愛到咖啡廳坐坐。某日，見四、五位中國同胞已經先在，正圍桌團坐，聽其中一位談蔣介石軼事。這一位個子不高，略顯清臒，江南口音，談興正濃。我湊進去，介紹之後，得知這一位便是阮大仁先生。

阮先生原籍浙江，1965 年畢業於台灣大學數學系，次年赴美留學，先後獲得數學博士、企業管理碩士、電腦工程碩士等學位，在大學裏擔任過教授，在高科技公司、銀行界擔任過高級管理職務，為報刊寫過十年政論，也曾躍入商界遨遊。他博覽典籍，愛好文史，精研書法，寫得一手好字，是真正的才子和多面手。我們初次見面，相談頗為投機，可謂一見如故。此後，我每年去胡佛研究院，都要和大仁先生見幾面。大仁先生熟悉掌故，健談也愛談，尤好長談，每次見面，只要話題一開，大仁先生就口若懸河，滔滔不絕地談下去，我只要帶著耳朵恭聽就可以了。有一天，在大仁先生寓所的寬大陽台上，一面眺望山野景色，一面談民國史事，天黑後，轉入室內，燈下續談，仍然是大仁先生當主角，不覺已經夜深，我起身告辭，大仁先生意猶未盡，殷勤挽留，表示可以繼續談下去。

大仁先生所談，有許多可以稽諸文獻，但是，也有許多屬於人所不知的秘辛。我雖研究民國史多年，與大仁先生談話，常有聞所未聞之感。後來了解到：大仁先生的祖父阮性存，早年參加同盟會，追隨孫中山，參與民國建立；父親阮毅成，擔任浙江省民政廳長長達十餘年，國民黨遷台後，追隨蔣介石，歷任中央日報社長、國民黨中央政策會議副秘書長等多種職務，其所著《中央工作日記》至今仍在台灣《傳記文學》連載。大仁先生自述，毅成先生曾告訴

1　本文錄自《找尋真實的蔣介石：還原 13 個歷史真相》，九州出版社 2014 年版。

他不少政壇秘聞，為防竊聽，有些則是在大街小巷散步時所告。此外，大仁先生又以家庭關係，與民國的政壇耆宿及其後代多有交往，這些人有意講述一些事情，企圖藉大仁先生之筆傳世；大仁先生有時也有意向他們請教、打探、求證。這些原因，加之大仁先生博聞強記，記憶超人，其所以秘辛獨得，掌故獨多，良有以也。

治史，當然主要靠檔案和文獻，因為此類資料形成於歷史事件發生的當時，比較準確、可信，但是，由於種種原因，檔案、文獻亦不盡可靠，而且，它絕無可能記錄所有歷史家需要的資料，有許多事件、過程、情節、細節，不可能見之於文字，或根本不能見之於文字，這就需要歷史學家周諮博採，收集當事人，或相關人的回憶、口述，包括傳聞等資料，然後與檔案、文獻對照、檢核、驗證，擇其可靠、可信者入史。這樣做，可以使歷史學不僅真實，而且豐富、全面、生動。中國偉大的史學家司馬遷當年就是如此，他的不朽名著《史記》，既利用了漢朝的國家檔案，也是他行萬里路，周遊各地，廣泛調查、訪問的結果。

大仁先生住在斯坦福大學附近，這使得他可以從容精讀蔣介石日記和相關檔案文獻，又可以利用他得之於祖輩、父輩的口述或傳聞資料，使二者相互補充，相互驗證，相得益彰。大仁先生說我曾戲稱他為正史、野史兼採的“二史堂主人”。我年輕時記憶力可能尚好，但近年來腦力日衰，已經不記得當年說此話的情景，不過，即使有此語，亦非批評，而是讚美，因為第一，正史未必盡真，而野史未必盡偽，魯迅一生，就瞧不起那“裝腔作勢”，擺“史架子”，“也不敢說什麼”的“正史”，而提倡讀民間私人敢於說真話的“野史”；第二，如果以檔案文獻與回憶、口述、傳聞來界定“正”與“野”，那麼，“二史堂主人”的老祖宗正是被尊為“史聖”的司馬遷。如此說來，“二史堂主人”之稱，豈不美哉！豈不懿哉！當年的司馬遷“悉論先人所次舊聞”，而今的大仁先生傳述祖上親歷、親見、親聞之事，亦何嘗不是一件美事、好事！

收集在本書中的大仁先生的文章利用蔣介石日記，參以阮毅成先生生前日記、口述回憶和身後留下的其他資料，相互驗證、對照，解開了 1948 年以後，特別是 1949 年國民黨遷台之後的諸多秘密。大仁先生是學數學的，重視科學精神，主張寫歷史要冷靜、中立、客觀，反對“筆鋒常帶感情”，因此他的文章論證嚴密，以說理和分析見長：但是，大仁先生文學修養很深，因此，書中也頗多引人入勝、趣味盎然之處。國民黨內，派系複雜，人物關係複雜，大仁先生卻能條分縷析，層層剝荀，揭示真相。大仁先生成長於台灣，國民黨遷台以後的歷史是他的“所見世”。由於時間較近，檔案尚未開放，台灣學者可能尚未顧及，大陸學者則難以深入。大仁先生本書，根據蔣介石日記和毅成先生所述以及自身的見聞，對這一時期台灣政壇的重大變幻，如蔣介石和陳誠的關係，蔣經國、嚴家淦、李登輝之上台，以及著名的“葉公超案”等，都做出了很有說服力的敘述和分析。

大仁先生認為蔣介石日記是“無盡的寶藏”，積極加以利用，但是大仁先生在利用的同時，對日記所載，也採取考核、存疑的態度，對其中論事、論人的主觀與謬誤，甚至不惜下大力氣加以批駁、辨正。大仁先生認為：蔣介石寫日記是為了供自己“日後查閱”，“原則上不會故意說謊去欺騙自己”，因此“大致是可信的”，但是，有時也有當記而不記的“省略”。這種情況，大仁先生稱之為“不正當的省略”。另外，蔣介石像每個人一樣，也有其喜怒哀樂與主觀之處，他對別人的批評與指責，歷史學家不能不加查證而全盤接受，不能只以他日記中的記載為準。這些意見，對於已經利用蔣介石日記，或準備利用的學者是有啟示意義的。

附表

※ 蔣介石生平簡表

蔣中正，字介石，原名瑞元，學名志清，浙江奉化人，世居武嶺溪口。祖蔣斯千，字玉表。父蔣肇聰，字肅庵，玉泰鹽鋪業主。母王采玉，嵊縣人。

1887年　10月31日（農曆九月十五日）出生於玉泰鹽鋪。

1888年　二歲。由玉泰鹽鋪遷居豐鎬房。

1889年　三歲。姊蔣瑞春出嫁。

1890年　四歲。妹瑞蓮生。

1892年　六歲。入家塾。受業於任介眉。

1893年　七歲。續讀家塾。

1894年　八歲。改從蔣謹藩學，讀《大學》、《中庸》。十月，祖蔣斯千去世，年八十一。

1895年　九歲。七月，父蔣肇聰去世，年五十四。

1896年　十歲。讀《孝經》。

1897年　十一歲。讀《春秋左傳》及唐詩。

1898年　十二歲。讀《詩經》。

1899年　十三歲。從姚宗元讀《尚書》。

1900年　十四歲。從毛鳳英讀《易經》。

1901年　十五歲。與毛福梅結婚。

1902年　十六歲。從毛思誠讀《左傳》。圈點《綱鑒》。

1903年　十七歲。入奉化縣城，應童子試。入鳳麓學堂讀書，接受新式教育。

1904年　十八歲。繼續在鳳麓學堂讀書。

1905年　十九歲。赴寧波。入箭金公學，從顧清廉讀周、秦諸子，初習宋明性理之學。顧授以《孫子兵法》，告以孫中山救國志向，始有出國學習陸軍之念。

1906年　二十歲。一月，就讀奉化龍津中學堂。二月，立志革命，自剪辮髮，託友人寄回家中。四月，東渡日本，自費就讀東京清華學校。始識浙江陳其美（英士），得與在東京的中國革命志士交往。冬末，自日本返鄉。

1907年　二十一歲。夏，赴保定，進入通國陸軍速成學堂學習。有日本教官將中國四萬萬人比作四萬萬微生蟲，起而駁斥，遭訓斥。冬，應考留日陸軍學生。

1908年　二十二歲。三月，以"蔣志清"之名被清廷派赴日本，進入東京振武學校，接受陸軍軍官的預備教育。經陳其美介紹，加入同盟會。讀鄒容《革命軍》，晨夕閱覽。八月，歸國省親。

1909年　二十三歲。繼續在東京振武學校學習。

1910年　二十四歲。三月十八日，長子蔣經國出生。十一月，自振武學校畢業，在同期六十一名學生中名列第五十五。分發至陸軍第十三師團野炮兵第十九聯隊實習，為二等兵，駐紮於日本東北地區的新潟縣高田。同年，在東京初見孫中山，受到賞識。

1911年　二十五歲。六月，晉升為炮兵一等兵。八月，晉升為炮兵伍長。武昌起義。私自脫隊，歸國參加革命，被告發，勒令除隊。[1]奉命進攻浙江，任先鋒隊指揮，進攻浙江巡撫衙門（設於杭州）。返滬，任滬軍第五團團長。

1912年　二十六歲。刺殺陶成章。辭職赴日，創辦《軍聲雜誌》。冬，返國。

1913年　二十七歲。在上海贊襄陳其美討伐袁世凱，進攻江南製造局，未成赴日。歸國加入中華革命黨。

1914年　二十八歲。奉孫中山命，回上海謀起討袁軍，事泄，再次赴日。不久，奉命赴哈爾濱考察東北形勢，上書孫中山，陳述歐戰趨勢及討袁計劃。

1915年　二十九歲。十二月，與陳其美等在上海策動肇和號軍艦起義討袁。

1916年　三十歲。二月，率討袁軍攻克江陰要塞，佔領五日後退出。五月，陳其美在上海遇刺，為之經營喪事，作文哭悼。九月初十，次子蔣緯國出生。其年，孫中山以"教子有方"四字書贈蔣母王采玉。

---

1 《內田大臣致清國駐本邦大使》，明治四十四年十一月十一日。黃自進主編《蔣中正先生留日學習實錄》，中正文教基金會 2001 年版，第 832—838 頁。

1917年 三十一歲。任中華革命軍東北軍參謀長，協助居正在山東起兵討袁。九月，孫中山在廣州組織軍政府，宣導護法。蔣在上海致函，報告對北軍及對福建、浙江作戰計劃，成立“援閩粵軍”。孫中山任命蔣為總統府參軍。

1918年 三十二歲。三月，應孫中山電召赴廣州，任粵軍總司令部作戰科主任。十月，任粵軍第二支隊司令。

1919年 三十三歲。十月，會見孫中山，報告遊學歐美計劃，孫不允。十月二日，自述“革新社會”，須先掃除廓清“資本家與紳耆”及“武人與官僚”。[1]

1920年 三十四歲。七月，與陳果夫等成立茂新公司，從事證券物品交易。十月，奉孫中山命赴粵，參與討桂軍事。

1921年 三十五歲。六月十四日，母王采玉去世，年五十八歲。蔣撰《哭母文》。應孫中山之命赴粵桂，不久，請假回鄉葬母，事畢，決心“一心一意致力革命”[2]。

1922年 三十六歲。六月十六日，陳炯明兵變，孫中山至永豐艦避難，蔣由上海入粵，護孫脫險，著《孫大總統廣州蒙難記》。

1923年 三十七歲。被孫中山任命為大本營參謀長。八月十六日，奉孫命，率孫逸仙博士代表團赴蘇，要求以庫倫為國民黨人的軍事基地，遭拒。期間，閱《馬克思學說》等書。與共產國際領袖爭論。會見托洛茨基。十一月二十九日歸國。

1924年 三十八歲。一月，孫中山在廣州召開中國國民黨第一次全國代表大會。五月三日，被任命為陸軍軍官學校校長，兼粵軍總司令部參謀長。七月，兼任長洲要塞司令。十月，奉孫中山令，平定廣州商團事變。

1925年 三十九歲。二月，率黃埔軍校學生及教導團，會同粵軍東征，討伐陳炯明。三月，孫中山在北京逝世，蔣發表哀告全軍將士書。四月，被任命為黨軍司令官。八月，被任命為國民革命軍第一軍軍長。九月，任東征

---

1 《蔣介石日記》，1919年10月12日。

2 《民國十五年以前之蔣介石先生》卷1。

總指揮，再次東征，統一兩廣。

1926 年　四十歲。在國民黨第二次全國代表大會提出軍事報告，主張北伐，被推為中央常務委員及政治委員。演講稱："聯俄"，目的在"聯合世界革命黨，打倒世界的帝國主義，完成世界革命"。[1] 三月，發動中山艦事件。四月，被推為國民政府軍事委員會主席。六月，被任命為國民革命軍總司令、國民政府委員。七月九日，誓師北伐。

1927 年　四十一歲。四月十二日，發動政變，實行"清黨"，與中共決裂。十八日，在南京建立國民政府。五月，制訂三路北伐計劃。八月，為與武漢國民政府合作，辭職返鄉。九月，赴日。十二月一日，在上海與宋美齡結婚。

1928 年　四十二歲。復任總司令。繼續北伐，克復濟南，日軍製造"濟南慘案"。5 月 10 日，與譚延闓、吳敬恆、張靜江、王正廷等在兗州會議，"決取不抵抗主義，宣告中外"，各軍繞道渡河北伐。[2] 七月，張作霖出京，北伐完成，在北京祭告孫中山。十月，在南京就任國民政府主席。

1929 年　四十三歲。主持國民黨第三次全國代表大會，通過訓政綱領。

1930 年　四十四歲。十一月，在國民黨三屆四中全會上被推為國民政府主席兼行政院長。十二月，在南昌召開"剿匪"會議，發動對"蘇區"的第一次"圍剿"。

1931 年　四十五歲。五月，在南京召開國民會議，通過訓政時期約法。三月，電令何應欽對"蘇區"進行第二次"圍剿"。六月，到南昌組織對"蘇區"的第三次"圍剿"。九月十八日，日軍進攻瀋陽，蔣返回南京。十二月，辭國民政府主席、行政院長等軍政各職。

1932 年　四十六歲。一月二十八日，日軍進攻上海，蔣由杭州返回南京。三月，受任軍事委員會委員長。五月，自任"剿匪"總司令，組織對豫、鄂、皖等省"蘇區"的第四次"圍剿"。

1933 年　四十七歲。二月，成立南昌行營，指揮"剿匪"。三月，日軍攻陷熱河。

---

1 （廣州）《民國日報》，1926 年 1 月 16 日。

2 《蔣介石日記》，1928 年 5 月 10 日。

五月，指示國民黨部隊的責任，“在安內與攘外”。七月，設立廬山軍官訓練團。九月，進行對“蘇區”的第五次“圍剿”。十二月，福建事變發生，指揮對陳銘樞等事變部隊的進攻。

1934年　四十八歲。二月，在南昌發起新生活運動，提倡禮義廉恥。十二月，紅軍長征，派參謀團入川，督促對紅軍的堵截。

1935年　四十九歲。十一月，在國民黨五全大會上聲稱：“和平未至絕望時期，決不放棄和平；犧牲未至最後關頭，決不輕言犧牲。”十二月，兼任行政院長。

1936年　五十歲。十二月十二日，西安事變，被拘半月後獲釋，返回南京。

1937年　五十一歲。一月，發表《西安半月記》。四月，蔣經國自蘇聯回國。七月七日，日軍炮轟盧溝橋，發表《廬山談話》，聲言：“如果戰端一開，那就是地無分南北，年無分老幼，無論何人，皆有守土抗戰之責任，皆應抱定犧牲一切之決心。”八月十三日，日軍進攻上海。十二月，南京失陷，遷都重慶。

1938年　五十二歲。一月，辭去行政院長職務。四月，在國民黨臨時全國代表大會上被推為總裁。通過抗戰建國綱領。七月，成立三民主義青年團，兼任團長。

1939年　五十三歲。一月，國民黨五屆五中全會組織國防最高委員會，任委員長。九月，兼任四川省主席。十一月，兼行政院長。

1940年　五十四歲。三月，汪精衛在南京成立偽國民政府，發表《為日汪密約告全國軍民書》等文件。

1941年　五十五歲。一月，製造“皖南事變”，下令取締新四軍番號。十二月八日，太平洋戰爭爆發，對日、德、意宣戰。

1942年　五十六歲。一月，與美、英、荷等二十六國簽訂反侵略共同宣言，就任盟軍中國戰區最高統帥。二月，偕宋美齡等訪問印度，與甘地會談，促成其共同抗日，勸說英國於戰後允許印度獨立。三月，赴緬甸，視察中國遠征軍。八月，飛西北巡視，對蘭州各界講《開發西北的方針》。十月十日，向全國宣佈：美英自動廢除在華的不平等條約。

1943 年　五十七歲。一月，中美、中英平等新約締結，發表《告全國軍民書》。二月二十六日，對泰國軍民廣播，必定助泰恢復自主。三月，發表《中國之命運》。十月，就任國民政府主席。十一月二十二日，與宋美齡等赴開羅，與羅斯福、邱吉爾會晤，確定日本必須將東北及台灣、澎湖歸還中國，允許朝鮮自由獨立。發表《開羅宣言》。

1944 年　五十八歲。中美英蘇四國發起並同時公佈《聯合國組織草案》。

1945 年　五十九歲。五月，國民黨召開第六次全國代表大會，被選連任總裁。六月，從美國駐華大使赫爾利處得知雅爾達會議關於中國的秘密協議。八月十四日，日本天皇宣佈無條件投降。十五日，發表《抗戰勝利告全國軍民及世界人士書》。中蘇同盟條約簽字。八月二十八日，毛澤東應邀，率中共代表團到達重慶，與國民黨談判，經四十三天，達成《雙十協定》。毛澤東離去後，蔣在日記中稱其"硬軟不定，綿裏藏針"，然覺其"終不能跳出此掌一握也"。

1946 年　六十歲。一月，在重慶主持政治協商會議。五月，還都南京。自七月十八日至九月中旬，美國總統特使馬歇爾八上廬山，向蔣介石說明，內戰將導致"共產黨控制全中國"。十二月，制憲國民大會通過《中華民國憲法》。

1947 年　六十一歲。通過"實施全國總動員，戡平共匪叛亂總方案"，將中共及其軍隊作為"戡平"對象。

1948 年　六十二歲。四月，召開第一屆國民大會，被選為總統。十一月八日，徐蚌會戰（淮海戰役）開始。

1949 年　六十三歲。一月二十一日，宣佈"引退"。五月，自上海至舟山，至馬公，再至台北。七月十日，應菲律賓總統季里諾之邀訪菲。十六日，成立中國國民黨非常委員會，任主席，提出黨的改造案。八月，應韓國大統領李承晚之邀訪韓。九月，發表《為本黨改造告全黨同志書》。十月，在台北成立革命實踐院。十二月，"國民政府"遷移台北辦公。

1950 年　六十四歲。三月，宣佈復行視事，執行"總統"職權。八月，成立中國國民黨改造委員會。

1951年　六十五歲。一月，台灣省各縣市議員選舉完成。五月，“立法院”通過《三七五減租條例》，“行政院”通過《台灣省放領公地扶植自耕農辦法》。十月，指示將台灣省建設為三民主義模範省。

1952年　六十六歲。一月元旦，發表《告全國軍民同胞書》，號召推行社會、經濟、文化、政治四大改造，貫徹“反共抗俄”總動員。十月，在中國國民黨第七次“全國”代表大會上，被推連任總裁。

1953年　六十七歲。四月，“行政院”宣佈開始實行第一期四年經濟建設計劃，命令公佈《貫徹耕者有其田條例》。二月，明令廢除《中蘇友好同盟條約》及其附件。十一月十四日，發表《民生主義育樂兩篇補述》。

1954年　六十八歲。三月，在“國民大會”第二次會議上被選舉為“行憲後第二任總統”，陳誠為“副總統”。十一月，成立“光復大陸設計委員會”。

1955年　六十九歲。三月，與美國簽訂的《中美共同防禦條約》生效。七月，石門水庫建設籌備委員會成立。

1956年　七十歲。三月十六日，會見到台灣訪問的美國國務卿杜勒斯。七月七日，橫貫台灣省東西的公路開工。

1957年　七十一歲。六月十日，《蘇俄在中國》出版。十月二十日，在國民黨第八次“全國”代表大會上通過連任總裁。

1958年　七十二歲。八月二十三日，中國人民解放軍炮擊金門，雙方展開炮戰，達四十四天之久。

1959年　七十三歲。一月，成立“國家”長期科學發展委員會。八月，陸軍飛彈營開始使用飛彈裝備。十二月，會見到台訪問的日本前首相吉田茂。第四次修改《科學的學庸》。

1960年　七十四歲。四月十日，成立孔孟學會。五月九日，台灣橫貫公路正式通車。六月十八日，與訪台的美國總統艾森豪威爾會談，發表聯合公報。

1961年　七十五歲。四月，台灣第一座原子爐開始使用。十月，紀念中華民國開國五十週年，發表文告，以民主、倫理、科學為指標。

1962年　七十六歲。十一月，軍方自製T2x型火箭發射成功。十二月，將十二月二十五日定為行憲紀念日。

1963 年　七十七歲。舉行黨員總登記宣誓，手書誓約。十一月二十一日，在中國國民黨第九次“全國”代表大會上被推舉連任總裁。

1964 年　七十八歲。“立法院”通過《都市平均地權條例》。六月，石門水庫竣工。七月，實行都市平均地權，公告地價，以增收的地價稅作為推行民生主義社會福利政策的財源。

1965 年　七十九歲。一月，以蔣經國為“國防部”部長。十月，曾文水庫開工。十一月十二日，主持國父紀念館奠基典禮。

1966 年　八十歲。三月，“國民大會”選舉第四任“總統”，連任。十一月十二日，主持陽明山中山樓中華文化堂落成。定孫中山誕辰為中華文化復興節。

1967 年　八十一歲。七月，中華文化復興運動推行委員會成立，被邀請為委員長。

1968 年　八十二歲。一月，台灣政府撥款新台幣一百二十億元，作為十年“國家”科學技術研究發展計劃經費。九月九日，九年“國民”教育正式實施。為各“國民”中學開學典禮頒發錄音訓詞。

1969 年　八十三歲。四月八日，在國民黨第十次“全國”代表大會上被推選連任總裁。

1970 年　八十四歲。七月，核定《復國建國教育綱領》。八月，對第五次“全國”教育會議指示教育工作重點。

1971 年　八十五歲。為退出聯合國發表《告“全國”同胞書》。

1972 年　八十六歲。三月二十一日，在“國民大會”第五次會議上當選第五任“總統”，嚴家淦為“副總統”。八月六日，移入榮民總醫院療養。

1973 年　八十七歲。十二月二十二日，自榮民總醫院返士林官邸休養。

1974 年　八十八歲。六月，黃埔軍校五十週年，發表訓詞。十一月，中國國民黨建黨八十週年，發表紀念詞。十二月二十七日，攝護腺炎復發。

1975 年　八十九歲。三月二十九日，預立遺囑。四月五日，突發心臟病，夜十一時五十分去世。四月十六日，將遺體安置於慈湖。

（據中國國民黨黨史委員會編《蔣公大事年表》精簡、補充、改寫）

策劃編輯　李　斌
責任編輯　龍　田
裝幀設計　a_kun
書籍排版　楊　錄

找尋真實的蔣介石：

蔣介石及其日記解讀（五卷本）

台灣年代及其婚姻、家庭

著　　者　楊天石
出　　版　三聯書店（香港）有限公司
　　　　　香港北角英皇道 499 號北角工業大廈 20 樓
　　　　　Joint Publishing (H.K.) Co., Ltd.
　　　　　20/F., North Point Industrial Building,
　　　　　499 King's Road, North Point, Hong Kong
香港發行　香港聯合書刊物流有限公司
　　　　　香港新界荃灣德士古道 220–248 號 16 樓
版　　次　2022 年 6 月香港第一版第一次印刷
　　　　　2024 年 6 月香港第一版第三次印刷
規　　格　16 開（170 × 230 mm）624 面
國際書號　ISBN 978-962-04-4980-2（平裝套裝）
　　　　　ISBN 978-962-04-5005-1（精裝套裝）
　　　　　ISBN 978-962-04-4985-7（第五卷）